한길 김승곤 전집
09

국어굴곡법

저자 **김승곤**

- 한글학회 회장 및 재단이사 역임
- 건국대학교 문과대학 국어국문학과, 대학원 졸업
- 건국대학교 인문과학대학장, 문과대학장, 총무처장, 부총장 역임
- 문화체육부 국어심의회 한글분과위원 역임
- 주요저서:『관형격조사 '의'의 통어적 의미분석』(2007), 『21세기 우리말 때매김 연구』
  (2008), 『21세기 국어 토씨 연구』(2009), 『국어통어론』(2010), 『문법적으로
  쉽게 풀어 쓴 논어』(2010), 『문법적으로 쉽게 풀어 쓴 향가』(2013), 『국어
  조사의 어원과 변천 연구』(2014), 『21세기 국어형태론』(2015), 『국어 부사
  분류』(2017), 『국어 형용사 분류』(2018) 등

한길 김승곤 전집 **09**

국어굴곡법

© 김승곤, 2018

1판 1쇄 인쇄_2018년 09월 10일
1판 1쇄 발행_2018년 09월 20일

지은이_김승곤
펴낸이_홍정표

펴낸곳_글로벌콘텐츠
　　　등　록_제25100-2008-24호

공급처_(주)글로벌콘텐츠출판그룹
　　　대표_홍정표　　이사_양정섭　　편집디자인_김미미　　기획·마케팅_노경민
　　　주소_서울특별시 강동구 풍성로 87-6(성내동) 글로벌콘텐츠
　　　전화_02) 488-3280　팩스_02) 488-3281
　　　홈페이지_http://www.gcbook.co.kr
　　　이메일_edit@gcbook.co.kr

값 44,000원
ISBN 979-11-5852-203-2 93710

간행사

글쓴이는 이번에 문집을 내기로 했다. 그 까닭은 다음과 같다.

재직 시에 낸 책은 ① 한국어 조사의 통시적 연구, ② 음성학, ③ 21세기 국어형태론(이것은 재직 시에 낸 '나라말본'을 개정하여 2015년에 간행하였음), ④ 한국어의 기원 등 네 권이었으나, 정년 후에 더 연구하여 보니까 여러 가지로 미흡한 데가 많아 다음과 같은 저서를 간행하게 되었다.

1. 국어형태론
2. 국어통어론
3. 국어 조사 연구
4. 국어 조사의 어원과 변천 연구
5. 조사 '이/가'와 '은/는' 연구
6. 관형격조사 '의'의 통어적 의미 분석
7. 국어 부사 분류
8. 국어 형용사 분류
9. 국어굴곡법(국어 연결어미 연구, 국어 의향범 연구, 국어 때매김 연구)
10. 국어의 의존명사 대명사 관형사 감탄사 연구(국어 의존명사

연구, 국어의 대명사 관형사 감탄사 연구)

11. 음성학
12. 한국어의 기원
13. 문법적으로 쉽게 풀어 쓴 논어
14. 문법적으로 쉽게 풀어 쓴 대학 중용 향가(문법적으로 쉽게 풀어 쓴 대학 중용, 문법적으로 쉽게 풀어 쓴 향가)
15. 새롭게 연구한 국어학 연구논문집

등 도합 19권이다.

이 모든 책 중『문법적으로 쉽게 풀어 쓴 논어』,『문법적으로 쉽게 풀러 쓴 대학 중용』,『문법적으로 쉽게 풀어 쓴 향가』를 제외한 16권은 국어의 모든 분야에 걸친 연구 서적이므로 이들을 한데 묶어 놓으면 국어 연구에 편람서 구실을 할 것 같아 모두 엮어서 문집으로 한 것이다. 다만 동사는 빠졌는데 양이 너무 많고 분류도 쉽지 않기 때문이다.

미흡할지 모르겠으나, 나의 일생을 통한 국어학 연구서 묶음이니 읽어 보면 연구하는 데 도움이 될 것이다.

2018년 08월
지은이 김승곤 씀

한길 김승곤 전집

국어 연결어미 연구

나랏말쓰미
異잉乎뽕中듕
國귁에야
異잉乎뽕新는다아롤씨
그에호노겨체쁘는 異잉乎뽕는
오로울黃홍帝똉겨신나랏字쫑ㅣ라라中듕國귁
믈와 부리 라히니우리나國귁
밖

국어 연결어미 연구

김승곤 지음

글모아출판

머리말

　우리 국어형태론의 연구는 모든 영역에 걸쳐서 단편적인 자료를 가지고는 완전한 체계를 세운다거나 연구할 수 없다. 그런 까닭에 지은이는 한글학회에서 낸 『우리말사전』에서 연결어미를 모두 통계 내어보니 그 수가 아주 많았다. 그래서 그 어미들 하나하나가 나타내는 뜻과 통어상의 구실을 살펴서 분류하기로 하였다.

　사실 지은이는 일찍이 『국어형태론』을 간행한 일이 있으나, 거기에 같이 수록하고자 하여 보니 연결어미의 수가 너무 많을 뿐만 아니라 일일이 분석하기에는 지면이 너무 늘어나므로 부득이 『국어 연결어미 연구』라는 제목으로 하여 이 책을 간행하게 되었다. 사실 요즈음 신문이나 여러 글들을 보면 새로운 연결어미가 더러 나타나기도 하지만, 그것들을 모두 모아 작업을 하려면 시간이 너무 오래 걸리기 때문에 사전의 것만 정리해도 거의 모든 어미가 다 망라되었으리라 생각하고 용기를 내었다.

　다만, 편의상의 이유로 연결어미의 분류체계는 허웅 교수를 따르기로 하였다. 여러 가지 미흡한 데가 있을 것이지만, 읽은이 여러분의 이해를 바란다.

　끝으로 출판계가 어려운 데도 매이지 아니하고 이 책을 출간하여 주신 (주)글로벌콘텐츠출판그룹의 양정섭 이사님께 깊이깊이 감사하다는 인사 말씀을 드린다. 또한 정성들여 편집작업을 해준 출판사 편집부에도 감사의 인사를 드린다.

2018년 6월
지은이 삼가 씀

차례

머리말 _____ 4

제1장 들어가는 말 _____ 9

제2장 연결어미 연구 _____ 17

1. [딸림] 앞 절이 뒷 절에 대해서 종속성이 강한 것 ························ 18
    1.1. 종결절에 대하여 구속력이 강한 연결어미 ····························· 18
        1.1.1. 반드시 종결절을 구속하는 필연적 연결어미 ____ 18
            이유법 ____ 19
            가정법 ____ 37
            필요법 ____ 47
            비교법 ____ 52
            의도법 ____ 56
        1.1.2. 뒤집음으로 종결절을 요구하는 연결어미 ____ 75
            양보법 ____ 76
            불구법 ____ 97
    1.2. 연결어미의 뜻에 상응하나 자유스럽게 쓰이는 연결어미 ············· 113
            설명법 ____ 114
            중단법 ____ 149
            지정법 ____ 152
            겸함법 ____ 155

습관법 ____ 156

명령법 ____ 157

추정의문법 ____ 160

완료수식법 ____ 172

경고법 ____ 179

반복법 ____ 180

첨가법 ____ 182

더해감법 ____ 189

미침법 ____ 190

연발법 ____ 191

조건법 ____ 192

2. [맞섬] 앞마디가 뒷마디에 대하여 독립성이 강한 것 ·················· 200

선택법 ____ 200

나열법 ____ 209

3. 연결어를 만드는 연결어미 ······································· 219

3.1. 연결어미에 뜻이 없는 것 ······································· 219

3.1.1. 완료, 상태 ____ 219

3.1.2. 섬김 ____ 220

3.1.3. 이루어짐 ____ 221

3.1.4. 가능 ____ 221

3.1.5. 해보기 ____ 221

3.1.6. 힘줌 ____ 221

3.1.7. 지움 ____ 222

3.1.8. 때 ____ 222

3.1.9. 바람 ____ 223

3.2. 연결어미에 뜻이 있는 것 ······································· 223

3.2.1. 분명한 뜻을 가진 연결어미에 '하다' '들다'가 이어지는 것 ____ 223

3.2.2. 힘줌을 나타내는 것. ____ 224

3.3. 되풀되는 연결어미에 '하다'가 이어짐 ······························· 225

제3장 맺음말 ········ 227

1. [딸림] 앞 절이 뒷 절에 대해 종속성이 강한 것 ······················ 229

1.1. 종결절에 대하여 구속력이 강한 연결어미 ······················ 229

    1.1.1. 반드시 종결절을 구속하는 연결어미 ____ 229
    1.1.2. 뒤집음으로 종결문장을 요구하는 연결어미 ____ 230
  1.2. 자유스럽게 쓰이는 연결어미 ……………………………………… 230
2. [맞섬] 앞 말이 뒷 말에 대하여 독립성이 강한 것 ………………… 232
3. 연결어를 만드는 어미 …………………………………………………… 233
  3.1. 연결어미에 뜻이 없는 것 …………………………………………… 233
  3.2. 연결어미에 뜻이 있는 것 …………………………………………… 234
  3.3. 되풀이되는 연결어미에 '하다'가 이어짐 ………………………… 234

참고문헌 _____ 237

제**1**장

들어가는 말

우리 문법에서 연결어미에 대한 연구가 제대로 된 문법책은 최현배 선생의 '우리말본'과 허웅 선생의 '형태론'이다. 이 두 책 이외에 부분적인 연구 서적이 있기는 하지만, 만족할 만한 연구가 없어 평소에 전반적인 연구가 필요함을 절실히 느껴왔던 글쓴이는 오랜 시간에 걸쳐 문학작품과 일간신문, 논설문, 전기 등을 대상으로 통계를 내어보니 어떠한 분들의 저서에서도 찾아볼 수 없는 많은 연결어미들이 나타났다. 그 분류도 통어론과의 관계를 고려하여 의미 중심으로 하기도 하고, 구실 중심으로 하기도 하였다.

　위의 두 선생님의 분류를 보면, 먼저 '우리말본'에서는 매는 어미에 거짓잡기(가정), 참일(사실), 꼭 소용(필요)의 네 가지가 있다고 하였는데, 이는 의미면·기능면에서 그 뒤에 오는 종결절에는 이들 뜻에 알맞은 문장이 와야 함을 나타낸 분류이다. 그리고 놓는꼴(방임형)에는 접어두기(양보), 참일, 미뤄잡기(추정)의 셋을 인정하였고, 벌림꼴(나열형)에는 때벌림(시간적 나열), 얼안벌림(공간적 나열)의 둘을 인정하였다. 그리고 풀이꼴(설명형), 견줌꼴(비교형), 더보탬꼴(첨가형), 더해감꼴(익심형), 뜻함꼴(의도형), 목적꼴, 미침꼴(도급형), 되풀이꼴(반복형) 등은 의미에 따른 분류로 보아진다. 이들 중에는 기능면으로 보아서 나눈 듯한 것도 있다. 허웅 선생은 연결어미를 다음에 이어지는 뒷 절과의 통어적 관계에 따라 '딸림'과 '맞섬'으로 나누고 이를 다시 다음과 같이 나누었다.

```
딸림 ┬ 제약 강함 ┬ 마땅한 법
     │          └ 뒤집음법
     └ 제약 약함 ── 풀이법
맞섬 ┬ 가림법
     └ 벌임법
```

위의 여러 갈래에 속하는 어미는 다음과 같다.

1. 딸림—제약 강함—마땅한 법

① 사실
-으니, -으니까(는/ㄴ) -으므로, -으매
어서, -어, -은즉(슨) -관대 -을새
기(에/로)길래. -은지라/는지라

② 가정
-으면, -라면/라면/-ㄴ(는)다면, -자면
-노라면, -느라면, -을라치면
-으랑이면, -거드면(은)-으량이면
거드면(은), -을것같으면

-거든(건/거들랑/걸라, -을진대, -단들/란들

③ 반드시
-어야/라야, -어야지/라야지, -을지니

④ 견줌
-거든(거온), -_려(고), -자(고), -노라고, -느라고, -으러

2. 딸림—제약 강함—뒤집음법

① 현실(사실, 참일)
-지마는/지만, -건마는/언마는, -은데도/는데도
-으나, -으나마, -으니까(는/ㄴ)
-기로(니), -기로서(니), -기로선들, -로니, -을지니, -지, -거늘

② 현실과 가상
어도/라도, -을망정, -얼지언정, -을지라도
-더라도, -은들, -어야, -었자

3. 딸림—제약 약함—풀이법

-은데/는데, -은바/는바, -은지/는지
-을지/을런지/을는지, -의되/로되, -을새
-기를/길 -더니(만/마는), -을러니
-나니, -노니, -노라니, -느라니

-으려니(까) -자니(까), -거니와/어니와

-으려니와, -건대(는), -거니/어니, -을세라, -거든, -을 작시면

4. 맞섬—가림법

-든지 …(든지), -든가, …(든가)

-든 …든, -거나 …(거나), -건 …(건), -으나 …(으나)

5. 맞섬—나열법

① 앞 절에서 여러 일이 차례가 있게 맞서면서 되풀이된다.

-고/오, -고서, -어, -어서, -으며, -으면서

-을뿐더러, 자(마자), -다(가)

② 앞 절에서 여러 일이 차례 없이 맞서면서 되풀이된다.

-으며 …으며, -으명 …으명

-고 …고, -으랴 …으랴, 다(가) …다(가)

-으니 …으니/느니, -거니 …거니

이상에서 보면 연결어미가 백 개로 설명되어 있으나 '형태론' 970 ~974쪽에서는 모두 헤아려서 129개로 되었다고 설명되어 있는데, 이에는 옛말스러운 것도 있고, 어쩌면 지금 현대에 있어서 잘 쓰이지 않는즉, 극히 드물게 쓰이는 듯한 것도 있다. 글쓴이는 현대 실제로 많이 쓰이고 있는 것을 통계에 의하여 얻어내어 그것을 중심으로 연결어미를 분류하여 다루되, 한 가지 어미가 문맥에 따라서 나

타내는 여러 뜻을 자세히 분류하며 설명하여 갈 것이다.

그런데 허웅 선생도 '형태론' 785쪽에서 말하고 있듯이 "한 씨끝은 한 유형에 속해야 하나, 이 원칙은 지켜지는 것은 아니다"라고 하고 있듯이, 연결어미의 분류는 첫째 체계를 세워야 하고 다음은 뜻과 구실에 따라 나누어야 하지만, 그것은 그리 쉬운 일이 아니다.

이 글에서는 연결어미의 큰 분류체계는 허웅 선생의 체계를 따르되, 그 하위 범주는 뜻과 구실에 따라 글쓴이 나름대로 자세히 분류하여 설명하여 갈 것이다.

그런데 여기에 덧붙여 둘 것은 글쓴이가 지은 『현대 국어 통어론』에서 '이음겹월'의 분류를 연결어미의 뜻에 따라 ① 조건월, ② 인과관계월, ③ 양보월, ④ 벌임월, ⑤풀이월, ⑥ 견줌월, ⑦ 선택월, ⑧ 더보탬월, ⑨ 어찌월, ⑩ 뜻함월, ⑪ 추정월, ⑫ 중단월, ⑬ 잇달음월 등 열셋으로 나누어 논한 적이 있는데, 이는 영어와 일본어의 통어론에서 볼 때, 우리말의 통어론에서도 위와 같이 분류할 수 있지는 않을까 생각되어 시도한 것인데 충분히 분류할 수 있을 것으로 보인다.

이제 글쓴이 나름의 연결어미의 분류를 시도하기 위하여 짜임새에 의한 문장의 종류를 먼저 알아봐야 하겠다. 왜냐하면 그렇게 하여야 연결어미의 분류 체계를 세울 수 있기 때문이다.

'우리말본'(827쪽 이하)에 따르면 겹월(복문)을 가진월(포유문, 유속문), 벌임월(병열문), 이은월(연합문)의 셋으로 나누어, 포유문은 절이 문장의 성분이 되는 문장이라 하였고, 병열문은 둘 이상의 앞선 절을 편의상 형식적으로 벌이어서 한 덩이로 만든 문장이라 하고, 앞선 절의 서술어는 이음법의 나열형을 가지고 뒷 절에 잇는다고 하면서 다음과 같은 예를 들었다.

(1) ㄱ. 산은 높고 물은 맑다.

　 ㄴ. 순(舜)은 누구이며 나는 누구이냐?

　 ㄷ. 뜨거운 것은 나의 가슴이요 붉은 것은 나의 마음이요 깨끗한 것은
　　 나의 절조이외다.

위의 보기로 미루어 보면 병열문은 연결어미 「-고, -이며, -이요」로 이루어지는 연결절과 종결절로 되는 문장을 말한 것인데, 「-잡이」에서는 병열문은 나열형으로 된 대립절끼리가 벌어져서 된 것이라 하였다. 그리고 연합문은 연결절이 나열형 밖의 이음법으로 된 문장이라 하였다.

여기에서는 글쓴이 나름대로 연결어미를 다음에 이어지는 뒷 절과의 통어적 관계에 따라 '딸림'과 '맞섬'으로 나눈다.

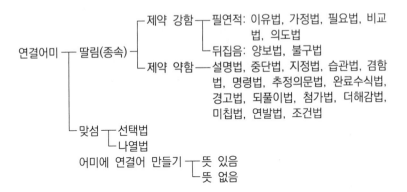

(2)에서 보면 이 분류는 허웅 선생의 체계로 되었는데, 실제로 작업을 하면서 보니까 애매하게 다루어진 데도 있고, 어떤 경우에는 문장의 짜임새에 따라 한 가지 연결어미가 두 군데로 나누어야 할 경우도 있어 아주 어려웠던 점이 많았다.

그래서 (2)에서 보는 바대로 하위 분류에 있어서 그 갈래가 아주 많아지게 되었다. 말은 뜻을 전달하기 위해서 하는 것이므로 다소 복잡하고 갈래가 많아도 그렇게 나누지 않으면 안 될 것 같아 다소 복잡하게 되었음을 밝혀둔다.

제**2**장

연결어미 연구

1. [딸림] 앞 절이 뒷 절에 대해서 종속성이 강한 것

1.1. 종결절에 대하여 구속력이 강한 연결어미

이에는 종결절이 연결어미에 의하여 어떤 구속을 받는 종속성을 띠는 것이 있는데, 이를 세분화하여 보면, 연결어미에 의하여 반드시 와야 하는 종결절을 요구하는 연결어미와 뒤집음으로 종결절을 요구하는 연결어미의 둘이 있다.

1.1.1. 반드시 종결절을 구속하는 필연적 연결어미

이에는 이유법, 가정법, 필요법, 비교법, 의도법 등이 있다.

◆ 이유법

이에는 「-거늘」, 「-건대」, 「-기로」, 「-기로서니」, 「-기로선들」, 「-기에」, 「-길래」, 「-는다니까」, 「-는다니」, 「-는지라」, 「-니까」, 「-니」, 「-라서」, 「-어서/아서」, 「-매」, 「-므로」, 「-을려기에」, 「-은즉」, 「-을새」, 「-을지니」 등이 있는데, 여기에서는 이유는 물론 원인도 함께 포함시켜서 설명할 것이다.

1. 「-거늘-」

이 어미는 보기에 따라서는 이유가 아닌 것으로 느껴질 수 있으나 이유를 나타내는 어미이다.

(1) ㄱ. 날이 이미 늦었거늘 주막에 들기로 하였다.

　　ㄴ. 더우면 꽃이 피고 추우면 잎지거늘 솔아 너는 어찌하여 눈 서리를 모르느냐?

　　ㄷ. 어떤 사람이 지나가거늘 물으니 서울에 사는 이름 있는 부자였다.

　　ㄹ. 비가 오거늘 좀 있다가 가거라.(가자)

　　ㅁ. 꽃이 너무 아름답거늘 정신없이 한참동안 구경하였다.

　　ㅂ. 이것이 보물이거늘 조심조심 다루어라.

(1ㄱ~ㅂ)을 보면 서술어 제약, 의향법 제약, 주어 제약은 없으나 비종결어미는 「-시-」, 「-었-」이 쓰일 수 있고 「-겠-」은 문맥에 따라 쓰일 수 있으며 「-리-」는 쓰일 수 없다.

2. 「-건대」

이 어미는 까닭은 물론 조건도 나타내는 것으로 보아진다.

(1) ㄱ. 내가 듣<u>건대</u>, 그는 곧 돌아온다 하더라.

ㄴ. 내가 생가하<u>건대</u>, 너는 잘못이 없다.

ㄷ. 네가 어찌 하였<u>건대</u> 그가 화를 내느냐?

ㄹ. 그 길이 너무나 험하<u>건대</u> 다른 길로 돌아왔다.

ㅁ. 그것이 무엇이<u>건대</u> 그렇게 가지고 싶어하냐?

이 어미는 모든 서술어에 다 쓰이며 주어 제약은 없으나, 의향법은 서술법과 의문법이 가능하고 명령형과 권유법은 어려울 것 같다.

(2) ㄱ. 선생님이 교실에 계시건대 나는 들어가지 못하였다.

ㄴ. 그가 잘못을 하였건대, 나는 조용히 주의를 주었다.

(2ㄱ, ㄴ)을 보면 비종결어미는 「-시-」, 「-었-」이 쓰인다.

3. 「-기로-」

이 어미는 어미 「-기-」에 조사 「-로」가 붙어서 이루어진 것인데, 「-로」가 본래 이유나 원인 또는 소지를 나타내는 뜻을 가지고 있으므로, 「-기로」가 이유나 원인을 나타내는 연결어미가 되었다.

(1) ㄱ. 일이 잘 안 되겠<u>기로</u> 그냥 와 버렸다.

ㄴ. 걸음을 잘 걷<u>기로</u> 자동차를 따를 수 있나?

ㄷ. 하도 힘이 들<u>기로</u> 도중에서 좀 쉬었다.

ㄹ. 그는 공부를 잘 하<u>기로</u> 소문이 났다.

ㅁ. 개가 이것을 먹<u>었기로</u> 그리도 때리면 되겠느냐?

ㅂ. 비가 <u>오겠기로</u> 빨리 왔다.

(1ㄱ)은 이유 또는 원인을 추정하여 나타내고 있으며 (1ㄴ)의 「-기로」는 '인정' 또는 걸음을 잘 걷는다는 '사실'을 나타내는 것으로도 볼 수 있겠다. 이유나 원인은 절대로 안다. 이와 같이 문맥에 따라서 한 가지 어미도 여러 가지 뜻으로 쓰이는 것이 특이하다. (1ㄷ)의 「-기로-」는 이유로 볼 수 있겠고 (1ㄹ)도 (1ㄷ)과 같이 볼 수 있겠다. 그러나 (1ㅁ)은 「먹었다고 해서」의 뜻으로 이해되며 (1ㅂ)의 「오겠기로」는 (1ㄱ)과 같이 「-겠-」 때문에 추량의 이유로 보아진다. 「-기로」로 이어지는 종결절은 어떤 의향법으로 되는가를 알아보기로 하겠다.

(2) ㄱ. 비가 <u>오기로</u> 집에 가거라.

ㄴ. 그는 성적이 뛰어나<u>기로</u> 상을 주어라.

ㄷ. 그가 훌륭하<u>기로</u> 우리 회사에 채용하자.

ㄹ. 눈이 오<u>기로</u> 길이 미끄러우냐?

ㅁ. 뛰니까, 숨이 차<u>기로</u> 천천히 걸어왔다.

ㅂ. 비가 오<u>겠기로</u> 빨리 왔다.

(2ㄱ~ㄴ)의 종결절은 명령형으로 끝났고 (2ㄷ)은 권유법으로 끝나 있으며 (2ㄹ)은 의문법으로 되어 있는데, 좀 이상한 느낌이 든다. 일반적으로 (2ㅁ)과 같이 종결절이 서술법으로 되는 경우는 통계에 가끔 보이나 그 이외는 잘 보이지 않는다. 그러나 (1ㄴ, ㅁ)과 같이

「-기로-」가 '사실'을 나타낼 때는 종결절의 의향법이 의문법으로 쓰일 수 있다. 그런데 「-기로」 앞에 비종결어미 「-었-/-겠-」이 쓰일 수 있다.

(3) ㄱ. 경복궁 근정전 앞에서 만나<u>기로</u> 했어.

　ㄴ. 나는 내일 집에 가<u>기로</u> 했다.

　ㄷ. 그는 이 일을 해내<u>기로</u> 결심하였다.

(3ㄱ, ㄴ, ㄷ)의 「-기로」는 명사어미 「-기」에 조사 「-로」가 와서 된 것으로 이유·원인의 「-기로」와는 다르니 주의하기 바란다.

위의 「-기로」는 사실의 설명 또는 약정 등의 뜻을 나타내는 것으로 보인다.

4. 「-기로서니」

이 어미는 「-기로」에 「-서니」가 합하여 된 것인데, 「-서-」는 완료를 나타내고 「-니-」는 「-니까」의 「-까-」가 준 형태로 보인다. 그러므로 「-기로서니」는 완료이유나 완료원인으로 볼 수 있겠다.

(1) ㄱ. 그가 조금 잘못했기로서니, 그리 야단을 쳐서 되겠느냐?

　ㄴ. 바둑을 한 판 졌기로서니 그렇게 성을 낼 거야 있나?

　　(『우리말사전』 319쪽에서 따옴)

　ㄷ. 아무리 시골이기로서니 서점이 없겠나? (위와 같음)

『우리말사전』에 따르면 「-기로」의 강조어로 되어 있다. 이 어미는 종결절의 의향법이 의문법으로만 되어야 하는 것 같다. 앞의 「-

기로」와 「-기로서니」는 동사, 형용사, 지정사의 구별 없이 두루 쓰인다. 그리고 「-기로서니」 앞에는 「-었-」이 쓰일 수 있고 또 「-었겠-」이 쓰일 수 있다.

5. 「-기로선들-」

『우리말사전』에는 「-기로서니」의 강조어라 풀이되어 있으나, 글쓴이가 보기에는 「-기로서니」의 「-니」가 줄어서 「-기로선」이 되고 여기에 양보를 나타내는 어미 「-한들」의 「-들」이 와서 이루어진 것으로 보인다.

(1) ㄱ. 좀 나무랏기로선들 그렇게 기분이 나쁜가?
    ㄴ. 물건이 좋기로선들 그렇게 비싼가?
    ㄷ. 그가 가난한 사람이기로선들 그런 짓을 했겠나?

위에서 보는 바와 같이 「-기로선들」 동사·형용사·지정사에 두루 쓰이는데, 종결절의 의향법은 의문법이 쓰이는 것 같다. 따라서 「-기로/-기로서니/-기로선들」은 종결절에 대하여 상당한 구속력을 가지고 있음을 알 수 있다. 이 어미 앞에는 비종결어미 「-었-겠-/-었겠-」 등이 쓰일 수 있다.

6. 「-기에-」

이 어미는 명사법의 「-기」에 조사 「-에」가 와서 이루어진 것인데, 「-에」는 문맥에 따라 '까닭'을 나타내므로 이것이 작용하여 「-기에」가 이유나 원인을 나타내는 어미가 되었다.

(1) ㄱ. 그는 야당 대통령 후보가 되었<u>기에</u> 이미 반쯤의 권력을 쥔 것이다.

　　ㄴ. 도시에서 살<u>기에</u> 자주 볼 수 없는 오빠가 텔레비전에 출현한다 해서…

　　ㄷ. 되돌릴 수 없는 시간이<u>기에</u> 새의 초록빛 계절을 만끽하는 젊음은 아름답다.

　　ㄹ. 명절이<u>기에</u> 하루 종일 쉴 틈이 없다.

　　ㅁ. 이처럼 개인적으로 성공을 추구해 왔<u>기에</u> 한국인은 튄다.

　　ㅂ. 설악산이 아름답<u>기에</u> 손님들을 모시고 관광을 갔다.

　　ㅅ. 그녀는 너무 예뻤<u>기에</u> 임금님의 사랑을 독차지하였다.

　　ㅇ. 너는 무엇을 하<u>기에</u> 매일 그리도 바쁘냐?

　　ㅈ. 너는 얼마나 잘났<u>기에</u> 그리도 도도하냐?

(1ㄱ~ㅈ)에서 보면, 「-기에」가 이유법으로 쓰일 때, 주어에는 1·2·3인칭이 다 올 수 있고 「-기에」 앞에는 비종결어미 「-었-/-겠-」이 쓰일 수 있으며 「-기에」가 붙는 용언에는 동사·형용사·지정사들이 다 해당된다. 그리고 종결절의 의향법에는 서술법과 의문법이 주로 쓰이고 명령형과 권유법은 드물게 쓰이는 것 같다.

왜냐하면 통계에 잘 나타나지 않기 때문이다.

(2) ㄱ. 너는 식사를 하였<u>기에</u> 어서 가거라.

　　ㄴ. 우리는 일을 다 마쳤<u>기에</u> 빨리 가자.

(2ㄱ~ㄴ)에서 보면 문장이 성립되지 않는 것은 아니나, 보통 명령형과 권유법으로 문장이 끝날 때는 위와 같이 말하지 아니하고 다음과 같이 말함이 예사이다.

(3) ㄱ. 일이 끝났<u>으니</u> 어서 가거라.

ㄴ. 비가 그쳤<u>으니</u> 빨리 가자.

따라서 관습상 (2ㄱ~ㄴ)과 같은 문장은 잘 쓰이지 아니하는 것 같다.

7. 「-길래」

이 어미는 가끔 나타나는데, 그리 흔하게 쓰이지는 않는다.

(1) ㄱ. 산너머 남촌에는 누가 살<u>길래</u> 해마다 봄바람이 남으로 오데.

ㄴ. 너는 뭘 하<u>길래</u>, 그리 꾸물대느냐?

ㄷ. 날씨가 하도 춥<u>길래</u>, 일을 다 마치지 못하고 그냥 왔다.

ㄹ. 내가 주운 것이 돈이<u>길래</u>, 임자를 찾아서 돌려주었다.

(1ㄱ~ㄴ)의 「-길래」는 동사에 쓰였고 (1ㄷ)은 형용사에 쓰였으며 (1ㄹ)은 지정사에 쓰였는데, 좀 이상한 느낌이 든다. 그러나 다음의 예를 보면 분명한 사실을 알 수 있을 것이다.

(2) ㄱ*. 나는 학생이<u>길래</u> 용서를 받았다.

ㄴ. 너는 무엇을 주웠<u>길래</u>, 그리도 주저주저 하느냐?

ㄷ. 너는 예쁘<u>길래</u> 사랑을* <u>받는다</u>.

ㄷ'. 너는 예쁘<u>길래</u> 사랑을* <u>받느냐?</u>

ㄹ. 너는 학생이<u>길래</u> 사랑을 <u>받는다</u>.

ㄹ'. 너는 학생이<u>길래</u> 사랑을 <u>받느냐?</u>

ㅁ. 그도 학생이<u>길래</u> 사랑을 <u>받는다</u>.

ㅁ'. 받느냐?

ㅂ. 그가 놀길래 취직을 시켜주었다.

ㅅ. 그가 착하길래, 데리고 왔다. (*데리고 왔느냐?)

ㅇ*. 나는 학교에 가길래 공부를 배운다.

ㅈ. 나는 착하길래 사랑을 받았다.

ㅈ'. 나는 착하길래 사랑을 받느냐?

(2ㄱ)에서 주어는 1인칭이고 종결절이 서술법이니까 비문이 되었으며 (2ㄷ)에서 주어는 2인칭이고 종결절이 서술법과 의문법이 되니까 비문이 되었다.

(2ㅅ)에서 주어가 3인칭이고 종결절이 서술법이면 문장은 성립되나 의문법이면 성립되지 않는다. (2)은 주어가 1인칭이고 종결절이 서술법이니까 문장은 성립되지 않는다. (2ㅈ)에서 주어가 1인칭이고 종결절이 서술법과 의문법이 되니까 문장은 성립되지 않는다. (2ㄴ)과 (2ㄷ)을 견주어 보면 주어가 2인칭일 때 앞뒤 절의 짜임새에 따라 성립여부가 결정되며 (2ㅁ~ㅂ)과 (3ㄱ~ㄴ)을 견주어 보면 주어가 3인칭일 때는 다 성립됨을 알 수 있다.

(3) ㄱ. 그는 무엇을 하길래, 이리도 늦느냐?

ㄴ. 그는 어디로 가길래, 저리도 빨리 가느냐?

「-길래」는 사투리에서 쓰이는 것 같다. 왜냐하면 사전에서 다루어지고 있지 않기 때문이다.

8. 「-는다니까」

이것은 「-는다 하니까」의 「하」가 줄고 「-니까」가 「-는다」에 붙어서 이루어진 이유나 원인의 연결어미이다.

(1) ㄱ. 그가 성공하였다니까 안심하여라.

ㄴ. 눈이 온다니까 모두 좋아서 아우성이다.

ㄷ. 콩을 심는다니까 콩이 나겠지.

ㄹ. 그는 몸이 아프다니까 가만히 두어라.

ㅁ. 이것이 고급 시계라니까, 사람들이 모두 탐을 내더라.

ㅂ. 네가 간다니까 모두 좋아한다.

ㅅ. 내가 이 책을 가진다니까 그는 기분이 좋지 아니하다.

ㅇ. 네가 부자라니까 모두 부러워한다.

ㅈ. 네가 학자라니까 모두가 비웃는다.

ㅊ. 내가 그 영화를 좋다니까 모두들 구경간다고 야단이었다.

ㅋ. 그저 준다니까 많이 얻어 가자. (가거라)

ㅌ. 네가 그 경기에서 이겼다니까, 기분이 좋다.

ㅍ. 그가 그 이를 해 내겠다니까, 시켜보아라. (보자).

ㅎ. 네가 그 책을 읽어 보았다니까 그 내용에 대하여 말해 보아라.

ㄱ'. 그가 네 친구였다니까, 믿어도 되겠지.

ㄴ'. 그 (내, 네)가 장차 부자이겠다니까, 모두가 비웃는다.

(1ㄱ~ㄴ')에서 보면 「-는다니까」는 인칭에 관계없이 동사, 형용사, 지정사에 다 쓰일 수 있고, 그 앞에 비종결어미 「-았-」과 「-겠-」이 쓰일 수 있다. 그러나 「-으리-」는 쓰일 수 없고 (1)에서 보면 지정사에는 「-겠-」이 잘 쓰이지 않는 것 같다. 그리고 종결절의 의

향법은 서술법·의문법·명령형·권유법이 다 쓰인다. (1ㅇ~ㅈ)에서 보면 「이다+는다니까」로 될 때는 「-라니까」로 된다. 다음에 의문법과 권유법의 예만 보이기로 한다.

(2) ㄱ. 그가 온다니까, 같이 가 보자.

    ㄴ. 길이 멀다니까, 가지 않겠느냐?

9. 「-는다니」

이것은 「-는다」에 「-니까」의 「-니」가 와서 이루어진 이유·원인의 연결어미이다. 「-니」가 이유나 원인을 나타내기 때문이다. 이 어미는 경우에 따라서는 종결어미로도 쓰이나 여기서는 예를 들지 않기로 하겠다.

(1) ㄱ. 그가 일을 잘한다니, 참으로 기쁜 일이다.

    ㄴ. 네가 착하다니, 참으로 놀랄 일이구나.

    ㄷ. 내가 일을 잘하지 못하다니, 납득이 가지 않겠지?

    ㄹ. 그(네)가 밥을 먹었다니, 우리들만 먹자.

    ㅁ. 네(그)가 이 일을 해 내겠다니 놀라운 일이다.

    ㅂ. 내가 책을 읽겠다니, 모두 조용해졌다.

    ㅅ. 이 그림이 고가이라니, 모두가 놀랐다.

    ㅇ. 네가 대통령이라니, 모두가 비웃겠다.

    ㅈ. 내가 학자라니, 누가 곧이 듣겠느냐?

(1ㄱ~ㅈ)까지에서 보면 「-는다니」는 모든 용언에 다 쓰이며 그 앞에 비종결어미 「-었-」과 「-겠-」이 쓰일 수 있다. 「-라니」로 됨은

앞 「-는 다니까」의 경우와 같다. 지정사에는 「-겠-」이 잘 쓰이지 못하는 것 같다.

(2) ㄱ. *네가 군수이겠<u>다니</u> 누가 도와줄까?
　　ㄴ. *그가 학자이겠<u>다니</u>, 나는 믿을 수 없다.

(2ㄱ~ㄴ)에서 보듯이 지정사에는 「-겠-」이 쓰이지 못하는 것 같다.

10. 「-는지라」
다음의 예를 보자.

(1) ㄱ. 조합토론회를 실속 있게 펼칠 묘안을 거둔<u>지라</u> 짧게나마 토론계획
　　　 을 건넸다.
　　ㄴ. 물건 팔리는 일도 가뭄에 콩 나는 것과 같았<u>던지라</u> 경영난에 닥치
　　　 니 해오름이의 아버지는 넝마주이로 생활을 꾸리며…
　　ㄷ. 비가 오겠<u>는지라</u> 다시 집으로 돌아갔다.
　　ㄹ. 돈이 없<u>는지라</u> 그 좋은 옷을 사지 말아라(말자).
　　ㅁ. 그는 선생<u>인지라</u> 옳은 말만 한다.
　　ㅂ. 나는 교수<u>인지라</u>, 연구하지 않으면 안 된다.
　　ㅅ. 너는 효자<u>인지라</u>, 남의 칭찬이 자자하다.
　　ㅇ. 그는 부자였<u>던지라</u>, 학회 사업을 많이 도왔다.

(1ㄱ~ㅇ)에서 보면 「-는지라」는 모든 용언에 다 쓰일 수 있고, 「-는지라」 앞에 비종결어미 「-었-」, 「-겠-」, 「-더-」 등이 쓰이는 데, 다만 「-으리-」는 쓰일 수 없다. 그리고 인칭에도 제약 없이 다

쓰인다.

11. 「-니까」, 「-니」

이 어미는 까닭, 결과, 사실, 사실의 인용 등을 나타낸다.

(1) ㄱ. 물이 차면 나무의 성장 속도가 느리니까. 열매 맺을 나이가 되지
　　 않았을 테고, 심은 사람이 죽어야만 열린다는 것은 그만큼 열매를
　　 맺기까지의 기간이 오래 걸린다는 말일게다.

　　 ㄴ. 동시를 많이 읽다 보니까 어린것이 시의 맛을 알게 되었는지 동화
　　 책을 읽으려고 하지 않았다.

　　 ㄷ. 철수의 집에 가서 보니까, 그는 낮잠을 자고 있더라.

　　 ㄹ. 봄이 오니 꽃이 핀다. (『우리말사전』)

　　 ㅁ. 이것은 너무 크니 작은 것으로 바꾸어 주시오. (『우리말사전』)

　　 ㅂ. 김공이 벼슬에 오르니 그때 나이가 스물넷이었다. (『우리말사전』)

　　 ㅅ. 압록강은 우리나라에서 가장 크니 길이가 790km이다. (『우리말
　　 사전』)

　　 ㅇ. 이제 와서 그렇게 하니 무엇하리요마는 나는 그를 달래었다.

　　 ㅈ. 느리니, 게으르니 흉만 보고 있다. (『우리말사전』)

　　 ㅊ. 내 것이니 네 것이니 서로 다투었다. (『우리말사전』)

　　(1ㄱ~ㄴ)의 「-니까」는 이유나 원인을 나타내는 것 같고, (1ㄷ)은
결과 또는 사실을 나타내는 것 같으며, (1ㄹ~ㅁ)은 까닭을 나타내고
(1ㅂ~ㅅ)은 어떤 사실의 설명을 나타내며 (1ㅇ)은 사실이나 결과로
보여지는데, 『우리말사전』에서는 양보를 나타내는 것으로 설명되
어있다. (1ㅈ~ㅊ)은 『우리말사전』에서는 이런저런 사실의 인용을

나타내는 것으로 설명하고 있다. 「-니까」와 「-니」는 모든 용언에 다 쓰일 수 있고 인칭에도 제약 없이 쓰인다.

(2) ㄱ. 그이가 왔으니(까), 가서 인사하여라.

　ㄴ. 그 바나나는 내가 먹었으니(까) 그리 알고 있거라.

　ㄷ. 비가 오겠으니(까), 설거지를 어서 하여라.

　ㄹ. *세월이 하도 빨랐더니까, 벌써 한해가 다 갔다.

(2ㄱ~ㄴ)에서 보면 「-니(까)」 앞에 「-었」이 와서 자연스러운데, (2ㄷ)에서 보면 「-겠-」이 쓰일 때는 「-으니까」가 오면 좀 이상한데 「-니-」가 오니까 자연스럽다. (2ㄹ)에서는 「-았더-」가 오면 문장이 성립되지 않음을 보이고 있다. 그리고 「-으리」는 쓰일 수 없다.

12. 「-라서」, 「-어서」

「-라서」는 지정사에 쓰이고 「-어서」는 동사와 형용사에 쓰인다.

(1) ㄱ. 그는 착한 사람이 아니라서 나는 상대하지 않는다.

　ㄴ. 날씨가 추워서 집에 종일 있었다.

　ㄷ. 그는 공부를 잘 해서 상을 받았다.

　ㄹ. 돌다 속에 사는 똘똘이라서 '담돌이'라고 이름 지어 준 다람쥐네 가족이 있다.

　ㅁ. 나는 그의 담임이 아니라서, 잘 모르겠다.

　ㅂ. 너는 저 책을 받아서 어서 가거라.

　ㅅ. 밥을 먹어서 허기를 면하였느냐?

　ㅇ. 저것을 받아서, 빨리 집으로 가자.

ㅈ. KTX가 <u>빨라(서)</u>, 우리는 늘 그것을 이용한다.

ㅊ. 배가 <u>아파</u> 병원에 갔다(갔더냐?)

(1ㄱ~ㅊ)에서 보면 「-라서」, 「-어(어서)/-라서」 앞에는 「-었-」이 쓰일 수 없는데, 그 까닭은 「-어서」의 「-어/아-」가 완료를 나타내기 때문이다. 그리고 형태적 이유 때문에 「-겠-/-리」도 쓰일 수 없다. 주어로는 모든 인칭이 다 쓰이며 종결절의 의향법도 제약 없이 쓰인다. 지정사에 「-서」가 생략된 「-라」만이 쓰이면 사실이 설명에 그치는 경우가 있다.

13. 「-매-」

이는 받침 없는 어간에 붙어 까닭이나 근거를 나타낸다(『우리말사전』).

(1) ㄱ. 날씨가 <u>추우매</u> 옷을 두툼하게 입고 떠났다.

ㄴ. 집이 <u>가난하매</u> 공부하기가 어려웠다. (『우리말사전』)

ㄷ. 그는 어진 <u>사람이매</u> 물욕에 빠지지 않는다.(않느냐?)

ㄹ. 비가 <u>오매</u> 종일 집에 있었다.(있자. 있거라)

ㅁ. 그녀가 <u>예쁘매</u> 청혼자가 많다.

ㅂ. 나는 매일 일이 <u>많으매</u>, 집에 늦게 돌아온다.

ㅅ. 너는 지금 <u>가매</u> 언제 오겠니?

(1ㄱ~ㅅ)에서 보면 「-매-」는 형용사와 지정사에 주로 쓰이나 동사에도 쓰인다. 그리고 받침 있는 서술어에도 쓰이는데, (1ㅂ)에서 보면 주어가 1인칭일 때는 문장이 이상하고 (1ㅅ)에서 보면 주어가

2인칭일 때는 문장에 따라 이상하게 느껴지는 경우가 있다. 또 「-었으매-」나 「-겠으매」와 같은 형식으로는 잘 쓰이지 않는 것 같다.

14. 「-므로」
각 용언의 어간에 붙어서 이유나 근거를 나타내는 연결어미이다.

(1) ㄱ. 너는 공부하였으므로 성공하였다.
ㄴ. 상상력의 미학에는 경계가 없으므로 미국 대통령 부시를 태울 수도 러시아의 푸틴을 태울 수도 있다.
ㄷ. 받을 것 다 받은 뒤였으므로 온갖 애교 다 부려도 밑질 것은 없다.
ㄹ. 갈매기들은 하늘에다 부지런히 길을 내므로 그 하늘이 저렇게 푸르도록 맑은가 보다.
ㅁ. 내 경우는 정신적으로 친정의 덕을 보고 있다는 견해이므로 좀 다르지만 어머니의 일곱 아들은 아버지의 위폐를 모시는 이 자리에 아무도 참석하지 않았다.
ㅂ. 작품에 대한 J씨의 인식에는 변화가 없을 것이므로 '반고흐의 침실'에 대한 그의 시원은 지금도 여전할 것이다.
ㅅ. 그 요구하는 진도의 기준이 "하루에 몇 어휘를 뜻풀이 완료하였느냐"였으므로 적당히 보고하다 보니 나중에는 실제 사전에 올릴 올림말 수보다 많아지는 결과가 발생할지도 모를 일이 생기게 되었다.
ㅇ. 나는 노력하였으므로 나의 목적을 달성할 수 있었다.
ㅈ. 비가 오므로 집에 있자(있거라)(있느냐?)

(1ㄱ~ㅈ)에서 보아 알듯이, 「-므로」는 모든 용언에 다 쓰이며 인칭에도 제약이 없고 종결절의 의향법에도 제약이 없다. 「-었-」이

「-므로」 앞에 쓰이면 자연스러운데, 「-겠-」이 쓰이면 좀 이상한 느낌이 든다.

(2) ㄱ. 비가 오겠으므로 집에 있었다.

　　ㄴ. 그녀가 착하겠으므로, 아내로 맞이할까 한다.

　　ㄷ. 그는 부자이겠으므로, 도움을 요청하기로 하였다.

(2ㄱ~ㄷ)과 같은 예는 이상한 느낌을 주므로 보통은 다음과 같이 말한다.

(3) ㄱ. 비가 오겠으니 집에 있었다.

　　ㄴ. 그녀가 착하겠으니 (착할 것 같아), 아내로 맞이할까 한다.

　　ㄷ. 그는 부자일 것 같아서 도움을 요청하기로 하였다.

15. 「-을려기에」

이것은 「~으려」에 「하기에」의 「하~」가 줄고 「~기에」가 합하여 된 연결어미로 주어가 1인칭일 때는 쓰일 수 없다.

(1) ㄱ. 네가 밥을 먹을려기에 내가 밥을 주었잖아.

　　ㄴ. 소가 달아날려기에 너는 미리 고삐를 잡았느냐?

　　ㄷ. 그가 아이를 때릴려기에 나는 못하게 말렸다.

　　ㄹ. 비가 올려기에 나는 바삐 집으로 갔다.

이 어미가 쓰인 문장의 종결절의 의향법은 서술법에 한하고 문맥에 따라 의문법이 쓰일 수 있다. 그리고 시간비종결어미 「-었/-겠-」

은 쓰일 수 없다.

16. 「-은즉」

이 어미는 관형어미 「-은」에 부사 「즉」이 합하여 된 것인데 이유나 사실 또는 확인, 곧 등을 나타낸다.

(1) ㄱ. 글씬즉 명필이요, 소린즉 명창이라.

　ㄴ. 비가 온즉 강물이 불었다.

　ㄷ. 배가 고픈즉 속이 쓰리다.

　ㄹ. 마를 듣고 본즉 그럴 듯하다.

　ㅁ. 그도 사람인즉, 부모의 은공을 모르겠느냐?

　ㅂ. 하늘이 높푸르른즉, 가을임이 분명하다.

　ㅅ. 어머니의 말씀인즉 비록 땅을 밟고 다니는 물거니지만 신발을 보면 그 사람의 인격과 푸뮈를 알 수 있다는 것이다.

　ㅇ. 그 작아지는 눈으로 하여 앞으로 속눈썹이 찌를 것인즉 처진 눈꺼풀을 잘라내고 쌍꺼풀 수술을 하고 싶다는 것이다.

(1ㄱ)의 「-은즉」은 '곧'의 뜻으로 이해되고 (1ㄴ)은 이유나 원인으로 이해되며, (1ㄷ)은 이유를 나타내고 (1ㄹ)과 (1ㅁ~ㅂ)도 이유로 보아진다. (1ㅅ)은 사실 또는 「곧」으로 이해된다. 그리고 (1ㅇ)은 이유로 보아진다. 「은즉」이 쓰인 절의 주어는 인칭에 아무런 제약이 없으며, 종결절의 의향법에도 아무 제약이 없다. 시간비종결어미 「-었-」, 「-겠-」은 쓰일 수 없다. 「-은즉」이 쓰일 수 있는 용언에는 제약이 없다.

17. 「-을새」

받침 있는 동사나 형용사 어간에 붙어 이유나 때, 설명을 나타내는 연결어미이다.

(1) ㄱ. 눈 위를 걸을새 발자취가 뚜렷하다. (『우리말사전』)

　　ㄴ. 물이 맑을새 고기가 없느니라. (『우리말사전』)

　　ㄷ. 밤길을 걸을새 달빛이 대낮같이 밝았다. (『우리말사전』)

　　ㄹ. 그 말을 들을새 딱한 사정이 이를 데 없더라.

(1ㄱ~ㄴ)의 「-을새」는 이유를 나타내고, (1ㄷ)은 「때」를 나타내며 (1ㄹ)은 설명을 이어 주는 구실을 한다. 그리고 주어의 인칭에는 제약이 있는 듯한데, 2인칭은 잘 쓰이는 것 같지 않고 시간비종결어미 「-었-」과 「-겠-」은 쓰이지 못한다.

18. 「-을지니」

『우리말사전』에 따르면, "이 어미는 받침 있는 각 어간에 붙어 당연히 '어떻게 할 것이니', '어떠할 것이니' 따위의 뜻으로 뒤의 사실에 대한 까닭, 근거를 나타내는 연결어미"로 설명되어 있다.

(1) ㄱ. 비 젖을지니 안에 들여 놓아라.

　　ㄴ. 집에 없을지니 차자갈 필요가 없다.

　　ㄷ. 그것은 거짓말이었을지니 더 물어볼 필요가 없다.

(1ㄱ~ㄷ)은 『우리말사전』에 있는 예를 그대로 옮긴 것인데, 모두 이유를 나타내는 것으로 보인다. 1~2인칭 주어는 「-을지니」와 같

이 쓰일 수 없을 것 같고, 시간비종결어미는 「-었-」만 같이 쓰일 뿐이다. 위 예문에서는 나타나지 않았으나 종결절의 의향법은 의문법·명령형·권유법이 다 올 수 있다.

◆ 가정법

이에는 「-거든」, 「-노라면」, 「-는다면(은)」, 「-더라면」, 「-더라손」, 「-더라도」, 「-던들」, 「-라면」, 「-면(으면)」, 「-서라면」, 「-을것같으면」, 「-을진대」, 「-을라치면」, 「-자면」 등이 있다.

1. 「-거든」
이 어미는 받침에 관계없이 용언에 쓰이어 조건, 가정, 전제 등을 나타낸다.

(1) ㄱ. 행여 윤회의 회로에서 우리 다시 만나거든 또 친구합시다.
　　ㄴ. 밥을 잘 먹거든 일조차 못할소냐?
　　ㄷ. 어젯밤에 비가 왔거든 물이 이렇게 불지 않겠소.
　　ㄹ. 옛날에 한 사람이 있었거든 참 가난하게 살면서도 착하게 살았다네.

(1ㄱ)의 「-거든」은 틀림없이 가정을 나타낸다. (1ㄴ)의 「-거든」은 비교의 뜻으로 이해되며, (1ㄷ)의 「-거든」은 이유로 보아지며 (1ㄹ)의 「-거든」은 어떤 사실의 전제를 나타낸다. 이와 같이 하나의 연결어미는 문맥에 따라, 또 그것이 붙는 낱말에 따라 여러 가지 뜻으로 쓰일 수 있어, 그 분류의 중심을 어디에다 두어야 할지 어려운 경우가 있으나, 그 본래의 뜻을 중심으로 하여 분류하고, 나머지는 부차

적인 쓰임 또는 부차적인 뜻으로 처리하면 될 것이다. 「-거든」은 그것이 쓰이는 절의 주어로 1·2·3인칭이 다 쓰일 수 있고, 종결절의 의향법으로서 의문법은 아주 제한적으로 쓰일 것 같다. 다음의 예를 보기로 하자.

(2) ㄱ. 내가 이 일을 해 내겠거든 나에게 맡겨 주겠느냐?
ㄴ. 내가 이것을 먹고 나거든 우리 다 집으로 가자.
ㄷ. 내가 잠을 자거든 너는 가거라.
ㄹ. 비가 오거든 하루 쉬겠느냐?

(2ㄱ)은 문장이 좀 이상한 것 같고, (2ㄴ)은 조건으로 이해되어 자연스러우며, (2ㄷ)도 조건으로서 자연스럽다. (2ㄹ)은 장차의 일로 보아도 좀 이상한 것 같다. 이런 경우는 "비가 오면 하루 쉬겠느냐?"로 말함이 예사이다.

2. 「-노라면」
이 어미는 지속이나 가정 또는 조건 등을 나타낸다.

(1) ㄱ. 사노라면 잊힐 날 있으리라.
ㄴ. 부모님 모시고 사노라면 이 세상 모두가 내 것인 것을.
ㄷ. 하루 종일 가노라면 끝이 보이겠지.
ㄹ. 너(그)도 열심히 공부하노라면 성공할 것이다.

(1ㄱ~ㄷ)의 「-노라면」은 가정이나 조건을 나타내는 것으로 보아진다. 그런데 주어는 모두 1인칭이다. (1ㄹ)의 주어는 2인칭과 3인칭

인데 안 되는 것은 아니나, 아주 자연스럽지는 아니하다. 따라서 이 어미가 쓰이면 주어는 1인칭일 때 자연스럽다. 그리고 이 어미 앞에는 「-었-」, 「-겠-」은 쓰이지 못하는 것으로 보인다.

(2) ㄱ. 어머니 모시고 <u>살았노라면</u> 행복하였을 것인데.

ㄴ. 이곳에서 <u>살겠노라면</u> 즐거울 것이다.

(2ㄱ~ㄴ)이 보이는 바와 같이 시간비종결어미와는 같이 쓰일 수 없는 것으로 보인다.

3. 「-는다면(은)」

이 어미는 가정이나 예정 또는 추정을 나타내는 것으로 보이나 가정을 주로 나타낸다.

(1) ㄱ. 지금부터 잘 <u>준비한다면</u> 위기가 기회가 될 수 있다.

ㄴ. 여기서 한나라당이 <u>승리한다면</u> 이전 안보 불감상태가 가실 수 있으며 여론 조사에서 한나라당이 앞서 있는 만큼 어느 정도 안심하고 있었다.

ㄷ. 세계사적 맥락에서 <u>본다면</u> 유럽은 쇠퇴하고 그 자리를 한국이 대신하는 것인지도 모른다.

ㄹ. 만약 이 뜰밖 샘터가 개발 논리에 밀려 굴삭기가 밀려<u>온다면</u> 나도 단식을 할 수 있을까?

ㅁ. 만일 자기 정권에서도 이러한 방식의 교육이 <u>지속된다면</u> 교육은 글자 그대로 붕괴되고 말 것이다.

ㅂ. 마닐 그것마저 치워 <u>버린다면</u> 어머니의 흔적을 마지막으로 지워버

린 것에 다름 아니라고 생각했기 때문이었다.

ㅅ. 마음속의 죄를 헤아린<u>다면</u> 누구에게 질소냐?

ㅈ. 희망과 의지만 있<u>다면</u> 말이다.

ㅊ. 홀로 설 각오와 의지가 없<u>다면</u> 이용만 당하다 흔적도 없이 사라질 뿐이다.

ㅋ. 하늘에서 본<u>다면</u> 들꽃의 꽃봉오리나 새 새끼의 입부리나 별로 다르지 않게 보일 것이다.

ㅌ. 권위주의적 산업화의 그늘을 극복한 것이 민주화였<u>다면</u> 일탈 민주주의의 그늘을 극복할 길은 폭민주주의를 제압할 법치주의…

ㅍ. 아들의 결혼식장에서 아버지가 아들을 위하여 테너로 이 노래를 불렀<u>다면</u> 얼마나 감명스러울까?

ㅎ. 만약에 천만원이 생긴<u>다면은</u> 금시계, 금목걸이를 사줄텐데!

(1ㄱ~ㅎ)까지의 예문을 본다면 「-는다면(은)」은 가정을 나타내는 연결어미임이 확실하다. 특히 (1ㄹ, ㅁ, ㅂ)과 (1ㅎ)을 보면 「만약/만일」과 가은 가정부사와 같이 쓰이고 있음을 보아도 확실하다. 주어의 인칭에는 제약이 없으며 시간비종결어미는 「-었-」과 「-겠-」이 다 쓰일 수 있다. 종결절의 의향법은 통계에서는 서술과 의문법(가끔)이 나타났으나 명령형과 권유법은 나타나지 않았으나 쓰일 수는 있다. 통계에 따라 판단해 보면 가정법은 주로 서술법으로 끝남이 일반적이요, 의문법은 드물게 쓰이는 것이 일반적인 경향인 것 같다.

4. 「-더라면」

이것은 앞에 반드시 「-었-/-았-」이 와서 같이 쓰이는데, 「-겠-」은 잘 쓰이지 않는다. 그리고 주어는 주로 3인칭이 쓰이나 2인칭과

1인칭도 쓰일 수 있는데 잘 쓰이지 않고 있다.

  (1) ㄱ. 비가 좀 <u>왔더라면</u> 좋았을 것을.
      ㄴ. 그가 잘 <u>살았더라면</u> 얼마나 좋았을까?
      ㄷ. 돈이 좀 넉넉<u>하였더라면</u> 귀중품도 살 수 있었을 텐데.
      ㄹ. 그 선물이 <u>책이었더라면</u> 오래오래 간직하였을 텐데.
      ㅁ. 내가 이번 시험에 <u>합격하였더라면</u> 너에게도 좋은 일이 있(었)을
          것인데
      ㅂ. 네가 <u>부자였더라면</u>, 남을 많이 도왔을 것인데.

  (1ㄱ~ㄹ)은 『우리말사전』의 것을 그대로 옮긴 것이고 (1ㅁ, ㅂ)은 글쓴이가 만든 것인데, 그리 널리 쓰이는 것 같지 아니하다. 왜냐하면 글쓴이의 통계에는 나타나지 않았기 때문이다.

5. 「-더라손」
이 어미는 그 뒤에 반드시 「치더라도」를 취하여 가정을 나타낸다.

  (1) ㄱ. 아무리 <u>뛰더라손</u> <u>치더라도</u> 선수야 당하겠느냐?
      ㄴ. 돈은 <u>없더라손</u> <u>치더라도</u> 기조차 겪이랴?
      ㄷ. 그것이 <u>사실이더라손</u> <u>치더라도</u> 전혀 믿을 수 없다.
      ㄹ. 그대가 잘 <u>있더라손</u> <u>치더라도</u> 잘 돌보아 주어야 한다.

이 어미는 「-었-/-았-」, 「-겠-」은 같이 쓰일 수 있을 것 같지 아니하다. 이 어미가 가정을 나타내는 것은 「치다」에 오는 「-더라도」 때문인 것 같다.

6. 「-더라도」

각 어간에 바로 붙어 가정이나 양보를 나타낸다.

(1) ㄱ. 만약 그가 가<u>더라도</u> 그 일을 처리하지는 못할 것이다.

　　 ㄴ. 만일 그가 갔<u>더라도</u> 그 일을 처리하지 못했을 것이다.

　　 ㄷ. 그가 오<u>더라도</u> 나에 대한 이야기는 하지 말아야 한다.

　　 ㄹ. 그가 일을 잘 하지 못하<u>더라도</u> 잘 돌봐 주어라(주자)(주겠느냐?)

　　 ㅁ. 그가 그 일을 처리하겠<u>더라도</u> 누구도 일을 맡기지 않았다.

(1ㄱ~ㄹ)까지는 가정을 나타내는 것으로 보아지는데, (1ㅁ)「-겠-」이 쓰이었는데 이때 「-겠-」은 가능을 나타내는데, 이런 식으로 말을 잘하지 않는 것으로 보아진다. 주어는 인칭에 관계없이 쓰이며 종결절의 의향법도 제약 없이 쓰이고 용언도 아무 제약이 없다.

7. 「-던들」

이 어미는 가정을 나타내는데 그 앞에 반드시 「-었-/-았-」이 와야 가정의 뜻이 분명해진다. 「-겠-」은 잘 쓰이지 않는 것 같다.

(1) ㄱ. 진작 알았<u>던들</u> 무슨 대책을 세웠을 텐데

　　 ㄴ. 그가 부자였<u>던들</u>, 나라를 위해 공헌하였을 것이다.

　　 ㄷ. 주시경 선생이 아니었<u>던들</u>, 당시 우리말의 말본을 누가 연구하였겠나?

　　 ㄹ. 그녀가 양귀비처럼 아름다웠<u>던들</u> 저 갑부와 결혼하였을 텐데.

　　 ㅁ. 내(네)가 아니었<u>던들</u> 누가 이 큰일을 해 내었겠나?

이 어미 「-던들」은 반드시 「-었-」을 그 앞에 취하기 때문에 종결

절의 의향법으로 명령형과 권유법은 쓰이지 못한다. 명령형과 권유법은 이전에 하여야 하는 의향법이기 때문이다. 모든 용언이 다 이 어미를 취할 수 있고 주어의 인칭에도 아무 제약이 없다. 위 예문들을 보면 알 것이다.

8. 「-라면」

이 어미가 지정사에 오면 순수한 가정이나 조건을 나타내나, 동사에 오면 명령의 가정이 된다. 왜냐하면 「-라-」 때문이다. 따라서 형용사에는 이 어미가 쓰일 수 없다. 형용사는 시킴이 되지 않기 때문이다. 이 어미는 「-라+하면」의 「-하-」가 줄어서 된 것이다.

(1) ㄱ. 술 한 잔에 노래도 춤도 멋지게 잘 추는, 이 시대 둘째가라면 서러워할 낭만파였지요.
ㄴ. 네가 시인이라면 우리 가문의 영광이겠는데.
ㄷ. 그가 아니라면, 누구도 이 일을 처리할 수 없을 것이다.
ㄹ. 가라면 가고 오라면 오너라
ㅁ. 여기 있으라면, 우리 모두 같이 있자.

(1ㄱ)은 가정으로 보아지며, (1ㄴ~ㄷ)은 조건으로도 보아진다. 보기에 따라서는 (1ㄹ~ㅁ)도 가정이나 조건으로 볼 수 있겠다. 다음에 통계에 나온 에를 몇 개 더 들어 보기로 한다.

(2) ㄱ. 나라의 내일을 책임지겠다는 사람들이라면 서로 경쟁하여 안보공약으로라도 허장성세하는 것이 상식인데…
ㄴ. 그런 야당이라면 한국의 안보에 관한 한 차리라 햇볕 만능주의자

나 햇볕 적극론자가 솔직하고 판단하기 쉽다.

ㄷ. 이것이 시대의 변화라면, 대한민국의 시대는 저물고 있는지도 모른다.

ㄹ. 이런 기준대로라면 2002년 민주당 경선은 낙제점이었다.

ㅁ. 그 정도 수준이라면 차라리 눈 질끈 감고 대통합 민주신당에 참여하는 게 낫다.

ㅂ. 그것이 단지 종교적 열정 때문이라면, 한국에 왜 이러한 종교적 열정이 붙게 되었을까?

(2ㄱ~ㅇ)에서 보면 주어는 대체적으로 3인칭이며, 종결절의 의향법은 서술법 아니면 의문법으로 되어 있다. 그리고 (2ㄹ, ㅅ)에서 보면 「-라면」은 조사 「-대로」 다음에도 쓰일 수 있음을 보여 주고 있다.

9. 「-으면」

이 어미는 모든 용언에 다 쓰여서 가정, 또는 조건을 나타낸다.

(1) ㄱ. 봄이 오면 산에 들에 진달래 피네.

ㄴ. 내가 아니면 누가 이 나라를 지키랴?

ㄷ. 얼굴이 예쁘면 여자냐? 마음이 예뻐야 여자지.

ㄹ. 너희들은 점심을 먹었으면, 다 학교로 가거라

ㅁ. 꽃이 아름다웠으면 얼마나 좋겠느냐?

ㅂ. 이게 보석이었으면, 부자가 될 텐데.

ㅅ. 가겠으면, 가 보아라.

(1ㄱ~ㅅ)에서 보면, 「-으면」 앞에 「-었-」이 오니까 가정의 뜻이 더 분명하여진다. (1ㄱ~ㄷ)의 「-으면」은 보기에 따라서는 조건으로

도 볼 수 있겠다.『우리말사전』에는 가정적 조건을 나타낸다 하였다. 주어 제약, 용언 제약, 의향법 제약은 없다. 비종결어미는 「-었-」, 「-겠-」, 「-시-」가 쓰인다.

10. 「-서라면」
이 어미는 「-어서+이라면」의 「-이」가 줄어서 된 것이다. 「-어서」 때문에 완료가 되고 「-라면」 때문에 가정이나 조건이 되는 것이다.

(1) ㄱ. 너는 배가 아프냐? 이것을 먹<u>어서라면</u> 빨리 병원에 가거라.
   ㄴ. 길이 험<u>해서라면</u> 가지 말자(말아라)
   ㄷ. 저희가 왜 저렇게 즐거워하느냐? 그 경기에서 이겨서입니다. 이겨<u>서라면</u> 우리도 같이 즐기자.

이 어미는 지정사에는 쓰일 수 없고 비종결어미도 쓰일 수 없다.

11. 「-을것같으면」
이 어미는 모든 용언에 다 쓰여 가정을 나타낸다.

(1) ㄱ. 날씨가 좋을것같으면, 내일 광장으로 떠나자.
   ㄴ. 숭례문이 국보일것같으면 왜 관리가 허술하였을까?
   ㄷ. 그녀가 착할것같으면, 며느리로 삼겠다.
   ㄹ. 네가 먹었을것같으면 네가 돈을 내어라.
   ㅁ. 내가 이 이를 할 수 있을것같으면 벌써 했겠다.

주어 제약은 없고 비종결어미는 「-었-」만이 쓰일 수 있다. 의향법 제약도 없다.

12. 「-을진대」

이 어미는 모든 용언에 다 쓰일 수 있다. 이의 힘줌어미에는 「-을진대는」이 있다.

(1) ㄱ. 비가 올진대(는) 가지 말아라.(말자)

ㄴ. 그곳의 경치가 좋을진대, 별장을 짓자.(짓겠다)

ㄷ. 그대가 정말 인도의 공주일진대 왜 한국의 농촌으로 시집을 왔지?

ㄹ. 날씨가 좋았을진대, 왜 내가 가지 않았겠니?

(ㄱ~ㄹ)에서 보는바, 주어 제약, 의향법 제약은 없으나, 비종결어미는 「-시-」, 「-었-」만이 쓰인다.

13. 「-을라치면」

이 어미는 「-을라+치면」의 합성으로 이루어진 듯하다. 모든 용언에 다 쓰일 수 있다.

(1) ㄱ. 그의 집에 갈라치면, 별별 꽃이 다 있다.

ㄴ. 그가 장관일라치면, 왜 이 문제 하나 해결 못 할까?

ㄷ. 거기 갔다가 비가 올라치면, 어서 오너라.

ㄹ. 값이 비쌀라치면, 사지 말자.

ㅁ. 밤에 그 산속에 있을라치면 별 짐승이 다 운다.

주어 제약, 의향법 제약은 없으나 비종결어미는 「-시-」와 「-었-」

이 가능할 것 같다.

(2) ㄱ. 그가 <u>왔을라치면</u>, 이런 일이 생기지는 않았을 것인데.

ㄴ. 할아버지께서 <u>오실라치면</u>, 더 분위기가 좋을 텐데.

14. 「-자면」

이 어미는 「이다/아니다」에는 잘 쓰이지 못할 것 같다.

(1) ㄱ. 그가 대통령이 <u>되자면</u>, 많은 지식이 있어야 하는데, 특히 문화에 대한 풍부한 지식이 있어야 한다.

ㄴ. 부자가 <u>되자면</u> 남보다 부지런하고 근검절약하여야 한다.

ㄷ. 네가 아름답<u>자면</u> 평소 몸관리를 잘 하여야 한다.

이 어미는 동사에만 쓰이는 것 같다. (1ㄷ)은 무리하게 예시하였지마는 「-자면」은 「-자+하면」이 줄어서 된 것으로 동작성을 지니고 있기 때문이다. 형용사라도 자제 가능한 것이면 이 어미는 쓰일 수 있다. 지정사에는 잘 쓰일 것 같지 아니하다. 비종결어미는 「-시-」만이 가능할 것으로 보인다.

◆ 필요법

이에는 「-어야/아야」, 「-어야만/아야만」, 「-러야/라야」, 「-러야만/라야만」, 「-어야지/라야지」, 「-어야지만/러야지만」, 「-을지니」, 「-고서야」, 「-어서야/라서야」 등이 있다. 이들 어미는 그 다음에 오는 종결절의 내용을 달성하기 위하여 반드시 어떤 행위를 하여야 함을 요구하는 어미이다.

1. 「-어야/아야」

이 어미를 취할 수 있는 용언은 동사·형용사·지정사 등이다. 그리고 종결절의 의향법으로 명령형과 권유법은 쓰일 수 없다. 이들 자체가 그런 뜻을 함의하고 있기 때문이다.

(1) ㄱ. 너는 공부를 하여야 훌륭한 사람이 될 수 있다.

　　ㄴ. 누구든지 교육을 받아야 빨리 승진할 수 있다.

　　ㄷ. 이 약을 내가 반드시 먹어야 건강을 회복할 수 있느냐?

　　ㄹ. 바다가 조용하여야 배를 띄울 수 있지 않겠나?

　　ㅁ. 나는 몸이 튼튼하여야, 이 난관을 이겨낼 수 있다.

　　ㅂ. 너는 장학생이어야, 대학에 갈 수 있다.

2. 「-어야만/아야만」

이것은 「-어야/아야」에 조사 「-만」이 붙어서 된 것이다. 이것은 「-어야/아야」보다 더 강조하는 뜻이 있다. 한정조사 「-만」 때문이다.

(1) ㄱ. 우리는 하루 세 끼를 먹어야만 살아 갈 수 있다.

　　ㄴ. 이번 경기에서 이겨야만, 올림픽 대회에 나갈 수 있다.

　　ㄷ. 인물이 예뻐야만 미쓰 코리아가 될 수 있다.(있느냐?)

　　ㄹ. 네가 부자여야만, 이 일을 할 수 있다.

3. 「-러야/라야」

「-러야」는 '러'변칙 용언 및 '르'변칙 용언의 어간이 어두운 홀소리로 끝날 때 쓰이고 「-라야」는 '르'변칙 용언 중 어간이 밝은 모음으로 끝날 때나 지정사에 쓰인다.

(1) ㄱ. 이것이 좋은 책이라야, 오래오래 두고 읽을 수 있을 것인데.

ㄴ. 이 차가 빨라야 일찍 목적지에 도착할 것인데.

ㄷ. 부동산 투기자가 아니라야 대통령에 출마할 수 있다.

ㄹ. 이 단추를 눌러야, 문이 열린다.(열리느냐?)

4. 「-러야만/라야만」

이 어미는 「-러야/라야」에 한정조사 「-만」이 온 것인데, 「-러야/라야」를 강조하는 뜻을 나타낸다. 조사 「-만」 때문이다.

(1) ㄱ. 철수라야만, 이 문제를 해결할 수 있다.

ㄴ. 사람이 발라야만 신용을 얻을 수 있고 대선 후보가 될 수 있다.

ㄷ. 효행상은 효자라야만 받을 수 있다.

ㄹ. 그는 언제나 술이 거나하여야만 집으로 간다.

5. 「-어야지/라야지」

이 어미는 「-어야/아야＋하지」의 「~하」가 줄어서 된 것이다. 이 「-지」는 다지는 뜻이 있기 때문에 「-어야/아야」보다도 더 확실한 뜻을 나타낸다. 이 어미는 모든 용언에 다 쓰일 수 있다.

(1) ㄱ. 나는 돈을 벌어야지 고향에 갈 수 있다.

ㄴ. 네가 가야지 나도 갈 수 있다.

ㄷ. 봄이 와야지, 꽃이 핀다.

ㄹ. 얼굴이 예뻐야지 시집을 잘 가지.

ㅁ. 이것이 돈이라야지, 내가 형편이 펴이겠는데.

ㅂ. 내가 그 일을 하였어야지, 무슨 말을 할 게 아니냐?

ㅅ. 이 차가 빨라야지 일찍 집에 갈텐데.

ㅇ. 때가 이르러야지, 해결이 날 게 아니냐?

이 어미는 지정사와 '르'변칙 용언과 '러'변칙 용언이 오면(ㅁ, ㅅ, ㅇ)과 같이 「-라야지/러야지」가 되고 그 이외의 용언에 오면 「-어야지/아야지」가 된다.

6. 「-어야지만/러야지만」

이 어미는 「-어야지/러야지」에 조사 「만」이 와서 된 것으로 「-만」 때문에 뜻이 더 강조되는 듯하다.

(1) ㄱ. 밥을 먹어야지만 힘을 낼 수 있지 않겠나?

ㄴ. 힘이 세어야지만, 이 무거운 물건을 들 수 있지 않겠나?

ㄷ. 몸이 튼튼하여야지만 장수할 수 있다.

ㄹ. 산이 푸르러야지만 나라가 부강해질 수 있다.

ㅁ. 부자라야지만, 좋은 일을 할 수 있겠다.

7. 「-을지니」

받침 있는 각 어간에 붙어 마땅함을 나타낸다. 품사의 종류를 가려잡지 않으나 시간비종결어미 「-겠-」과는 공기할 수 없다.

(1) ㄱ. 이 책을 단시일 내 읽을지니 쉬지 말고 읽어라.

ㄴ. 그의 이야기는 거짓<u>이었을지니</u> 그대로 믿지 말아라

ㄷ. 그이가 미쁠<u>지니</u> 잘 사귀어 보아라

ㄹ. 그는 지금 집에 <u>없을지니</u>, 찾아가야 소용이 없다.

ㅁ. 그를 꼭 만나야 <u>할지니</u>, 지금 찾아갈까?.(가자.)

8. 「-고서야」

이 어미는 어간 바로 뒤에 오므로 그 앞에 「-었-/-겠-」은 쓰일 수 없다. 「-고」가 완료의 뜻을 지니고 있기 때문이다. 이 어미는 「-고서+야」로 이루어진 것이다.

(1) ㄱ. 돈을 가지<u>고서야</u> 큰소리를 칠 수 있다.

ㄴ. 강산이 아름답<u>고서야</u>, 관광객을 유치할 수 있지 않겠나?

ㄷ. 그가 권력자가 아니<u>고서야</u> 어찌 큰소리를 칠 수 있었겠나?

ㄹ. 이것이 보물이<u>고서야</u> 소중하게 간직할 수 있다.

ㅁ. 내가 정직하<u>고서야</u> 남에게 바르게 살라고 말할 수 있다.

ㅂ. 네가 착하<u>고서야</u> 남도 착해지라고 말할 수 있다.

9. 「-어서야/라서야」

이 어미는 「-어서/라서+야」로 된 것으로 모든 용언에 다 쓰일 수 있으며 시간비종결어미는 「-었-/았」만이 쓰일 수 있다.

(1) ㄱ. 그는 돈을 받<u>아서야</u> 가지, 그렇지 않으면 안 간다.

ㄴ. 그녀는 예<u>뻐서야</u> 시집을 잘 갔지, 안 그러면 그 좋은 집안으로 가지 못했다.

ㄷ. 그가 착한 사람이 아니<u>라서야</u>, 그리 잘 될 수 있었겠느냐?

ㄹ. 일당을 받<u>아서야</u> 가거라.(가자)

ㅁ. 식사를 하<u>였서야</u> 가지, 안 하고서야 어찌가겠느냐?

「-어서야/라서야」는 지정사와 '르'변칙 용언과 '러'변칙 용언에 쓰인다. (1ㄹ)의 예문은 다소 무리인 것 같으나 예시하였다. 그리고 주체존대 비종결어미 「-시-」와는 공기하는 어미가 있고 공기하지 못하는 어미가 있는데, 전자에 속하는 것에는 「-어야(만)/아야(만)」, 「-어야지(만)/아야지(만)」, 「-을지니」, 「-고서야(만)」 등이 있다. 예시하면 다음과 같다.

(2) ㄱ. 언제나, 사장님이 <u>가셔야(만)</u>, 사원들이 퇴근을 한다.

　　ㄴ. 교수님이 <u>가셔야지(만)</u>, 조교들이 퇴근할 수 있다.

　　ㄷ. 아버지가 건강하<u>시고서야(만)</u> 온 집안이 편안하다.

　　ㄹ. 선생님이 <u>가실지니</u>, 잘 모시어라.

◆비교법

이에는 「-거든」, 「-느니」, 「-듯이」, 「-으리만큼」, 「-다시피」 등이 있는데, 종결절의 내용이 반드시 이에 알맞은 것이어야 한다.

1. 「-거든」
이 어미는 「이유」의 뜻으로도 쓰이나 비교의 뜻으로 쓰인다.

(1) ㄱ. 이 집이 아름답<u>거든</u> 저 정자는 어떠하냐?

　　ㄴ. 선생이 저러하<u>거든</u>, 하물며 학생이야 말해 무엇하겠나?

ㄷ. 내가 어찌 아니하였<u>거든</u> 넨들 어찌 잊었겠느냐?

ㄹ. 여기가 살기 좋<u>거든</u> 저긴들 살기 좋지 않겠느냐?

ㅁ. 네가 일등이<u>거든</u>, 그도 일등이다.

오늘날 이 어미는 비교보다는 가정이나 조건의 뜻으로 쓰이고 있다. 종결절의 의향법은 주로 의문법이 쓰이는 것 같다. 물론, (1ㅁ)과 같이 서술법이 쓰일 때도 있기는 하다.

2. 「-느니」

이 어미 앞에는 「-었-/았」, 「-겠-」은 쓰이지 못한다. 이 어미는 주로 동사에만 쓰이는 것 같다. 비교란 견주는 동작성을 나타내기 때문이다.

(1) ㄱ. 앉아서 걱정하<u>느니</u>, 직접 가서 일을 처리하여라.

ㄴ. 그냥 보고 있<u>느니보다</u> 행동을 보여주어라.

ㄷ. 집에서 그냐 고심하<u>느니</u>, 직접 다니면서 일터를 구해 보면 어떠할까?

ㄹ. 누워서 보<u>느니보다</u>, 앉아서 보는게 낫지.

(1ㄴ~ㄹ)에서 보면, 「-느니」는 경우에 따라서는 조사 「-보다」를 취하여 쓰이기도 하는데, 그렇게 되면 비교의 뜻이 더 분명해진다.

3. 「-듯이」

이 어미는 「-듯」으로 쓰이기도 하는데 모든 용언에 두루 쓰인다. 그리고 종결절의 의향법은 다 쓰일 수 있다.

(1) ㄱ. 나비가 날개를 파닥이며 올라왔듯이 그들도 나비를 찾아, 엄마를 찾아 멀고 높은 산 위에 와 있다.

ㄴ. 땅속의 엄마가 대답을 못하듯이 나비도 날개만 흔들어 댈 뿐이던 말도 할 수 없음을 깨다를 수 있을까?

ㄷ. 다섯 살 아이에겐 다섯 살 인생이 전부이듯, 80번째 봄을 맞는 엄마에겐 이 봄이 엄마가 당면한 유일하고도 절대적인 현실이자 모든 것이다.

ㄹ. 내 늙은 엄마를 소 뼈다귀 우리듯 우려 먹고 싶다.

ㅁ. 도마에서 다듬어진 재료가 맛깔스런 음식으로 탄생하듯이 도마와 칼로 만난 우리 부부는 새로운 삶을 구성해 가지 않는가?

ㅂ. 손만 닿으면 풀각시의 머리이듯이 갈래로 나누어 다시 묶어 주는 게 여간 재미있지 않았다.

ㅅ. 우리가 프랑스인과 이탈리아인을 잘 구별 못하듯 그들도 동양사람을 잘 구별하지 못한다.

ㅇ. 부모를 여의었을 때, 내밀한 결의를 혼자 다지게 되듯이 말이다.

ㅈ. 눈을 크게 뜨고 지내다가 이마에 원하지 않는 주름살이 생길 건 불을 보듯 뻔하니 실천하고 싶지 않다.

위의 「-듯(이)」은 유사함을 나타낸다. 이 어미는 의존명사 「-듯」에 「이」가 와서 부사처럼 쓰이다가 어간 바로 다음에 쓰인 데서 어미로 변하고 말았다.

4. 「-으리만큼」

이 어미는 「-으리」에 견줌 조사 「만큼」이 와서 비교어미가 되었는데, 그것은 「만큼」 때문에 견줌을 나타내게 되었다.

(1) ㄱ. 세계적으로 그 유례를 찾아볼 수 없<u>으리만큼</u> 이상적으로 되었다.

ㄴ. 그의 아버지는 아들을 공부시키<u>리만큼</u> 돈을 많이 벌어 놓았다.

ㄷ. 그는 놀고 지내<u>리만큼</u> 돈이 많다.

ㄹ. 그도, 우리가 믿<u>으리만큼</u> 신용 있게 처신하였다.

이 어미 앞에는 「-었-/았」은 물론 「-겠-」은 쓰일 수 없다. 「-으리」 때문이다. 여기 실제 예문에는 나타나지 않았지만, 종결절의 의향법은 제약 없이 모든 의향법이 다 쓰일 수 있다.

5. 「-다시피」

이것은 어미 「-다」에 특수조사 「시피」가 합하여 된 것인데, 여기서 비교어미로 다루기로 한다.

(1) ㄱ. 네가 알<u>다시피</u> 한글은 세계에 으뜸가는 글자이다.

ㄴ. 그가 박사이<u>다시피</u> 너도 박사이다.

ㄷ. 꽃이 아름답<u>다시피</u> 너도 아름답다.

ㄹ. 네가 보았<u>다시피</u> 그는 참으로 훌륭한 사람이다.

ㅁ. 그가 먹었<u>다시피</u> 너도 먹어라.

ㅂ. 너도 들었<u>다시피</u> 나도 들었는데 그는 세계저긴 학자란다.

세계에서는 잘 나타나지 않으나 때로는 잘 쓰기 때문에 여기에 다루었다. 주어로 「나」는 잘 안 쓰이는 것 같다. 의향법도 위에서 보인 것 이외는 잘 쓰지 못하는 듯하다.

◆ 의도법

말할이의 의도를 나타내는 연결어미로 이에는 「-겠다고」, 「-고자/고져」, 「-는답시고」, 「-(으)러」, 「-(으)러」, 「-었으면」, 「-어야겠다고」, 「-으려」, 「-을려고」, 「-을라」, 「-을래야」, 「-을라고」, 「-을려니」, 「-을래도」, 「-을려면」, 「-을려다가」, 「-으려도」, 「-으려야/을려야」, 「-으리라」, 「-자고/자고도」, 「-자니/자니까」, 「-자며」, 「-자면서(도)」, 「-으리라」, 「-으려는데」 등이 있다. 이들 어미는 동사에만 쓰이는 것이 일반적이다.

1. 「-겠다고」

여기서 비종결어미 「-겠-」을 포함시킨 것은 「-겠-」과 「-다고」가 합하여야 의도를 나타내기 때문이다. 때매김에서 「-겠-」이 의도를 나타내기도 한다고 설명하였는데, 바로 이 「-겠-」 때문에 「-다고」가 의도를 나타내는 어미로 보아지는 것이다.

(1) ㄱ. 이제 나라의 미래를 맡겠다고 나선 사람들의 책임 있고 성숙한 자세다.

ㄴ. 여당은 너도 나도 대통령이 되겠다고 외쳐 대는 군소 후보들만 난립해 있을 뿐 과연 누가 여당 후보가 될 수 있을지조차 예측하기 어렵다.

ㄷ. 국가의 미래를 책임지겠다고 나선, 가장 강력한 경선 후보 중의 한 사람인 이명박 전 서울시장의 입에서 나온 말은 아니었다.

ㄹ. 신발 한 켤레 사 신겼으면 좋겠다고 혼자 생각했을 뿐인데도 세밑은 다가오고…

ㅁ. 대학에서 영어 숭배사상으로 모든 과목을 영어로 강의하겠다고 한다.

ㅂ. 그는 이 떡을 먹겠다고 여기까지 사러 왔다(왔느냐?)

ㅅ. 그녀는 예뻐지겠다고 코 수술을 하였다.(하였느냐?)

(1ㄱ~ㅅ)까지에서 보면 종결절의 의향법은 서술법과 의문법만이 오고 명령형과 권유법은 올 수 없다. 다음 예를 보자.

(2) ㄱ. 너는 무엇을 먹겠다고 여기까지 왔느냐?

ㄴ. 너는 이 책을 읽겠다고 비싼 돈을 주고 사 왔구나

ㄷ. 나는 집을 짓겠다고, 지금까지 저축하여 왔다.

ㄹ. 그는 무엇을 하겠다고 이렇게 일찍 왔지?

(1ㄱ~ㅅ)과 (2ㄱ~ㄹ)까지에서 보면 연결절의 주어에는 1·2·3인칭이 다 올 수 있으나 1인칭이 주어가 되면 의향법은 서술법만 쓰인다. 그러나 주어가 「우리」가 되면 권유법에도 쓰인다. 그리고 「-겠다고」 앞에는 「-었-/았」은 올 수 없으나 「-시-」는 올 수 있다. 다음 예를 보자.

(3) ㄱ. 그가 이 떡을 먹었겠다고 사람들은 말한다.

ㄴ. 아버지는 서울 가시겠다고 아침 8시 차로 떠나셨다.

(3ㄱ)에서 「-었-」이 오니까, 「-겠다고」는 추측을 나타낸다. 그러므로 「-겠다고」 앞에 「-었/았-」은 쓰일 수 없다. 이 어미는 동사에 두루 쓰이고 자제 가능한 형용사에도 쓰일 수 있다.

2. 「-고자/고져」

이 어미 앞에는 「-시-」 이외의 어떠한 비종결어미도 쓰일 수 없다.

(1) ㄱ. 좋은 작품을 출품하고자 노력하는 규연서유회원 여러분께 진심으로 감사합니다.

ㄴ. 너는 무슨 과목을 전공하고자 하느냐?

ㄷ. 너는 이 책을 읽고자 하는구나.

ㄹ. 나는 미국으로 유학가고자 영어 공부를 열심히 하고 있다.

ㅁ. 철수는 그림 공부를 하고자 파리로 떠났다.

ㅂ. 물을 먹고자 마을로 내려온 멧돼지를 주민들이 잡았다.

ㅅ. 우리는 그를 구하고자 온갖 노력을 다했다.

ㅇ. 할아버지는 서울에 가시고자 온갖 노력을 다했다.

ㅈ. 나는 그를 보고져 한다.

이 어미가 쓰일 때는 종결절의 의향법은 서술법과 의문법이 쓰이고 권유법과 명령형은 잘 쓰이지 않는 듯하다.

(2) ㄱ. 우리는 잘 살고자 노력하자.

ㄴ. 너는 잘 살고져 노력하여라.

(2ㄱ~ㄴ)은 성립되지 않는 것은 아니다. 좀 이상하며 실제 통계에서는 잘 나타나지 않는다. 그리고 「-고자」는 「-고」에 뜻함의 뜻을 나타내는 어미 「-자」, 「-져」가 붙어서 전체적으로 의도를 나타내는 어미가 되었다. 의도를 나타내는 어미는 동사, 이외에 형용사, 지정사에도 쓰일 수 있을 것 같다.

(1) ㄱ. 그는 예쁘고자 얼굴 수술을 하였다.

  ㄴ. 그는 부자이고자(-고저)」, 돈을 모은다.

3. 「-는답시고」

이 어미는 「-ㄴ다+합시고」의 「하-」가 줄어서 된 것으로 의도를 나타내는데, 「-ㄴ답시고」의 「-시-」 때문에 주체존대의 비종결어미 「-시-」는 쓰일 수 없다. 동시에 「-었-/았」과 「-겠-」, 「-으리-」 등도 잘 쓰일 것 같지 아니하다.

(1) ㄱ. 그는 그 경기에서 이겼답시고, 의기 양양하였다.

  ㄴ. 너는 서울에 갔다 왔답시고 떠들어 대느냐?

  ㄷ. 그들은 이번 경기에서 이기겠답시고 굳게 다짐하였다.

(1ㄱ~ㄴ)에서 보면 「-았-/었」이 쓰이니까 「-답시고」는 의도의 뜻이 없어졌고, (2ㄷ)은 「-겠-」이 들어가니까 의도의 뜻은 있으나 실지 생활에 잘 쓰이지 아니한다. 그리고 이 어미가 오면 연결절의 주어에는 별 제약이 있는 것 같지 아니하다.

(2) ㄱ. 참석자들 이야기를 메모한답시고 볼펜과 수첩을 손에 쥐고 있긴 하겠지만 손도 볼펜도 수첩도 보이지 않습니다.

  ㄴ. 그는 공부한답시고 서울로 떠났다.

  ㄷ. 자기가 잘한답시고 뽐내며 까분다.

  ㄹ. 제딴에는 모양을 낸답시고 단장을 하고 외출을 하였다.

  ㅁ. 그녀는 예쁘답시고 제법 으시댄다.

(1ㄱ~ㄴ)과 (2ㄱ~ㅁ)으로써 보면 이 어미는 서술이나 이유 등을 나타내는 뜻으로 이해되나, (2ㄱ)의 글을 보면 의도를 나타내는 것 같아서 의도를 나타내는 어미로 처리하였다. 그리고 이유나 서술 등은 부차적인 뜻으로 처리하면 좋으리라 생각된다.

(2ㅁ)을 보면 형용사에 「-ㄴ답시고」가 오니까 말이 좀 이상하다. 의도를 나타낼 때는 동사에만 쓰임에 유의하여야 한다.

4. 「-(으)러」

이 어미는 그 앞에 어떠한 비종결어미도 쓰일 수 없는 것으로 보인다. 「-시-」는 쓰일 수 있는 것처럼 느껴지나 우리의 실생활에서는 잘 씌지 아니한다. 주어와 의향법 제약은 있는 것 같지 아니하다. 다음 예를 보자.

(1) ㄱ. 영희는 공부하러 서독에 갔다. (갔느냐?)

　　ㄴ. 너는 무엇하러 여기까지 왔느냐?

　　ㄷ. 편안히 휴가를 보내는 대신 봉사하러 간 것이다.

　　ㄹ. 저는 선생님을 뵈오러 여기까지 왔습니다.

　　ㅁ. 이 차를 고치러 서울까지 왔다.

(1ㄱ~ㅁ)까지를 보면 1인칭이 주어가 되면 서술법과 권유법이 쓰이고, 2인칭이 주어가 되면 서술법과 의문법과 명령형이 다 쓰이고, 3인칭이 주어가 되면 서술법과 의문법만이 쓰인다. 이 어미는 동사에만 쓰인다.

5. 「-었으면」

이 어미는 어떻게 보면 가정을 나타내는 어미로 보이나, 문맥에 따라서는 희망을 나타내므로 여기에서 다루기로 하였다. 「-었으면」 앞에는 다른 비종결어미는 올 수 없는 것 같고 용언은 아무 제약 없이 다 쓰인다.

(1) ㄱ.. 신발 한 켤레 사 신겼으면 좋겠다고 혼자 생각했을 뿐인데도 세밑
　　　은 다가오고 용돈 사정이 여의치 않으면…
　　ㄴ. 밥을 좀 먹었으면 좋으련만 어디 있어야지.
　　ㄷ. 이번에는 아들이 태어났으면 얼마나 좋을까?
　　ㄹ. 이것이 돈이었으면 얼마나 좋을까?
　　ㅁ. 그녀가 예뻤으면 하고 바란다.
　　ㅂ. 네가 이번 시험에 합격하였으면 좋겠다.
　　ㅅ. 그도 진급했으면 좋겠다.

이 어미가 연결절에 오면 주어에는 제약이 없으나, 종결절의 의향법은 서술법과 의문법만이 쓰이고 명령형과 권유법은 잘 쓰이지 않는 것 같다. 이 어미에 쓰이는 용언은 제약이 없다. 그리고 한 가지 특징은 이 어미가 쓰인 종결절의 서술어는 반드시 '좋다', '바라다' 등이 쓰인다.

6. 「-어야겠다고」

이 어미는 「-어야」에 「하겠다」의 「하-」가 줄고 서로 합하여 된 것이다. 동사에만 쓰인다.

(1) ㄱ. 그러면서 조심하여야겠다고 다짐하였다.

ㄴ. 나수는 열심히 공부하여야겠다고 결심하였다.

ㄷ. 나는 집에 있어야겠다고 생각한다.

ㄹ. 나는 교시를 보아야겠다고 서울로 간다.

「-어야겠다고」는 주어로는 1인칭에 한하며 만일 2~3인칭이 되면 의무나 요청의 뜻을 나타내는 것으로 보인다. 따라서 주어가 1인칭일 때의 종결절의 의향법은 서술법에 한한다.

(2) ㄱ. 너는 공부를 열심히 하여야겠다고 생각한다.

ㄴ. 영희는 무용을 더 배워야겠다고 느꼈다.

(2ㄱ~ㄴ)에서 보면 「-어야겠다고」는 의무의 뜻으로 이해되는 듯하다. 이때도 종결절의 의향법은 서술법으로만 되는 듯하다. 명령형과 의문법 등이 절대로 안 되는 것은 아니나, 문장이 이사하게 느껴지기 때문이다.

7. 「-으려」

이 어미가 쓰이는 문장의 종결절의 의향법은 서술법과 의문법이 쓰이면 자연스러우나, 명령형이나 권유법이 오면 이상하게 느껴진다. 그리고 이 어미는 동사에만 쓰인다. 의도를 나타내기 때문이다.

(1) ㄱ. 회우를 향한 그리움을 삭히려 함이리라

ㄴ. 이 새빨간 진흙에 묻히려 여길 왔는가?

ㄷ. 넥타이 맨 사람들이 관객도 없는 무대 위에서 밀려 떨어지지 않으

려 엉켜 붙어 있는 모양 자체가 가관이다.

ㄹ. 다음 정부에 부담을 넘기려 하니 이 또한 염치없는 행동이다.

ㅁ. 당 대회 때와 같이 대처하려 할지 모른다.

ㅂ. 의혹을 양당 후보라는 권력으로 뭉개려 할지 모른다.

ㅅ. 벼가 벌써 익으려 한다.

ㅇ. 그는 공부하려 서울로 떠났다.

ㅈ. 벌써 꽃이 피려 한다.

ㅊ. 나는 푹 쉬려 이곳에 왔다.

ㅋ. 너는 무엇하려 여기까지 왔느냐?

ㅌ. 그는 영희를 데리려 서울로 갔다.

(1ㄱ~ㅌ)에서 보면, 주어는 생물이든 무생물이든 제약이 없다.

8. 「-을려고」

이 어미는 「-을려+하고」의 「하-」가 줄어서 된 것으로 동사에만
쓰이고 주어에는 별 제약이 있는 것 같지 아니하다.

(1) ㄱ. 울려고 내가 왔던가, 웃을려고 왔던가?

ㄴ. 공부할려고 아무리 애를 써도 잘 되지 않는다.

ㄷ. 이곳에 집을 지을려고 생각하였으나 알고 보니 주위가 좋지 않아
서 그만두기로 하였다.

ㄹ. 그녀를 잊을려고 아무리 애를 써도 잊을 수가 없구나.

ㅁ. 너는 여기서 무엇을 할려고 계획을 세웠느냐?

ㅂ. 너는 여기서 일을 할려고 생각하였구나.

ㅅ. 그는 자동차를 살려고 여기까지 찾아왔다.

(1ㄱ~ㅅ)에서 보면 주어가 2인칭이면 의향법은 주로 의문법이 쓰여야 자연스럽고, 서술법도 자연스러운 듯하다(1ㅂ 참조). 주로 '~할려고 하는구나' 식으로 되어야 자연스럽다. 다음에 더 많은 예를 보기로 하자.

(2) ㄱ. 어린것이 시의 맛을 알게 되었는지 동화책을 읽으려고 하지 않는다.
　　ㄴ. 남자는 필시 짙은 색안경으로 흐르는 눈물을 감추려고 했을 것이다
　　ㄷ. 아이들 앞에서 슬픔을 위장하려고 했을 것이다.
　　ㄹ. 떠내려가고 있는 신발을 건지려고 안간힘을 썼지만 불가항력이었다.
　　ㅁ. 홧김에 답답한 속을 풀려고 내뱉는 말로 치부하기엔 목소리가 너무 크다.
　　ㅂ. 바다 위를 날고 있는 갈매기들만 보려고 해도 자꾸 비둘기들이 내 눈 앞에서 알짱거린다.
　　ㅅ. 이왕 간판을 본 김에 내 필명도 지으려고 머리를 굴려 본다.
　　ㅇ. 그녀를 향하여 방귀포 한 대를 쏘아 주려고 궁둥이를 내밀고 아랫배에 힘을 불끈 주었지만 실탄이 떨어져 하는 수 없이 "뽕" 소리를 내고 방으로 들어와 버렸다.
　　ㅈ. 그녀가 좀더 예쁘게 뵈기 위하여서나 늙지 않게 보이려고 쌍꺼풀을 하려는 게 아니다.
　　ㅊ. 국어 관계 예산을 깎으려고 한다니 무엇이 잘못된 것이 아닐까?
　　ㅋ. 콜로디우스 2세가 젊은이들을 전쟁터로 끌고 가려고 금혼령을 내리자 뜨거운 피를 지닌 밸런타인 사제가 죽음을 무릅쓰고 반기를 들었다.

(2ㄱ~ㅋ)까지는 통계를 낸 것인데 주어는 1인칭 아니면 3인칭이

요, 의향법은 서술법 아니면 의문법만으로 되어 있다. 명령형이나 권유법은 전혀 쓰여 있지 아니하니, 이것이 아마 우리의 언어습관이 아닌지 모르겠다.

9. 「-을라」, 「-을래야」

이 어미는 의도 또는 염려를 나타내는 경우가 있고 서술을 나타내는 경우가 있는데, 여기서는 전자의 경우만을 다루기로 한다.

(1) ㄱ. 내가 그것을 먹<u>을라</u> 하니까, 아버지가 못 먹게 하더라.
    ㄴ. 집에 갈<u>라</u> 하는데, 손님이 와서 좀 늦었다.
    ㄷ. 저 소가 달아<u>날라</u>, 잘 매어 두어라.
    ㄹ. 아이가 떨어<u>질라</u>, 잘 보살펴라.
    ㅁ. 적이 쳐 내려<u>올라</u> 경비를 단단히 서야 한다.
    ㅂ. 네가 시험에 떨어<u>질라</u>, 평소에 공부를 단단히 하여라.
    ㅅ. 너머<u>질라</u>. 조심하여라.

(1ㄱ~ㄴ)은 의도를 나타내고 (1ㄷ~ㅅ)은 염려를 나타낸다. 의도를 나타낼 때는 「-을라」 뒤에 「하다」가 와야 한다. 이 어미는 동사에만 쓰인다. 주어는 제약이 없는데 의향법은 서술법과 명령형이 쓰이는데 주어가 1인칭일 때는 권유법도 쓰일 수 있다.

(2) ㄱ. 밤에 호랑이가 나올라 우리 모두 밤에 조심하자.
    ㄴ. 어린이가 잠을 깰라 조용히 하자.

(2ㄱ~ㄴ)의 종결절의 주어는 1인칭이다. 따라서 의향법은 권유법

이 되었다. 「-을라」 뒤에 「하다」 이외의 서술어가 와도 「의도」를 나타낸다.

(3) ㄱ. 나는 그를 <u>도울래야</u> 도울 수가 없다.

ㄴ. 그 시간에 <u>일어날래야</u> 도저히 일어날 수가 없었다.

ㄷ. 너는 철수를 <u>이길래야</u> 이길 수가 없다.

ㄹ. 그가 여기 <u>올래야</u> 올 수가 없어서 전화를 하였다.

ㅁ. 너는 그를 <u>믿을래야</u> 믿을 수가 없더냐?

ㅂ. 그 아파트는 너무 비싸서 <u>살래야</u> 살 수가 없더라.

(3ㄱ~ㅂ)에서 보면 인칭에도 제약이 없으나 종결절의 의향법은 서술법과 의문법만 사용된다. 예문에서 보는 바대로 「-을래야」가 오는 동사와 같은 동사가 반드시 그 뒤에 쓰여야 된다는 것이 특이하다.

10. 「-을라고」

이 어미는 방언적인 성격을 띠고 있으나 글에서 쓰이므로 여기에서 다루기로 한다. 동사에만 쓰이며 인칭에는 별로 제약이 있는 것 같지 않다.

(1) ㄱ. 그는 혼자 <u>있을라고</u>, 아무도 못 오게 하였다.

ㄴ. 이번 일요일에 나는 산에 <u>갈라고</u> 계획하고 있다.

ㄷ. 비가 <u>올라고</u> 그러는지 무덥기 그지없다.

ㄹ. 너는 어디 <u>갈라고</u> 이렇게 행장을 차리고 왔느냐?

주어가 2인칭이 될 때, 종결절의 의향법이 의문법이 쓰이면 아주 자연스럽고 서술법은 제법 제약을 받는 것 같다. 그리고 명령형도 쓰일 수 있으나 그리 흔하게 쓰이지는 않는 것 같다. 주어가 1·2·3 인칭의 경우는 의향법은 서술법과 의문법이 다 쓰이는데 명령형은 2인칭에 쓰인다. (서술법은 위의 예문을 참조할 것.)

(1) ㄱ. 그는 서울 <u>갈라고</u>, 준비를 하고 왔냐?

　　ㄴ. 너는 그녀를 만나러 <u>갈라고</u>, 생각하느냐?

　　ㄷ. 너는 집에 <u>갈라고</u> 꿈도 꾸지 말아라.

　　ㄹ. 너는 집에 <u>갈라고</u> 생각하는구나.

(2ㄷ)에서 보듯이 2인칭이 주어일 때는 종결절의 의향법이 서술법일 때는 종결어미가 「~구나」 등으로 쓰인다. (2ㄷ)은 주어가 2인칭일 때는 명령형도 쓰일 수 있음을 보인 것이다.

11. 「-을려니」

이 어미가 오는 문장의 주어는 1인칭에 한하는 것 같고 종결절의 의향법은 서술법만이 쓰이는 것 같다. 물론 이 어미는 동사에만 쓰인다.

(1) ㄱ. 9.11테러 넘어 <u>나올려니</u> 매우 힘들었다.

　　ㄴ. 이 이를 <u>처리할려니</u> 너무도 힘이 든다.

　　ㄷ. 저 어려운 일을 <u>이겨낼려니</u>, 여간 힘들지 않는다.

위의 어미에 의한 예문은 그리 많이 나타나지 않는다. 한글학회

발행 『우리말사전』에도 이 어미는 나타나지 않는다.

12. 「-을래도」

이 어미는 「-올라＋하여도」가 줄어들어 이루어진 것으로 보인다. 주어는 1·2·3인칭이 다 쓰이는 것 같다.

2~3인칭이 주어일 때는 종결절의 의향법은 의문법이 가능한 것 같다. 명령형과 권유법은 쓰일 수 없다. 이 어미는 동사에만 쓰인다.

(1) ㄱ. 공부를 <u>할래도</u>, 시끄러워서 할 수가 없다.

ㄴ. 밥을 <u>먹을래도</u> 입맛이 업서 못 먹겠다.

ㄷ. 너는 서울 <u>갈래도</u>, 못 가는 까닭이 무엇이냐?

ㄹ. 그는 유학을 <u>갈래도</u> 돈이 없어 못 간다.(가느냐?)

이 어미는 어떻게 보면 '애씀'의 뜻으로도 이해된다.

13. 「-으려면」

이 어미는 「-면」 때문에 가상의 뜻으로도 이해될 수 있으나, 문맥상으로 보면 의도로 보는 것도 무리는 없을 것 같아, 여기에서 다투기로 한다. 물론 동사에만 쓰이고 주어 제약은 없는 것 같다. 종결절의 의향법은 별 제약이 있는 것 같지 아니하다.

(1) ㄱ. 먹이를 <u>구하려면</u>, 풍랑과 싸워야 하는 새로운 섬에서 밤을 보내야 한다.

ㄴ. 한여름 현관문이라도 열어 <u>놓으려면</u> 아무래도 제일 큰 집이 나을 듯싶었다.

ㄷ. 더 훗날 야금거릴 추억거리를 만들려면 주머니가 희생하는 것쯤은 감래해야 하는 것 아닌가?

ㄹ. 정권 교체하려면 나를 믿는 수밖에 없다.

ㅁ. 무엇보다도 책을 좋아하려면 재미있다는 생각을 가져야 한다.

ㅂ. 그는 국제적 경쟁 사회에서 앞서려면 창의력이 있고 모국어 구사력이 뛰어난, 바른 인성을 가진 인재들을 양성하는 것이 중요하다며…

ㅅ. 눈을 크게 보이게 하려면 얼굴에 살을 찌워서는 안 된다고 한다.

ㅇ. 다른 나라말 가운데서 들온말을 가려 뽑으려면 먼저 들온말의 뜻매김을 하고 외래어 사정 원칙을 마련해야 한다.

ㅈ. 성공하려면 꾸준히 노력하여야 한다.

ㅊ. 이 구조에 새로운 개념을 추가하려면 기존의 것과 다른 새로운 차이점을 명시하면 된다.

ㅋ. 성공하려면 남보다 더 일해야 한다.

ㅌ. 호랑이를 잡으려면 호랑이 굴에 들어가야 한다.

ㅍ. 성공하려면 꾸준히 노력하여야 한다. (노력하자).

ㅎ. 이 일을 해 내려면 어떻게 해야 합니까?

14. 「-을려다가」

이 어미는 「-으려+하다가」가 줄어서 된 것으로 보인다. 동사에만 쓰이고 주어 제약은 없는 것 같다.

(1) ㄱ. 쥐 잡으려다가 독 깨뜨린다.

　　ㄴ. 멧돌 잡으려다가 집돌 잃었다.

　　ㄷ. 도둑 잡으려다가 몸만 다쳤다.

ㄹ. 불을 <u>끄려다가</u> 중상을 입었다.

ㅁ. 중매하<u>려다가</u> 곤욕만 당하였다.

ㅂ. 이 이를 하<u>려다가</u> 다른 일을 했나?

이 어미는 「-다가」 때문에 중단의 뜻을 나타내는 것이 아닌가 생각할는지 모르나, 문맥으로 보면 의도로 보아야 할 것 같다. 종결절의 의향법은 서술법과 의문법만이 쓰이는 것 같다.

15. 「-으려도」

이 어미는 「~으려」에 조사 「-도」가 붙어서 된 것으로 「~으려고하여도」의 뜻을 나타낸다. 동사에만 쓰인다.

(1) ㄱ. 아무리 쥐를 잡<u>으려도</u> 잡히지 않는다. (않느냐?)

ㄴ. 네가 아무리 그를 따라붙<u>으려도</u> 따라붙지 못한다.

ㄷ. 아무리 공부를 잘하<u>려도</u> 잘되지 않는다.

「-으려도」는 어쩌면 작정 또는 노력 등으로 이해되는 일이 있다. 주어는 별 제약이 있는 것 같지 않고 의향법은 서술법과 의문법만이 가능하다.

16. 「-으려야/을려야」

이 어미는 「-으려」에 조사 「-야」가 합하여 이루어졌다. 그 뜻은 노력으로 이해된다. 동사에 쓰인다.

(1) ㄱ. 그 일을 잊<u>으려야</u> 잊을 수 없다.(없느냐?)

ㄴ. 스승을 다르려야 따를 수 없다.

ㄷ. 그는 공부할려야 돈이 없어 못한다고 한다.

주어는 제약이 없으나 종결절의 의향법은 서술법과 의문법만이 쓰인다.

17. 「-자고/자고도」

「-자고도」는 「-자고」에 조사 「-도」가 붙어서 된 것이다 동사에만 쓰이는데 뜻은 문맥에 따라 권유·명령·의도·결심 등을 나타낸다. 따라서 이들도 달리 다룰 곳이 없어서 「의도」에 포함시켜서 여기에서 다루기로 하였다. 통계에 따르면 의향법은 서술법만이 나타났는데 의문법도 쓰일 수 있다. 주어의 인칭에는 별 제약이 없다.

(1) ㄱ. 특전사 7개 부대를 보내 인질을 구출하자고도 하고 좀 더 대규모 전투부대를 파견해 탈레반을 응징하자고도 한다.

ㄴ. 서예 사랑으로 어김없이 가르쳐 주시자고 애쓰시는 예술 정신의 삶에 힘입어…

ㄷ. 여러 서예의 영역에 다양한 작품을 준비하자고 애썼습니다.

ㄹ. 좋은 작품을 출품하자고 노력하는 규연서유회원 여러분께 진심으로 감사합니다.

ㅁ. 여기서 나는 '들풀'로 부르자고 다시 제안한다.

ㅂ. 중앙정부가 영어나라 만들자고 나서지 않을까 걱정된다.

ㅅ. 그는 나를 같이 가자고 꼬신다.

ㅇ. 밥을 먹자고 하니 반찬이 없다.

ㅈ. 같이 놀자고 하는 바람에 시간만 보내었다.

(1ㄱ·ㅁ·ㅂ·ㅅ·ㅈ)의「-자고」는 권유나 명령의 뜻으로 이해되고 (1ㄴ·ㄷ·ㄹ)은 의도를 나타내며 (1ㅇ)은 결심 또는 의도를 나타내는 것으로 이해된다.「-자고」는 권유로「-고자」는 의도를 나타내는 연결어미인데, 권유도 일조의 이도가 들어 있기 때문에 여기서 다루기로 하였다.

18.「-자니/자니까」

여기의「-자니」는「-자니까」가 준 것으로 보이며 이것은 본래「-자+하니까」가 준 것이다. 그러므로 이 어미는 동사에만 쓰인다. 주어에는 제약이 없는 듯하다.

(1) ㄱ. 산등성인지도 모르는 빙판을 비틀비틀 달리자니 심약한 나는 오금이 저렸습니다.
ㄴ. 막 잠자리에 들자니까, 누가 찾아왔다.
ㄷ. 책을 읽자니까 전기불이 나가고 말았다.
ㄹ. 너는 도미하자니, 은근히 걱정이 되는 듯하다.
ㅁ. 그는 공부하자니 집이 어려워 뜻대로 되지 않는 듯하다.
ㅂ. 너는 무이도식하자니, 시간 보내기가 힘이 들지?
ㅅ. 철수가 서울에 가자니 돈이 없다고?

「-자니(까)」로 이어지는 종결절의 의향법으로 명령형과 권유법은 쓰일 수 없다.

18.「-자며」

이 어미는 말할이가 들을이에게 권유하는 뜻을 나타내는데, 동사

에만 쓰이나 혹 형용사에도 쓰일 수 있다. 주어 제약은 없고 의향법
도 별 제약이 없는 듯하다.

(1) ㄱ. 책상 위에 올려놓고 보<u>자며</u> 그 꽃을 산다.

　　ㄴ. 나는 구경 가<u>자며</u> 그를 꼬시었다.

　　ㄷ. 너는 서울 가<u>자며</u> 어디로 가느냐?

　　ㄹ. 너는 놀러 가<u>자며</u> 영희를 데리러 가거라.

　　ㅁ. 철수는 서울 가<u>자며</u> 영희를 꼬시었나?

　　ㅂ. 우리는 미국 가<u>자며</u> 그녀를 꼬시어보자.

　　ㅅ. 나는 영화 보러 가<u>자며</u> 그녀를 꼬셔 볼까?

위의 예들 중에서 (1ㅂ)에서 보는 바대로 의향법이 권유법으로
될 때의 주어는 '우리'가 되어야 한다.

(2) ㄱ. 영희는 우리도 아름답<u>자며</u> 친구와 함께 성형수술을 하였다.

　　ㄴ. 반장은 제발 조용하<u>자며</u> 책상을 두들겼다.

(2ㄱ~ㄴ)은 형용사에도 「-자며」가 쓰인 예이다. 「-자며」는 「-자
＋하면」이 줄어서 된 어미이다.

19. 「-자면서」, 「-자면서도」

이 어미는 「-자＋하면서(도)」가 줄어서 된 것으로 용언과 주어에
제약이 없는 듯하고 의향법에도 제약이 없는 듯하나, 그 쓰이는 용
언에 따라 가부가 결정되는 듯하다. 이와 같은 일은 앞의 「-자며」의
경우도 같다.

(1) ㄱ. 사교육비를 줄이<u>자하면서도</u> 미국말을 배우는 데 드는 돈을 줄일

생각을 못 하니 논의가 거듭될 때가 많다.

ㄴ. 그는 같이 일하<u>자면서(도)</u> 도모지 움직이지를 않는다.

ㄷ. 그만 쉬<u>자면서(도)</u> 자꾸 일을 하느냐?

ㄹ. 모두 미국에 가<u>자면서</u> 그녀를 데리러 가거라 (가자)

ㅁ. 나는 공부하<u>자면서</u> 철이를 데리러 갔다.

ㅂ. 나도 아름답<u>자면서</u> 화장을 하였다.

ㅅ. 너도 아름답<u>자면서(도)</u> 왜 화장을 하지 않느냐?

(1ㅂ~ㅅ)은 형용사에도 「-자면서(도)」가 쓰일 수 있음을 보인 것이다. 앞의 모든 경우가 다 그러하지마는 「이다/아니다」에는 의도를 나타내는 연결어미는 쓰일 수 없다.

이 어미의 정확한 뜻은 꾀임인데 꾀임도 의도에 포함되므로 여기에서 다루기로 하였다.

20. 「-(으)리라」

이 어미는 종결어미지만은 요즈음은 연결어미처럼 많이 쓰이기 때문에 여기서 다루기로 한 것이다.

(1) ㄱ. 나도 그 일은 잊<u>으리라</u> 결심하였다.

ㄴ. 너는 그가 그 약속을 지키<u>리라</u> 생각하였더냐?

ㄷ. 철수는 저 일을 해 내<u>리라</u> 다짐하였다.

(1ㄱ~ㄷ)에서 보면 주어가 일인칭일 때는 의도를 나타내나, 주어가 2~3인칭일 때는 추정으로 이해된다. 이 어미는 (1ㄱ)의 경우 「나

는 그 일을 잊으리라고 결심하였다」에서 인용조사 「-고」를 줄인 것으로 보아진다. 그런데 그렇게 보면 문장의 짜임새는 [<u>나는</u> 「나는 그 일을 잊으리라」고 결심하였다]에서 [ ] 안의 밑줄 친 「나는」이 줄고 위의 「1ㄱ」이 된 것으로 보아야 하나, 문장의 짜임새의 설명에서 편리한 쪽이라 생각하여 그렇게 다루었으니 이해를 바란다.

(2) ㄱ. 나는 <u>가리라</u> 정처 없이 아주 가리라

(2ㄱ)에서 밑줄 친 「<u>가리라</u>」를 「가리라고」로는 도저히 성립될 수 없기 때문이다.

21. 「-으려는데」
이 어미는 동사에만 쓰인다. 「-으려+하는데」가 줄어서 된 것이다. 비종결어미는 「-시-」만이 쓰인다.

(1) ㄱ. 학교를 가<u>려는데</u> 비가 막 쏟아졌다.
    ㄴ. 꽃이 피<u>려는데</u> 날씨가 갑자기 싸늘하다.
    ㄷ. 너는 무엇을 하<u>려는데</u> 그리 급하냐?
    ㄹ. 내가 떠나려는 눈치를 알고 차에 오<u>르려는데</u> 울상이 되어 두 팔을 앞으로 뻗치면서 손가락 끝까지 있는 힘을 다하지 않는가. 그 장면을 찍<u>으려는데</u> 눈치를 모르는 할매가 그 좋은 장면을 놓치고 말았다.

1.1.2. 뒤집음으로 종결절을 요구하는 연결어미

이 어미에는 양보법, 불구법이 있다.

◆ 양보법

이에는 「-으나마」, 「-는다마는」, 「-는다면서도」, 「-는다손」, 「-눈댔자」, 「-는들」, 「-는다지만」, 「-더라도」, 「-라도」, 「-라지만」, 「-래도」, 「-런들」, 「-던들」, 「-련만」, 「-을지나」, 「-을지언정」, 「-읍니다마는」, 「-어도/-아도」, 「-어서라도」, 「-(이)라도」, 「-은들」 등이 있다. 이들 주에는 부분적으로 양보의 뜻이 희박한 어미도 있고 불구·가상 등 여러 가지 뜻을 나타내는 것도 있으며 하나의 어미가 문맥에 따라 두 가지 세 가지 뜻으로 이해되는 것이 있으나 그 대종을 이루는 뜻에 따라 여기에서 다루기로 하였다.

1. 「-으나마」
이 어미는 양보·불구·미흡·불만·조건 등을 나타내나 양보가 주된 뜻일 것으로 보고 여기서 다루기로 하였다.

(1) ㄱ. 적으나마 이것을 가지고 가시오.
ㄴ. 맛은 없으나마 많이 드세요.
ㄷ. 이것을 받기는 받으나마 마음은 편하지 아니하다.
ㄹ. 이것으로는 부족하나마 받아두자.
ㅁ. 이 일은 너의 분수에 넘치나마 잘 처리하겠느냐?
ㅂ. 여러 가지로 부족하나마 이번에 출마하기로 하였습니다.
ㅅ. 내가 오늘은 이만 가나마 내일은 그만두지 않겠다.
ㅇ. 죽이라도 먹고나마 가거라.
ㅈ. 맛은 없으나마 좀 드시오.
ㅊ. 나는 가나마, 너는 있거라.

ㅋ. 적으나마 많은 듯이 받으시오.

ㅌ. 나는 먹었으나마 너는 안 먹었느냐?

ㅍ. 할아버지가 가시나마 일이 잘 해결될는지 모르겠다.

ㅎ. 철수는 학생이나마 행실이 별로 좋지 아니하다.

(1ㄱ~ㅎ)까지에서 보면 (1ㅌ~ㅍ)은 좀 부드럽지 못한 느낌이 든다. 그리고 (1ㅎ)에서 「-으나마」가 「이다」에 오면, 그 종결절의 의향법으로 의문법은 잘 쓰일 수 없는 것 같다.

(2) ㄱ. 그는 학생이나마 품행이 방정하냐?

　　ㄴ. 그는 선생이나마 존경하지 말아라. (말자)

　　ㄷ. 그는 박사이나마 아는 것이 별로 없다.

글쓴이가 보기에는 (2ㄱ)은 매끄럽지 못하다고 느껴진다. 그러나 (2ㄴ~ㄷ)은 자연스럽게 느껴진다.

2. 「-는다마는」

이 어미는 양보 이외에 불안·염려·불구·비애·반대 등 여러 뜻을 나타낸다. 용언 제약, 의향법 제약, 주어 제약 등은 없다. 비종결어미 제약도 있는 것 같지 아니하다.

(1) ㄱ. 오늘도 걷는다마는 정처 없는 이 발길, 지나온 자국마다 눈물 고였다.

　　ㄴ. 아들에게 공부를 시킨다마는 잘 될는지 모르겠다.

　　ㄷ. 약은 먹는다마는 효과가 별로 있는 것 같지 않다.

　　ㄹ. 얼굴은 예쁘다마는 마음씨는 어떠할까?

ㅁ. 낯익은 거리<u>다마는</u> 이국보다 차갑다.

ㅂ. 비가 온<u>다마는</u> 일터로 가거라. (가자)

ㅅ. 저녁은 먹었<u>다마는</u> 배가 좀 고프다.

ㅇ. 할아버지가 병원에 가셨<u>다마는</u> 병이 잘 고쳐질지 의문이다.

ㅈ. 그가 이기겠<u>다마는</u>, 두고 보아야 알겠다.

  (1ㄱ)은 불안 또는 절망의 뜻이 담긴 듯하고 (1ㄴ)은 의문, (1ㄷ~ㄹ)은 불구, (1ㅁ)은 절망, (1ㅂ~ㅅ)은 불구, (1ㅇ)은 의문, (ㅈ)은 추정 등의 뜻을 나타낸다. 이 어미는 「-는다+마는(특수조사)」으로 이루어진 것으로 위와 같은 여러 가지 뜻을 나타내는 것은 「-마는」 때문이다.

  3. 「-는다면서도」

  이 어미는 「-는다+하면서도」에서 「하-」가 줄어서 된 것으로 양보의 뜻을 나타내는 것은 「-면서도의」, 「-도」 때문이다. 종결절의 의향법은 서술법과 의문법만이 가능하고 주어 제약은 없으나 서술어 중 동사에는 「-는다면서도」가 쓰이고 형용사에는 「-다면서도」가 쓰이며 지정사에는 「-라면서도」가 쓰인다. 비종결어미 「-시-」와 「-었-」은 동사와 형용사에는 쓰이나 지정사에는 「-었-」만이 쓰이는 것 같다.

  (1) ㄱ. 너는 술을 끊었<u>다면서도</u> 또 술을 마시느냐?

   ㄴ. 그는 담배를 안 피운<u>다면서도</u>, 남 몰래 숨어서 피운다.

   ㄷ. 나는 그 일을 하겠<u>다면서도</u> 끝내 하지 못했다.

   ㄹ. 이 꽃이 아름답<u>다면서도</u> 한 포기 주지 않는다.

ㅁ. 그는 사장이<u>라면서도</u> 돈이 없다.

(1ㄱ~ㅁ)에서 보듯이 종결절의 의향법은 서술법과 의문법만이 가능하다.

(2) ㄱ. 그는 대통령이었<u>다면서도</u>, 생활이 넉넉하지 못하다.(못하냐?)

ㄴ. 그녀는 젊어서는 예뻤<u>다면서도</u>, 지금은 그렇지 아니하다.

ㄷ. 그 꽃은 향기롭겠<u>다면서도</u> 실은 그렇지 않은 듯하다.

ㄹ. 그 어른은 건강하시<u>다면서도</u>, 매일 방에만 누워계신다.(계시느냐?)

4. 「~는다손」

이 어미는 그 뒤에 반드시 「치다」가 와야 함이 하나의 특징이다. 이 어미는 동사, 형용사에는 자연스럽게 쓰이나 지정사에 쓰이면 문장이 매끄럽지 못하고 「-이라 하더라도」의 형식으로 쓰이지 「-이라손 하더라도」의 형식으로 쓰이지 아니한다. 종결절의 의향법은 제약이 없다. 주어 제약도 없다.

(1) ㄱ. 아무리 빨리 간<u>다손</u> 치더라도 다섯 시간은 걸릴 것이다.

ㄴ. 그녀가 아무리 예쁘<u>다손</u> 치더라도 양귀비를 당하겠느냐?

ㄷ. 그가 대통령이<u>라손</u> 치더라도, 세종대왕만큼은 정치를 잘 하지 못할 것이다.

ㄹ. 사장이 가신<u>다손</u> 치더라도 일이 잘 해결되지 않을 것이다.

ㅁ. 그가 고시에 합격하였<u>다손</u> 치더라도 판·검사는 되지 못할 것이다.

ㅂ. 네가 이 시합에서 이기겠<u>다손</u> 치더라도 평소에 더 훈련을 하여야 한다.

ㅅ. 네(우리)가 이겼<u>다손</u> 치더라도 방심하지 말아라.(말자)

ㅇ. 네가 미국 유학을 <u>한다손</u> 치더라도 방심하지 말고 열심히 공부하여라.

(1ㄱ~ㅇ)에서 보면 비종결어미는 「-시-」만이 쓰이고 「-었-」과 「-겠-」 등은 제약 없이 쓰일 수 있음을 알 수 있다.

5. 「-는댔자」
이 어미는 「-는다고 하였자」가 줄어서 된 것이다.

(1) ㄱ. 그가 일을 잘 <u>한댔자</u> 얼마나 잘 하겠니?

ㄴ. 그가 <u>착하댔자</u> 갑돌이만 하려고.

ㄷ. 그가 그 문제를 해결하겠다고 <u>했댔자</u> 별 수가 있겠나?

ㄹ. 그녀가 <u>예쁘댔자</u> 양귀비를 당할라고.

ㅁ. 그가 <u>사장이랬자</u> 돈도 별로 없다.

ㅂ. 선생님이 <u>가신댔자</u> 크게 기대할 수 업슬 것이다.

ㅅ. 내가 그 일을 <u>한댔자</u> 큰 효과는 없을 것이다.

ㅇ. 네가 고시를 <u>본댔자</u> 합격할 수 있을까?

(1ㄱ~ㅇ)에서 보면 주어 제약은 없으나 비종결어미는 「-시-」만이 쓰이고 「-었-」과 「-겠-」은 쓰일 수 없다. 왜냐하면, 「-는댔자」의 「-댔-」 때문이다. 종결절의 의향법은 서술법과 의문법만이 쓰일 수 있다. 그 까닭은 「-댔-」이 과거인데 명령과 권유는 현재 아니면 미래를 나타내므로 때매김이 맞지 않기 때문이다.

6. 「-는들」

이 어미에 의한 서술어에는 제약이 없으며 주어 제약도 없다.

(1) ㄱ. 내가 간다고 <u>한들</u> 아주 가나, 아주 간들 잊을소냐?

　　ㄴ. 약인데, 맛이 <u>쓴들</u> 어떻게 하겠느냐?

　　ㄷ. 이런 열성이면 바<u>윈들</u> 뚫어내지 못하겠느냐?

　　ㄹ. 저 어른이 가<u>신들</u> 그 일이 해결될 수 있을까?

　　ㅁ. 이 약을 먹<u>은들</u>, 효과가 있을라고.

　　ㅂ. 네가 <u>간들</u> 별 소용이 없을 것이다.

　　ㅅ. 그는 매번 고시에 응시<u>한들</u> 합격하지 못하였다.

(1ㄱ~ㅅ)에서 보면 종결절의 의향법은 서술법과 의문법만이 가능하고 명령형과 권유법은 불가능하다. 그리고 비종결어미는 「-시-」만 가능하고 「-었-」과 「-겠-」은 「-은들」의 「-은-」 때문에 불가능하다. 「-은-」은 관형법의 과거를 나타내기 때문이다. 그런데 「-는들」은 절대로 쓰일 수 없다.

(2) ㄱ. 철수가 영희와 결혼<u>한들</u> 무슨 소용이 있을까?

　　ㄴ. 이러한들 어떠하며 저러한들 어떠하랴?

　　ㄷ. 내가 <u>간들</u> 아주 가나, 너를 두고 어찌 가랴?

　　ㄹ. 이런 집안 형편에 공부<u>한들</u> 무슨 소용이 있겠느냐?

(1ㄱ~ㅅ)까지는 물론 (2ㄱ~ㄹ)까지에서 보면 문맥에 따라 「-ㄴ들」의 뜻을 분석하여 보면, 소용 없음, 방임, 양보, 불구, 추정 등 다양하다. 그러나 여기서는 소용없음, 양보, 불구 등을 중심뜻으로 하여

양보를 나타내는 어미로 다루었다.

7. 「-는다지만」

이 어미는 「-는다고＋하지만(마는)」이 줄어서 된 것인데, 「-지만」 때문에 「양보」를 나타내게 된 것이다.

(1) ㄱ. 칼과 도마는 서로에게 상처를 주고받<u>는다지만</u> 같이 있을 때 역할을 제대로 할 수 있지 않을까?

　　ㄴ. 책에 쓰여 있기는 믿음만 좋으면 모든 죄를 용서해 <u>준다지만</u> 아무 일도 않고 놀다가 '풍성한' 밥상을 받아먹지 못하는 사람으로서는….

　　ㄷ. 금강산이 아름<u>답다지만</u>, 장가개에 비할라고?

　　ㄹ. 방학<u>이라지만</u> 하도 바빠 방학답지가 아니하다.

　　ㅁ. 내가(네가) 그 일을 처리<u>한다지만</u> 좋은 결과를 가져 올지 의문이다.

　　ㅂ. 그가 저 일을 처리하<u>겠다지만</u> 잘 될까?

　　ㅅ. 네가 그 저를 <u>지었다지만</u>, 별로 신통치 아니하다.

　　ㅇ. 할아버지가 그 행사에 참가<u>하신다지만</u>, 연세가 많아 걱정이다.

(1ㄱ~ㅇ)에서 보면, 주어 제약 서술어 제약과 비종결어미 제약은 없다. 다만 지정사가 오면 「-라지만」이 되고 「-었-」과 「-겠-」이 오면 「-는다지만」의 「-는-」은 줄어든다. 종결절의 의향법은 연결절과 종결절의 주어가 같을 때는 서술법과 의문법만이 가능하나 앞뒤 절의 주어가 다를 때는 종결절의 의향법은 명령형과 권유법이 다 가능하다.

(2) ㄱ. <u>그는</u> 그 모임에 가지 <u>않는다지만</u> <u>우리는</u> 가자.

ㄴ. <u>철수는</u> 학교에 가지 <u>않는다지만</u> <u>너는</u> 가거라.

8. 「-더라도」

이 어미는 「-더라」에 「-도」가 붙어서 된 것인데도 보조조사 「-도」
때문에 양보를 나타내게 되는 것이다.

(1) ㄱ. 현실적으로 가능하지도 않고 가능하<u>더라도</u> 얻는 건 적고 잃을 건
엄청난다.

ㄴ. 바쁘<u>시더라도</u> 꼭 오셔서 자리를 빛내 주시기 바랍니다.

ㄷ. 한편으로 스스로 어필하지 않<u>더라도</u> 공동체가 자기를 돌보아줄 것
이라는 기대감이 존재하기 때문이다.

ㄹ. 민초들이 유일하게 기대는 하늘마저 두 쪽 나<u>더라도</u> 결코 물러설
수 없고 양보할 수 없다.

ㅁ. 오히려 "누가 되<u>더라도</u> 나라는 망하지 않는다. 10년도 참았는데
5년 뒤 더 못 참겠느냐"고 생각해 보라.

ㅂ. 아무리 귀공자이<u>더라도</u> 군에는 갔다 와야 한다.

ㅅ. 요귀를 조금 하였<u>더라도</u>, 꼭 그를 시켜라.

ㅇ. 네가 할 수 있겠<u>더라도</u>, 꼭 그를 시켜라.

ㅈ. 우리 가계만 하<u>더라도</u> 외가를 포함하여 위로 3대를 이어 도에 전
념하였으나….

ㅊ. 인간이 쓰는 언어 표현은 그 표현 구도가 비록 잘못되어 있<u>더라도</u>
자주 듣다 보면 자연스럽고 귀에 익숙하게 들리기도 한다.

ㅋ. 내가 죽은 후 사리가 나오<u>더라도</u> 절대 세상에 내놓지 말라고 당부
를 하셨다 합니다.

ㅌ. 내 운명이 암과 대적하다 일 년 후쯤 마감된다 치<u>더라도</u> 그 또한 운명이니 따를 수밖에 없다는 결론을 내리자 암이 무섭지도 않았다.

ㅍ. 남편에 대한 면죄부를 발부했<u>더라도</u> 정작 제일 중요한 자신을 위한 면죄부는 발부할 구상조차도 하지 못하고 있다.

ㅎ. 아무리 약육강식이라고 하<u>더라도</u> 애처롭기만 하다.

ㄱ'. 일제 식민지 시기라 하<u>더라도</u> 학생들에게 굳건한 신념과 기개를 가질 것을 당부하였다.

ㄴ'. 미국이 비인가 대학을 졸업했<u>더라도</u> 미국 대학 졸업장과 취득한 학위를 내밀면 아무 검증도 없이 대단한 실력자로 인정하고 대학 교수로 채용하는 추세가 한국의 현실이다.

ㄷ'. 비가 오<u>더라도</u> 우리는 어기서 일을 하자.

(1ㄱ~ㄷ')에서 보면, 주어 제약, 서술어 제약, 종결절의 의향법 제약 등이 없다. 그리고 비종결어미의 제약도 없다. 「-더라도」는 문맥에 따라서 양보, 불구 또는 가정 등의 뜻을 나타낸다. 그러나 양보로 보아지는 경우가 많다.

9. 「-라도」

이 어미는 「-라+도」로 된 것인데 보조조사 「-도」 때문에 양보의 뜻을 나타낸다. 그리고 이것은 지정사에만 쓰인다. 「-라」 때문이다.

(1) ㄱ. 구슬이 서말이<u>라도</u> 꿰어야 보배이다.

ㄴ. 값비싼 물건이 아니<u>라도</u> 좋으니, 많이만 사 오시오.

ㄷ. 아무리 힘이 센 장군이<u>라도</u>, 이 바위는 들 수 없겠지?

ㄹ. 아무리 보잘것없는 물건이<u>라도</u> 오래 된 것이면 잘 보관하자.(하여

라.)

ㅁ. 내가 사장이라도 그는 채용할 수 없다.

ㅂ. 네가 아무리 뛰어난 박사이라도 이 문제는 풀 수 없을 것이다.

이 어미에는 비종결어미 「-았-」, 「-겠-」, 「-시-」 등이 쓰일 수 없다. 만일 쓰이면 「-라도」는 「-더라도」가 된다. 이 어미에 의한 주어 제약고 종결절의 의향법에는 제약이 없다.

(2) ㄱ. 그럴 때마다 자신의 존재를 알리기라도 하듯이 "덜컹덜컹" "탁탁" 소리를 낸다.

ㄴ. 복도식이라 청소를 하거나 한여름 현관문이라도 열어 놓으려만 아무래도 제일 큰 집이 나올 듯싶었다.

ㄷ. 꺼림직하던 차에 조그만 히트라도 나오면 사람들의 마음은 흔들리게 돼 있다.

ㄹ. 그는 공부하기라도 하느냐?

(2ㄱ~ㄹ)에서 보면 명사법이나 모음으로 끝나는 말에서는 「-이라도」의 「-이」가 줄어든다. 이 어미의 문맥적 뜻은 양보, 미흡, 아쉬움 등으로 나타난다.

10. 「-라지만」

이 어미는 「-라+하지마는」이 줄어서 된 것으로 「-라도」와 같이 역시 지정사에만 쓰인다.

(1) ㄱ. 같은 시민이라지만, 상대가 누구냐에 따라 그들의 응대 자세는 달

라진다.

ㄴ. 정부가 나서서 사활을 걸고 뛰어들 문제는 아니라지만 나같이 평
범한 한 사람 한 사람이 우리 역사에 애정을 갖고 관심을 기울이다
보면 그것이 모여 큰 힘이 되지 않겠는가?

ㄷ. 그가 박사라지만 남의 대필에 의한 논문으로 취득한지라, 엉터리
중의 엉터리이다.

ㄹ. 그가 대통령이라지만, 좌파 중의 좌파인지라 나라의 장래가 걱정
된다.

ㅁ. 내(네)가 선생이라지만 아는 것이 전혀 없다.

이 어미에 의한 주어 제약은 없으나, 서술어 제약은 앞에서 말한
바와 같다. 종결절의 의향법은 서술법과 의문법만이 가능하고 비종
결어미는 전혀 쓰일 수 없다.

11. 「-래도」

이 어미는 「-라+하여도」가 줄어서 된 것으로 지정사에만 쓰이나
「-더래도」로 쓰이면 동사·형용사에도 쓰일 수 있다.

(1) ㄱ. 아주 오래된 과거가 아니래도 외국 여행은 부자들만이 누릴 수 있
는 특권이라고 생각했었다.

ㄴ. 나는 네가 아니래도 이 일을 처리할 수 있다.

ㄷ. 네가 박사래도 이 문제는 풀 수 없을 것이다.

ㄹ. 황우장사래도 이 바위를 들 수 있겠느냐?

ㅁ. 영희가 아무리 미인이래도 미스코리아만 하겠느냐?

(1ㄱ~ㅁ)에서 보듯이 「-래도」에 의한 종결절의 의향법은 서술법과 의문법만이 쓰이고 비종결어미는 전혀 쓰일 수 없다. 그러나 주어 제약은 없다. 이 어미는 불구나 양보의 뜻을 나타낸다.

12. 「-런들」

이 어미는 「-이러한들」이 줄어서 된 것으로 「-이다/아니다」 어간에만 붙어서 지난 일이나 이전의 일을 가정하거나 양보함을 나타낸다.

(1) ㄱ. 그 날이 언제런들 왜 오지 않겠나?

　　 ㄴ. 그게 아무리 좋은 보석이런들, 갈고 다듬지 아니하면 무슨 소용이 있겠느냐?

　　 ㄷ. 그게 장관의 초청이런들 나도 가지 않겠다.

　　 ㄹ. 네가 회장이런들, 나는 그 모임에 가입하지 않겠다.

　　 ㅁ. 내가 장사런들 그를 구해 내겠느냐?

(1ㄱ~ㅁ)에서 보면 종결절의 의향법은 서술법과 의문법만이 가능하고 비종결어미는 쓰일 수 없으며 주어 제약은 없다.

13. 「-던들」

주로 과거를 나타내는 비종결어미 「-었-」 다음에만 쓰이어 가정이나 양보를 나타낸다.

(1) ㄱ. 그가 갔던들, 그런 일은 없었을 것이다.

　　 ㄴ. 네가 일찍 예방주사를 맞았던들 독감에 걸리지 않았을 것이다.

ㄷ. 내(네)가 그때 자관이었던들, 그를 도와 주었겠느냐?

ㄹ. 비가 제때 왔던들 풍년이 들지 않았겠느냐?

ㅁ. 비가 오던들 풍년이 들까?

(1ㄱ~ㅁ)에서 보면 주어와 서술어에는 아무 제약이 없으나, 종결절의 의향법은 서술법과 의문법이 가능하고 명령형과 권유법은 불가능하다. 왜냐하면 이 어미는 반드시 지나간 비종결어미와 쓰이므로 때가 맞지 않기 때문이다. 명령형과 권유법은 현재에 하는 의향법이기 때문이다.

14. 「-련만/-오마는」

문맥에 따라서 부러움·아쉬움·가정 등을 나타내나, 여기서 다루기로 하였다. 왜냐하면 이들도 문맥에 따라 보면 양보로 보아질 수 있기 때문이다.

(1) ㄱ. 다 같은 고향땅을 가고 오련만 남북이 가로 막혀 원한 천리길, 꿈마다 너를 찾아 삼팔선을 헤맨다.

ㄴ. 오른쪽 방문이 활짝 열려 있으면 좋으련만 양쪽 문들은 흔적도 없다.

ㄷ. 바야흐로 봄이련만 진달래도 피려고 하지 않는다.

ㄹ. 봄이면 그도 좋아하련만 왜 미국에서 오지 않을까?

ㅁ. 너는 그 고시에 합격하련만, 왜 응시하지 않느냐?(응시하지 말아라.)

ㅂ. 그 음식이 맛이 있으련만, 우리는 먹지 말자.

(1ㄱ~ㅂ)을 보면 앞 절의 내용이 정반대가 되어 있다. 그러므로 양보로 다루었는데, 주어 제약, 서술어 제약, 의향법 제약은 모두

없다. 비종결어미는 「-었-」과 「-시-」만이 가능할 것 같다.

(2) ㄱ. 지금이 몇 시냐? 지금쯤 그가 왔<u>으련만</u>, 왜 아무 소식이 없느냐?

ㄴ. 선생님이 가<u>시련만</u>, 그를 잘 지도할 수 있을까?

15. 「-을지나」
동사·형용사·지정사 등에 다 쓰인다.

(1) ㄱ. 내(네)가 거기에 <u>갈지나</u> 그를 만나지는 않겠지?

ㄴ. 꽃은 아름다울<u>지나</u> 향기는 별로 없다.

ㄷ. 그게 사실일<u>지나</u>, 누가 그를 믿겠나?

ㄹ. 그 책을 읽을<u>지나</u>, 이해할 수 있을까?

ㅁ. 그는 실력 있는 사람이었을<u>지나</u>, 누가 알아주었을라고.

ㅂ. 선생님이 그 일을 처리하<u>실지나</u>, 잘 될는지 모르겠다.

(1ㄱ~ㅂ)을 보면 비종결어미는 「-었-」, 「-시-」만이 쓰이고 종결절의 의향법은 서술법과 의문법만이 쓰인다. 주어 제약은 없는 듯하나, 일인칭과 이인칭이 오면 좀 이상한 느낌이 든다. (1ㄱ)을 보면 그러한 느낌이 든다.

16. 「-을지언정」
동사·형용사·지정사에 두루 다 쓰인다.

(1) ㄱ. 생활이 어려울<u>지언정</u>, 바르게 살아라.(살자.)

ㄴ. 죽는 일이 있을<u>지언정</u>, 꼭 이 일을 해 내겠다.

ㄷ. 낙방할<u>지언정</u>, 이번 시험에 응시해 보겠다.

ㄹ. 그가 대통령일<u>지언정</u>, 나는 그를 존경하지 않는다.

ㅁ. 그가 그 대학교의 교수였을<u>지언정</u> 별로 실력이 없었다.

ㅂ. 할아버지가 집에 계실<u>지언정</u> 안심이 되지 않는다.

ㅅ. 비가 오겠을<u>지언정</u>, 우리는 여행을 떠나겠다.

ㅇ. 네가 당선될 가능성이 없을<u>지언정</u> 또 출마하겠느냐?

이 어미로 되는 문장의 주어에는 아무 제약이 없으며 서술어에도 제약이 없고 의향법에도 제약이 없다. 그러나 비종결어미 중 (1ㅅ)에서 보듯이 「-겠-」이 오니까 문장이 이상하다. 왜냐하면 「-을지언정」의 「-을-」이 있는데 또 미래의 「-겠-」이 쓰였기 때문이다.

17. 「-읍니다마는」

이 어미는 종결어미 「-읍니다」에 특수조사 「-마는」이 와서 된 것인데, 이것이 양보의 뜻을 나타내는 까닭은 「-마는」 때문이다.

(1) ㄱ. 외국어의 습득이 필요하다고 <u>합니다마는</u> 그러나 이것은 모두 여유가 있는 부르주아지의 말입니다.

ㄴ. 그는 착<u>합니다마는</u> 일하는 능력이 별로 없습니다.

ㄷ. 여기가 서울<u>입니다마는</u> 별로 번화하지가 않습니다.

ㄹ. 회의 내용을 브리핑한다고 <u>합니다마는</u> 실제 회의에서 오간 이야기와 아주 딴판이거나 거의 관계가 없는 내용들이 대부분입니다.

ㅁ. 고무공장 여공으로 오게 되었<u>습니다마는</u> 여기서도 또 하나 억울한 일이 있지요.

ㅂ. 밥을 먹었<u>습니다마는</u> 벌써 배가 고픕니다.

ㅅ. 나는 여기서 살<u>겠습니다마는</u> 너무 적적할까 걱정입니다.

ㅇ. 사장님이 가<u>십니다마는</u> 국제 문제라 잘 해결될지 의문입니다.

ㅈ. 이만 물러가<u>겠습니다마는</u> 용돈을 좀 주시겠습니까?

ㅊ. 이만 물러가<u>겠습니다마는</u>, 용돈을 좀 주십시오.

ㅋ. 오후 5시에 마치는 것이 어학회의 규칙으로 되어 있긴 <u>합니다마는</u> 밤 늦게까지 내려오지 않는 것이 보통입니다.

ㅌ. 그때 나는 이미 이승 사람이 아닐 <u>것입니다마는</u> 그때 여러분은 여러분의 눈으로 그 사회를 보게 될 것입니다.

ㅍ. 우리는 이 화장실을 이용<u>합니다만</u> 오늘은 여기 나오는 '마렵다'라는 말이 원래 무슨 뜻인지 좀 살펴보겠습니다.

ㅎ. 당신은 열심히 공부<u>합니다마는</u> 과연 이번 고시에 합격하겠는지 걱정입니다.

ㄱ'. 운다고 예사랑이 오리<u>오마는</u> 눈물로 달래보는 구슬픈 이 밤.

(1ㄱ~ㅎ)에서 보면 주어 제약과 서술어 제약, 비종결어미 제약은 없으나 의향법 제약은 있는 것 같다. 명령형·권유법은 불가능하다.

(2) ㄱ. 그녀는 아름답<u>습니다마는</u> 열성이 부족합니다.

ㄴ. 아침을 먹<u>었습니다마는</u> 벌써 시장기가 돕니다.

ㄷ. 저는 가<u>겠습니다마는</u> 그를 잘 부탁합니다.

ㄹ. 선생님이 가<u>십니다마는</u> 마음이 불안합니다

18. 「-아도/-어도」

이 어미는 문맥에 따라 양보·역시·불구 등 다양하게 나타나나 편의상 양보어미로 다루기로 하였다.

(1) ㄱ. 너는 가<u>도</u> 좋다.

ㄴ. 그는 죽<u>어도</u> 이 일을 하겠다고 고집한다.

ㄷ. 겉은 검<u>어도</u> 속은 희다.

ㄹ. 주말이면 날이 궂<u>어도</u> 낚시를 떠나곤 하였다.

ㅁ. 만약 실수하여 생명을 잃<u>어도</u> 그 책임은 자신이 지겠다는 서류에 사인까지 하고 말이지요.

ㅂ. 버르장머리가 없다 <u>해도</u> 이렇게 없을 수가 없습니다.

ㅅ. 투표가 며칠만 늦추어<u>졌어도</u> 상황이 뒤바뀌었을 것이라는 분석도 있다.

ㅇ. 친구에게 점심 한 번 대접을 받<u>아도</u> 서둘러 갚아야지 기회를 못 잡아 몇 달을 지나면 그 생각이 매일 되살아나 마음이 편치 않다.

ㅈ. 내심을 그들에게 사실대로 알리는 일은 죽<u>어도</u> 할 수 없다.

ㅊ. 한다 <u>해도</u> 양쪽 모두에게 유익하지도 않다.

ㅋ. 그러나 몇 해나 흘러<u>도</u> 소식이 없자 지금껏 돌아오지 못하는 데에는 피치 못할 사정이 있을 거라는 쪽으로 미루어 짐작을 했다.

ㅌ. 책에서 읽은 내용을 그리므로 그려<u>도</u> 보았고 연극으로 재현해 보기도 했다.

ㅍ. 이름만 봐<u>도</u> 그렇다.

ㅎ. 그런 당명을 사용<u>하여도</u> 괜찮은 지 중앙선관위에 문의할 걸 보니 말이다.

ㄱ'. 하루 종일 나무만 보<u>아도</u> 좋은 이층이었다.

ㄴ'. 보습력이 강한 델 물을 조금씩 줘<u>도</u> 돼 묽머도 물받침도 없는 호분이란다.

ㄷ'. 어느 가수는 붙잡<u>아도</u> 뿌리치는 목포행 열차에 목 놓아 울었다.

ㄹ'. 육자회담의 대표<u>도</u> 탑승시켜 평양을 내달려<u>도</u> 좋다.

ㅁ'. 나들이를 할 만큼 두둑한 경제력을 갖추고 살지 <u>않아도</u> 통큰 투자를 하는 것이다.

ㅂ'. 아주 오래 된 과거가 아니<u>래도</u> 외국 여행은 부자들만이 누릴 수 있는 특권이라고 생각했었다.

ㅅ'. 하늘이 두 쪽 <u>나도</u> 내 땅 아니다.

ㅇ'. 또 담지 <u>않았어도</u> 될 말이었다.

ㅈ'. 진실이면 굳이 해명하지 <u>않아도</u> 국민이 다 안다.

ㅊ'. 십여 년 전만 <u>하여도</u> 서울 답십리 쪽 고미술 상가에 가면 오래된 나무등잔, 도끼, 반짇고리 따위를 볼 수 있었다.

ㅋ'. 북한 핵 폐기가 전제되지 <u>않아도</u> 경제 지원은 계속할 것이라고 선언하고 나섰다. 나아가 핵을 더 많이 갖거나 만들<u>어도</u> 상관없겠다는 항복 문서를 내놓은 것이다.

ㅌ'. 어느 후보가 당선<u>돼도</u> 달라질 것은 없고 위험 불안 상태는 더욱 심화될 것이라는 것을 미루어 짐작할 수 있다.

ㅍ'. 아무리 나비의 이름을 불러<u>대도</u> 땅속의 엄마가 대답을 못하듯이 나비도 날개만 흔들어댈 뿐 어떤 말도 할 수 없음을 깨달을 수 있을까?

ㅎ'. 그렇다고 둘 중 하나만 <u>있어도</u> 일을 제대로 할 수가 없다.

ㄱ". 아무리 기계문명이 발달한다 <u>해도</u> 자연은 관심이 없다.

ㄴ". 나는 발이 있<u>어도</u> 서울이라는 큰 도시가 무섭게 느껴져 가 본 곳이 아니면 마음대로 다니지 못했고 뜻이 있<u>어도</u> 용기가 없으니 뜻을 펼칠 엄두를 못 냈다.

ㄷ". 날개가 있<u>어도</u> 바다 위를 나르지 못하는 비둘기처럼…

ㄹ". 아쉬<u>워도</u> 경포대 앞바다를 떠나야만 한다.

ㅁ". 굳이 강릉까지 멀리 오지 <u>않아도</u> 될 뻔했다.

ㅂ". 농약을 쓰지 <u>않아도</u> 밭농사가 잘된다.

「-어도/아도」는 동사·형용사에만 쓰인 예가 통계에 나타났다. 이론사으로는 지정사에도 쓰일 것 같으나 나타나지 않았다. 비종결어미는 「-었-」과 「-시-」는 가능하나 「-겠-」은 불가능하다. 종결절의 의향법은 통계상으로는 서술법과 의문법만 나타났는데 권유법과 명령형도 가능할 것 같다.

(2) ㄱ. 아쉬워도 우리는 경포대 앞바다를 떠<u>나자</u>.

　　 ㄴ. 아쉬워도 너희는 경포대 앞바다를 떠<u>나거라</u>.

　　 ㄷ. 그 일일랑 제발 잊<u>어도</u> <u>보아라</u>.

　　 ㄹ. 그 일일랑 제발 잊<u>어도</u> <u>보자</u>.

(2ㄱ~ㄴ)는 형용사에 「-어도」가 오고 종결절의 의향법은 권유법이나 명령형인데도 「-어도」는 양보의 뜻으로 이해되나 동사에 「-어도」가 와서 종결절의 의향법이 권유법이나 명령형이 되니까, 「-어도」는 역시의 뜻으로 이해된다. 그러니까 (1ㄱ~ㅂ)에서 의향법은 서술법과 의문법만이 쓰인 것 같다. 주어 제약은 없다.

19. 「-어서라도」

이 어미는 가정·양보·불구·가맹 등의 다양한 뜻을 나타낸다. 그것은 문맥에 따라서 그러하다.

(1) ㄱ. 마음의 고통은 타인보단 자신을 위<u>해서라도</u> 빨리 터는 것이 현명하다는 걸 알기까지 어리석어 또 일년이란 시간이 흘렀다.

ㄴ. 나무의 열매가 개울물에 떨어지면 평소에는 싫어하는 물속으로 자맥질을 해서라도 건져 가는 극성을 부린다.

ㄷ. 몸이 너무 힘들게 살아가는 것 같아 용돈을 아껴서라도 돕고 싶다며 후원을 실천했다.

ㄹ. 나의 절박한 용돈 사정을 말하여서라도 문제를 해결해야 내 마음은 편안해진다.

ㅁ. 눈물이 나면 걸어서라도 선암사로 가라.

ㅂ. 우리는 죽어서라도 그 놈의 원수를 갚고 말겠다.(말자.)

ㅅ. 어떤 일을 해서라도 그 빚을 갚아야 한다.

ㅇ. 너는 죽어서라도 그의 은혜에 보답하겠느냐?

「-어서라도」는 주어 제약과 의향법 제약은 없다. 그러나 비종결어미는 제약되는 것 같다. 통계에서는 나타나지 아니하였으나 예문을 만들어 보니까 그렇게 느껴졌다. 서술어는 동사에 한정되는 것으로 보인다.

20. 「-(이)라도」

「이다/아니다」에 붙어서 양보의 뜻을 나타낸다.

(1) ㄱ. 같은 값이면 조선문이라도 아는 사람을 쓰려고 합니다.

ㄴ. 못난 사람이라도 그 모임에 좀 참가시켜 주시오.

ㄷ. 너 발끝엔 쇠붙이라도 달고 다니니?

ㄹ. 어디 나드리 가실 일이라도 있느냐고 물었다.

ㅁ. 그런데 '님'은 침묵이라도 지켜 달라는 민주당의 애원을 뿌리치고 등을 돌렸다.

ㅂ. 잡탕식 통합은 하지 않겠다거나 DJ 말씀이라도 옳지 않은 것은
   따라갈 수 없다는 말이 아직 국민의 심금을 울리지 못하는 것은
   민주당의 이런 업보 때문이다.

ㅅ. 대리만족이라도 하고 싶어 겨울 바다를 찾은 것이다.

ㅇ. 한눈을 잠시라도 팔면 큰일 난다.

ㅈ. 아버지 앞에서 재롱이라도 떠는 양 제비꽃같이 또 라일락같이 생
   긋생긋 웃는다.

ㅊ. 돈이 조금이라도 있으면 공부를 시키겠는데.

(1ㅈ~ㅊ)은 미흡이나 아쉬움을 나타내기도 한다.

(2) ㄱ. 나는 돈이라도 많이 있으면 좋겠다.

ㄴ. 너는 재산이라도 있으니 다행이 아니냐?

ㄷ. 미흡하나마 이것이라도 가져가거라. (가자).

ㄹ. 돈이 아니라도 살아갈 수 있다.

ㅁ. 아들이 아니라도 아이가 하나 있으면 좋겠다.

(1ㄱ~ㅊ)과 (2ㄱ~ㅁ)에서 보면 주어 제약과 의향법 제약은 없으
나, 비종결어미는 쓰일 수 없다.

21. 「-은들」
이 어미는 모든 용언에 다 쓰이어 양보나 불구의 뜻을 나타낸다.

(1) ㄱ. 이런들 어떠하며 저런들 어떠하리.

ㄴ. 꽃이 핀들 나에게는 아무 소용도 없다.

ㄷ. 일찍 <u>간들</u> 무엇하며 늦게 간들 무엇하랴.

ㄹ. 그녀가 <u>예쁜들</u> 너와는 결혼하지 않을 것이다.

ㅁ. 내가 아무리 <u>타이른들</u> 그는 말을 듣지 않는다.

ㅂ. 이게 <u>보물인들</u> 무엇하랴.

ㅅ. 아버지가 그를 <u>달래신들</u> 말을 들을까?

위에서 보면 의향법은 서술법과 의문법이 가능하고 주어 제약은 없으나, 비종결어미는 「-시-」만이 쓰일 수 있다.

◆ 불구법

이에는 「-거니와」, 「-건만/건마는」, 「-게나마/나마」, 「-으나」, 「-지마는/지만」, 「-고서도」, 「-고서라도」, 「-기로서니」, 「-는데도」, 「-(었)으면서도」, 「-아서도」, 「-(었)으나」, 「-었지만」, 「-을지언정」, 「-(었)지만」, 「-을지라도」, 「-을망정」, 「-으나따나」 등이 있다.

이들 주 어떤 것은 두 가지, 세 가지 뜻을 나타내는 것도 있고, 어떤 것은 불구로 보기 어려운 듯한 느낌을 주는 것도 있으나 크게 무리가 없다고 생각되어 여기서 다루기로 한다.

하나의 어미는 여러 가지 뜻을 나타내는 경우가 많은데, 그것을 일일이 나누어 다루다 보면 문법이 복잡할 뿐 아니라, 하나의 어미가 여러 가지 범주에 속하는 것으로 되기 때문에 여간 어려움이 없지 아니하다.

그러므로 하나의 어미가 가지는 가장 중심적인 뜻을 기준으로 하고 기타의 뜻은 번진 뜻으로 보아야 할 것이다.

1. 「-거니와」

이 어미는 불만·불구·대립 등 여러 뜻을 나타내는데, 비종결어미 「-시-」, 「-었-」, 「-겠-」 등이 쓰일 수 있고, 주어 제약은 없으나 의향법 제약은 있다. 즉 명령형과 권유법은 되지 않는다.

(1) ㄱ. 오늘은 그냥 가거니와 내일 와서 또 따지겠다.

    ㄴ. 그는 졸업은 하였거니와, 취지기 되지 않아 걱정이다.

    ㄷ. 너희는 가거니와, 우리는 어찌 하나?

    ㄹ. 그는 공부도 잘 하거니와, 운동도 잘한다.

    ㅁ. 그녀는 얼굴도 예쁘거니와 마음씨도 착하다.

    ㅂ. 철수는 학생이거니와 아주 모범적이다.

(1ㄱ)은 양보를 나타내고 (1ㄴ)은 불구를 나타내는 듯하고 (1ㄹ)은 대립이라 할까? (1ㄹ~ㅁ)은 어떤 사실을 겸하고 있음을 나타내고 (1ㅂ)은 '무어무엇한 위에 더하여'의 뜻으로 이해된다. 그렇게 보면 (ㄹ~ㅂ)은 같은 뜻으로 보아도 좋을 듯하다.

(2) ㄱ. 할아버지는 가시거니와 대접은 어떻게 할까?

    ㄴ. 비는 오겠거니와 논을 다루어 모를 심을 사람이 없다.

「-거니와」는 서술어 제약은 없다(1ㄱ~ㅂ 참조).

2. 「-건만/건마는」

이 어미는 모든 용언에 다 쓰일 수 있으며 주어 제약도 없고, 의향법은 명령형·권유법은 쓰일 수 없다. 비종결어미는 「-시-」, 「-었-」,

「-겠-」 등이 쓰일 수 있다.

(1) ㄱ. 제 성질대로 자라서 들꽃을 피워내는 들풀이건만 사람들은 굳이
　　　잡초라고 한다.

ㄴ. 여러 사람들이 이미 이런 생각을 의견으로 제안했건만 잡초라는
　　일컬음은 사라지지 않고 여전하다.

ㄷ. 내가 그것을 알으켜 주었건만 그는 엉뚱한 짓을 하였다.

ㄹ. 그는 잘 살건마는 너는 왜 못사느냐?

ㅁ. 서로 만나기는 하건마는 속으로는 좋아하지 않는다.

ㅂ. 이것은 떡이건마는 별로 맛이 없다.

ㅅ. 눈이 오겠건마는, 왜 대비를 하지 않느냐?

ㅇ. 할아버지는 오시건마는 할머니는 언제 오실까?

3. 「-게나마/나마」

이 어미에 의하여 이루어지는 종결절의 의향법에는 제약이 없으
며 연결절의 주어에도 아무 제약이 없고, 서술어 제약도 없다. 그러
나 비종결어미 「-시-」, 「-었-」, 「-겠-」은 쓰일 수 없다. 이 어미는
「-게+나마」가 합하여 된 것으로 「-나마」 때문에 불구의 뜻을 나타
낸다.

(1) ㄱ. 종합토론회를 실속 있게 펼칠 묘안을 거둔지라 짧게나마 토론 계
　　　획을 건넸다.

ㄴ. 나는 간단하게나마 인사말을 하였다.

ㄷ. 너는 짧게나마 축하하는 말을 하여라.

ㄹ. 너는 간단하게나마 그들을 맞이하는 인사말을 하겠느냐?

ㅁ. 우리는 약소하게나마 이 돈을 수재민 의연금으로 내자.

ㅂ. 그는 늦게나마, 그 모임에 와 주어서 고마웠다.

ㅅ. 이것이나마 그에게 주자.(주어라.)

「-게나마」는 「-게-」에 조사 「-나마」가 붙어서 된 어미이다. 「-나마」가 조사인 증거는 다음 예를 보면 알 것이다.

(2) ㄱ. 집에서나마 공부 좀 하여라.

　　ㄴ. 적은 돈이지마는 이것으로나마 빚을 갚아서

　　ㄷ. 밥이나마 좀 주시오.

이 「-나마」는 「남다」라는 말에서 전성된 것으로 옛말에서는 「넘다(越)」의 뜻을 가진 동사였다.

4. 「-으나」

이 어미는 그 앞에 비종결어미 「-겠-」, 「-었-」 등을 붙여 쓰면 양보의 뜻이 더 분명하므로 통계를 내어 보면 그렇게 쓰이고 있음이 일반적이었다. 또 이 어미는 「~으나 ~으나」 식으로 쓰이기도 하고 「~으나 ~은」 식으로 쓰이기도 하나, 이들은 불구의 뜻이 없으므로 여기서는 다루지 아니하기로 한다.

(1) ㄱ. 그는 공부는 잘하나 운동은 잘하지 못한다.

　　ㄴ. 그는 빚은 많으나 그래도 생활은 잘하고 있다.

　　ㄷ. 자랑할 문화유산을 말한다면, 팔만대장경, 금속활자 등 여러 가지가 있겠으나 그 중에서 첫째로 꼽을 것은 우리의 문화유산인 한글

이라 할 것이다.

ㄹ. 그는 평소 실력으로 보아서는 무난히 시험에 합격하<u>겠으나</u> 그래도 안심하여서는 안 된다.

ㅁ. 나는 밥을 많이 먹<u>었으나</u>, 여전히 배는 고프다.

ㅂ. 그는 학자<u>이나</u>, 별로 아는 것이 있는 것 같지 아니하다.

(1ㄱ~ㅂ)에서 보면, 주어 제약이나 서술어 제약은 없으며 비종결어미 「-었-」과 「-겠-」, 「-시-」는 같이 쓰일 수 있다.

(2) ㄱ. 할아버지는 병환이 좀 좋아져서 걸음을 걸<u>으시겠으나</u> 안심은 되지 않는다.

ㄴ. 할아버지는 병원에 입원하<u>시었으나</u> 얼마 후에 퇴원하셨다.

ㄷ. 할아버지는 걸어다<u>니시나</u>, 안심할 수는 없다.

5. 「-지마는/지만」

이 어미가 쓰이는 연결절의 주어와 서술어에는 아무 제약이 없으며 비종결어미에도 제약이 없다.

(1) ㄱ. 건설에 있어서도 필요하다 하<u>겠지만</u> 그보다도 이 한글을 근로계급에 보급시켜야 한다.

ㄴ. 여러 사람이 슬기를 모아 만들어야 하<u>겠지만</u> 들온말은 국어심의회의에서 외래어 사정 원칙에 따라 가려 뽑아 들온말로 명토 박은 말이라고 뜻매김하고….

ㄷ. 너는 벌 주어야 하<u>겠지만</u> 정황을 생각하여 용서하겠다.

ㄹ. 한글의 보급은 조선문화의 건설에 있어서도 필요하다 하<u>겠지만</u> 그

보다도 이 한글을 우리 근로계급에 보급시킴으로써 그들로 하여
금….

ㅁ. 너는 그를 착하다 하겠지만 실은 그렇지 아니하다.

ㅂ. 너는 성공하였다고 자부하겠지만 아직도 더 노력하여라.

ㅅ. 우리는 그 시합에서 이겼다고 자랑하지만, 앞으로 묵묵히 더 노력
하자.

ㅇ. 너희는 괴롭지마는, 좋은 결과를 맺을 때까지 인내하여야 하지 않
겠느냐?

ㅈ. 얼음은 단단하지마는 물보다 가볍다.

ㅊ. 철수는 입시에 합격하였지마는 등록금이 없어서 고민하고 있다.

ㅋ. 그는 선생이지만, 행실이 별로 좋지 아니하다.

ㅌ. 사장님이 가시지마는, 그곳 문제는 해결되기 어려울 것이다.

(1ㄱ~ㅌ)에서 보면 종결절의 의향법에는 아무 제약이 없다. 즉 서
술법·의문법·명령형·권유법이 다 쓰일 수 있다.

6. 「-고서도」

이 어미가 오는 연결절의 주어에는 제약이 없으나 서술어로는 동
사와 형용사는 자연스러우나 지정사는 좀 이상한 듯이 느껴지며,
비종결어미도 「-시-」 이외는 잘 쓰이지 아니한다. 그리고 이 어미
는 「-고서」에 「~도」가 더하여 된 것이므로 불구의 뜻을 나타내게
되는 것이다.

(1) ㄱ. 이러한 성적표를 가지고서도 경제는 참여정부처럼만 하라고 주장
하는 것은 참으로 염치없는 행동이다.

ㄴ. 너는 밥을 먹<u>고서도</u> 또 배가 고프냐?

ㄷ. 그녀는 저렇게 예쁘<u>고서도</u> 미스코리아에 당선되지 못하였느냐?

ㄹ. 그는 우등생이<u>고서도</u> 입시에서 떨어졌다.

ㅁ. 이 일을 마치<u>고서도</u> 또 저 일까지 하여라.

ㅂ. 미국까지 가<u>고서도</u> 또 유럽까지 가자.

(1ㄱ~ㅂ)에서 보면 (1ㄹ)은 「이다」에 「~고서도」가 쓰인 보기인데 문장이 이상하며, (1ㅁ~ㅂ)은 종결절의 의향법이 명령형과 권유법인데 문장이 이상하다. 그러므로 서술법과 의문법만이 가능하다.

7. 「-고서라도」

이 어미는 「~고서」에 「이라도」의 「라도」가 합하여 된 것으로 그 용법은 앞의 「-고서도」와 비슷하나 어떤 제약이 있다.

(1) ㄱ. 그는 이기<u>고서라도</u> 칭찬을 받지 못하였다.

ㄴ. 그녀는 미스코리아로 뽑히<u>고서라도</u> 세계 미인대회에는 참가하지 못하였다.(못하였느냐?)

ㄷ. 나는 이 험한 고갯길을 넘<u>고서라도</u> 거기에는 반드시 가고 말겠다.

ㄹ. 너는 그런 험한 일을 겪<u>고서라도</u> 아직 정신을 차리지 못하느냐?

ㅁ. 한 개인의 장래를 보장하는 수단을 넘어 가족 해체를 무릅쓰<u>고서라도</u> 추구해야 할 가치가 되었다.

ㅂ. 편찮은 어른을 업<u>고서라도</u> 이 고개를 넘어야 한다.

ㅅ. 삼촌은 할머니를 만나기 위해서 그 어떤 어려움을 뚫<u>고서라도</u> 언젠가는 자기 앞에 설 것이라 굳게 믿고 있었다.

ㅇ. 그는 이 약을 먹<u>고서라도</u> 아무렇지도 않은 듯하다.

ㅈ. 위험을 무릅<u>쓰고서라도</u> 우리는 돌진하자.

ㅊ. 너희는 위험을 무릅<u>쓰고서라도</u> 이 전선을 돌파하여라.

「-고서라도」는 동사에만 쓰이면서 종결절의 의향법에는 아무런 제약이 없다.

8. 「-기로서니」

이 어미는 모든 용언에 다 쓰이며 비종결어미 「-시-」, 「-었-」, 「-겠-」 등과도 같이 쓰일 수 있다. 주어 제약도 없다.

(1) ㄱ. 그런데도 노정권은 "내 쌈지 안의 것을 '코드에 맞춰 인심 쓰<u>기로서니</u> 무슨 시비냐" 할 태도다.

ㄴ. 바둑을 한 판 졌<u>기로서니</u> 그리 화를 내면 되겠느냐?

ㄷ. 네가 누구<u>기로서니</u> 그렇게 큰소리를 치느냐?

ㄹ. 아무리 시골<u>이기로서니</u> 책방이 그리도 없겠나?

ㅁ. 내가 착하<u>기로서니</u> 놀랄 터이냐?

ㅂ. 네가 늦었<u>기로서니</u>, 누가 뭐라 하겠느냐?

ㅅ. 할아버지가 늙으셨<u>기로서니</u> 그리도 힘이 없을라고?

ㅇ. 설마 비가 오겠<u>기로서니</u> 하여야 할 일은 하여야 한다.

(1ㄱ~ㅇ)에서 보면 종결절의 의향법은 서술법과 의문법만이 가능하고 명령형과 권유법은 잘 쓰일 수 없을 것 같다.

9. 「-는데도」

이것은 「-는데+도」로 된 것인데 「-도」 때문에 불구의 뜻을 나타낸다.

(1) ㄱ. 이렇게 아름다운 경선을 <u>치렀는데도</u> 이 후보 지지율은 제자리를
맴돌았다.

ㄴ. 베르사유 조약과 같은 역사적 사건이 <u>진행되는데도</u> 이해도 제대로
못했다.

ㄷ. 관악산 하산길 서울대 입구까지 <u>왔는데도</u> 아직 해가 중천에 떠 있다.

ㄹ. 신발 한 켤레 사 신겼으면 좋겠다고 혼자 <u>생각했을 뿐인데도</u> 세밑
은 다가오고 용돈 사정이 여의치 않으면 마치 내가 차용증서라도
써 주고….

ㅁ. 누가 사귀지 <u>않았는데도</u> 자매들은 온갖 상상력을 발휘해서 책을
가지고 재미있게 놀았다.

ㅂ. 그도 대자연의 위력에 눌려 <u>대낮인데도</u> 무시무시한 느낌이 들었다.

ㅅ. 아무리 <u>노력하는데도</u> 별 효과가 없다.

ㅇ. 천만금을 <u>준대도</u> 나는 그를 믿을 수 없다.

ㅈ. 따스한 안방에 <u>누웠는데도</u> 왠지 자꾸 떨립니다.

ㅊ. 구조차는 해가 <u>지는데도</u> 아니 오고 울상이 되어 허둥대는 나를 향
해 당신은 웃으며 말했지요.

ㅋ. 엄연히 우리말 이름이나 아호가 <u>있는데도</u> 서양 사대주의에 저저
유명 인사들의 이름을 YS, DJ, JP, MB 등의 영어 약자를 쓰고
있다.

ㅌ. 그녀는 <u>예쁜데도</u> 만족하지 않고 성형수술을 하였다.

ㅍ. 날씨가 <u>추운데도</u>, 열심히 일하자.

ㅎ. 비가 <u>오겠는데도</u>, 그들은 떠났다.

ㄱ'. 대통령이 <u>오시는데도</u> 환영객은 한 사람도 없다.

(1ㄱ~ㄱ')에서 보면 「-는데도」가 쓰일 수 있는 서술어에는 아무 제약이 없고 주어 제약, 종결절의 의향법 제약 등 모두 없다.

10. 「-(었)으면서도」
이 어미는 「-었으면서+도」로 되었는데 「-도」 때문에 불구의 뜻 을 나타낸다.

(1) ㄱ. 그는 시험에 합격하였으면서도 또 공부만 하고 있다.(있느냐?)
 ㄴ. 너는 돈을 많이 벌었으면서도 죽는 소리만 하고 있다.(있거라).
 ㄷ. 그는 학생이었으면서도 아르바이트를 하였다.(하였느냐?)
 ㄹ. 그대는 착하였으면서도 남의 사랑을 받지 못하였다.
 ㅁ. 국정원 불법 도청사건에 앞장서서 DJ 주변에 방어망을 치고 온갖 욕을 먹으면서도 J의 삼남 홍업씨에게 공천을 주어 원내에 진출할 수 있도록 했던 게 누구였던가?
 ㅂ. 정치 원리상 잘못이란 걸 뻔히 알면서도 DJ의 마음이 민주당을 떠날까 보아 눈치를 본 게 아니었던가?
 ㅅ. 남들처럼 멋있는 필명 하나 지어야 하지 하면서도 차일피일 미루어 왔다.
 ㅇ. 화가 특유의 색채와 조형미를 주면서도 하나같이 소박하고 고요하다.
 ㅈ. 말은 못하면서도 나를 무척 좋아한다.

「-으면서도」도 그 앞에 「-었-」이 오면 불구의 뜻이 더 뚜렷하지 않나 싶어서 「-었으면서도」를 앞에 내세웠다. 비종결어미는 이 이외에 「-시-」가 쓰일 수 있다. 주어 제약은 없으나, 통계에 나타난 예를 보면 종결절의 의향법은 서술법과 의문법만이 나타났는데 「-

어도」와 같이 명령형과 권유법이 오면 역시의 뜻을 나타낸다. 지금까지 앞에서 보인 많은 예들이 그런 사례가 많다. 서술어 제약도 없다.

11. 「-아서도」

이 어미는 「-아서+도」로 된 것인데, 불구·역시의 뜻을 나타낸다.

(1) ㄱ. 나무는 죽어서도 스스로 눕지 못한다.

ㄴ. 사경을 헤맬 때도 죽는 한이 있어도 꼭 이 결혼식에 참석해야겠다는 의지가 있어서였다.

ㄷ. 의미가 없는 형태소는 어떠한 과정을 거쳐 의미가 없어졌는지에 대해서도 가능하다면 연구가 되어야 한다.

ㄹ. 보아서도 안 되고 만져서도 안 된다.

ㅁ. 한글의 보급은 조선문화의 민중화에 있어서나 조선문화의 건설에 있어서도 필요하다 하겠지만 그보다도 이 한글을 우리 근로계급에 보급시킴으로써 그들로 하여금….

ㅂ. 한글을 배우는 데 있어서도 남달리 노력하지 않으면 아니 된다.

ㅅ. 이 모임의 회원은 한자 숭배자이어서도 안 되고, 우리글을 경시하는 자여서도 아니 된다.

ㅇ. 키가 너무 작아서도 안 되고 너무 커서도 안 된다.

이 어미에 의한 문장에서 주어 제약과 서술어 제약은 없으나 비종결어미는 「-시-」만 가능하다. 의향법은 통계에서 서술법만 나타났으나, 의문법·명령형·권유법이 다 가능하다.

(2) ㄱ. 너는 죽<u>어서도</u> 그 원수를 갚겠느냐?(갚아라)

　　ㄴ. 우리는 어떤 일을 하<u>여서도</u> 그의 은혜에 보답하도록 노력하자.

　　ㄷ. 선생님이 아무리 애쓰<u>시어서도</u> 학생들은 잘 따르지 못한다.

(2ㄷ)은 「-시-」가 쓰일 수 있음을 보이었다. (2ㄱ~ㄴ)에서는 의문법, 명령형, 권유법이 모두 가능함을 보인 것이다.

12. 「-(였)으나」

「-으나」는 단독으로 쓰일 경우는 드물고 「-었-」을 수반하여서는 많이 쓰인다.

(1) ㄱ. 나는 서양 교육을 받기는 하<u>였으나</u> 이름뿐인 천주교 신자이어서 엄밀한 의미에서 그 편지의 발신인이 말하는 듯한 기독교 신자는 아니다.

　　ㄴ. 위로 3대는 대를 이어 도에 전념<u>했으나</u> 지금은 형제 중 누구도 이에 응하지 않고 있다.

　　ㄷ. 그는 사시에 합격하<u>였으나</u> 임명되지 못했다.

　　ㄹ. 봄은 왔<u>으나</u> 꽃은 아직 피지 않았다.

　　ㅁ. 키는 크<u>나</u> 힘이 부족하다.

　　ㅂ. 그는 학생이<u>나</u>, 공부는 별로 하지 않는다.(않느냐?)

　　ㅅ. 너는 대학까지 공부하<u>였으나</u>, 아는 것이 별로 없다.

(1ㄱ~ㅅ)에서 보면 주어 제약과 서술어 제약은 없으나, 의향법 제약은 있다. 즉 서술법과 의문법만이 가능한 것 같다. 비종결어미는 「-었-」과 「-시-」만이 가능하다.

(2) ㄱ. 나는 일을 하였으나 임금을 받지 못하였다.

　　ㄴ. 그는 과학자였으나, 시도 잘 썼다.

　　ㄷ. 밥을 먹으나 죽을 먹으나 배 부르기는 마찬가지다.

　　ㄹ. 높으나 높은 은혜 어찌 다 갚을소냐?

(2ㄱ~ㄴ)은 불구, (2ㄷ)은 선택, (2ㄹ)은 강조를 나타낸다.

13. 「-었지만」

이 어미는 「-(었)지＋마는」이 합하여 된 것으로 「-마는」 때문에 불구, 양보의 뜻을 나타낸다.

(1) ㄱ. 어디 손볼 데는 없는지 꼼꼼히 살펴보는 것도 중요했지만 나는 책상이 놓일 자리에서 바라보는 경치에 중점을 두었다.

　　ㄴ. 「-던」은 하나의 굳어진 형태소로 처리하는 것은 의미에서 출발하여 형태소를 규정하려는 데서 오는 결과이겠지만 이렇게 되면 「더, 던, 더니, 았더니」 따위가 서로 관계가 없는 별개의 형태소라는 주장도 나오게 된다.

　　ㄷ. 이들은 모두 '형태론'에서 연구되고 분류되어야 하겠지만, 「-더」의 의미를 연구하는 이 논문에서는….

　　ㄹ. 이 후보는 이겼지만 이긴 것이 아니다.

　　ㅁ. 막연한 기다림이 세월이 흐르면서 희미해져 갔지만 할머니만은 꼭 살아 돌아올 것이라는 처음의 믿음을 그대로 가지고 있었다.

　　ㅂ. 책이 읽는 사람의 마음을 행복하게 해 주는 것은 사실이지만 누구나 쉽게 그 행복가를 누리고 있는 것 같지는 않다.

　　ㅅ. 나중에 알게 된 사실이지만 맏딸이 너무 동시에만 편식하는 것이

걱정스러워서 어머니는 2학년 담임선생님께 의논 드렸다고 한다.

ㅇ. 요즈음 시대에 염치 있는 사람을 찾기는 쉽지 않<u>지만</u> 정치를 하는 사람들에게서 염치를 기대한다는 것은 거의 불가능에 가까운 일인가 보다.

ㅈ. 말이야 바른 말이<u>지만</u> 애초에 검찰을 경선판에 끌어들인 장본인은 다름 아닌 이명박 자신이었다.

ㅊ. 아저씨들 말마따나 하찮고 하찮은 풀이었<u>지만</u> 내 집을 찾는 이들에게 큰 자랑거리가 되었다.

ㅋ. 식물도감을 펼치면 들꽃 이름이야 찾아내겠<u>지만</u> 이들 하나하나의 이름보다 꽃잎 빛깔에 마음이 끌린다

ㅌ. 정확한 통계는 아니<u>지만</u> 이타식 삶을 산 사람일수록 죽음을 맞이하는 자세가 의연하다고 한다.

ㅍ. 시끌벅적하여 풍물장을 여는 시골장터 같<u>지만</u> 이른 봄 듣는 소리는 조용히 앞가슴을 풀어헤칩니다.

ㅎ. 진주성 전투는 비록 싸움에선 <u>졌지만</u> 죽음으로써 이후의 전세를 바꿔 놓은 역사적인 전투였습니다.

ㄱ'. 과격하기가 이에 못지않<u>지만</u> 구출작전을 성공적으로 이끈 예도 있다.

ㄴ'. 남아 있는 학생들은 어쩔 수 없이 학교는 다니<u>지만</u> 학교 가서는 잠만 잔다.

ㄷ'. 신발을 건지려고 안간힘을 <u>썼지만</u> 불가항력이었다.

ㄹ'. 비록 팔십 넘은 암환자 할멈<u>이지만</u> 다리마저 제대로 못 움직<u>이지</u>만 엄마 가슴에도 봄바람이 단단히 불었구나 싶었다.

ㅁ'. 세월은 풍상이라 하<u>지만</u> 지금의 내 모습을 어찌 풍상 때문이라고만 할 것인가?

ㅂ'. 엘리베이터 앞에 서서 단추를 누르고 멍청이 기다리는 시간도 아

까웠지만 낯선 사람과 조그만 상자 안에서 어색하게 서 있는 것도
싫기는 마찬가지였다.

ㅅ'. 집을 사는 사람들에게는 가장 안 좋은 조건이었지만 나는 나름대
로 생각이 있었다.

ㅇ'. 아무리 화가 나지만 좀 조용히 하여라.(하자.)

(1ㄱ~ㅇ')까지에서 보면 이 어미에 의한 주어 제약, 서술어 제약,
의향법 제약, 비종결어미 제약은 전혀 없다.

14. 「-을지언정」

이 어미는 동사·형용사·지정사 등에 두루 쓰이고 주어 제약은 없
으나 비종결어미는 「-시-」와 「-었-」이 쓰인다.

(1) ㄱ. 봄이 왔을지언정 꽃은 피지 아니한다.

ㄴ. 그는 착할지언정 머리가 둔하다.

ㄷ. 너는 학생일지언정 용서할 수 없다.

ㄹ. 배가 고플지언정 참아라(참자)

ㅁ. 나는 괴로울지언정 이 일을 하여야 한다.

ㅂ. 너는 싫을지언정 어서 가거라. (가겠느냐?)

ㅅ. 비가 왔을지언정 풍년은 들지 않았다.

ㅇ. 할아버지가 잘살지언정 일이 잘 될까?

(1ㄱ~ㅇ)에서 보면 의향법 제약도 없다.

15. 「-을지라도」

이 어미는 불구·불문을 나타낸다.

(1) ㄱ. 죽을지라도 나는 전선에 뛰어들었다.

　　ㄴ. 푼돈을 빌려 쓰고도 다음날 일찍 갚아 버려야 마음이 편하지 만날
　　　　수 없어 못 돌려 주었을지라도 밥맛을 잃는다.

　　ㄷ. 제아무리 강대국이라 할지라도 후진국으로 전락하고 만다.

　　ㄹ. 축제 속에 즐거움을 분출하는 순간이 짧고 덧없을지라도 젊음이
　　　　내뿜는 광휘가 아름답지 않은가?

　　ㅁ. 그가 학생일지라도, 나는 용서할 수 없다.

　　ㅂ. 너는 고생할지라도, 걱에 가겠느냐? (가거라).

　　ㅅ. 우리는 힘들지라도 저 건설사업에 뛰어들자.

(1ㄱ~ㅅ)에서 보면, 주어 제약, 서술어 제약, 의향법 제약은 없으
나 비종결어미 중 「-시-」, 「-었-」만이 가능하다.

16. 「-을망정」

이것은 「-을+망정」으로 된 것으로서 불구·불사의 뜻을 나타낸다.

(1) ㄱ. 아무리 어려움을 겪을망정 양심은 속일 수 없다.

　　ㄴ. 어떤 일이 일어날망정 하고 싶은 일은 꼭 하여야 한다.

　　ㄷ. 여자였을망정 남자가 할 일까지 해 내었다.

　　ㄹ. 그야 망할망정 제 고집대로 일을 처리하였다.

　　ㅁ. 너는 합격할망정, 예감이 이상하다.

　　ㅂ. 나는 고생할망정, 미국 유학길에 올랐다.

ㅅ. 너는 망할망정, 꼭 그 일을 하여야 하겠느냐?

ㅇ. 온갖 어려움이 있을망정 저 일을 해 내어라.(내자.)

ㅈ. 그 어른이 대통령에 출마하실망정 당선되기는 어려울 것 같다.

ㅊ. 그대가 착할망정, 인상이 좋지 않다.

17. 「-으나따나」

이 어미는 잘 쓰이지는 않으나, 여기에서 다루기로 한다.

(1) ㄱ. 날씨가 차우나따나, 여기서 일을 하자.

ㄴ. 적으나따나, 가져 가거라 (가자).

ㄷ. 멋이 없으나따나 가져 가겠느냐?

ㄹ. 비가 오나따나, 학교에는 안 가면 안 된다.

ㅁ. 개떡이나따나 가져 오너라.

이 어미는 서술어 제약, 의향법 제약, 주어 제약은 없으나 비종결 어미는 「-시-」, 「-었-」이 쓰인다.

(2) ㄱ. 그가 갔으나따나, 그의 몫은 남겨 놓아야 한다.

ㄴ. 물이 담았으나따나, 농삿일을 하지 않으면 안 된다.

ㄷ. 그대가 못났으나따나, 결혼하여라.

1.2. 연결어미의 뜻에 상응하나 자유스럽게 쓰이는 연결어미

여기에는 설명법, 중단법, 지정법, 겸함법, 습관법, 명령법, 추정의 문법, 감탄법, 추정법, 완료법, 반복법 등이 있다.

◆ 설명법

이에는 「-나니」, 「-으나마나」, 「-노니」, 「-노라고」, 「-노라니」, 「-ㄴ다며」, 「-는다고」, 「-는다는데」, 「-는다니」, 「-는대서」, 「-는대서야」, 「-는데」, 「-느라」, 「-느라고」, 「-다며」, 「-는바」, 「-니」, 「-다면서」, 「-라」, 「-면서(도)」, 「-었다고」, 「-었다는데」, 「-었다니」, 「-있대서」, 「-기로서니」, 「-을작시면」, 「-라며」, 「-노라고」, 「~구나」, 「-는다더니/라더니」, 「-더라고」, 「-더니」, 「-고라도」, 「-고만」, 「-고서/-고선」, 「-고서야」, 「-는다」, 「-는다고도」, 「-다보면」, 「-을시」, 「-으려더니」, 「-어지고」, 「-지도/지는/지만」, 「-을지나」, 「-는지」, 「-거니와」, 「-으려니와」 등이 있다.

1. 「-나니」
이 어미는 주로 동사와 형용사에 쓰이는 듯하다.

(1) ㄱ. 멀리 보이나니 넓은 들이로다.
　　ㄴ. 믿는 이에게 복이 있나니, 예수를 믿으시오.
　　ㄷ. 북에는 삼각산이 솟았나니 풍수지리설로 서울이 명지로다.
　　ㄹ. 장미는 아름답나니, 만인이 좋아하는 꽃이다.
　　ㅁ. 나는 잘 있나니, 걱정 말고 건강에 유의하여라.
　　ㅂ. 너는 부지런하나니, 참으로 기특하다.
　　ㅅ. 저 어른이 건강하시나니, 모두가 기뻐하였다.

(1ㄱ~ㅅ)에서 보면 (1ㅁ~ㅅ)은 어쩐지 문장이 어색하게 느껴지며, 참된 설명법으로는 (1ㄱ~ㄷ)에 그치고 나머지는 까닭을 나타내는

듯하다. 이처럼 연결어미는 종결어미와는 달리 문맥에 따라 하나의 어미가 두세 가지 뜻으로 이해되는 경우가 많다. 주어 제약은 없으나 비종결어미는 「-시-」와 「-었-」이 쓰일 수 있고, 의향법도 서술법이 제일 자연스럽다. 이 어미는 어투이므로 그 용법이 제약되는 듯하다.

2. 「-으나마나」

이 어미는 「-으나+마나」로 된 것으로 「-마나」는 「말다」에서 온 것이다.

(1) ㄱ. 날씨가 좋<u>으나마나</u> 나는 골프를 치러 가겠다.

　　ㄴ. 더 물어 보<u>나마나</u> 뻔한 일이다.

　　ㄷ. 책<u>이나마나</u>, 이것을 가져 가거라.

　　ㄹ. 네가 가<u>나마나</u>, 그 일은 해결되었다.

　　ㅁ. 나(너)는 이곳에 있<u>으나마나</u> 한 존재이다.

　　ㅂ. 선생이 가<u>시나마나</u> 마찬가지이다.

　　ㅅ. 너는 밥을 먹<u>으나마나</u> 하나?

이 어미는 서술어 제약 없이 쓰일 수 있고, 이마말 제약은 없고 비종결어미는 「-시-」만이 가능하다. 의향법은 서술법과 의문법만이 가능하다. 예를 몇 개 들어보기로 하겠다.

(2) ㄱ. 나는 네가 가<u>나마나</u> 상관하지 않겠다.

　　ㄴ. 우리가 더 알아보<u>나마나</u> 그것은 사실이다.

　　ㄷ. 돈<u>이나마나</u> 나는 싫다.

ㄹ. 알아보나마나 그것은 세계에서 제일가는 도자기이다.

이 어미는 불구의 뜻으로도 이해될 수 있다.

3. 「-노니」
이 어미는 어투여서 잘 쓰이지 않으나, 가끔 통계에 나타난다.

(1) ㄱ. 너희에게 이르노니 한글만 쓰도록 하여라.
　　 ㄴ. 그리하여 원하노니 부디 엄마가 그 새옷을 차려 입고 봄나들이를
　　　　 하실 수 있기를, 엄마 손을 꼭 잡고 봄이 오는 저 들녘을 지치도록
　　　　 걸을 수 있기를….
　　 ㄷ. 너희가 기뻐하노니 내 마음이 편안하구나.

이 어미는 동사와 형용사에 쓰이며 주어 제약은 없으며 의향법
제약도 없는 것 같으나, 비종결어미는 잘 쓰이지 않는 듯하다. 그러
나 굳이 쓰려고 하면 「-시-」와 「-었-」이 가능할 것 같은데, 통계에
잘 나타나지 않는다.

4. 「-노라고」
이것은 종결어미 「-노라」에 인용조사 「-고」가 합하여 된 연결어
미이다.

(1) ㄱ. 제 삶의 불꽃을 충분히 연소하였노라고 만족하며 흔쾌히 악수하는
　　　　 이 드물다.
　　 ㄴ. 그는 미국에서 잘 있노라고 자랑하며 으시대었다.

ㄷ. 잘 하<u>노라고</u> 한 일인데, 결과는 만족스럽지 못하다.

ㄹ. 잘못했다면, 잘못했<u>노라고</u> 빌어야지.(빌어 보자.)

ㅁ. 일이 잘못되었으면 잘못했<u>노라고</u> 빌어라.

ㅂ. 일이 이렇게 되었으니 잘못했<u>노라고</u> 빌겠느냐?

위의 예에서 보면 주어 제약, 의향법 제약은 없으나, 서술어로는 지정사는 쓰일 수 없다. 비종결어미는 「-었-」, 「-겠-」, 「-시-」 등은 다 쓰일 수 있다.

(2) ㄱ. 선생님이 가시<u>노라고</u> 야단이다.

ㄴ. 그는 잘 하였<u>노라고</u> 떠든다.

ㄷ. 그는 서울로 가겠<u>노라고</u> 떠들고 말하였다.

ㄹ. 그는 고향에 가<u>느라고</u> 자랑하였다.

「-노라고」는 「-느라고」로도 쓰임을 (2ㄹ)이 보이고 있다.

5. 「-노라니」

이 어미는 동사에만 쓰인다. 동작성이기 때문이다.

(1) ㄱ. 가만히 보고 있<u>노라니</u> 가슴이 답답하다.

ㄴ. 무슨 소식이 있을까 바라<u>노라니</u> 애만 탄다.

ㄷ. 그에게 조용히 타이르<u>노라니(까)</u>, 말을 알아듣고 갔다.

이 어미에 의한 예문은 그리 많지 않은데 어투이기 때문이다. 이 어미에 의한 주어는 별 제약이 있는 것 같지 않다. 그러나 위의 예문

셋은 모두 1인칭이다.

(2) ㄱ. 그 일로 참자고 있<u>노라니</u>, 가슴이 답답하냐?

ㄴ. 철수가 열심히 공부하<u>노라니</u>, 하늘이 도우사, 고시에 합격하였다.

6. 「-(는)다며」

이 어미는 동사에는 「-는다며」로 쓰이고, 형용사에는 「-다며」로 쓰이며 「이다」에는 「-라며」로 쓰인다. 「-는다며」는 「-는다+하며」가 줄어서 된 것이다.

(1) ㄱ. 그는 서울에 간<u>다며</u> 집을 나섰다.

ㄴ. 강산이 아름답<u>다며</u> 감탄을 하였다.

ㄷ. 이것이 진본이<u>라며</u> 이상한 족자를 내어 보였다.

ㄹ. 나는 피곤하<u>다며</u> 자리에 누웠다.

ㅁ. 너는 왜 그가 착하<u>다며</u>, 칭찬하였느냐?

ㅂ. 너는 그가 열심이<u>라며</u> 칭찬하여라.

ㅅ. 우리는 조국이 아름답<u>다며</u> 세계에 선전하자.

(1ㄱ~ㅅ)에서 보면 주어 제약, 의향법 제약은 없으며, 서술어 제약도 없음은 위에서 말하였다.

(2) ㄱ. 그는 밥을 먹었<u>다며</u>, 내가 주는 햄버그를 거절하였다.

ㄴ. 앞으로 열심히 공부하겠<u>다며</u>, 용서를 빌었다.

ㄷ. 할아버지가 오신<u>다며</u> 영희는 좋아하였다.

(2ㄱ~ㄷ)에서 보면, 비종결어미는 「-었-」, 「-겠-」, 「-시-」가 쓰임을 알 수 있다.

7. 「-는다고」

이 어미는 「-는다＋고(인용조사)」로나 「-는다＋하고-」의 줄인 것으로 볼 수 있으나, 예문을 보면 그렇게 보기에는 무리가 있다.

(1) ㄱ. 밤엔 반딧불이가 날아다<u>닌다고</u> 한다.
    ㄴ. 콘크리트 바닥을 물청소<u>한다고</u> 베니아 칸막이를 들췄다가 바닥에 널린 방석들과 콜라병을 보고 혼비백산한 형사들이 쉬쉬하며 헐렁한 베니아판에 단단히 쇠못을 바가 버리기 때문입니다.
    ㄷ. 굳게 마음먹<u>는다고</u> 두 표를 행사할 수 있는 것은 아니다.
    ㄹ. 시골 <u>간다고</u> 말하여라.(말하였느냐?)
    ㅁ. 그는 미국에서 잘 <u>산다고</u> 말하여라.
    ㅂ. 국민은행은 'KB'로 이름을 바꿔 세계화 길로 <u>간다고</u> 생각하고 있다.
    ㅅ. 그는 감기를 앓<u>는다고</u> 결석하였다.
    ㅇ. 그는 공부<u>한다고</u> 정신이 없다.
    ㅈ. 꽃이 <u>진다고</u> 새들아 울지 마라.
    ㅊ. 비가 <u>온다고</u> 풍년이 들겠느냐?
    ㅋ. 우리는 잘 있<u>다고</u> 말하자.

위에서 보면 「-는다고」는 설명 이외에 이유, 조건 등으로 이해가 되기도 하나 모두 '설명'으로 다루었다. 주어 제약, 서술어 제약, 의향법 제약은 없다.

(2) ㄱ. 그는 밥을 먹었<u>다고</u> 하면서, 내가 주는 떡을 거절하였다.

ㄴ. 그는 앞으로 일을 잘 하겠<u>다고</u> 하였다.

ㄷ. 그는 할아버지가 오신<u>다고</u> 좋아하였다.

(2ㄱ~ㄷ)을 보면 비종결어미는 「-시-」, 「-었-」, 「-겠-」이 쓰일 수 있다. 「이다」에 이 어미가 오면 「-이라고」가 됨에 유의하여야 한다.

8. 「-는다는데」
이 어미는 「-는다+하는데」가 합하여 된 것이다.

(1) ㄱ. 몇몇 학교에서 영어 몰입교육을 <u>한다는데</u> 이는 사실상 우리 말글 버리기 운동이다.

ㄴ. 금강산이 아름<u>답다는데</u> 대하여 누구도 부인 못할 것이다.

ㄷ. 이것이 보물이<u>라는데</u> 참으로 의심스럽다.

ㄹ. 핸드볼 시합에서 우리나라가 이<u>겼다는데</u> 참으로 기뻤다.

ㅁ. 그가 그 일을 처리<u>하겠다는데</u> 아무 말도 하지 말자.(말아라.)

ㅂ. 영어 몰입교육을 <u>하겠다는데</u>, 너는 찬동하겠느냐?

(1ㄱ~ㅂ)에서 보면 「-는다는데」는 모든 용언에 다 쓰일 수 있고, 의향법 제약과 주어 제약, 비종결어미 제약은 없다만, 「-리-」는 쓰일 수 없다.

9. 「-는다니」
이 어미는 「-는다+하니」가 줄어서 된 것이다.

(1) ㄱ. 그가 공부를 잘 <u>한다니</u> 귀신이 탄복할 일이다.(탄복할 일이 아니냐?)

　　ㄴ. 가뭄에 비가 <u>온다니</u> 참으로 다행이다.

　　ㄷ. 이게 보물<u>이라니</u> 믿을 수 있겠느냐?

　　ㄹ. 그대가 <u>착하다니</u> 믿어 보자.

　　ㅁ. 그가 일을 잘 처리하<u>겠다니</u>, 시간을 두고 믿어 보아라.

　　ㅂ. 그가 거부가 되<u>었다니</u>, 믿을 수가 없구나.

　　ㅅ. 내가 <u>착하다니</u>, 누가 믿겠느냐?

　　ㅇ. 네가 잘 되<u>었다니</u> 모두가 좋아할 것이다.

　　ㅈ. 아버지가 가<u>신다니</u>, 기분이 좋다.

　(1ㄱ~ㅈ)을 보면, 주어 제약, 서술어 제약, 의향법 제약이 없다. 다만 「-리-」는 쓰일 수 없다. 「-는다니」는 문맥에 따라 원인, 근거 등으로 이해되기도 한다.

10. 「-는대서」

　이 어미는 「-는다+하여서-」가 줄어서 된 것이다. 따라서 이는 동사에만 쓰이고 형용사에는 「-대서」가 쓰이고 지정사에는 「-래서」가 쓰인다.

(1) ㄱ. 그가 <u>착하대서</u> 보아 주었더니, 말썽만 부린다.

　　ㄴ. 하루 살고 <u>죽는대서</u> '하루살이'이다.(이냐?)

　　ㄷ. 일을 <u>잘한대서</u> 채용하였더니 사실과 다르다.

　　ㄹ. 곧 <u>떠난대서</u> 섭섭하냐?

　　ㅁ. 그가 유명한 <u>박사래서</u> 모셔 왔다.

ㅂ. 내(네)가 착하<u>대서</u> 누가 믿겠느냐?

　(1ㄱ~ㅂ)을 보면 의향법은 서술법과 의문법만이 쓰임을 알 수 있
고, 주어 제약은 없으며 서술어 제약도 없다.

　(2) ㄱ. 일이 잘 <u>됐대서</u>, 그에게 상금을 주었다.
　　　ㄴ. 철이가 미국에 <u>가겠대서</u> 허락을 하였다.
　　　ㄷ. 사장이 <u>가신대서</u> 공항까지 모시다 드렸다.

　(2ㄱ~ㄷ)에서 보면 비종결어미는 「-었-」, 「-겠-」, 「-시-」가 쓰임
을 알 수 있다. 이 어미는 강조할 때는 「-는대서야」가 쓰인다.

　(3) ㄱ. 지금 <u>간대서야</u> 말이나 되느냐?
　　　ㄴ. 네가 이것을 <u>가진대서야</u> 말도 안 된다.
　　　ㄷ. 그대가 <u>착각한대서야</u> 누가 믿겠느냐?
　　　ㄹ. 이것이 <u>명저래서야</u>, 사람들이 비웃겠다.
　　　ㅁ. 그가 고시에 <u>합격했대서야</u> 누구 하나 반가워하지 않는다.
　　　ㅂ. 철수가 저 어려운 일을 <u>해내겠대서야</u> 누가 믿을 수 있겠느냐?
　　　ㅅ. 저 어른이 대통령에 <u>출마하신대서야</u> 누가 지지하겠느냐?

　(3ㄱ~ㅅ)에서 보면 「-는대서야」는 그 용법이 앞의 「-는대서」와
같으나 지정사에는 비종결어미의 용례는 좀 어려울 듯이 보인다.
그러나 굳이 쓰면 쓰일 수는 있을 것이다.

　(4) ㄱ. 이것이 장차 보물이<u>겠대서야</u> 누가 믿겠느냐?

ㄴ. 저 어른이 훌륭한 교육자였<u>대서야</u> 아무도 믿지 않는다.

ㄷ. 지석영 선생이 우리나라 최초의 종두법을 시행한 어른이<u>시었대서</u><u>야</u> 그들은 모를 것이다.

11. 「-는대야」

이것은 「-는다+해야」가 줄어서 된 것이다. 따라서 그 용법은 「-는대서」 또는 「-는대서야」와 비슷해 보인다.

(1) ㄱ. 고기를 낚<u>는대야</u> 얼마나 낚을까?

ㄴ. 그가 착하<u>대야</u> 얼마나 착할까?

ㄷ. 이것이 고가의 고서<u>래야</u> 얼마나 받겠느냐?

ㄹ. 빨리 <u>간대야</u> 열 시간은 걸릴 것이다.

이 어미는 주어 제약, 서술어 제약은 없으나, 비종결어미는 「-시-」, 「-었-」이 쓰일 것이다. 의향법은 서술법과 의문법만 가능하다.

12. 「-는데」

어원으로는 「-는+데」이다. 여기서 「-는」은 관형어미이요, 「-데」는 의존명사인데 그 뜻을 잃어감에 따라 「-는데」로 어미화한 것이다.

(1) ㄱ. 대통령 잘 뽑으면 될 줄 알았<u>는데</u> 걱정하는 국민 신세만 한심.

ㄴ. 안보 공약으로라도 허장성세하는 것이 상식<u>인데</u> 이번 대선은 안보가 뒷전에 밀리거나 오히려 여론몰이에 악재로 등장하고 있다.

ㄷ. 나도 햇볕주의자임을 내건 모양<u>인데</u> 그런 야당이라면 한국의 안보

에 관한 한 차라리 햇볕 만능주의자나 적극론자가 솔직하고 판단
하기 쉽다.

ㄹ. 서부 리그가 시작될 무렵엔 이인제 대세론<u>이었는데</u> 올해 동부리
그는 이명박 대세론 속에 막이 올랐다.

ㅁ. 내 또래의 아이들은 대부분이 고무신을 <u>신었는데</u> 그게 신발로만
끝나는 게 아니었다.

ㅂ. 누락된 회우들이 있을 리 <u>없는데</u> 작년과 다르게 빈 공간이 생긴다
는 것이다.

ㅅ. 자신의 건강 검진 결과의 적신호를 <u>전하는데</u> 뜨끔한 반면 죽음이
별것인가?

ㅇ. 재·보궐 선거가 있을 때마다 이삭줍기를 해 한석 두석 <u>늘려왔는데</u>
이게 무슨 일인가?

ㅈ. 나는 그를 <u>길렀는데</u>, 그는 나를 모략하고 배반하였다.

ㅊ. <u>성가신데</u> 그만 두시오.

ㅋ. 값은 <u>싼데</u> 맛이 없다.

ㅌ. 비가 <u>오는데</u> 우산을 같이 쓰자.

ㅍ. 비가 <u>오는데</u> 좀 기다렸다가 가거라.

(1ㄱ~ㅍ)에서 보면 주어 제약, 서술어 제약, 의향법 제약은 없고
비종결어미는 「-리-」 이외는 다 쓰인다 다만, 형용사와 지정사에
쓰일 때는 「-ㄴ데」로 된다.

13. 「-느라」
이 어미는 동사에만 쓰인다.

(1) ㄱ. 그저 모래사장에서 먹이를 <u>찾느라</u> 분주할 뿐, 다른 것에는 관심이 없어 보여 그렇게 느껴졌는지도 모른다.

ㄴ. 쉬지 않고 먹이를 <u>찾느라</u> 정신없이 서두는 비둘기들의 모습이 내 모습과 더 닮았다.

ㄷ. 개구리와 도룡뇽 알을 <u>구경하느라</u> 많은 시간을 샘터에서 보냈습니다.

ㄹ. 이 부대 뒤편에서 남북 정상회담의 민족끼리 바람과 극적인 후보 단일화된 드라마를 <u>만들어내느라</u> 여념이 없다.

ㅁ. 들꽃이 피었다. 이울면서 쬐그만 풀씨 <u>익히느라</u> 바람에 겨워하는 걸 보면 눈을 쉬이 뗄 수가 없다.

ㅂ. TV에 눈을 박고 연속극을 <u>보느라</u> 정신이 없다.

ㅅ. 20미터짜리 간판을 <u>거느라</u> 오후 내내 땀을 흘린 김판들 씨가 가게로 돌아왔을 때….

ㅇ. <u>일하느라</u> 그가 오는 줄도 몰랐다.

ㅈ. 비를 <u>피하느라</u> 여기 서 있느냐?

(1ㄱ~ㅈ)에서 보면 비종결어미 「-었-」, 「-겠-」은 물론 「-리-」는 쓰일 수 없다. 의향법도 서술법과 의문법만이 쓰일 수 있다. 주어에는 제한이 없다.

14. 「-느라고」

이것은 「-느라+고」로 된 것으로 볼 수 있으나, 예문을 보면 그렇게 보기는 좀 힘들 것 같다.

(1) ㄱ. 들풀들이 여름을 <u>나느라고</u> 한창이다.

ㄴ. 그는 요즈음 <u>공부하느라고</u> 혼이 난다.

ㄷ. 낚시를 펴느라고 흘렀던 땀도 식고 깜박 졸음이라도 올 듯한 고요를 느낄 무렵이다.

ㄹ. 자느라고 비 오는 줄도 몰랐다.

ㅁ. 175마디나 되는 '웃음'의 전용 부사를 발견, 정리하느라고 일부러 소리 내어 웃기도 하는 등 정말 싱거운 일도 경험하였다.

ㅂ. 철수를 기다리느라고 여기 있느냐?

위에서 보면, 의향법은 서술법과 의문법만이 가능하고, 서술어로는 동사만이 가능하다. 비종결어미는 「-시-」만이 가능하며 주어 제약은 없는 듯하다.

15. 「-는바」

이 어미는 까닭을 나타내기도 하나, 또 설명, 서술을 나타내기도 하므로 여기에서 다루기로 하였다.

(1) ㄱ. 언어 민주주의는 정치·사회적 민주주의의 기초인바 공고기관이 이름을 영어로 사용하면서 어찌 주변 생활의 중심이 되겠다고 하는가?

ㄴ. 이는 영어 사대주의에서 비롯된 것인바 주민의 의식이 아직 성숙되지 않았다고 하여….

ㄷ. 그의 말을 들어 본바 사실과 틀림없었다.

ㄹ. 꽃이 아름다운바 다들 가지고 싶어한다.

ㅁ. 그는 노력하는바 별 성과가 없다.

이 어미는 모든 용언에 다 쓰일 수 있고 주어 제약은 없으나 의향법은 서술법과 의문법이 가능하고 비종결어미는 「-시-」는 가능한데, 「-었-」, 「-겠-」은 통계에 잘 나타나지 않았다.

(2) ㄱ. 핸드볼팀이 일본을 <u>꺾었는바</u>, 기쁘지 않느냐?
　　 ㄴ. 미국과의 경기에서 우리가 <u>이기겠는바</u> 기쁘지 아니하냐?

(2ㄱ~ㄴ)에서 보면 「-었-」, 「-겠-」이 가능함을 알 수 있다.

16. 「-니」

이 어미는 설명법 이외에 결과·이유·원인 등 다양하게 나타나나, 「-니까」와도 다른 일면이 있어서 설명법으로 다루기로 하였다

(1) ㄱ. 사정이 이렇다 <u>보니</u> 국민은 누가 대통령 후보가 될 것이며 그 사람이 앞으로 5년 동안 대한미국이라는 국가를 어떤 방향으로 어떻게 이끌고 나갈 것인지 도대체 알 길이 없다.
　　 ㄴ. 그러고 <u>나니</u> 복잡했던 사건이 해결되었을 때처럼 마음이 홀가분했다.
　　 ㄷ. 가도 가도 끝이 없어 <u>바라보니</u>, 망망대해뿐이라.
　　 ㄹ. 신발을 신고 관리함에 있어서도 허투루하는 법이 <u>없었으니</u> 어머니의 그러한 가르침이 알게 모르게 몸에 밴 것이 아닌가 한다.
　　 ㅁ. 봄볕을 <u>보니</u> 어딘가 가고 싶어 환장이 되더라.
　　 ㅂ. 원풀이를 하고 <u>나니</u> 세상에 부러워할 게 없지 뭐야.
　　 ㅅ. 나 또한 살아온 수 십 년을 한 장 한 장 넘기며 <u>생각하니</u> 받은 상처가 한두 번뿐이었을까?
　　 ㅇ. 졸장부인 내가 사업<u>이니</u> 정치<u>니</u> 하는 것은 넘볼 영역이 아니다.
　　 ㅈ. 2004년 총선을 치르고 <u>보니</u> 의석 9석으로 급전직하했다.

ㅊ. 캐낸 감자를 큼직한 광주리에 그득 담으니 보기만 해도 배가 부른 것이다.

ㅋ. 느리니, 게으르니 흉만 보지 말고 잘 타일러라.(타이르자.)

ㅌ. '센터'라는 영어가 안 통한다는 것이 곧 의식의 미성숙이라는 뜻이니 농촌 지역에서 생활하는 국민들을 깔보는 마음이 너무나도 분명하지 않은가?

ㅍ. 쥐새끼도 나름대로 원칙이 있는데, 사람이 예를 모르다니 사람이 예를 모르면 빨리 죽을수록 좋다는 말이다.

ㅎ. 집에 가니 아무도 없더라.

(1ㄱ~ㅎ)에서 보면 주어 제약, 서술어 제약, 의향법 제약은 없으나, 비종결어미는 「-었-」, 「-겠-」, 「-시-」는 가능하다.

(2) ㄱ. 내가 가겠으니, 자네는 집에 있게.

ㄴ. 비가 오시니, 마음이 푸근하다.

(2ㄴ)은 까닭으로도 볼 수 있다.

17. 「-는다면서」
이것은 「-는다+하면서」가 줄어서 된 것이다.

(1) ㄱ. 스인홍과 장례구이 같은 중국의 유력 논평가들은 북한이 핵 포기를 천명한 적이 없다면서 북핵을 비판하는 척하면서 핵의 존재를 기정사실화하고 있다.

ㄴ. 철수는 영희를 만났다면서 그 일에 관하여 자세히 말하였다.

ㄷ. 영희는 작다면서 그 옷을 입지 않았다.

ㄹ. 늦었다면서 그를 투덜대었다.

ㅁ. 그는 자기가 교수라면서, 제법 으시대었다.

ㅂ. 앞으로 2030년이 되면 여의도의 10배가 넘는 땅이 수몰되겠다면서 지구 온난화 문제에 대하여 심각하게 말하였다.

ㅅ. 대통령이 가신다면서, 경계를 엄중히 하라고 하였느냐?

ㅇ. 이것이 소중한 책이라면서, 잘 보관하도록 주의를 시켜라.

ㅈ. 교통질서를 꼭 지켜야 한다면서, 가두 캠페인을 벌이자.

ㅊ. 나는 이 일을 해야 한다면서도 시일만 보내고 있다.

위의 예를 보면, 주어 제약, 서술어 제약, 의향법 제약은 없으나 비종결어미는 「-리-」를 제외하고는 「-시-」, 「-었-」, 「-겠-」이 쓰일 수 있다. (1ㅊ)에서 보는 바대로 조사도 취할 수 있다.

18. 「-라」

이 어미는 서술, 명령, 원인, 근거 등의 뜻을 나타낸다.

(1) ㄱ. 북한 핵의 규모와 그 운반 수단인 미사일의 사거리로 보아 북핵은 애당초부터 대미용이 아니라 대남용이었다.

ㄴ. 칼날에 베이고 깎여나간 도마는 내가 아니라 남편이 아니었던가?

ㄷ. 평일이라 그런지 겨울 바다를 찾은 사람들이 생각보다 적다.

ㄹ. 이런 차이를 편의상 '낮추는 일본인', '튀는 한국인'이라 해 두자.

ㅁ. 처칠같이 고매한 인물들은 자신을 보다 나은 세상이나 망각으로 이끄는 죽음을 기꺼이 맞이하라 충고한다.

ㅂ. 햇살을 따라 내려온 빛은 땅에 닿자마자 달라진다.

ㅅ. 누가 나에게 여행을 한 마디로 표현해 보라 한다면 '첫사랑'이라
　　말할 것이다.

ㅇ. 들어온 말은 우리말이므로 써라 마라 할 까닭이 없다.

ㅈ. 그 장면을 찍으려는데 눈치를 모르는 할매라 그 좋은 장면을 놓치
　　고 말았다.

「-라-」가 동사에 쓰이면 시킴이 되는 경우가 많다. 주로 「아니다」
와 「이다」에 쓰인 예가 많이 나타났다. 형용사에 쓰이면 감탄의 뜻
을 나타내는 경우가 많은 듯하다. 비종결어미는 같이 쓰일 수 없으
며 서술어 제약은 없다. 또 주어 제약도 없다.

(2) ㄱ. 이 꽃이 아름다워라 하면서 나는 감탄하였다.

　　ㄴ. 이 아기는 참 예뻐라 하면서 영희는 어루만졌다.

　　ㄷ. 늦을라, 어서 가보자.

(2ㄱ~ㄴ)에서 보면, 형용사에 쓰이면 연결어미가 아니라 종결어
미처럼 보인다. (2ㄷ)에서 보듯이 「-을라」가 되면 '염려'가 된다.

19. 「-면서도」
이것은 「면서서＋도(조사)」로 된 것이다.

(1) ㄱ. 그는 이 문제를 알면서도 또 묻는다.

　　ㄴ. 그대는 착하면서도 예쁘기도 하다.

　　ㄷ. 그는 대통령이면서도, 자기 재산에 만족하지 못한다.

　　ㄹ. 아버지는 누워계시면서도, 책을 읽으신다.

이 어미에는 비종결어미 「-었-」, 「-겠-」, 「-리-」 등은 쓰일 수 없다. 「-면서도」는 거듭되는 일이나, 반대되는 내용을 그 뒤의 종결절에 요구하는 어미이다. 주어제약, 서술어제약은 없다. 의향법은 서술법과 의문법만이 쓰일 수 있다.

(2) ㄱ. 너는 일하<u>면서도</u>, 공부까지 하느냐?

　　ㄴ. 그대는 예쁘<u>면서도</u> 착하냐?

　　ㄷ. 너는 장관이<u>면서도</u>, 뭐가 부족함이 있느냐?

20. 「-(었)다고」

이것은 「-었다+고」로 된 것인데 「-고」는 인용조사가 아니고 어미이다.

(1) ㄱ. 그러나 버림받고 짓밟<u>혔다고</u> 해서 무조건 국민의 동정을 받으리라고 기대하는 건 어리석다.

　　ㄴ. 몇 번 마주<u>쳤다고</u> 만날 때마다 목례를 하거나 속빈 이야기를 나누며 이웃인 양하는 것도 비위에 안 맞고….

　　ㄷ. 고모는 마을에서 한참 떨어진 산등성이 반대편에 고추밭이 있<u>다고</u> 했다.

　　ㄹ. 초콜릿에 들어 있는 페닐아틸아민은 실연한 사람에게 알맞<u>다고</u> 한다.

　　ㅁ. 이전 정부가 남긴 부담 때문에 힘들<u>었다고</u> 주장하던 노정부가 또다시 다음 정부에 부담을 넘기려 하니 이 또한 염치없는 행동이다.

　　ㅂ. 남녀 혼탕이 있는 고세 갈 수도 있다는 얘기를 기입하지 않<u>았다고</u> 심하게 화를 내는 부류가 있는 반면 색다른 경험이 될 것이니 기어이 들어가 보고 말겠다는 측도 있어….

ㅅ. 고인은 매일 새벽 3시에 일어나 아침 준비를 <u>했었다고</u> 한다.

ㅇ. 아까 당시니 식탁에 앉아 굴비 구운 것이 너무 <u>탔다고</u> 말할 때 전화벨이 울렸지요?

ㅈ. 아버님의 안부를 묻기에 지금 식사 <u>중이시다고</u> 일러 주며 시계를 보니 밤 7시였어요.

ㅊ. 나는 참 예쁘<u>다고</u> 과장스레 말했다.

ㅋ. 말로는 가장 <u>가깝다고</u> 하면서 양보보다는 사소한 것에도 반목하고 토라지고 함부로 말해 버리는 사이….

ㅌ. 그렇다고 둘 중 하나만 있어도 일을 함부로 할 수 없는데, 정부를 무력<u>하다고</u> 다그치는 것도 옳지 않다.

ㅍ. 너는 조금 안<u>다고</u> 설치지 말라.

ㅎ. 이 나이에 <u>젊다고</u> 장담할 수 있겠느냐?

ㄱ'. 일본말 식민지에게 해방된 지 몇 해나 <u>되었다고</u> 이제 제발로 걸어가 미국말 식민지가 되려 하는가?

ㄴ'. 우리도 이 경기에서 <u>이겼다고</u> 떠들어 대자.

위의 예에서 보면, 의향법 제약은 없으며 서술어 제약, 주어 제약도 없다. 그러나 비종결어미는 「-었-」, 「-시-」는 쓰이는데 「-겠-」이 동사에 쓰이면 의도를 나타내고 형용사나 지정사에 쓰이면 추량을 나타내며 「-리-」는 아예 쓰일 수 없다.

21. 「-었다는데」

이것은 「-었다+하는데」가 줄어서 된 것이다.

(1) ㄱ. 정보기관장이 돈보따리를 싸들고 <u>나섰다는데</u> 우리는 왜 이렇게 무

관심 속에 방치되는지 도통 이해할 수 없을 것이다.

ㄴ. 그는 시험을 잘 보았다는데 합격 여부에 관심이 쏠려 있다.

ㄷ. 그대는 착하다는데, 결혼하면 어떨까?

ㄹ. 이것이 보석이라는데, 믿을 수 없다.

ㅁ. 골동품이 굉장히 고가라는데 한번 감정하여 보자.(보아라.)

위의 예에서 보면, 주어 제약, 서술어 제약, 의향법 제약은 없는데, 비종결어미 주 「-었-」, 「-시-」는 쓰일 수 있다. 「-겠-」이 동사에 오면 의도를 나타내고 형용사나 지정사에 오면 추측을 나타낸다. 「-이다-」에 이 어미가 오면 「-이라는데」가 된다.

22. 「-(었)다니」

이것은 「-(었)다＋하니」가 줄어서 된 것이다.

(1) ㄱ. 이 집을 지은 지 십 년이 넘었다니 나무의 나이는 그보다 훨씬 더 많을 것이다.

ㄴ. 그가 착하다니 말도 안 된다.

ㄷ. 이것이 보물이라니 누가 믿겠는가?

ㄹ. 그가 벌써 구십이 넘었다니, 한번 알아보자.(보아라.)

ㅁ. 그가 미국에 간지가 벌써 십년이 되겠다니, 세월도 빠르구나.

ㅂ. 어른이 가신다니 잘 모시어라.

ㅅ. 이 애완동물을 죽여 버리다니 참으로 한심하다.

ㅇ. 게으른 미인 없다니 작은 눈으로 사는 수밖에 없으렸다.

ㅈ. 국어 관계 예산만 깎으려고 한다니 무엇이 잘못된 것은 아닐까?

ㅊ. 그는 기어코 간다니 보내 주어라.(주자.)

ㅋ. 그가 이것을 <u>안다니</u> 말도 안 된다.

ㅌ. 마른 나무에 꼬치 <u>핀다니</u> 거짓말 하지 말아.

ㅍ. 결국 그 가상한 뜻을 이루지 못하고 <u>가시다니</u> 애석한 일입니다.

ㅎ. 구경이 <u>좋다니</u>, 한번 가 보자.

ㄱ'. 그것을 <u>보았다니</u> 어디 자세히 말해 보아라.

ㄴ'. 그거 이 일을 <u>하겠다니</u> 시켜 보아라.

위에서 보면, 주어 제약, 서술어 제약 의향법 제약은 없는데, 비종
결어미는 「-리-」만 쓰일 수 없고 다 쓰인다.

23. 「-(았)는대서」

이것은 「-(았)는다+해서」가 줄어서 된 것이다.

(1) ㄱ. 일부의 인원이 여기 포구에서 서쪽 중국으로 <u>귀환했대서</u> 서귀포라
　　는 지명을 얻게 되었다고 한다.

　ㄴ. 그대가 <u>예뻤대서</u> 이름이 '예쁜이'인가?

　ㄷ. 그는 젊엇 자사<u>였대서</u> 지금도 장군이라 부른다.(부르자.)

　ㄹ. 그대가 <u>예쁘대서</u> '예쁜이'라 불러라?

위에서 보면, 의향법은 서술법, 의문법, 권유법은 되는데, 명령형
은 (2ㄱ)과 같은 문장에서는 가능하다. 서술어 제약은 없으나 비종
결어미 중 「-었-」, 「-겠-」, 「-시-」는 가능하다.

(2) ㄱ. 할아버지께서 <u>가신대서</u> 보내 드렸으니까. 잘 보살펴 드려라.

　ㄴ. 철수가 그 일을 <u>하겠대서</u>, 그리 하도록 하였다.

24. 「-을작시면」

이것의 뜻은 '어떤 행도에 이르게 되면' 또는 '~작성하면' 등으로 이해된다. 따라서 의도를 나타내는 듯도 하다. 반드시 그렇지 않은 경우도 있어 설명법으로 다루기로 한 것이다.

(1) ㄱ. 그 말을 들을<u>작시면</u>, 참 기가 막히지요.
    ㄴ. 네가 갈<u>작시면</u> 어서 가거라.
    ㄷ. 이것을 먹을<u>작시면</u> 빨리 먹어라.
    ㄹ. 이것을 할<u>작시면</u> 하여도 좋다.
    ㅁ. 비가 올<u>작시면</u>, 작작 왔으면 좋겠다.

위에서 보아 알 수 있듯이, 의향법은 이 어미의 뜻으로 보아 서술법 명령형 등이 주로 많이 쓰이고 문맥에 따라 의문법·권유법도 쓰일 수 있다.

(2) ㄱ. 마음에 들<u>작시면</u>, 이것을 가지겠느냐?
    ㄴ. 갈<u>작시면</u>, 어서 가자.

그리고 비종결어미는 쓰일 수 없으며 서술어는 동사에 한한다.

25. 「-기로서니」
이 어미는 「-기로」의 힘준 말이다.

(1) ㄱ. 그런데도 노 정권은 내 쌈지 안의 것을 '코드'에 맞춰 인심쓰<u>기로</u><u>서니</u> 무슨 시비냐 할 태도다.

ㄴ. 바둑을 한 판 <u>졌기로서니</u> 그리 화를 내느냐?

ㄷ. 네가 누구<u>기로서니</u> 그렇게 큰 소리를 치느냐?

ㄹ. 아무리 시고리<u>기로서니</u> 책방이 없겠나?

ㅁ. 그가 착하<u>기로서니</u> 놀려서 되겠느냐?

ㅂ. 내가 아무리 어리석<u>기로서니</u> 그렇게 말을 하여서 되겠느냐?

이 어미는 모든 용언에 다 쓰일 수 있고 의향법은 서술법과 의문법만이 가능하다. 비종결어미는 「-었-」, 「-시-」가 잘 쓰이고 주어 제약은 없다.

26. 「-라며」

이 어미는 「-라+하며」의 준 것이다. 그 뜻은 '-이라고 말하며'로 될 것이다. 이 어미가 형용사에 쓰이면 「-다며」로 되고 동사에 오면 「-는다며」로 된다.

(1) ㄱ. "2010년 정도면 지금 예측하기에는 힘들 정도의 급속한 변화가 일어날 것"이<u>라며</u> "디자인, 마케팅, 연구 개발 등 모든 분야에서 창조저긴 경영으로 변화에 대비해야 한다"고 말했다.

ㄴ. 엄마에게 갔더니 며칠 전에 산<u>거라며</u> 옷 자랑을 하신다.

ㄷ. 동교동 가신들이 비리 혐의로 차례로 구석될 때 정치 탄압이<u>라며</u> 펄펄 뛰고 국정원 도청 사건에 앞장서서 DJ 주변에 방어막을 치고….

ㄹ. 지금까지 지역에서 자체 편성한 다큐멘터리 가운데 최고 시청률이<u>라며</u> 이번 기획이 내용은 물론 방송 프로그램 질적인 면에서도 지상파 3사 프로그램에 결코 뒤지지 않는다고 평했다.

ㅁ. 본인은 "하늘이 두 쪽이 나도…"라며 부인하고 있다.

ㅂ. 그는 학교로 간다며, 일찍 집을 나갔다.

ㅅ. 이 꽃이 참으로 아름답다며 칭찬을 아끼지 않았다.

ㅇ. 이순신 장군은 해군사에 빛나는 인물이었다며, 그는 칭찬을 아끼
지 않았다.

ㅈ. 이 논문은 훌륭한 업적이겠다며, 매우 칭찬하였다.

ㅊ. 나는 아버지는 훌륭한 인물이시라며 그에게 자랑하였다.

ㅋ. 내일은 비가 오리라며, 그는 예언을 하였다.

(1ㅇ~ㅊ)에서 보면 「-었-」과 「-겠-」 다음에 「-라며」가 오면 「-
다며」가 되고 「-시-」 다음에 오면 「-라며-」가 그대로 쓰임을 알
수 있다. 주어 제약, 서술어 제약, 의향법 제약은 없으며 비종결어미
제약도 없다.

27. 「-노라고」

이 어미는 '단정'을 나타내는 뜻으로 이해된다. 이것은 「-노라+
하고」의 준 것이다.

(1) ㄱ. 그녀를 만나 나도 그랬노라고 말하고 싶은 충동은 지금도 식지 않
은 설렘으로 남아 있다.

ㄴ. 잘하노라고 한 일이 이렇게 되었느냐?

ㄷ. 잘못했노라고 빌어라.(빌자.)

ㄹ. 너는 그때 "잘 했노라고" 우겼다.

ㅁ. 나는 일찍 떠나겠노라고 말하였다.

이 어미는 주어 제약, 의향법 제약은 없으나 비종결어미는 「-었-」
과 「-겠-」만이 쓰인다. 그리고 이것은 동사에만 쓰인다.

27. 「-며-」

이 어미가 동사에 쓰이면 동시성을 나타낸다.

(1) ㄱ. 누추한 민가에서 병에 걸려 신음<u>하며</u> 죽음의 위협 속에 떨고 있을
    젊은이들을 생각하면 가슴이 찢어진다.

ㄴ. 그 발자국 옆에 나란히 내 발자국을 찍<u>으며</u> 마음을 달래었다. 내
    발자국 옆에는 비둘기가 제 발자국을 꾹꾹 찍으며 따라온다.

ㄷ. 나비가 날개를 파닥<u>이며</u> 올라왔듯이 그들도 아내를 찾아….

ㄹ. 베란다에서 서서 빈 나뭇가지를 바라<u>보며</u> 마시는 커피도 좋았고
    잠 안 오는 밤 달빛을 받아 푸르게 빛나는 모습을 보며 듣는 노래
    도 좋았다.

ㅁ. 지나가는 사람들도 나무를 보<u>며</u> 입맛을 다셨다.

ㅂ. 샘터 우물가엔 툭하면 몸보신족들이 들락거<u>리며</u> 개구리와 물고기
    를 잡아갑니다.

ㅅ. 금세 줄행랑을 치며 달아납니다.

ㅇ. 마음 울적할 때면 저런 뭉게구름을 쳐다보며 가슴을 식히곤 했다.

ㅈ. 나는 그런 줄도 모른 체 그악스런 모기들과 싸우며 날이 밝을 때까
    지 버텼다.

ㅊ. "나비야 나비야" 하며 불러대고 있다.

ㅋ. 엄마는 아픈 다리를 질질 끌<u>며</u> 베란다로 나가더니 나를 부르셨다.

ㅌ. 이 아름다운 길을 오가<u>며</u> 어머니는 운동이 되어 좋다고 하셨다.

ㅍ. "스레이몽이 성인이 될 때까지 매달 300 달러씩 지원하겠다"<u>며</u>

직접 후원 방법을 알려 달라고 요청했다.

ㅎ. 중국 역시 북한의 핵을 사실상 용인하<u>며</u> 미국과 헤게모니 싸움에
만 관심을 가지고 있다.

ㄱ'. 그는 여기서 공부도 하였<u>으며</u>, 고시도 보았다.

ㄴ'. 내일은 비가 오겠<u>으며</u> 눈도 오겠다.

ㄷ'. 선생님이 가시<u>며</u> 우리에게 "공부 잘 하라" 하셨다.

ㄹ'. 너는 공부도 하<u>며</u> 일도 하여라.

ㅁ'. 우리는 일하<u>며</u> 공부도 하자.

위의 예문을 보면, 주어 제약, 의향법 제약은 없으나 비종결어미
는 「-았-」, 「-시-」, 「-겠-」은 쓰일 수 있으나 「-리-」는 쓰일 수
없다.

28. 「~구나」
이 어미는 모든 용언이 서술어가 될 때, 다 쓰인다.

(1) ㄱ. 엄마 가슴에도 봄바람이 단단히 들었<u>구나</u> 싶었다.

ㄴ. 네가 그대와 연애를 하였<u>구나</u> 생각했다.

ㄷ. 나는 그가 잘 있<u>구나</u> 싶어 좋아하였다.

ㄹ. 나는 네가 그녀를 좋아하겠<u>구나</u> 싶어 안심하였다.

위의 예문에서 보면, 주어는 모두 1인칭임을 알 수 있다. 그리고
「-구나」 뒤에 오는 서술어는 '싶다', '생각하다', '하다' 등이 주류를
이루는데, 이들의 주어는 바로 1인칭이기 때문이다. 「-구나」 앞에
는 비종결어미 「-었-」, 「-겠-」 「-시-」가 올 수 있다. 서술어는 제

약이 없는 듯하다. 종결절의 의향법은 서술법이 주로 쓰이나, 혹 주어가 2인칭일 때는 명령형·의문법도 가능하다. 주어가 1인칭일 때는 권유법도 가능한 듯하다.

29. 「-는다더니/라더니」
이 어미는 「-는다+하더니」, 「-라+하더니」가 줄어서 된 것이다.

(1) ㄱ. 양파처럼 까면 나온다. "한번이라더니 헛방이다"라는 게 국민 지지율 60~70%의 두 사람이 벌이는 공방의 핵심이자 거의 전부다.

　ㄴ. 그는 우등생이라더니 아무것도 모른다.

　ㄷ. 이것이 보물이라더니 아무 가치도 없네그려.

　ㄹ. 눈을 감으면 천국의 언저리가 보인다더니 풀밭을 거닐다 돌아오면 천국 언저리가 가깝게 느껴진다.

　ㅁ. 간다더니 왜 왔느냐? 간다더니 왜 왔느냐?

　ㅂ. 여기가 좋다더니, 별로 마음에 들지 않네.

위에서 보면 주어는 2~3인칭에 한하며 서술어는 제약이 없고 의향법도 제약이 없는 듯하다. 비종결어미는 「-었-」, 「-겠-」, 「-시-」가 쓰일 수 있다.

30. 「-더라고」
이것은 「-더라+하고」가 줄어서 된 것이다. 여기의 「-고」를 인용조사가 아닌가 할 수도 있으나 그렇게 보는 것보다 어미로 보는 게 나을 것 같아 어미로 보았다.

(1) ㄱ. 말할 때, 입모양이 이상하게 되어 보기 <u>싫더라고</u> 하여 그 입모양을
　　　흉내까지 낸다.

　　ㄴ. 설악산이 아름답<u>더라고</u> 혀가 닳도록 말하였다.

　　ㄷ. 그는 천재<u>더라고</u> 철수가 말하였다.

　　ㄹ. 그 학교가 좋<u>더라고</u> 말하여라.(말하자, 말하였느냐?)

(1ㄱ~ㄹ)에서 보면, 주어는 3인칭일 때 가장 자연스럽고 1~2인칭
일 때는 "나는 그것이 좋더라고 말하였다"에서처럼 밑줄부분과 같은
절이 들어가야 하는 일이 생긴다. 서술어는 제약이 없고 의향법도
제약이 없다. 비종결어미도 제약이 없으나 「-리-」는 쓰일 수 없다.

31. 「-더니」

이것은 「-라더니」, 「-더라고」와 마찬가지로 과거에 경험한 것을
돌이켜 말하여 설명하는 어미이다. 이는 문맥에 따라 원인, 근거,
대립관계 등 다양한 뜻을 나타낸다.

(1) ㄱ. 산길은 수년 전부터 잡초가 조금씩 막아서<u>더니</u> 이제는 청가시덩굴
　　　까지 가세했다.

　　ㄴ. 어제는 비가 오<u>더니</u> 오늘은 바람이 분다.

　　ㄷ. 그 후 나무는 연분홍 꽃망울을 터뜨리<u>더니</u> 열매를 맺기 시작했다.

　　ㄹ. 윤실무 대리가 서류철을 들고 와서 앞에 앉<u>더니</u> 몇 장을 넘기고
　　　펼쳐서 내밀었다.

　　ㅁ. 공부를 열심히 하<u>더니</u> 좋은 학교에 진학하였다.

　　ㅂ. 날씨가 무덥<u>더니</u> 비가 오는구나.

　　ㅅ. 가 보았<u>더니</u> 그 과일은 이미 다 팔리고 없었다.

ㅇ. 어머니는 너덜너덜해진 신발을 찬찬히 훔쳐보<u>시더니</u> 장광설을 늘어놓았다.

ㅈ. 좁쌀만한 알맹이가 맺힌 듯 살피<u>더니</u> 비 한번 올 때마다 알이 굵어졌다.

ㅊ. 젊어서는 이 돌을 들<u>겠더니</u>, 이제는 못 들겠다.

ㅋ. 공부를 하는 척하<u>더니</u>, 하지 않았느냐?

ㅌ. 공부를 한<u>다더니</u> 어서 하여라.

(1ㄱ~ㅌ)에서 보면 주어는 2~3인칭은 가능하나 1인칭은 불가능하다. 따라서 의향법도 권유법은 되지 않는다. 서술어는 제약 없이 쓰인다. 비종결어미는 「-리-」이외는 다 가능하다.

32. 「-고라도」
이 어미는 예외·수행·처리·미흡 등 여러 가지 뜻을 나타낸다.

(1) ㄱ. 이러한 예는 내 아버지와의 관계가 아니<u>고라도</u> 세상 살아가는 길에 허다한 것 같다.

ㄴ. 우선 먹<u>고라도</u> 보자.

ㄷ. 먼저 저 놈의 기세를 꺾어 놓<u>고라도</u> 보아야 하지 않겠느냐?

ㄹ. 무엇보다도 예쁘<u>고라도</u> 보아야 하지 않겠느냐?

이 어미는 주어 제약근 없으며 의향법도 별 제약이 없는 듯하다. 비종결어미는 「-시-」만이 가능하다. 서술어 제약은 없다.

33. 「-고만」

이것은 문맥에 따라 지속·완료 등의 뜻을 나타낸다.

(1) ㄱ. 불도 붙이지 않고 물고만 있으나 안 피던 담배까지 손을 대는 것을
　　　보니 마음이 여간 어지러운 게 아닌가 보다.
　　ㄴ. 그는 왜 여기서 울고만 있을까?

이 어미는 「-고＋있다」 형식에서만 쓰이므로 진행 또는 지속을
나타낸다. 따라서 동사에만 쓰인다. 주어 제약, 의향법 제약은 없으
나 비종결어미는 쓰이지 못한다.

34. 「-고서/-고선」

이 어미는 동사에 쓰인다.

(1) ㄱ. 누구를 믿고서 여기에 왔나?
　　ㄴ. 그는 고생을 하고서 성공하였다.
　　ㄷ. 문을 열고서 이곳 경치를 구경하여라.(구경하자.)
　　ㄹ. 그는 자전거를 타고서 학교에 다닌다.
　　ㅁ. 새누리당은 이 사람들 마음을 얻지 않고선 대선 승리는 엄두도 낼
　　　수 없다.

이 어미는 주어 제약, 의향법 제약은 없으나 비종결어미는 제약
이 있다. 다만 「-시-」만은 쓰일 수 있다. 「-았-」과 「-겠-」이 쓰일
수 없는 까닭은 「-고서/고선」의 「-고서」가 완료의 뜻이 있기 때문
이고 「-리-」는 쓰일 수 없는데, 발음상 「-리고서」는 될 수 없기 때

문이다.

35. 「-고서야」
이는 「-고서」의 강조형이다.

(1) ㄱ. 빈속에 먹을 일주일 분의 항생제가 속을 뒤집어 놓<u>고서야</u> 기진맥
진 상태에서 간신히 열이 내렸다.
ㄴ. 그는 한 잔 술을 마시<u>고서야</u> 피로가 풀린다 하였다.
ㄷ. 너는 이 일을 마치<u>고서야</u> 가겠느냐?
ㄹ. 모두들 하던 일을 마치<u>고서야</u> 가거라.(가자.)

이 어미 제약 현상은 앞 「-고서」의 경우와 같다.

36. 「-는다」
이 어미가 형용사에 오면 「-다」로 되고 지정사에 오면, 「-라」로
된다.

(1) ㄱ. 아무리 많은 사람이 <u>쓴다</u> 해도 들온말이라 할 수 없다.
ㄴ. 아무리 힘이 <u>세다</u> 해도 그것을 들 수 있겠느냐?
ㄷ. 이것이 <u>돈이라</u> 해도 개인이 가져가서는 안 된다.

이 어미는 비종결어미 중 「-시-」만 쓰일 수 있다.

37. 「-는다고도」
이 어미는 「-는다고+도」로 된 것이다.

(1) ㄱ. 그 개울물이 너무 차서 열매가 열리지 않<u>는다고도</u> 했고 모과나무
　　는 심은 사람이 죽어야만 열린다고도 했다.

ㄴ. 우리는 장희빈을 예<u>쁘다고도</u> 하다가 밉다고도 한다.

ㄷ. 그는 가겠다고도 하다가 안 가<u>겠다고도</u> 하여 믿을 수가 없다.

이 어미는 의향법 제약은 있으나 비종결어미는 「-었-」, 「-겠-」, 「-시-」가 쓰일 수 있다.

38. 「-다보면」

이 어미는 통계에 하나만 나타났으나 입말에서는 많이 쓰인다. 그런데 이것을 「-더+보면」으로 보느냐 아니면 하나의 어미로 보느냐 의문이나, 문맥에 따라서 보면 하나의 어미로 보는 것이 더 낫지 않을까 싶어 여기에서 다루기로 한 것이다.

(1) ㄱ. 죄도 기쁜 마음으로 사함 받<u>다보면</u> 즐겁기도 하겠지만 어디 그러
　　기야 했을까?

ㄴ. 일을 하<u>다보면</u> 혹 잘못될 수도 있을 것이다.

ㄷ. 착하<u>다보면</u>, 바보같을 때도 있다.

ㄹ. 학생이<u>다보면</u>, 혹 실수할 수도 있겠지.

위의 예에서 보면 서술어 제약은 없으나, 의향법은 서술법만이 가능한 것 같고 비종결어미는 「-시-」만이 가능한 것 같다.

39. 「-을시」

이 어미는 확실성을 나타내는 설명어미이다.

(1) ㄱ. 그가 박군일씨 분명하다.

　　ㄴ. 그의 잘못이 아닐시 분명하다.

　　ㄷ. 영희는 예쁠시 분명하니, 잘 보고 빨리 약혼하여라.

　　ㄹ. 그가 박사일시 분명하나?

위의 보기에서 알 듯이, 이 어미는 지정사와 형용사에 쓰이나, 동사에는 잘 쓰이는 것 같지 아니하나, 쓰면 쓰일 수 있다. 즉 "그는 지금 공부할시 분명하다"에서와 같다. 의향법은 (1ㄷ)과 같은 짜임새의 문장에서는 명령형, 권유법이 다 가능하다.

40. 「-려더니」

이 어미는 「-려＋하더니」가 줄어서 된 것인데 「이다」에 쓰이면 지정의 뜻으로 이해되나 동사와 형용사에 쓰이면 의지의 뜻으로 이해된다. 비종결어미는 「-시-」만이 가능하다. 이 어미는 문맥에 따라 예정·예측(추측) 등의 뜻을 나타낸다.

(1) ㄱ. 공부하려더니 지금껏 무엇하였느냐?

　　ㄴ. 비가 오려더니, 눈이 왔다.

　　ㄷ. 그는 미국에 가려더니, 아직까지 가지 않았느냐?

이 어미는 동사에만 쓰이며 비종결어미는 쓰이지 않는다. 의향법도 서술법과 의문법이 쓰인다.

41. 「-어지고」

이 어미는 동사·형용사에만 쓰인다.

(1) ㄱ. 이별의 아픔도 체험하면서 인생은 더 성숙해지고 커 가는 것이다.

　　ㄴ. 등산을 하면 마음도 넓어지고 몸도 튼튼해진다.

　　ㄷ. 열심히 하면 지위도 높아지고 대우도 좋아진다.

　　ㄹ. 너는 아룸다워지고 싶지도 않느냐?

의향법은 서술법과 의문법이 주로 쓰인다.

42. 「-지도/지는/지만」

이 어미는 동사·형용사에 쓰인다.

(1) ㄱ. 너는 그래 놓고서 부끄럽지도 않느냐?

　　ㄴ. 그는 일을 잘 하지는 못하나, 양심적이다.

　　ㄷ. 너는 이것을 먹지만 말아라.

이 어미들은 풀이를 하면서 연결어를 만든다.

43. 「-을지나」

이 어미는 주로 동사, 형용사, 이다 등에 다 쓰이면서 「~ㄹ것이지마는」, 「-겠지마는」 등의 뜻을 나타내는데 그 뒤에는 대립적인 뜻이 온다.

(1) ㄱ. 그는 이 글을 읽을지나 뜻은 알 수 있을지 모르겠다.

　　ㄴ. 날씨는 밝을지나, 좀 추울지 모르겠다.

　　ㄷ. 그는 능력 있는 사람일지나 잘 알아볼지는 모르겠다.

　　ㄹ. 그곳에는 비가 왔을지나 풍년이 들었는지 모르겠다.

ㅁ. 할아버지가 가셨을지나 대접을 잘 했는지 궁금하다.

ㅂ. 나는 이곳에 머물지나 너는 어서 집으로 가거라.

위에서 보면 서술어에는 아무 제약이 없고 주어에도 제약이 없는 듯하나, 1~2인칭은 부드럽지 못한 느낌이 든다. 비종결어미는 「-었-」과 「-시-」만이 가능하다. 의향법은 서술법과 의문법, 명령형이 가능하다.

위의 문맥적 뜻으로 보면 「~할 것이지마는」 또는 「~할 것인데」로 이해된다. 그러므로 이 어미 뒤에는 앞 절과 반대되는 뜻의 내용이 온다.

44. 「-는지」

이 어미는 「이다」에는 쓰일 수 없는 듯하다. 만일 쓰이면 의문을 나타낸다.

(1) ㄱ. 그가 어찌나 지독한지 말도 못한다.

ㄴ. 그녀가 어떻게나 고운지 나는 반하고 말았다.

ㄷ. 영희가 어떻게 생활하는지, 잘 모르겠다.

ㄹ. 그가 너무 착한지 아이들이 서로 도와준다.

이 어미는 형용사에 쓰이면 설명이 되나 동사에 오면 설명이 안 되고 의문이나 염려의 뜻을 나타내는 듯하다.

45. 「-거니와」

이 어미는 모든 용언에 다 쓰이며 주어 제약, 비종결어미 제약은 없다.

(1) ㄱ. 나는 잘 있거니와, 그는 어떻게 지내는지 궁금하다.

ㄴ. 그대는 얼굴이 예쁘거니와, 마음씨도 착하다.

ㄷ. 이것은 그가 보낸 선물이거니와 너무도 좋다.

46. 「-으려니와」

이 어미는 모든 용언에 다 쓰이며 의향법은 서술법, 의문법, 명령형이 가능하고 주어는 1인칭은 잘 쓰이지 않는 듯하다.

(1) ㄱ. 그는 잘 있으려니와, 요즈음은 소식이 전혀 없다.

ㄴ. 이 꽃이 향기로우려니와 아름답기도 대단하다.

ㄷ. 이것은 명저이려니와 가격은 참 싸다.

ㄹ. 아버지가 가시려니와 나도 같이 가겠다.

◆ 중단법

이에는 「-다가」, 「-다가는」, 「-다가도」의 어미가 있다. 이 어미는 동사와 형용사에만 쓰인다.

1. 「-다가」

이에는 비종결어미 「-시-」, 「-었-」만이 쓰이고 경우에 따라서는 「-가-」가 주는 일이 있다.

(1) ㄱ. 그러지 못하면 대선의 격랑 속에서 허둥대다 흔적조차 없이 사라

지기 십상이다.

ㄴ. 홀로 설 각오와 의지가 없다면 이용만 당<u>하다</u> 흔적도 없이 사라질 뿐이다.

ㄷ. 활기가 넘쳐나는 갈매기들을 <u>보다가</u> 비둘기들을 보니 초라하기 짝이 없다.

ㄹ. 내가 저를 부러워하<u>다가</u> 떠나가는 것을 아는지 갈매기들이 더 큰 소리로 노래를 한다.

ㅁ. 나비가 날고 있다. 하늘로 솟았<u>다가</u> 땅위로 내려왔다가 하고 있다.

ㅂ. 그들의 모습이 봄 소풍을 왔<u>다가</u> 돌아가는 것 같다.

ㅅ. 나비도 하늘에 올라갔<u>다가</u> 땅위로 내려왔<u>다가</u> 하여 언제나 이곳에서 날개를 흔들고 있을 거예요.

ㅇ. 히딩은 대통령직이 아무것도 아니니 걱정 말라는 말만 듣고 나섰<u>다가</u> 정말로 대통령이 되고 말았다.

ㅈ. 옮겨올 만한 크기이면 실<u>어다가</u> 들꽃을 띄우거나 흙을 넣어 심고 싶었다.

ㅊ. 다다미 아래 콘크리트 바닥으로 들어갔<u>다가</u> 회의가 끝나고 30분 후에야 빠져나왔으니 어떤 수사관보다 수사 본부를 오래 지킨 셈입니다.

ㅋ. 꽃을 꺾<u>어다가</u> 엄마에게 드렸다.

ㅌ. 그대는 기분이 좋았<u>다가</u> 나빴다.

(1ㅊ~ㅋ)까지를 보면 「-어다가」가 되면, 방법이나 수단을 나타내므로 여기에서 다룰 것은 아니나, 「-다가」와 구별해야 함을 보이기 위하여 예시하였으니 오해 없기를 바란다.

2. 「-다가는」

이 어미는 「-다가+는(조사)」로 된 것이다.

(1) ㄱ. 그는 가<u>다가는</u> 다시 돌아왔다.

ㄴ. 등잔불이 환하<u>다가는</u> 그만 꺼져버렸다.

ㄷ. 나(너)는 가<u>다가는</u> 돌아보고 가다가는 돌아보며 걸어갔다.

ㄹ. 너는 그렇게 놀<u>다가는</u> 입시에서 낙방할 것이다.

ㅁ. 그 꽃은 향기롭<u>다가는</u> 곧 시들어 버렸다.(버렸느냐?)

ㅂ. 그것을 먹<u>다가는</u> 곧 버려라.(버리자.)

위의 예에서 보면 이 어미는 동사와 형용사에만 쓰임을 알 수 있다. 주어 제약은 없으나 의향법 제약도 없을 듯하다. 다만 비종결어미 「-었-」이면 뜻이 달라진다.

(2) ㄱ. 그는 거기에 <u>갔다가는</u> 곧 쫓겨났다.

ㄴ. 너는 이것을 먹<u>었다가는</u> 혼날 것이다.

ㄷ. 네가 이것을 먹<u>겠다가는</u> 혼이 날 것이다.

위의 (1ㄹ)과 여기의 예를 보면 뜻이 중단이 아니고 어떤 근거나 조건을 나타내는 듯이 느껴진다. 이와 같이 하나의 어미는 문맥에 따라, 또는 어떤 형태소와 같이 쓰이고 안 쓰임에 따라 여러 가지 뜻으로 이해되므로 연결어미의 분류에 어려움이 있음을 알아야 한다.

3. 「-다가도」

이 어미도 위에서와 같이 「-다가+도(조사)」가 합하여 된 것이다.

(1) ㄱ. 그는 밥을 먹<u>다가도</u> 좋은 생각이 떠오르면 곧 메모를 한다.

ㄴ. 나(너)는 일을 하<u>다가도</u> 자주 책을 읽는다.

ㄷ. 그녀는 기분이 좋<u>다가도</u> 화를 내는 버릇이 있다.

ㄹ. 그는 방금 말을 했<u>다가도</u> 무슨 말을 했는지 잘 모른다.

ㅁ. 밥을 먹었<u>다가도</u> 또 먹는다.

이 어미는 동사와 형용사에만 쓰이고, (1ㄹ~ㅁ)을 보면 비종결어미와 같이 쓰이고 의향법이 서술법이면 말이 자연스럽지 못하다. 그러므로 비종결어미와 같이 쓰일 수 없다는 결론이 나온다.

(2) ㄱ. 누구든지 밥을 먹<u>다가도</u> 좋은 생각이 떠오르면 곧 메모하여라.

ㄴ. 놀러 가<u>다가도</u> 위험성이 있으면 곧 되돌아가자.

ㄷ. 네가 국회의원에 출마하였<u>다가도</u> 당선 가능성이 없으면 사퇴할 자신이 있느냐?

(2ㄱ~ㄷ)에서 보면 의향법 제약은 없는 듯한데, (1ㄷ)에서 보듯이 비종결어미 「-었-」이 오고 의향법이 의문법이 되니까 말은 자연스럽다. 비종결어미의 사용여부가 좌우되는 듯하다.

◆ 지정법

이에는 「-라고」, 「-이라」, 「-라고만」, 「-라고도」 등이 있다. 「-라+고(인용조사)」로 볼 수도 있겠으나, 문장 전체로 볼 때, 따옴말로 보는 것보다는 연결어미로 보는 게 좋을 듯하여, 여기서 다루기로 한 것이다.

1. 「-라고」
지정사에 쓰이어 지정의 뜻을 나타낸다.

(1) ㄱ. 염치없기는 대안 세력이라고 주장하는 한나라당 사람들도 크게 다르지 않다.
    ㄴ. 부자들만이 누릴 수 있는 특권이라고 생각했었다.
    ㄷ. 인간은 스스로를 '이성적 동물'이라고 자부하지만 인간의 감성활동은 이성을 압도한다.
    ㄹ. 잠든 뿌리를 봄비로 채우기에 봄(4월)을 잔인한 달이라고 읊었지만….

위에서 보면 알겠지마는 통계에서 30개 예문 중에서 18개가 「이다」에 쓰여 있다. 이런 일로 보면, 「-라고」는 「이다」에 많이 쓰이면서 지정의 뜻을 나타내는 설명어미로 보암직하다. 「-라고」이므로 비종결어미는 「-었-」만이 쓰일 수 있다(1ㅁ 참조).

(1) ㅁ. 그것은 우리의 자리못이었다고, 솔직히 말하여라.(말하자.)

위에서 보면 「-었-」이 쓰이니까 「-이라고」는 「-이었다고」로 된다. 주어 제약, 서술어 제약, 의향법 제약은 없다. 비종결어미는 「-었-」이 쓰이고 있다.

2. 「-어서는/아서는-」
이것은 「-어서/아서+는(조사)-」으로 된 것인데, 「-는」 때문에 지정의 뜻을 나타낸다.

(1) ㄱ. 그를 미워하<u>여서는</u> 아니 되니 사랑하여라.

ㄴ. 이미 정부 기관이 나름대로의 정책을 세우고 그것을 효율적으로 집행하기 위<u>해서는</u> 반드시 있어야 할 요소로서 한국어가 자리매김을 하게 되었다.

ㄷ. 목표에 맞지 않는 것은 모두 없애야 한다고 생각<u>해서는</u> 안 된다.

ㄹ. LA에 도착하<u>여서는</u> 모든 것을 잊고 일주일 간 완전 휴식 상태에서 하루하루 몸을 추스르자 건강은 회복되기 시작했다.

ㅁ. 우리는 이 말을 떠<u>나서는</u> 하루 한때라도 살 수가 없다.

ㅂ. 그를 보<u>아서는</u> 용서하고 싶지마는 그의 아버지 때문에 용서할 수 없다.

ㅅ. 그를 위<u>해서는</u> 후원금을 내자.(내어라.)(내겠느냐?)

(1ㄱ~ㅅ)에서 보면 주어 제약, 의향법 제약은 없다. 주로 동사에 많이 쓰이나, 형용사·지정사에도 쓰일 수 있다. 비종결어미는 「-아서는」의 「-아/어」 때문에 「-었-」, 「-겠-」, 「-리-」는 쓰일 수 없으나, 「-시-」는 쓰일 수 있다.

3. 「-이라」

이것은 「-이다」에서 「다」가 「-라」로 바뀌면서 지정의 뜻을 나타낸다.

(1) ㄱ. 워낙 대세가 기운 시합이<u>라</u> 경선 후유증도 없었다.

ㄴ. 제아무리 강대국이<u>라</u> 할지라도 후진국으로 전락하고 만다.

ㄷ. 생활이 어려웠던 시절이<u>라</u> 옛날엔 새 신반 한 켤레를 얻어 신기가 여간 어려운 것이 아니었다.

ㄹ. 세월을 풍상이라 하지만 지금의 내 모습을 어찌 풍상 때문이라고 만 할 것인가?

ㅁ. 어쩌면 하늘에 높이 떠 있다 하여 문우들이 자화자찬하는 필명이 라 하지 않을까?

의향법은 서술법과 의문법이 주로 쓰이고 있다.

4. 「-라고만」
이것은 「-라고＋만(조사)」으로 된 것인데, 통계에서는 「이다」의 경우만 나타났다. 의향법은 서술법과 의문법이 많이 쓰이나 명령형 과 권유법도 쓰일 수 있다.

(1) ㄱ. 지금의 내 모습을 어찌 풍상 때문이라고만 할 것인가?

ㄴ. 어찌 그 일을 내 탓이라고만 할 수 있겠느냐?

◆ 겸함법

이에는 「-으려니와」 하나가 있다. 이것은 「-으려＋하니라」가 줄 어서 된 것이다. 이 어미는 설명법에 포함시킬 수 있으나 따로 독립 시켜 다루었다. 뜻이 하도 뚜렷하기 때문이다.

(1) ㄱ. 나는 나무도 심으려니와 풀도 베려고 한다.

ㄴ. 닭도 잡으려니와 돼지도 잡으련다.

ㄷ. 그는 일도 잘 하려니와 부모도 잘 모신다.

ㄹ. 이것도 빚이려니와 그것도 빚이 된다.

ㅁ. 그대는 얼굴도 고우려니와 마음씨도 곱다.(고우냐?)

ㅂ. 공부도 잘 하려니와 부모님도 잘 모셔라.(모시자.)

ㅅ. 그는 프랑스에도 갔으려니와 런던에도 가겠다.

ㅇ. 할아버지는 경주에도 가시려니와 서울에도 가실 것이다.

이 어미는 서술어 제약, 주어 제약, 의향법 제약은 없으나 비종결
어미는 「-었-」라 「-시-」만이 쓰일 수 있다.

◆습관법

이에는 「-곤-」 하나가 있다.

(1) ㄱ. 마하트마 간디는 스스로 떠맡은 임무를 완수하기 위해서 자신이
    125살까지는 살아야 한다고 말하곤 했다 한다.

ㄴ. 개구리 소리가 들리다 그치고 그치다 또 들리곤 합니다.

ㄷ. 평소엔 무심코 지나치곤 했는데 언제부턴가 새로운 표지들로 바뀌
    었다.

ㄹ. 마음 울적할 때면 저런 뭉게구름을 쳐다보며 가슴을 식히곤 했다.

ㅁ. 트럭에 무·배추를 싣고 고인이 트럭 앞자리에 타고 집으로 돌아오
    곤 했다.

ㅂ. 내겐 기피 입력되어 있어 가끔 되살아나곤 하는데 풀밭을 거닐다
    눈길을 들꽃에서 걷어 올리면 들꽃은 쫓아와 내 코에 꽃향기를 발
    라 준다.

ㅅ. 그 오빠를 볼 때면 배우처럼 잘 생겼다는 생각이 들곤 했다.

ㅇ. 그들을 감상할 때마다 내 마음은 한결같이 외롭고 쓸쓸하곤 하였다.

ㅈ. 창문에 이어 연보라색 방문에도 내 눈길이 머물곤 한다.

ㅊ. 목소리가 높아지고 난폭한 충돌이 일어나곤 했다.

이 어미는 동사에만 쓰이고 비종결어미는 「-시-」만이 쓰일 수 있다. 의향법은 서술법과 의문법만이 가능하다. 주어 제약은 없다.

◆ 명령법

이에는 「-으라고」, 「-으라는데」, 「-으라면서/-으라며」, 「-라면」, 「-으라지」 등이 있다.

1. 「-으라고」
이 어미는 「-으라+하고」가 줄어서 된 것으로 보아진다.

(2) ㄱ. 이것은 한국에 영토를 내놓으라고 하는 것과 같은 요구이며 남쪽 사회의 상징적 방북 네트워크를 무력화시키려는 기도임에 틀림없다.

ㄴ. 좋은 글 쓰라고 창쪽 의자를 내어 주는 친구의 배려까지 있었는데 미안하게도 또 한 줄의 글조차 쓰지를 못했다.

ㄷ. 아침 식전에 이 약을 먹으라고 하니, 안 먹을 수도 없고 고민이다.

ㄹ. 교수가 부르는 강의 내용을 받아쓰라고 하시니 여간 난감한 일이 아니다.

이 어미는 동사에만 쓰이고 비종결어미는 「-시-」만이 쓰이며 의향법은 제약이 있는 것 같지 아니하다. 주어는 제약이 없다.

(2) ㄱ. 내가 이것을 받<u>으라고</u> 하니까, 그는 잘 받아 놓았다.

　　ㄴ. 네가 가<u>라고</u> 하여서 그가 왔다더라.

　　ㄷ. 영희가 이것을 사 달<u>라고</u> 하여서 부득이 사 주었다.

2. 「-으라는데」

이 어미도 「-으라+하는데」가 줄어서 된 것이다.

(1) ㄱ. 눈을 상하좌우로 굴리<u>라는데</u> 귀찮기도 하려니와 그런다고 얼마나
　　　 효과를 볼 것인지 믿음이 가지 않는다.

　　ㄴ. 술과 커피는 먹지 말<u>라는데</u> 먹지 않는다고 되지 않는 상황이 자주
　　　 있다.

　　ㄷ. 선생님이 나는 가지 말<u>라는데</u> 나는 기어코 가고 말았다.

　　ㄹ. 내가 이것을 받<u>으라는데</u>, 네가 안받고 되나?

　　ㅁ. 네가 나보고 술을 마<u>시라는데</u> 내가 안 마시겠니?

이 어미도 동사에만 쓰이고 비종결어미는 「-시-」만 쓰인다. 의향
법도 별 제약이 있는 것 같지 아니하다.

(2) ㄱ. 할아버지가 가라 하<u>시는데</u> 같이 가자.

　　ㄴ. 선생님이 어서 가라 하<u>시는데</u> 어서 가거라.

위 (1ㄹ~ㅁ)과 (2ㄱ~ㄴ)에서 보면 의향법 제약은 없다.

3. 「-으라니」

이 어미 역시 「-으라+하니」가 줄어서 된 것이다.

(1) ㄱ. 가라니 갈 수밖에 없지.

    ㄴ. 새벽에 일어나 먼 곳을 바라보라니 이건 영락없는 실연당한 여자
의 모습이 아니겠는가?

    ㄷ. 할아버지가 이야기책을 읽으라시니 어서 읽어라.(읽자.)

    ㄹ. 할아버지가 이 떡을 같이 먹으라시니 의좋게 나누어 먹자.

이 어미도 동사에만 쓰이는데, 주어 제약과 의향법 제약은 없다.
다만 비종결어미는 「-시-」만이 쓰이는데, 그럴 경우 (1ㄹ)에서 보
는 바와 같이 「-으라시니」로 된다. 이것으로 보면 「-으라니」는 「-
으라+하니」가 줄어서 된 것임을 알 수 있다.

4. 「-으라면서/으라며」

이 어미는 「-으라+하면서」, 「-으라+하며」가 줄어서 된 것이다.

(1) ㄱ. 영희는 철수를 오라면서 밖으로 나갔다.

    ㄴ. 산천이 기막하게 아름다우니 당장 달려오라며 큰소리로 외쳤지요.

    ㄷ. 할아버지는 나를 따라오라시며 시장 쪽으로 걸어가셨다.

    ㄹ. 영희가 손짓하며 오라면서 강가로 걸어가니 같이 가 보자.(보아라.)

    ㅁ. 외할머니가 내일 오라시면서 전화를 하셨으니, 외가에 가겠느냐?

이 어미도 동사에만 쓰이고 주어 제약과 의향법 제약은 없으나
비종결어미는 「-시-」만이 쓰인다. 「-으라면서」는 「-으라며」로도
쓰임은 앞에서 보인 바와 같다.

5. 「-으라지」

이것은 「-으라+하지」가 줄어서 된 것이다.

(1) ㄱ. 영수를 가라지 말고 그냥 있게 하여라.

　　ㄴ. 그에게 빚을 갚으라지 않아도 반드시 빚을 갚을 것이다.

　　ㄷ. 할아버지께 가시라지 않아도 반드시 그 모임에 가실 것이다.

이 어미는 「-라(명령)+지(부정)」으로 되어 있기 때문에 그 뒤에는 반드시 부정하는 낱말이 오게 되어 있다. 주어 제약, 의향법 제약은 없다. 비종결어미는 「-시-」만이 가능하다.

◆ 추정의문법

이에는 「-기야」, 「-(었)을까」, 「-었던가」, 「-으리라고」, 「-을까말까」, 「-을지」, 「-으런마는」, 「-는지」, 「-려니」, 「-을러니」, 「-으려는지」, 「-는지도」, 「-을는지」, 「-는가」, 「-을라」, 「-을세라」 등이 있다. 이들 어미는 문맥에 따라 작정(가정 사실), 의문, 추정, 기대, 확정, 의구심, 상황, 단정, 예정 다양하게 나타나나, 일일이 다룰 수 없어 여기에서 다루게 되니 이해하기 바란다.

1. 「-기야」

이 어미는 모든 용언에 다 쓰일 수 있다. 비종결어미는 「-었-」, 「-시-」가 쓰인다. 문맥으로 볼 때, 추정을 나타내는 듯하다.

(1) ㄱ. 죄도 기쁜 마음으로 사함 받다 보면 즐겁기도 하겠지만 어디 그러

<u>기야</u> 했을까?

ㄴ. 내가 그 일을 하<u>기야</u> 하겠지만 여간 어려운 일이 아니지.

ㄷ. 이게 보물이<u>기야</u> 하나, 어디 값이 나갈라고?

ㄹ. 그대가 착하<u>기야</u> 하지마는 인물이 별로라고 마음이 내켜지지 않는다.

ㅁ. 그가 돈을 훔쳤<u>기야</u> 했으랴마는 태도가 당당하지 못하다

ㅂ. 그 어른이 가시<u>기야</u>, 가시겠느냐마는 그래도 말씀은 드려 보아야 하지 않을까?

(1ㄱ)의 「-기야」는 기정사실을 나타내고 (1ㄴ)은 작정을, (1ㄷ~ㅁ)은 확정을 나타내나, (1ㅁ)은 추정 등을 나타낸다. 의향법은 서술법, 의문법이 쓰인다.

2. 「-(었)을까」

이 어미는 추정(추측)이나 의도를 나타낸다. 「의도」를 나타낼 때는 주어는 1인칭이고 그 뒤에 「-생각하다」, 「여기다」, 「하다」 등이 올 때이다.

(1) ㄱ. 혹여나 새가 살았<u>을까</u> 하는 마음에서였다.

ㄴ. 적이 쳐들어올<u>까</u> 염려도어 지키고 있다.

ㄷ. 이게 무엇일<u>까</u> 의아해 하면서 보자기를 풀어 보았다.

ㄹ. 그대가 혹 밉지나 않을<u>까</u>, 걱정이 되었다.

ㅁ. 열에 한번이나 낚일<u>까</u> 말까다.

ㅂ. 나는 이 책을 읽을<u>까</u> 생각하고 있다.

ㅅ. 너는 그가 책을 훔칠<u>까</u> 보아 걱정이 안 되느냐?

ㅇ. 어쩌면 21세기 대한민국에 남아 있는 유일한 간판이 아닐<u>까</u> 하는

생각을 불러일으키는 이름이었다.

ㅈ. 이 광경을 젊은이가 보았다면 어떤 느낌이 들었<u>을까</u> 상상해 본다.

ㅊ. 눈을 깜박이는 버릇이 생길까 두렵다. 나는 열심히 공부<u>할까</u> 생각한다.

혹 어떤 이는 이것을 종결어미라고 생각할 수도 있겠으나, 우리가 말을 할 때는 물론 문맥상으로 보면 연결어미로 보아야 할 것이다. 물론 문장 끝에 오면 종결어미임은 당연하다.

「-을까」가 그 뒤에 「보아」를 취하면 추측이 더 확실해진다(1ㅅ). (1ㅂ·ㅋ)은 의도를 나타낸다.

3. 「-었던가」

이 어미는 의문·추정 등의 뜻을 나타낸다.

(1) ㄱ. 눈을 작게 해 놓은 대신에 그 무엇을 주고 싶었던 게 <u>없었던가</u> 보다.

ㄴ. 철수는 영희를 만나러 갔다가 그녀가 집에 <u>없었던가</u> 다시 돌아왔다.

ㄷ. 어떤 외국인이 설악산을 보고 경치가 아름<u>다웠던가</u> 감탄을 하였다.

ㄹ. 그의 모습을 보니 관리에 한 자리 한 <u>사람이었던가</u> 싶었다.

ㅁ. 나는 그때 집에 <u>없었던가</u>, 기억이 잘 나지 않는다.

ㅂ. 너는 전세 돈이 <u>없었던가</u>, 점심을 먹고 호주머니에 손을 넣고 주저주저하더라.

이 어미는 서술어 제약, 주어 제약은 없으나 비종결어미는 「-었-」, 「-시-」만이 쓰인다. 의향법도 별 제약이 있는 것 같지 않다.

4. 「-으리라고」

이것은 어떤 가능성을 추정할 때 쓰인다. 그것은 「-으리」 때문이다.

(1) ㄱ. 기왕에 만들어진 어휘 의미망이 중요한 역할을 할 수 있<u>으리라고</u> 기대하면서 다양한 응용분야에서 파생과 활용을 시도하고 있다.

ㄴ. 그는 돈이 많<u>으리라고</u> 모두가 생각하였다.

ㄷ. 그는 자기만 무사<u>하리라고</u> 믿고 있었다.

이 어미는 지정사에는 쓰이지 못한다. 주어는 제약이 없고 비종결 어미는 「-으리라고」 뒤에 쓰일 수 없다. 의향법은 의문법도 쓰인다.

(2) ㄱ. 나는 기일 안에 논문을 다 <u>쓰리라고</u> 믿고 있었다.

ㄴ. 너는 그가 <u>오리라고</u> 믿고 있었더냐?

5. 「-을까말까」

이 어미는 망설임·추정 등을 나타낸다.

(1) ㄱ. 나는 일이 잘 <u>될까말까</u> 하여서 무척 걱정하였다.

ㄴ. 그가 대학에 합격할<u>까말까</u> 걱정이 되어 견딜 수가 없다.

ㄷ. 나는 서울에 갈<u>까말까</u> 마음을 정하지 못하고 있다.

ㄹ. 무릎에 닿을<u>까말까</u> 하는 나무들이 빽빽이 들어서 있었다.

ㅁ. 그는 여기로 올<u>까말까</u> 생각 중에 있는 듯하더라.

ㅂ. 내일 비가 올<u>까말까</u> 알아보아라.

ㅅ. 너는 아들 학교에 가볼<u>까말까</u> 마음을 잡지 못하고 있느냐?

이 어미는 동사에만 쓰이고, 의향법은 서술법과 의문법만 가능하다. 비종결어미는 쓰이지 못한다. 주어 제약은 없다.

6. 「-을지」

이 어미는 본래 관형어미 「-을」과 의존명사 「지」가 합하여 된 것으로 문맥상 주로 추측을 나타낸다.

(1) ㄱ. 한국의 안보는 이제 어디서 어디로 어떻게 흘러갈지 그 배에 탄 국민의 신세만 한탄스러울 뿐이다.

ㄴ. 과연 누가 여당 후보가 될 수 있을지조차 예측하기 어렵다.

ㄷ. 당 대회 때와 같이 대처하려 할지 모른다.

ㄹ. 야당 후보라는 권력으로 뭉개려 할지 모른다.

ㅁ. 그가 뭐라 말할지 궁금하다.

ㅂ. 나는 네가 이 문제를 해결할 수 있을지 궁금하다.

ㅅ. 너는 지금 어디로 가야 할지 모르고 있느냐?

ㅇ. 나는 오늘 갈지 내일 갈지 확실하지 않다.

ㅈ. 그의 부탁이 무엇일지는 만나 보아야 한다.

ㅊ. 그곳의 경치가 아름다울지 아닐지 궁금하다.

주어 제약, 서술어 제약, 의향법 제약은 없는 것 같고, 비종결어미는 「-었-」,「-시-」만이 쓰인다. 그리고 조사 「-는」, 「-도」 등이 쓰인다.

(2) ㄱ. 선생님이 오실지는 잘 모르겠다

ㄴ. 그가 미국에 갔을지 안 갔을지는 알 수가 없다.

ㄷ. 그 성공의 경험이 그의 발목에 잡을지도 모른다.

7. 「-으련마는」

어떤 경우에는 양보나 마땅함을 나타내는 일도 있다.

(1) ㄱ. 예만하면 나를 도우련마는 전혀 그런 기미가 보이지 않는다.

　　ㄴ. 비가 오련마는 도모지 가물어서 곡식이 잘 되지 않는다.

　　ㄷ. 그가 미국에서 왔으련마는, 아무 연락이 없다.(아무 연락도 없느냐?)

　　ㄹ. 선생님이 가시련마는 일이 잘 해결될지 모르겠다.

　　ㅁ. 거기는 경치도 좋으련마는 쉽사리 갈 수가 없다.

이 어미는 동사와 형용사에만 쓰인다. 비종결어미는 「-었-」과 「-시-」가 쓰이고, 의향법은 서술법과 의문법이 가능하고 혹 명령형과 권유법도 쓰인다. 이 어미는 문맥상 추정을 나타낸다.

(2) ㄱ. 그가 벌써 왔으련마는, 알아보아라.

　　ㄴ. 돈이 되었으련마는 알아보자.

8. 「-(는)지」

이 어미는 보기에 따라서는 확정의 뜻으로 이해되기도 하나 문맥상으로 보면 추정의 뜻을 나타내는 듯하여 여기에서 다루기로 한 것이다.

(1) ㄱ. 마냥 편하지 않는 것이 여쭙지 않지만 그를 쓰고 있기 때문인지 싶다.

　　ㄴ. 영호 자막 한 줄이 어쩐 일인지 내겐 깊이 입력되어 있어 가끔

되살아나곤 하는데….

ㄷ. 잡초들이 우거져 길인지 숲인지 분간이 어렵다.

ㄹ. 나는 얼굴이 말라서 걱정이지 살이 쪄서 걱정해 본 적이 없다.

ㅁ. 전쟁이 끝나면 돌아오겠지 하는 막연한 기다림이 세월이 흐르면서 희미해져 갔지만….

ㅂ. 누구나 쉽게 그 행복감을 누리고 있는 것 같지는 않다.

ㅅ. 앞에 사고가 났는지 차가 많이 밀린다.

ㅇ. 그는 무엇하러 왔는지 이리저리 다니다가 갔다.

ㅈ. 호수가 내 마음을 읽었는지 찰랑하며 호수 위에 바람의 무늬를 아름답게 만들어준다.

ㅊ. 석양으로 기우는 나이 탓인지 많이 기울어진 것 같다.

ㅋ. 그들은 지금 어디서 무엇을 하고 사는지 더러 세상을 떠났는지도 모를 일이다.

위의 예에서 보면 주어 제약, 의향법 제약, 비종결어미 제약, 서술어 제약은 없다.

9. 「-으려니」

이 어미는 모든 용언에 다 쓰이어 추측을 나타낸다.

(1) ㄱ. 낚시꾼으로서는 이것은 으레 그러려니 하는 일상적인 일이다.

ㄴ. 그는 잘 있으려니 생각하였더니 그렇지 않더군.

ㄷ. 그는 박사려니 하였더니 사실은 아니더구나.

ㄹ. 너는 그가 착하려니 생각하느냐?

ㅁ. 나는 이번 시험에 합격하려니 여겼더니 또 낙방이다.

ㅂ. 나는 그 어른이 이미 가셨으려니 생각하였더니 가시지 않았구나!

위에서 보면, 이 어미는 주어 제약, 의향법 제약은 없으나, 비종결어미는 「-리-」이외는 다 쓰인다.

10. 「-을러니」
이 어미는 모든 용언에 다 쓰인다.

(1) ㄱ. 이것이 너의 것이러니 하였더니 철수의 것이었다.
    ㄴ. 그의 약혼녀가 예쁠러니 여겼더니 별로 예쁘지 아니하였다.
    ㄷ. 내가 이번 시험에 합격할러니 생각하였더니 또 실패하였다.
    ㄹ. 네가 이번 시험에 합격할러니 생각하였더냐?

서술어와 주어에는 제약이 없으며 의향법도 제약이 없는 듯하다. 비종결어미는 「-었-」, 「-겠-」이 쓰일 듯하다.

11. 「-으려는지」
이 어미는 동사에 쓰인다. 본래 「-으려+하는지」가 줄어서 되었기 때문이다.

(1) ㄱ. 무엇을 하려는지 그는 꽃을 많이 꺾어 갔다.
    ㄴ. 그는 언제 오려는지 아무 소식이 없다.
    ㄷ. 비가 오려는지, 날씨가 무겁다.
    ㄹ. 나는 언제 도미하려는지 일정을 잡지 못하고 있다.

주어 제약은 없으나 비종결어미는 「-었-」, 「-시-」가 쓰일 수 있다.

12. 「-는지도」
이 어미는 「-는+지(의존명사)」+도(조사)」로 된 것으로 의문을 나타낸다.

(1) ㄱ. 대한민국의 시대는 저물고 있<u>는지도</u> 모른다.
    ㄴ. 그 사람이 대한민국이라는 국가를 어떤 방향으로 어떻게 이끌고 나갈 것<u>인지</u> 도대체 알 길이 없다.
    ㄷ. 평소에 신발을 끔찍이도 소중하게 여겼던 분이었기에 당연한 주문이<u>었는지도</u> 몰랐다.
    ㄹ. 그저 모래사장에서 먹이를 찾느라 분주할 뿐, 다른 것에는 관심이 없어 보여 그렇게 느<u>껴졌던지도</u> 모른다.
    ㅁ. 비둘기도 나처럼 겨울 바다가 보고 싶어 소풍을 왔<u>는지도</u> 모른다.
    ㅂ. 하늘을 무서워하지도 바다를 두려워<u>하지도</u> 않는 갈매기들이 두렵다.
    ㅅ. 현실적으로 가능<u>하지도</u> 않고 가능하더라도 얻는 건 적고 잃는 건 엄청나다.
    ㅇ. 나는 빈센트가 지닌 그런 불굴의 의지와 광기 속의 천재성을 사랑<u>하는지도</u> 모른다.

(1ㄷ·ㅂ·ㅅ)의 「-는지도」는 의문으로는 보기 어렵고 인정 또는 부정으로 이해된다. 사실 「-는지」와 「-는지도」는 지정, 시인 또는 부정을 나타내나, 문맥으로 볼 때, 의문으로 느껴지므로 여기서 다루게 되었다. 이 어미는 의향법 제약과 서술어 제약이 없으며, 주어 제약도 없다. 비종결어미는 「-었-」과 「-겠-」, 「-던-」만이 가능하다.

(2) ㄱ. 불국사에 갔<u>는지도</u> 물어 보아라.

　　ㄴ. 경주에 가겠<u>는지도</u> 물어 보자.

　　ㄷ. 그곳 경치가 아름다운<u>지도</u> 알아보아라.(보자.)

　　ㄹ. 모래 날씨가 맑겠<u>는지도</u> 알아보아라.(보자.)

13. 「-을는지」

이 어미는 모든 용언에 다 쓰일 수 있다.

(1) ㄱ. 그 일이 잘될<u>는지</u> 모르겠다.

　　ㄴ. 그가 서울 갈<u>는지</u> 물어 보아라.

　　ㄷ. 그 일에는 이것이 어떠할<u>는지</u> 잘 알아보자.

　　ㄹ. 이것이 혹 그가 말하는 그 물거니 아닐<u>는지</u> 그에게 물어 보아라.

　　ㅁ. 그가 올<u>는지</u> 안 올<u>는지</u> 알 수가 없다.

　　ㅂ. 비가 올는지 눈이 올는지 팔다리가 쑤시고 아프다.

　　ㅅ. 네가 그 일을 잘 해결할<u>는지</u> 궁금하다.

　　ㅇ. 내가 그 일을 잘할<u>는지</u> 나도 모르겠다.

　　ㅈ. 그 병원을 잘 찾을<u>는지</u> 물어보겠느냐?

　　ㅊ. 그가 잘 갔을<u>는지</u> 걱정이 된다.

　(1ㄱ~ㅊ)까지를 보면 주어 제약, 의향법 제약이 없다. 다만 비종결어미는 「-었-」, 「-시-」만이 쓰인다. 「-겠-」이 쓰일 수 없는 까닭은 「-을는지」가 앞으로의 일에 대한 의문을 나타내기 때문이다. 그러나 「-었-」 다음에 올 때는 가능하며 그 뜻이 바뀌게 된다.

14. 「-는가」

이 어미는 모든 용언에 다 쓰인다.

(1) ㄱ. 살기에 편안한 집인가 집주인의 인상도 살펴보고 어디 손볼 데는
없는가 꼼꼼히 살펴보는 것도 중요하였지만….

ㄴ. 정치를 하는 사람들에게서 염치를 기대한다는 것은 거의 불가능에
가까운 일인가 보다.

ㄷ. 어제 여기는 비가 왔는데, 거기는 비가 왔는가 네가 물어 보겠느냐?

ㄹ. 그대는 마음씨가 곱던가 어떤가 알 수가 없다.

ㅁ. 너는 그곳에서 잘 지내는가 매일 염려가 된다.

ㅂ. 그는 어제 일을 잘 마쳤는가 물어보아라.(물어보자.)

ㅅ. 네가 이 큰일을 잘 처리해 내겠는가 나는 걱정스럽다.

ㅇ. 할아버지는 편안하신가 물어보아라.

(1ㄱ~ㅅ)까지를 보면, 의향법 제약, 주어 제약은 없으나, 비종결
어미는 「-었-」, 「-시-」, 「-겠-」 「-더-」가 쓰일 수 있으나 「-리-」
는 쓰일 수 없다. 「-리-」와 「-는가」의 「-는-」이 발음상 조화가 안
되기 때문인데, 여기에서 「-는가」는 입말투임을 알 수 있다. 「-리-」
는 어투이기 때문이다.

15. 「-을라」

이것은 염려를 나타낸다.

(1) ㄱ. 남이 볼라 숨어서 잘 가거라.

ㄴ. 뱀이라도 있을라 조심해서 가거라.

ㄷ. 아기가 다칠라, 장난감은 다른 고세 치워라.

ㄹ. 그가 올라, 빨리 청소를 하자.

이 어미는 동사에만 쓰이고 의향법은 명령형과 권유법만이 쓰인다. 주어 제약은 없으나 비종결어미는 「-었-」, 「-시-」만이 쓰인다.

(2) ㄱ. 아버지가 보실라 어서 치워라.

ㄴ. 소가 곡식을 먹었을라, 어서 가서 보아라.

ㄷ. 내가 잡힐라 어서 숨겨 다오.

ㄹ. 네가 감기에 걸릴라 옷을 따뜻하게 입어라.

16. 「-을세라」

이 어미도 염려를 나타낸다.

(1) ㄱ. 행여 들을세라, 조용조용히 말하였다.

ㄴ. 남이 들었을세라, 은근히 걱정이다.

ㄷ. 나는 학교에 늦을세라 달음박질을 쳤다.

ㄹ. 할아버지가 혹 오실세라 마중을 가거라.

이 어미는 동사·형용사에 쓰이면 자연스러우나, 지정사에 쓰이면 좀 이사하다. 비종결어미는 잘 쓰이지 않으나 굳이 쓴다면 「-었-」, 「-시-」만이 가능할 것 같다.

(1) ㅁ. 너는 내일 무엇을 하려는지 계획이 있느냐?

주어 제약은 없으나 의향법은 서술법, 의문법이 쓰이며, 경우에 따라서는 권유법, 명령형도 가능할 것 같다.

◆ 완료수식법

이 법은 완료를 나타내면서 다음말을 꾸미거나 또는 그냥 다음 말을 꾸미는 구실을 한다. 이에는 「-게」, 「-게까지」, 「-게끔」, 「-게 도」, 「-게만」, 「-구려」, 「-어/러」, 「-리/이」, 「-스레」, 「-아서」, 「-애」, 「-어다」 등이 있다.

1. 「-게」, 「-게까지」
이 어미는 형용사 동사에 쓰이나, 요즈음은 「이다」에도 쓰는 일이 있다.

(1) ㄱ. 꽃나무가 잘 자라게, 거름을 준다.
　　ㄴ. 그는 얌전하게 앉아 있다.
　　ㄷ. 꽃이 아름답게 피었다.
　　ㄹ. 젊은 날 추억을 만드는 이벤트다. 쿨하게 초콜릿에 마음 담아 사랑을 표현하는 것이 젊은이들답지 않은가?
　　ㅁ. 다시 젊은 날로 되돌아가 멋지게 살고픈 생각을 한번쯤은 해본다.
　　ㅂ. 양말쯤은 가볍게 뚫고 내 속살로 대롱을 박아 넣었다.
　　ㅅ. 한국의 안보는 이제 어디서 어디로 어떻게 흘러갈지 그 배에 탄 국민의 신세만 한탄스러울 뿐이다.
　　ㅇ. 경선일이 다가올수록 '그때 그 장면'들이 비슷하게 반복되는 느낌이다.

ㅈ. 높고 험한 산 위에 어떻게 나비가 올라왔을까?

ㅊ. 그렇게 하면 신기하게도 귀에 유입된 물이 쏟아져 나왔다.

ㅋ. 그 사람이 대한민국이라는 국가를 어떤 방향으로 어떻게 이끌고 나갈 것인지 도대체 알 길이 없다.

ㅌ. 대선 후보 경선에서 치열하게 싸울수록 본선에 나서는 후보의 경쟁력이 강화된다.

ㅍ. 남은 인생 이렇게 살아간들 어떠리.

ㅎ. 우리 모두 즐겁게 사라가자.

ㄱ'. 너희들은 훌륭하게 되어라.

위에서 보면 서술어는 주로 형용사, 동사만이 통계에 나타났다. 주어 제약은 없고 의향법 제약도 없으나, 비종결어미는 쓰일 수 없다. 이 「-게-」에는 여러 가지 조사가 쓰일 수 있는데, 통계에 나타난 것을 보면 「-게까지-」, 「-게는-」, 「-게도-」, 「-게만-」 등이다. 예를 들어보겠다.

(2) ㄱ. 때로는 밤늦게까지 작업하여 하루에 한 점의 작품을 그리기도 했다.

ㄴ. 영어 강의의 무분별한 확대가 넓게는 한국 사회를 위해 좁게는 한국의 학문 수준을 위해 바람직하기만 한지 되돌아봐야 한다.

ㄷ. 아깝게도 그는 시험에서 떨어졌다.

ㄹ. 국제학부 교수인 후배에게 내 귀를 의심하게 했던 이 이야기를 전하자, 놀랍게도 그는 그럴 수 있다고 전한다.

ㅁ. 자신의 수명은 짧게만 느껴지지만 그 끝은 모두에게 공평하니 억울해할 것만은 아니다.

ㅂ. 그를 여기 있게만 하지 말고 가게 놓아 두어라.

이들 조사는 수식의 범위, 지정, 역시, 한정 등의 뜻을 더하여 준다.

2. 「-게끔」
이것은 「-게」의 강조어이다.

(1) ㄱ. 탈레반 포로도 풀어 주<u>게끔</u> 호소해야 한다.(하느냐?)
    ㄴ. 랑켈이 시야를 넓히<u>게끔</u> 그의 여행을 돕는 게 오히려 낫다.
    ㄷ. 방이 밝<u>게끔</u> 전등을 켜라.(켜자.)

이 어미는 지정사에는 쓰이지 못하며 비종결어미는 「-시-」만이
쓰일 수 있다. 주어 제약, 의향법 제약은 없다.

3. 「-구려-」
이 어미는 감탄을 나타내면서 다음 말을 꾸미는 특수한 구실을
한다.

(1) ㄱ. 그는 싸<u>구려</u> 장수이다.
    ㄴ. 너는 너무 싸<u>구려</u> 노릇을 하지 말아라.

이 어미는 위에서 보인 바와 같이 요즈음 특수하게 쓰인다. 주어
제약은 없으나 비종결어미는 쓰일 수 없으며 주로 형용사에 쓰인
다. 의향법 제약은 없다.

4. 「-어/러-」
이 어미는 완료를 나타내면서 다음 말을 꾸미는 구실을 한다.

(1) ㄱ. 이따금 그곳에 들러 모과나무를 살펴보면 수피가 벗겨진 상처를
새 살로 감싸며 낯설은 땅에 뿌리를 내리어 몸살을 앓고 있었다.

ㄴ. 이 길로 돌아가거라

ㄷ. 창문을 열어 놓으니 시원하다.

ㄹ. 나는 물어물어 여기까지 왔다.

ㅁ. 나는 기억력이 쇠퇴하여, 언제가 그의 잔칫날인지도 모른다.

ㅂ. 너는 공부하여 무엇이 되겠느냐?

ㅅ. 그녀는 예뻐 죽겠다.

이 어미는 동사에 쓰이나 형용사에도 쓰이어 어떤 상태에 있음을
나타내기도 한다. 비종결어미는 「-시-」만이 쓰이고, 의향법은 제약
이 없으며 주어도 제약이 없다.

5. 「-리/이」

사전에서 보면 「달리」와 「빨리」를 부사로 다루어 놓았으나 그것
은 잘못이라고 생각한다. 왜냐하면 부사는 문장에서 빼어 버려도
문장이 성립되어야 하는데, 그렇게 되지 않기 때문이다. 「없이」 또
한 마찬가지이다.

(1) ㄱ. 이명박 후보가 치열한 검증 공세를 뚫고 경선을 통과하면 검증 없
이 본선에 나서는 것보다 훨씬 강인하고 멋진 좋은 후보로 담금질
될 것이다.

ㄴ. 남아 있는 학생들은 어쩔 수 없이 학교는 다니지만 학교 와서는
잠만 잔다.

ㄷ. 스님들은 절대로 바뀌는 일이 없이 자기의 신발을 찾아 신는다는

것이었다.

ㄹ. 이와는 달리 한국의 해방 후는 기본적으로 '코리안 드림'을 쫓는
과정이었다.

ㅁ. 다른 나라의 문자와는 달리 한글은 그 창제의 연대와 목적이 분명
하다.

ㅂ. 그 그를 그이보다 달리 해석하면 안 될까?

ㅅ. 세월이 너무 빨리 지나간다.

어미 「-리-」는 형용사 중 '르'변칙을 하는 것에 쓰이며 「-이-」는
「없다」에 쓰이어 다음 말을 꾸미는 구실을 한다. 주어 제약, 의향법
제약은 없고, 비종결어미는 전혀 쓰일 수 없다. 다음 예를 보자.

(2) ㄱ. 나는 참 예쁘다고 과장스레 말했다.

ㄴ. 며느리를 맞을 때에는 패물 대신 소액이 담긴 예금통장을 건네주
며 "항상 남의 눈에 띄지 않도록 조심스레 행동하라"고 각별히 당
부한 것으로도 유명하다.

ㄷ. 앞으로 열심히 배우겠습니다 하고 겸연스레 웃음을 지어 보이는
얼굴에서 근엄한 서기나 진장의 계급장은 간데없고….

위의 밑줄 친 「-스레」는 「-스러이」가 준 것이다.

6. 「-아서」, 「-어/아」

이 어미는 동사·형용사·지정사에 다 쓰이며, 완료·상태를 나타내
면서, 다음 구·절을 꾸민다.

(1) ㄱ. 중국의 역사 왜곡은 정부가 전면에 나<u>서서</u> 주도하는 상황이라 더욱 심각하다.

ㄴ. 산이 높이 솟<u>아서</u> 마을을 가리고 있다.

ㄷ. 길이 좁<u>아서</u> 차가 다녀 볼 수 없다.

ㄹ. 배가 출출<u>해서</u> 방문을 여니 집사람은 거실에서 TV에 눈을 박고 연속극을 보느라 정신이 없다.

ㅁ. 그 그림의 인쇄물도 구입<u>해서</u> 여러 점 갖게 되었다.

ㅂ. "I che liebe dich" 베토벤 작곡의 이 독창곡을 그대가 만일 연인을 위<u>해서</u> 부른다면 "그대 사랑하오"라고 말할 수 있을 것이다.

ㅅ. 뭉쳐진 찰밥을 우리가 번갈<u>아서</u> 메를 쳤다.

ㅇ. 메를 치는 사람도 둥그렇게 둘러<u>서서</u> 구경하는 사람도 관심거리는 오직 떡메 치기일 뿐이다.

ㅈ. 그것은 정치 담론을 온통 뒤흔들 만큼 위력적이<u>어서</u> 유전자의 관심도 메스컴의 초점도 몽땅 휩쓸 것이다.

ㅊ. 설레<u>어서</u> 행복하고 돌아앉아 추억 하면 미수가 번지는 첫사랑.

ㅋ. 이제는 부동산 차원을 넘<u>어서</u> 진실게임이 돼 버렸다.

ㅌ. 이 후보를 중심으로 단결<u>해서</u> 정권교체에 협력할 것을 다짐했다.

ㅍ. 신발을 신고 관저함에 있<u>어서</u>도 허투루하는 법이 없었으니…

ㅎ. 지배와 착취 억압하기 위<u>해서</u>가 아니다.

ㄱ'. 한시라도 가정을 벗어<u>나서</u>는 무엇 하나도 할 수 없는 가전의 텃새가 바로 나다.

ㄴ'. 나는 드러누워 책을 읽었다.

이 어미에는 조사 「도, 가, 는…」 등이 쓰일 수 있고, 비종결어미는 「-시-」만이 쓰이고 다른 제약은 없다.

7. 「-애-」

이것은 「몰래」를 제외하면 「하여」가 축약이 되어 「-애」로 되는 경우가 가장 많다.

(1) ㄱ. 그나마 인질들이 폭발물 전선 몇 가닥을 <u>몰래</u> 끊어 놓은 기지를 발휘해 인명 피해를 줄인 결과였다.

ㄴ. 나는 그 사람 <u>몰래</u> 도망을 쳤다.

ㄷ. 진짜 자기 하고 싶은 일에 도전<u>해</u> 스스로의 인적자원을 차별화하고 정기적으로 진면목을 어필하는 것이 점점 중요<u>해</u> 지고 있다.

ㄹ. 새로운 만남을 향<u>해</u> 떠나는 것이다.

ㅁ. 우리의 정체성은 필연적으로 타인과의 관계에 의<u>해</u> 결정된다.

ㅂ. DJ의 3남 홍업 씨에게 공천을 자진<u>해</u> 주어 원내에 진출할 수 있도록 했던 게 누구였던가? 그런데 '님'은 침묵이라도 지켜 달라는 민주당의 애원을 뿌리치고 등을 돌렸다.

(1ㄴ)에서 만일 '몰래'를 부사로 본다면 이것을 줄여도 문장이 되어야 하는데 그렇지 못하다. 다음 (2)를 본다.

(2) 나는 그 사람 도망을 쳤다.

(2)에서 '그 사람' 다음에 '몰래'를 **빼어** 버리니까 문장이 이상해졌다. 만일 「몰래」가 부사라면 그것을 문장에서 **빼어도** 문장이 성립되어야 함은 당연하지 않은가? 그런데, 그렇지 아니하다. 고로 '몰래'는 부사로 볼 수 없다. (1ㄱ~ㄴ)을 제외하고는 다 「하여」가 부사라면 그것을 문장에서 **빼내도** 문장이 성립되어야 함은 당연하지 않

은가? 그런데 그렇지 아니하다. 고로 '몰래'는 부사로 볼 수 없다. (1ㄱ~ㄴ)을 제외하고는 다 「하여」가 줄어서 「해」가 된 것이다.

8. 「-어다」

이 어미는 동사에만 쓰인다.

(1). ㄱ. 저들은 이제 한국은 자기들에게 쌀이나 비료를 가져다 바치는 존재 정도로 여기는지 군사협상은 미국과 직접 하겠다며 미·북회담을 제의하고 나섰다.
    ㄴ. 병원 의사 해서 돈 벌어다 종파에 심는 처지라고 하니 그 뜻도 가상하기가 이를 데 없다.

이 어미의 본래 형태는 「-어디가」인데 「-가」가 준 것이다. 비종결어미는 잘 쓰이지 않은 것 같고, 의향법은 제약이 없으며 주어도 제약이 없다.

◆ 경고법

이에는 「-다가는」이 있을 뿐이다. 이는 동사에 주로 쓰이고 형용사에도 가끔 쓰인다.

(1) ㄱ. 이것을 먹다가는 큰일 날 줄 알아라.
    ㄴ. 그렇게 놀다가는 낙제할 것이다.
    ㄷ. 그렇게 예뻤다가는 남에게 유혹당한다.
    ㄹ. 그렇게 까불다가는 야단 맞는다.

ㅁ. 우물쭈물하<u>다가는</u> 큰일 납니다.

ㅂ. 여기 있<u>다가는</u> 난리를 만날 터이니 어서 피하여라.(피하자.)

ㅅ. 이대로 가<u>다가는</u> 연말 적자 규모가 220억~230억 달러에 이르러 일본을 재치고 세계 2위에 오를 기세라고 한다.

ㅇ. 공연히 어슬렁<u>대다가</u> 총 맞기 십상이다.

『우리말사전』에 따르면 「-다가는」은 「-다가」의 강조어라고 되어 있으나, (1ㄱ~ㅇ)까지를 보면 이음마디의 행위를 계속하면 종결절의 일을 당하게 되니 조심하라는 뜻으로 되어 있는 점이 중단법과는 다르다. 따라서 글쓴이는 이것을 '경고법'이라 하여 따로 세웠다.

◆ 반복법

이에는 「-락 -락」, 「-거니 -거니」, 「-다 -다」, 「-고 -고」, 「-으나 -으나」 등이 있다.

1. 「-락 -락」

이 어미는 동사와 형용사에만 쓰인다. 비종결어미는 쓰일 수 없다.

(1) ㄱ. 그는 정신이 오락가락 한다.

ㄴ. 잠은 자지 아니하고 왜 들락날락 하고 있느냐?

ㄷ. 소리가 들릴락 말락 하더니 갑자기 폭격기가 날아와 공습을 하였다.

ㄹ. 꽃이 필락말락 하더니 날씨가 따뜻하니까 이제사 피는구나.

ㅁ. 옷이 젖을락 말락 비가 내렸다.

ㅂ. 길이 녹을락 말락 매우 미끄럽다.

ㅅ. 낯이 붉으락 푸르락 안절부절 못한다.

주어 제약은 없으나 의향법, 서술법, 의문법이 가능하다.

2. 「-거니 -거니」
이 어미는 동사에만 쓰인다.

(1) ㄱ. 주거니 받거니 잘도 마신다.(마시자.)

ㄴ. 주거니 받거니 잘도 마셔라.

ㄷ. 앞서거니 뒷서거니 하는 모습 자체로 한 편의 동화다.

의향법 제약과 주어 제약은 없으나 비종결어미는 잘 쓰이지 못하는 듯하다.

3. 「-다 -다」
이것은 동사에만 쓰인다.

(1) ㄱ. 우리는 오다 가다 만났지요.

ㄴ. 그는 자다 말다 하면서 밤을 세웠다.

ㄷ. 그는 옷을 입었다 벗었다 하더니 끝내 아무거나 입고 나갔다.

4. 「-고 -고」
이 어미는 동사에 주로 쓰인다.

(1) ㄱ. 먹고 먹고 또 먹는구나.

ㄴ. 하늘을 나는 제비도 남북으로 오고 가고 아니합니까?

ㄷ. 묻고 묻고 또 묻네.

ㄹ. 읽고 쓰고 한다.

ㅁ. 듣고 보고 한 일이 너무나 많다.

ㅂ. 우리는 다같이 울고 웃고 하면서 시간을 보냈다.

5. 「-으나 -으나」

동사에 쓰여야 되풀이를 나타낸다.

(1) ㄱ. 앉으나 서나 당신 생각

ㄴ. 너는 오나 가나 말썽이다.

ㄷ. 자나 깨나 불조심(겨레 생각).

ㄹ. 밥을 먹으나 마나 하다.

「이다」나 형용사에 쓰이면 '가리지 않음'을 나타낸다.

◆ 첨가법

이에는 「~을 뿐(만)아니라」, 「-을뿐더러」, 「-라고도」, 「-는데다가」, 「-는데다」, 「-는가」, 「-려니와」, 「-고도」, 「-고서도」등의 어미가 있다. 이들 어미는 그 뒤의 종결절의 내용이 이에 상응한 것이 와야 한다. 즉 이들 어미가 쓰인 이음마디의 내용에 더하여 종결절의 내용도 그러하기 때문에 첨가법이라 한 것이다.

1. 「-을 뿐 아니라」

이것을 하나씩 어미로 보기에는 좀 이른 감은 있으나 이것을 띄어서 「-을 뿐 아니다」로 써 봐도 뚜렷한, 별다른 뜻을 찾아내기가 어렵고 전체적으로는 무엇을 더함을 나타낼 뿐이다. 따라서 여기에서는 하나의 연결어미로 다루기로 한 것이다. 이 어미는 모든 용언에 다 쓰일 수 있고 주어 제약도 없다. 다만 종결절의 의향법에도 별 제약이 있는 것 같지 않다.

(1) ㄱ. 이런 광풍에 기름을 붓는 꼴일 뿐 아니라 국민들로 하여금 영어를 지나치게 수배하고 모국어를 무시하게 해 궁극적으로는 정체성 상실로 이끌 위험이 큰 도박이다.

ㄴ. 그는 빈센트 작품의 예술성을 내게 일깨워 주었을 뿐 아니라 '반고흐의 침실'을 소개해 주었던 사람이다.

ㄷ. 이 꽃은 아름다울 뿐 아니라, 향기도 아주 좋다.

ㄹ. 나는 매일 아침 일찍 일어날 뿐 아니라, 운동도 열심히 한다.

ㅁ. 너는 공부도 잘할 뿐 아니라, 운동도 아주 잘한다.

ㅂ. 우리는 학교만 청소할 뿐 아니라 우리 마을도 깨끗이 청소하자.(청소할까?)

ㅅ. 너는 운도도 잘할 뿐 아니라 공부도 잘하여라.

(1ㄱ~ㅅ)까지에서 보면, (1ㅅ)은 조금 생소한 느낌이 든다. 주어가 2인칭의 경우는 의향법이 의문법이나 명령형이 되면 조금 매끄럽지 못한 느낌이 든다.

2. 「-을 뿐만 아니라」

이것은 「-을+뿐+만+아니라」로 되어 보조조사 「-만」이 들어간 것이 앞의 것과 다를 뿐이나 그 용법은 앞의 것과 동일하다. 비종결어미 「-시-」, 「-었-」이 쓰인다.

(1) ㄱ. 그 후부터 나는 한 번도 신발을 잃어 본 적이 없을 뿐만 아니라, 신발을 신고 관리하메 있어서도 허투루하는 법이 없었으니, 어머니의 그러한 가르침이 알게 모르게 몸에 밴 것이 아닌가 싶다.

ㄴ. 어린이 책을 맘껏 구경하고 싸게 구입할 수 있을 뿐만 아니라 출판사 내부에 들어가 책이 만들어지는 과정을 견학할 수 있다고 한다.

ㄷ. 그는 하루도 쉬지 않고 열심히 일하였을 뿐만 아니라, 밤에는 주경야독으로 야간대학에서 공부도 착실히 하였다.

ㄹ. 그대는 얼굴도 예쁠 뿐만 아니라, 마음씨도 착하여 좋은 가정으로 시집을 갔다.

ㅁ. 철수는 장래가 촉망되는 청년일 뿐만 아니라, 신랑으로도 나무랄 데가 없다.

ㅂ. 너는 공부도 할 뿐만 아니라, 일도 열심히 하여라.

ㅅ. 우리는 입시준비를 열심히 할 뿐만 아니라, 체력검사에도 충분히 대비하자.

3. 「-을뿐더러」

이 어미는 모든 용언에 쓰일 수 있으며, 주어 제약은 없고 의향법에도 제약이 없는 듯이 보인다.

(1) ㄱ. 그는 공부도 잘할뿐더러, 운동도 잘한다.

ㄴ. 너는 일도 잘할뿐더러, 공부도 잘하여라.

ㄷ. 너는 영어도 잘할뿐더러, 일본어도 잘 하느냐?

ㄹ. 우리는 유럽에도 가볼뿐더러, 미국에도 가 보자.

ㅁ. 그는 착할뿐더러, 공부도 잘한다.

ㅂ. 그는 교수일뿐더러, 노벨상을 탄 세계적인 석학이다.

(1ㅂ)은 형용사에 「-을뿐더러」가 쓰인 보기요, (1ㅅ)은 「이다」에 쓰인 보기이다. (1ㄱ·ㄴ·ㅂ·ㅅ)의 주어는 3인칭이요, (1ㄷ~ㄹ)의 주어는 2인칭이며 (1ㅁ)의 주어는 1인칭이다.

4. 「-(이)라고도」

이 어미는 「이다」에만 쓰인다.

(1) ㄱ. 지금 대종원이라고도 칭하는 천진교는 동학의 뿌리에서 갈라져 나온 단체이다.

ㄴ. 그를 명인이라고도 하나 실은 그렇지 못하다.

ㄷ. 그의 호를 '억세', '만세'라고도 하나 실은 '돌세'이다.

ㄹ. 그를 천재라고도 하나 사실은 노력가이다.

ㅁ. 너를 자린고비라고도 하는데 사실이냐?

ㅂ. 우리는 그를 민족의 지도자라고도 부른다.

ㅅ. 나는 너를 진실한 이웃이라고도 보고 있다.

ㅇ. 너는 영희를 훌륭한 나이팅게일이라고도 불러라.

(1ㄱ~ㅇ)까지에서 보면 「-라고도」로 이어지는 마디의 주어에는 아무 제약이 없으며, 종결절의 의향법에도 별 제약이 있는 것 같지

않다.

5. 「-는데다」, 「-는데다가」

이들 어미는 「-는데+다」 또는 「-는데+다가」로 「-다」 또는 「-다가」가 첨가되어 이루어진 것인데, 여기 「-다」와 「다가」가 첨가의 뜻을 나타내므로 전체적으로 첨가의 뜻을 나타내게 된 것이다.

(1) ㄱ. 인질 위치에 대한 정확한 정보도 없는데다 민가 여러 곳에 분산 수용돼 있어 동시에 다발적 타격도 어렵다.

ㄴ. 한글은 이조 때 천대를 받은데다가 일제 때 일본말에 짓눌려 많은, 아름다운 우리말이 죽어 없어졌다.

ㄷ. 일제는 우리나라를 식민지화 한데다가 만주 중국까지 넘보다가 그만 이차대전에서 패망하고 말았다.

ㄹ. 나는 청렴하게 살아 돈이 없는데다 집까지 변변한 것을 갖지 못했다.

ㅁ. 너는 돈도 없는데다가 집까지 변변한 게 없느냐?

ㅂ. 우리는 나라를 위하여 몸바친데다가 세계 인류를 위해 몸바치자.

ㅅ. 여러분은 지금까지 공부한데다가 더하여 유명한 발명가가 되도록 노력하시오.

ㅇ. 이곳은 공기도 맑은데다가, 환경이 좋아 수양하기에 아주 좋은 곳이다.

ㅈ. 그대는 미인인데다가, 노래도 잘 하는 명창이기도 하다.

(1ㄱ~ㅈ)까지에서 보면 주어 제약과 종결절의 의향법에도 아무 제약이 없음을 알 수 있다. 그리고 서술어 제약도 없다.

6. 「-는가」

이 어미는 그 뒤에 「하면」이 옴으로써 첨가의 뜻을 나타낸다. 서술어 제약은 없고 주어 제약도 없는데, 종결절의 의향법은 서술법과 의문법만 가능한 듯하다.

(1) ㄱ. 한자말은 비록 우리말이 아니나, 우리말이라 불릴 자격이 있다고 하는가 하면 우리말도 한자를 섞어 써야 한다고 주장하는 이가 있다.
  ㄴ. 그는 돈이 많은가 하면 벼슬도 많이 하였다.
  ㄷ. 세상 걱정 혼자 다 짊어질 듯 유난을 떠는가 하면 술 한 잔에 노래도 춤도 멋지게 잘 추는 이 시대 둘째가라면 서러워할 낭만파였지요.

이 어미가 그 뒤에 「하면」을 취하지 않고 의존서술어가 오면 설명·추정·의문 등의 뜻을 나타낸다.

(1) ㄹ. 그는 노래도 잘 하는가 싶으며 춤도 잘 춘다.

이 어미는 그 앞에 비종결어미는 잘 취하지 아니한다.

7. 「-고도」

이 어미는 동사와 형용사에 쓰이는 것 같다. 통계에는 지정사의 예는 나타나지 않기 때문이다.

(1) ㄱ. 이 봄이 엄마가 당면한 유일하고도 절대적인 현실이자 모든 것이다.
  ㄴ. 엄마에게 이 봄은 얼마나 더 간절하고도 생기 있게 다가올까?
  ㄷ. 노무현 정부도 포퓰리즘 정책들을 내놓고도 부끄러운 줄 모르고

있다.

ㄹ. 쌍꺼풀 수술을 하는 사람들을 이제는 이해하<u>고도</u> 남을 것 같은 오늘의 내 심정이다.

ㅁ. 당시 교황에게 이 슬프<u>고도</u> 감동적인 사랑 얘기가 전해졌고 밸런타인은 여인들의 수호성인으로 시성되었으며 교황 셀라시우스는 2월 14일 밸런타인데이로 공식 지정되었다

ㅂ. 그는 방금 밥을 먹<u>고도</u> 또 먹는다.

ㅅ. 금강산은 아름답<u>고도</u> 아름답다.

이 어미는 '불구'의 뜻으로도 쓰이나 첨가의 뜻으로 많이 쓰이는 것 같아서 여기에서 다루었다.

(2) ㄱ. 그는 밥을 먹<u>고도</u> 배가 고프다고 한다.

ㄴ. 사람들은 후보를 뽑아 놓<u>고도</u> 불안하다.

ㄷ. 그 자리에서 계약을 하<u>고도</u> 한참을 떠나지 못했다.

ㄹ. 그는 꾸지람을 듣<u>고서도</u> 또 장난을 친다.

앞의 「-고도」는 주어는 1·2·3인칭이 다 될 수 있다. 의향법 제약은 없다. 비종결어미는 「-시-」만 쓰이고 「-었-」과 「-겠-」은 쓰일 수 없다. 「-고-」가 때매김으로 과거를 나타내기 때문이다. 「-고서도」는 주어 제약은 없는 듯하고 의향법 제약도 없다 비종결어미는 「-시-」만이 쓰인다.

(2ㄱ~ㄹ)은 불구의 뜻으로 이해된다. 이와 같이 연결어미는 한 가지가 문맥에 따라 몇 가지의 뜻으로 이해되는 경우가 많다.

8. 「-고서도」

이 어미는 동사에만 쓰인다. 그것은 「-고서도」의 「-서-」 때문이다.

(1) ㄱ. 그는 밥을 먹<u>고서도</u> 또 먹는다.

ㄴ. 그는 이 이를 하<u>고서도</u> 또 다른 일을 한다.

◆ 더해감법

이에는 「-을수록」이 있다. 이 어미는 우리말보네서 '더해감꼴'이라 하여 독립시켜 다루었다는데, 글쓴이도 이에 따라 다루기로 하였다.

9. 「-을수록」

이 어미는 어떤 동작이나 상태가 점점 더해감을 나타낸다. 그러나 어떤 한계점에는 도달하지 못함을 나타내기도 한다. 비종결어미는 「-시-」만이 올 수 있다.

(1) ㄱ. 아버지는 연세를 잡수<u>실수록</u> 기력이 점점 더 좋아지신다.

ㄴ. 금강산은 <u>볼수록</u> 더 아름답다.(아름다우냐?)

ㄷ. 너는 그대가 예<u>쁠수록</u> 더 사랑하여라.

ㄹ. 술은 마<u>실수록</u> 그 맛이 더해간다.

ㅁ. 잠은 잘<u>수록</u> 점점 더 늘어난다.

ㅂ. 학창시절에 나쁜 짓을 많이 하는 학생<u>일수록</u> 사회에 나가서도 나쁜 짓을 많이 한다.

ㅅ. 공부는 <u>할수록</u> 점점 더 재미가 있는 법이다.

이 어미가 오는 마디의 주어와 종결절의 의향법에는 제약이 없고
서술어에도 제약이 없다.

◆ 미침법

이에는 「-도록」 하나가 있다.

1. 「-도록」

이 어미는 동사와 형용사에만 쓰이고, 비종결어미는 「-시-」만이
쓰인다.

서술어와 의향법에도 제약이 없다. 이 어미는 어떤 한계점에 도달
하도록 하는 뜻이 있기 때문에 거기에는 도달하지 못함을 나타낸다.

(1) ㄱ. 동해물과 백두산이 마르고 <u>닳도록</u> 하느님이 보우하사 우리나라 만세.

ㄴ. 나는 그에게 그런 짓을 하지 말라고 목이 터<u>지도록</u> 타일렀다.

ㄷ. 그 어른이 잘 <u>가시도록</u> 안내하여 드려라.(드리자.)

ㄹ. 할아버지가 잘 <u>계시도록</u> 하여 드렸느냐?

ㅁ. 네가 <u>예쁘도록</u> 화장을 잘하여라.

ㅂ. 아버지는 아들에게 공부 잘하라고 혀가 <u>닳도록</u> 당부하셨다.

(1ㅁ)은 형용사에 쓰인 보기인데, 사실 이 어미는 동작성을 띠고
있으므로, 형용사에 쓰이니까 좀 이상한 느낌이 드는데, 실제 상황
에서 쓰이고 있는지 의문이다.

◆ 연발법

이 어미에는 「-자」, 「-자마자」가 있다.

1. 「-자」

이 어미는 모든 서술어에 다 쓰인다. 의향법은 서술법과 의문법만이 될 수 있다.

(1) ㄱ. 까마귀 날<u>자</u> 배 떨어지기.

    ㄴ. 비가 그치<u>자</u> 날씨가 추워진다.

    ㄷ. 날씨가 무덥<u>자</u> 소나기가 오기 시작하였다.

    ㄹ. 날이 밝<u>자</u> 그들은 여관을 떠나갔다.

    ㅁ. 오늘은 청명이<u>자</u>, 한식이다.

    ㅂ. 오늘은 청명이<u>자</u>, 한식이냐?

(1ㅁ~ㅂ)은 '이다'에 「-자」가 온 보기인데, 의문법은 이 경우가 가장 자연스럽다. 그리고 「이다」에 「-자」가 오니까, 그 뜻은 동시성을 나타낸다. 즉 연발법은 동시성의 뜻을 나타내기 때문에 그렇게 이름을 붙인 것이다. 주어 제약은 없고 비종결어미는 「-시-」만이 쓰일 수 있다.

(2) ㄱ. 아버지가 방에 들어가<u>시자</u>, 모두 일어섰다.

    ㄴ. 할아버지가 말씀하<u>시자</u> 모두가 그 말씀에 따르겠다고 하였다.

2. 「-자마자」

이 어미가 오는 마디의 주어에는 제약이 없고 종결절의 의향법
역시 제약이 없다. 비종결어미는 「-시-」만이 쓰일 수 있다.

(1) ㄱ. 그가 오<u>자마자</u> 아이들이 모여들었다.
    ㄴ. 네가 가<u>자마자</u> 비가 오기 시작하였다.
    ㄷ. 내가 교실에 들어서<u>자마자</u> 학생들이 환호성을 올렸다.
    ㄹ. 할아버지가 오시<u>자마자</u> 손자, 손녀들이 모여들었다.
    ㅁ. 수업이 끝나마<u>자마자</u> 어서 집으로 가거라.(가자.)
    ㅂ. 일이 끝나<u>자마자</u> 곧 집으로 가겠느냐?

이 어미가 오면 형용사나 지정사는 쓰일 수 없다. 왜냐하면 이
어미는 동작성이 너무도 뚜렷하기 때문이다.

◆ 조건법

이에는 「-거들랑」, 「-되」, 「-려거든」, 「-거든」, 「-을진대」, 「-어
서는」, 「-어야」, 「-어야지/아야지」, 「-어야지만/아야지만」 등이 있
는데, 이들 주 꼭 집어서 조건으로 보기 어려운 것이 있으나 문맥에
따라서는 조건으로 볼 수도 있어서 여기에서 다루기로 한 것이다.

1. 「-거들랑」

이 어미는 문맥에 따라 가정을 나타내기도 하나 조건으로 쓰이는
경우가 많은 듯하여 여기에서 다루기로 한 것이다.

(1) ㄱ. 그가 공부를 하<u>거들랑</u> 심부름은 시키지 말라.(말자.)

　　ㄴ. 네가 고향에 가<u>거들랑</u> 나의 부모님께 안부 전하여 다오.

　　ㄷ. 정신이 있<u>거들랑</u> 다시 생각하여 보아라.

　　ㄹ. 그대가 착하<u>거들랑</u> 결혼하여도 좋다.

　　ㅁ. 이게 좋은 책이<u>거들랑</u> 사도 좋다.

　　ㅂ 가<u>거들랑</u> 함께 옵소예.

　　ㅅ. 돈이 되<u>거들랑</u> 좀 가지고 오겠느냐?

　　ㅇ. 내가 가<u>거들랑</u> 함께 그를 도와주마.

(1ㄱ~ㅇ)까지를 분석하여 보면, (1ㄴ~ㄹ)은 조건으로 보아지나 나머지는 가정으로 보이나 반드시 그렇지 아니하다. 조건이란 앞마디가 전제가 되면 뒷마디가 그에 상응한 내용이 되어야 하는 것이다. 따라서 (1ㄱ~ㅇ)까지의 「-거들랑」은 주어·서술어·의향법 등에 아무 제약이 없으나, 비종결어미는 「-었-」, 「-겠-」만이 쓰일 수 있다.

(2) ㄱ. 그가 일을 마쳤거들랑, 쉬게 하여라.

　　ㄴ. 비가 오겠거들랑, 오지 말고 집에 있거라.

2. 「-되」

이 어미가 조건을 나타낼 때는 주로 동사에 쓰일 때이나 형용사나 지정사에 쓰일 때는 대립적인 사실을 나타내게 된다.

(1) ㄱ. 너는 여기에 있<u>되</u> 저 놈을 잘 감시하여라.

　　ㄴ. 도전과 활력을 중시하<u>되</u>, 기존의 틀은 바꿔야 한다는 얘기다.

　　ㄷ. 아버지는 철석같은 의지의 대상이기는 하<u>되</u>, 아울러 극복해야 할

대상이라는 아들 말에는 짐짓 주춤거리지 않을 수 없었다.

ㄹ. 말을 하<u>되</u> 조리 있게 차근차근 말하여라.

ㅁ. 공부를 하<u>되</u> 기초부터 다져 가면서 착실히 하여라.

ㅂ. 술을 마시<u>되</u> 과음은 하지 말아라.

ㅅ. 일을 하<u>되</u> 열심히 하겠느냐?

ㅇ. 나는 일을 하<u>되</u> 너같이 하지는 않는다.

ㅈ. 우리가 그를 도우<u>되</u> 그가 만족하도록 도우자.

(1ㄱ~ㅈ)까지를 보면, 주어 제약, 의향법 제약은 없으나, 앞에서 서술어 제약은 있다 하였다. 그리고 비종결어미는 어떠하나 보기도 하겠다.

(2) ㄱ. 아버지는 저기에 가시<u>되</u>, 술은 절대로 드시지 마세요.

ㄴ. 나는 그와 언약은 하였으<u>되</u>, 책잡힐 이른 전혀 없다.

ㄷ. 나는 그 일을 하겠으<u>되</u>, 사양하고 말았다.

(2ㄱ)은 가능한데, (2ㄴ)은 자연스럽지 못한 듯하며, (2ㄷ)은 불가능하지 않을까?

3. 「-려거든」

이 어미는 「-려+거든」으로 된 것으로 의도나 조거늘 나타낸다.

(1) ㄱ. 논어를 풀이하<u>려거든</u>, 지금까지 나온 여러 책을 먼저 읽어야 한다.

ㄴ. 성공하<u>려거든</u>, 먼저 기술부터 배워라.

ㄷ. 집으로 가<u>려거든</u>, 오솔길로 가지 말아라.

ㄹ. 네가 아름다우려거든, 율동체조를 많이 하여라.

(1ㄷ~ㄹ)에서 보면 의도를 많이 나타내는 듯하다. 그러나 「-거든」때문에 조건도 나타낸다. 이 어미는 동사에 주로 쓰이고 주어는 2인칭일 때 가자 자연스럽다. 1인칭은 불가능하다.

4. 「-거든」
이 어미는 가정이나 조건을 나타내는데 주로 조건을 나타낸다.

(1) ㄱ. 학교에 다니<u>거든</u>, 공부를 잘하여야 한다.
　　ㄴ. 그 아이가 공부를 잘하<u>거든</u> 사소한 일은 용서하여라.(용서하자.)
　　ㄷ. 그가 일을 잘하<u>거든</u> 여기에 계속 있게 하겠느냐?
　　ㄹ. 그미가 예쁘고 착하<u>거든</u> 결혼하여도 좋다.
　　ㅁ. 이것이 기증품이<u>거든</u> 저 상자에 넣고 자물쇠를 잠가두어라.(두자.)
　　ㅂ. 내가 가<u>거든</u> 그를 풀어 주겠느냐?
　　ㅅ. 네가 몸이 아프<u>거든</u> 하루 쉬어라.

(1ㄱ~ㅅ)에서 보면, 주어 제약, 서술어 제약, 의향법 제약은 없다.

(2) ㄱ. 그가 이를 마쳤<u>거든</u> 집으로 보내 주어라.
　　ㄴ. 네가 이 일을 잘해 내겠<u>거든</u>, 내가 너에게 상응한 보수를 주겠다.

(2ㄱ)은 조건임이 분명한데, (2ㄴ)은 「-겠-」 때문에 조건의 뜻이 다소 희박해진 것 같은 느낌이 든다. 굳이 말한다면 비종결어미는 「-리-」만 쓰일 수 없다. 발음상 이유와 입말 대 글말 때문이기도

하다.

5. 「-을진대」
이 어미는 모든 용언에 다 쓰일 수 있다.

(1) ㄱ. 값이 같을진대, 큰 것을 가져 가자.
  ㄴ. 이것을 네가 가질진대, 난들 어찌 하겠는가?
  ㄷ. 그가 착실할진대, 나는 그를 고용하겠다.
  ㄹ. 네가 공부를 잘할진대, 대학까지 보내 주겠다.
  ㅁ. 이것이 보물일진대, 잘 보관하여 두자.
  ㅂ. 내가 기술이 좋을진대, 너는 나를 채용하여 주겠느냐?

위에서 보면, 주어 제약, 서술어 제약, 의향법 제약은 없다. 비종
결어미는 어떠한가 보기로 하자.

(2) ㄱ. 내 아이가 미국에서 박사학위를 받았을진대, 그 대학에서 채용하
  여 주겠는가?
  ㄴ. 그가 이것을 먹었을진대, 어찌하겠느냐?

(2ㄱ~ㄴ)에서 보면 「-었-」은 가느하나 「-겠-」은 불가능하다. 왜
냐하면 「-을진대」의 「-을」 때문이다.

6. 「-어서는」
이것은 「-어서+는」으로 된 것이다.

(1) ㄱ. 길이 좁<u>아서는</u>, 도저히 갈 수 없다.

ㄴ. 이것과 저것이 같<u>아서는</u> 아니 된다.

ㄷ. 이를 위<u>해서는</u> 찬스의 구조를 개선해야 한다.

이 어미가 조건을 나타내는 예는 좀 드문 듯하다.

7. 「-아야」

끝에 오는 모음이 「ㅏ, ㅑ, ㅗ」인 동사와 형용사 어간에 붙어서 조건을 나타낸다.

(1) ㄱ. 내 눈으로 보<u>아야</u>, 믿든 말든 할 게 아니냐?

ㄴ. 윗물이 고<u>와야</u>, 아랫물이 맑지.

ㄷ. 물이 얕<u>아야</u>, 건널 수 있지 않겠나?

ㄹ. 네가 공부를 잘<u>하여야</u>, 성적이 올라간다.

ㅁ. 내가 저축으로 돈을 모<u>아야</u>, 저 산을 살 수 있겠다.

ㅂ. 꽃이 아름<u>다워야</u>, 사 가지 않겠나?

ㅅ. 밥을 먹<u>어야</u>, 살 수 있다.

(1ㄱ~ㅅ)을 보면, 의향법은 서술법과 의문법이 가능하고 권유법과 명령형은 잘 쓰이지 못한다. 비종결어미는 어쩌면 「-었-」과 「-시-」만이 쓰일 수 있는 듯하며 주어 제약은 없다.

(2) ㄱ. 아버지가 먼저 자<u>셔야</u>, 우리가 먹을 게 아니냐?

ㄴ. 네가 이<u>겼어야</u> 내가 네 소원을 들어주지.

8. 「-아야지」

이 어미는 「-아야+지」가 합하여 이루어진 것이다.

(1) ㄱ. 내 눈으로 보<u>아야지</u> 믿을 수 있다.

ㄴ. 날이 밝<u>아야지</u>, 우리가 떠날 게 아니냐?

ㄷ. 네가 박사<u>이야지</u> 우리한테 존경을 받는다.

ㄹ. 마음씨가 고<u>와야지</u> 여자지, 얼굴이 예쁘다고 여자냐?

ㅁ. 할아버지께서 술을 드<u>셔야지</u>, 우리도 숟가락을 들고 먹을 게 아니냐?

ㅂ. 선생님이 허락하<u>셔야지</u> 집으로 갈게 아니냐?(가거라.)

ㅅ. 내가 그것을 알았<u>어야지</u>, 너희들에게 이야기하지.

위의 예문에서 보면 서술어 제약, 주어 제약, 의향법 제약은 없으나, 비종결어미는 「-시-」「-었-」마니 가능하다. 이 어미는 문맥에 따라서는 결심을 나타내는 경우가 있다.

(2) ㄱ. 남들처럼 멋있는 필명 하나 지<u>어야지</u>, 하면서도 차일피일 미루어 왔다.

ㄴ. 매일같이 제 때에 약을 먹<u>어야지</u> 하면서도 때를 놓치고 만다.

ㄷ. 이 약을 먹<u>어야지</u> 병을 고칠 수 있다.

(2ㄱ~ㄴ)에서 보면 결심을 나타낼 때는 그 뒤에 「-하면서도」가 쓰임을 알 수 있다. 그리고 또 마땅함 (2ㄷ)을 나타낼 수도 있다.

9. 「-어야지만/아야지만」

이것은 「-어야지/아야지」의 강조형이다.

(1) ㄱ. 우리는 이 일을 해내<u>어야지만</u> 큰소리를 칠 수 있다.

　　ㄴ. 그가 가<u>야지만</u> 나는 이것을 먹겠다.

　　ㄷ. 너는 그대가 예뻐<u>야지만</u> 결혼하겠느냐?

　　ㄹ. 이것이 진짜 보석<u>이야지만</u>, 나는 비싸도 사겠다.

　　ㅁ. 네가 내 눈 앞에서 사라<u>져야지만</u> 나는 마음을 놓고 살겠다.

　　ㅂ. 나는 그대가 예뻐<u>야지만</u> 결혼하겠다.

　　ㅅ. 우리는 영희가 착<u>해야지만</u> 동료로 삼자.

　　ㅇ. 철수를 보낼 터이니 일을 잘 <u>해야지만</u> 채용하여라.

「-어야지만」도 「-어야지」와 같이 주어 제약, 서술어 제약, 의향법 제약이 없다.

(2) ㄱ. 선생님이 가<u>셔야지만</u> 우리도 갈 수 있다.

　　ㄴ. 그가 공부를 잘 <u>했어야지만</u> 채용할 게 아니냐?

(2ㄱ~ㄴ)에서 보면 비종결어미는 「-시-」, 「-었-」이 가능함을 알 수 있다. 이들(「-어야지/-어야지만」) 어미는 형태상으로 보면 필요법의 것과 같으나 문장에서의 의미 기능으로 보면 조건을 나타내므로 여기에서 다루었으니 오해 없기를 바란다.

2. [맞섬] 앞마디가 뒷마디에 대하여 독립성이 강한 것

◆선택법

이것은 독자적인 성격이 강하므로 독립시켜 다루기로 하였다. 이 법에는 「-거나」, 「-든지 -든지」, 「-(았)든가」, 「-건지」, 「-는다든가」, 「-는다든지」, 「-는다거나」, 「-어서건」, 「-(으)나 -(으)나」 등이 있다. 이들 중에는 의문의 어미도 있으나, 이것이 거듭 쓰임으로써 선택을 나타내므로 같이 다루기로 한 것이다.

1. 「-거나」

이 어미는 말할이 선택이다. 말할이가 들을이에게 이리저리 하라고 선택을 지시할 때 쓰이거나, 말할이가 주관적으로 선택할 때 쓰인다.

(1) ㄱ. 안보는 인기 품목이기는커녕 기피대상<u>이거나</u> 천덕꾸러기 신세로 가고 있는 것이다.

　　ㄴ. 그는 가<u>거나</u> 말<u>거나</u> 나와는 상관 없다.

　　ㄷ. 더 나아가 핵을 더 많이 갖<u>거나</u> 만들어도 상관 않겠다는 항복문서를 내놓은 것이다.

　　ㄹ. 그들 대통령 후보까지 안보 문제를 부화적 관심사로 몰아가<u>거나</u> 이에 잠재적 적대 세력과 타협하는 쪽으로 돌아선 마당에….

　　ㅁ. 아프<u>거나</u> 슬플 때마다 시도 때도 없이 입에서 튀어나올 것이다.

　　ㅂ. 그날 나는 밑창이 닳았<u>거나</u> 콧등이 뭉개져서 신을 신 수 없게 된 허접쓰레기 같은 것들을 모두 치워버렸다.

ㅅ. 신발을 함부로 신거나 벗어서는 안 된다는 것이었다.

ㅇ. 힘을 주어 재료를 자르거나 썰고 마늘과 생강은 칼자루로 다진다.

ㅈ. 어찌 되었거나 바다를 찾은 비둘기들을 보니 우물안 개구리처럼 살아가는 나를 보는 듯하였다.

ㅊ. 자동차에 치어 죽거나 장애를 입는 경우가 많다.

ㅋ. 음란하다거나 그런 것이 아닌, 있는 그대로 자연적인 것에 거부를 느끼지 않는 그들의 문화.

ㅌ. 풀밭 들꽃들에 눈길을 주며 대화를 시도하는 일에서도 책을 읽거나 차를 마시거나 사색하거나 하는 일처럼 몰입하게 되면 어떤 기운을 느끼게 된다.

ㅍ. 어쨌거나 들온말로 받아들인 것이 아니면 한자말은 서양말이나 다른 여러 나라말과 마찬가지로 우리말이 아니다.

ㅎ. 중국의 젊은이들이 한국 기업에 쉽게 일자리를 구할 수 있는 방편이라거나, 일부 청소년들이 한류에 편승하여 한국의 대중문화를 직접 접해 보고 싶은 일시적인 호기심이나….

ㄱ'. 나무를 심거나 꽃을 가꾸거나 상관할 바 아니다.

ㄴ'. 길이 멀거나 험하거나 하면 시간이 많이 걸린다.

ㄷ'. 붉거나 노란 셔츠를 사 오너라.(사가자.)

ㄹ'. 그곳은 비가 오거나 눈이 오거나 하면 길이 좋지 않으냐?

ㅁ'. 듣거나 말거나 한 정부 브리핑.

ㅂ'. 특히 작건 크건 가게를 열거나 태어날 아기들의 이름을 짓는 곳이 있으면….

ㅅ'. 도시와 도시는 한쪽으로 기우는 문화가 아니고 외지인이건 그 마을 사람이건 오고가게 마련이나….

(1ㄱ~ㅅ')까지를 보면, 주어는 1인칭이 대다수이고 2인칭이나 3인 칭도 있을 수 있다. 서술어 제약, 의향법 제약은 없으나, 비종결어미 는 「-었-」과 「-시-」만 쓰일 수 있다.

2. 「-든(지) -든(지)」
이 어미는 양자택일을 나타낼 때 쓰인다. 「-든지」 단독으로도 쓰 인다.

(1) ㄱ. 당시 어렵지 않느냐는 기자들의 질문에 이극로는 "어렵든 어쨌든" 우리가 할 일이오 하였다.

ㄴ. 죽든 살든 할 일은 해야지요?

ㄷ. 밉든 곱든 그대를 사랑하여라.(사랑하자.)

ㄹ. 죽이든(지) 밥이든(지) 주는 대로 먹어라.

ㅁ. 너는 가든지 말든지 네 마음대로 하여라.(하는구나.)

ㅂ. 나는 죽이든지 밥이든지 주는 대로 먹겠다.(먹는다.)

(1ㄱ~ㅂ)을 보면, 주어가 2인칭일 때는 의향법은 명령형이 주로 쓰이고 간혹 서술문이 될 때는 말할이의 뜻을 나타내는 「하는구나」 또는 그 이외의 식으로 됨이 예사이다. 그리고 또 의문법도 쓰인다. 주어의 인칭에 따라 의향법이 쓰인다. 비종결어미는 「-시-」, 「-었-」 이 쓰인다. 서술어는 제약이 없으나, 「이다」의 경우 즉, (1ㄹ)의 경우 의 「-든지」는 조사로 보아야 할는지 의문이나 「이다」에 붙은 어미 로 보기로 한다. 다음에 다시 몇몇 예를 더 들어보기로 한다.

(2) ㄱ. 한국은 그것이 종교의 이름이든 봉사의 이름이든 무슬림 세계로

나가고 있다.

ㄴ. 평범한 집안의 자제가 아니기에 좋든 싫든 짊어지고 갈 업이리라.

ㄷ. 누가 오든 알은 체할 것 없다.

(2ㄱ)의 예를 보면 「-이든」은 「이다」의 줄기 「-이」에 「-든」이 쓰인 것으로 보아진다. 따라서 「이다」, 「아니다」에 「-든(지)」가 올 수 있다.

3. 「-든가」

이 어미는 「-든지」와 구별하기 어려우나 자탄 또는 자문하는 성격을 띤 선택어미가 아닌가 한다. 이것도 양자 중 어느 하나를 선택하거나, 들을이 선택으로 쓰인다.

(1) ㄱ. 언문조차 몰랐든가 하는 원한이 뼈에 사무쳤습니다.

ㄴ. 누가 오든가 관계하지 않겠다.

ㄷ. 크든가 작든가 아무것이나 좋다.

ㄹ. 가든가 오든가 네 뜻대로 하여라.

ㅁ. 어떠하든가 간에 한번 가 보자.

ㅂ. 무슨 신문이든가, 네 마음대로 가져 오너라.

ㅅ. 붉든가 푸르든가 네 뜻대로 색종이를 가져오너라.

(1ㄱ~ㅅ)까지를 보면 「-거나」와는 달리, 말할이가 마음으로 결정적으로 선택한 것이 아니고, 전혀 상관하지 않는 뜻으로 쓰이거나, 말할이가 들을이에게 자임하는 뜻으로 선택권을 맡길 때에 쓰인다. 주어 제약, 서술어 제약은 없으나 의향법은 서술법, 명령형, 권유법

이 쓰이는데 의문법은 쓰인 예가 드무나 가능하다. 비종결어미는 「-었-」, 「-시-」가 쓰인다. 「-겠-」의 용례가 잘 나타나지 않으나 가능하다.

(2) ㄱ. 그가 그 일을 하겠든가 안 하겠든가 자세히 보고 오너라.
　　 ㄴ. 철수가 영수한테 이기겠든가 지겠든가 알아오너라.

(2ㄱ~ㄴ)에서 보면 「-겠-」이 쓰여서 자연스럽다.

4. 「-ㄹ건지」
이 어미는 「-것인지」가 줄어서 된 것으로 보아진다. 왜냐하면 「-ㄹ건지」 앞에 「ㄹ」이 있기 때문이다.

(1) ㄱ. 그는 일을 할건지 안 할건지 알 수가 없다.
　　 ㄴ. 철수는 서울에 갈건지, 안 갈건지 물어보아라.(물어보자.)
　　 ㄷ. 너는 이것을 먹을건지 안 먹을건지 말하여라.
　　 ㄹ. 내가 여기서 살건지 안 살건지 잘 모르겠다.

(1ㄱ~ㄹ)에서 보면, 주어가 3인칭일 때 가자 자연스럽고 그 다음이 2인칭이며 1인칭의 경우는 극히 드물게 쓰이는 것 같다. 이 어미는 동사에만 쓰인다. 어떻게 보면, 추상적인 뜻을 내포하고 있는 것 같기도 하다. 의향법은 주어가 2인칭일 때, 의문법, 명령형이 가능하고 그 이외는 서술법인데, 말할이가 들을이에게 물을 때는 의문법이 가능하고 주어가 1인칭일 때는 권유법도 가능하다.

5. 「-는다든가」
이것은 종결어미 「-는다」에 「-든가」가 와서 이루어진 것이다.

(1) ㄱ. 어떤 사태의 실현이 바람직하다든가 적절하다든가 하는 의미를 나
타내는 것이 있다.
ㄴ. 이 일을 한다든가 안 한다든가 말을 해야지.
ㄷ. 이것이 보물이라든가 아니라든가 판단을 내려야 한다.
ㄹ. 이 꽃이 향기롭다든가 그렇지 않다든가 판단을 내려야지.

(1ㄱ~ㄹ)에서 보면 「-는다든가」는 모든 용언에 다 사용될 수 있
으며, 주어도 별 제약이 없는 것 같고 의향법도 다 가능한 것 같다.

(2) ㄱ. 내가 그 일을 하겠다든가, 안 하겠다든가를 나중에 알려 주겠다.
ㄴ. 네가 그 일을 했다든가 안 했다든가를 밝혀라.
ㄷ. 네가 그 일을 하겠다든가 안 하겠다든가 말하여라.
ㄹ. 할아버지가 가신다든가, 아버지가 가신다든가 알려주어라.

(2ㄱ~ㄹ)을 보면 비종결어미는 「-리-」를 빼고는 다 사용가능함
을 알 수 있다.

6. 「-는다든지」
이 어미는 간혹 「-는다던지」로 쓰이는 예가 하나 나타났다.

(1) ㄱ. 먹이는 풍성이 주되 손바닥이나 사람 가까이에서 먹게 한다던지
어깨에 앉게 하지는 않는다.

ㄴ. 너는 <u>간다든지</u> 안 <u>간다든지</u> 말을 하여라.

ㄷ. 이 일을 하겠<u>다든지</u> 저 일을 하겠<u>다든지</u> 속 시원히 말하겠다.

ㄹ. 이 꽃이 아름답<u>다든지</u> 저 꽃이 아름답<u>다든지</u> 품평을 좀 하여보자.

ㅁ. 비가 <u>온다든지</u> 하면 어떻게 하겠느냐?

ㅂ. 이것이 그의 집<u>이라든지</u> 아니<u>라든지</u> 알려주자.

(1ㄱ~ㅂ)에서 보면, 「-는다든지」가 쓰일 수 있는 용언에는 아무 제약이 없고, 의향법과 비종결어미 및 주어 인칭에도 제약이 없다. 다만, 비종결어미 중 「-리-」는 쓰일 수 없다. 「이다/아니다」에 「-든지」가 올 때는 「-이다/아니다」도 「이라/아니라」로 「-다」가 「-라」로 바뀐다. 이 어미는 「-는다+든지」로 이루어진 것이다.

7. 「-는다거나」

이 어미도 「-는다+거나」로 이루어진 것이다.

(1) ㄱ. 짚고 넘어갈 일은 내가 착하<u>다거나</u> 수양을 잘 해서 그런 것이 아니다.

ㄴ. 그가 착하다거나, 착하지 않<u>다거나가</u> 문제가 아니라 그가 성실하나 않나가 문제인 것이다.

ㄷ. 이것이 순금<u>이라거나</u>, 아니<u>라거나</u> 판정을 내려다오.(내려주겠느냐?)

ㄹ. 그가 그 시험에 합격하였<u>다거나</u> 낙방하였<u>다거나</u> 알려주자.(주마.)

ㅁ. 네가 <u>간다거나</u> 안 <u>간다거나</u> 말하여라.

ㅂ. 네가 여기를 지키겠<u>다거나</u>, 안 지키겠<u>다거나</u> 판단하여라.

ㅅ. 선생님이 <u>가신다거나</u> 안 <u>가신다거나</u>를 저 쪽에 알려주어라.

(1ㄱ~ㅅ)에서 보면, 서술어 제약, 주어 제약, 의향법 제약, 비종결

어미 제약은 없다. 다만 비종결어미 중 「-리-」는 제약된다.

8. 「-어서건」
이 어미가 선택연결어미가 된 것은 「-건-」 때문이다.

(1) ㄱ. 속눈썹이 눈동자를 찔러서건 멋으로건 쌍꺼풀 수술을 하는 사람을
     이제는 이해하고도 남을 것 같은 오늘의 내 심정이다.
   ㄴ. 그가 술을 먹어서건 밥을 먹어서건 상관할 바 아니다.
   ㄷ. 그가 미워서건 고와서건 그런 것이 아니다.

이 어미는 동사에 많이 쓰이고 형용사에는 덜 쓰이는데, 지정사에는 쓰이지 아니한다. 그리고 의향법과 비종결어미 제약은 많은 것 같다. 주어 제약은 없는 듯이 보인다.

9. 「-으나」
이 어미도 양자 중 하나를 선택하는 선택어미이다.

(1) ㄱ. 그는 오나가나 말썽이다.
   ㄴ. 그와 같은 연설은 하나 마나 하다.(하지 않느냐?)
   ㄷ. 미우나 고우나 잘 보아 주자.

이 어미는 조사로서 가리지 않음, 강조 등의 뜻으로 쓰인다. 그런 경우를 여기에서 예시하기로 한다.

(1) ㄹ. 밥이나 죽이나 마음대로 주시오.

(1ㄱ~ㄹ)에서 보면 모든 용언에 다 쓰이며 주어 제약은 없으나 「-겠-」은 제약이 있는 듯하다. 그리고 의향법 제약은 없는 듯하다.

10. 「-(느)냐」
이 어미 역시 양자택일을 나타낸다.

(1) ㄱ. 용언의 굴곡형태 속에 「-더-」가 나타나<u>느냐</u> 않느냐에 따라 최현
　　　배는 때매김을 두 가지로 나누어서 그것이 나타나지 않는 것을 바
　　　로 때매김이라 하고 나타나는 것을 도로생각 때매김이라 하였다.
　　ㄴ. 노무현<u>이냐</u> 이인제냐로 시끄러웠던 민주당이 이회창의 중요한 한
　　　나라당을 눌렀다는 것이다.
　　ㄷ. 1997년 이회창이<u>냐</u> 이인제냐로 들썩거렸던 한나라당이 김대중 유
　　　일 체제로 숨소리도 들리지 않던 새정치국민회의에 패퇴한 걸 설
　　　명할 길이 없다.
　　ㄹ. 이 꽃이 아름다우<u>냐</u> 저 꼬치 아름다우냐로 서로 다투고 있다.
　　ㅁ. 그가 이기<u>겠느냐</u> 지<u>겠느냐</u> 알아보아라.(보자.)

이 어미는 물음어미나 두 개를 나란히 사용함으로써 선택의 뜻을 나타낸다. 서술어 제약, 주어 제약, 의향법 제약은 있는 것 같지 아니하고 비종결어미는 「-겠-」은 좀 이상하다.

11. 「-으나 -으나」
이 어미는 모든 용언에 다 쓰인다.

(1) ㄱ. 그는 있<u>으나</u> <u>마나한</u> 한 사람이다.

ㄴ. 자나 깨나 불조심.

ㄷ. 추우나 더우나 비가 오나 눈이 오나 피할 곳이 없지 않은가?

ㄹ. 잘 나나 못 나나 남편 밑에서 세상을 모르고 지냈지요.

ㅁ. 앉으나 서나 당신 생각

이 어미는 비종결어미는 쓰일 수 없으나 주어 제약과 의향법 제약은 없다. 이 어미는 문맥에 따라서는 불구의 뜻을 나타내기도 한다.

◆ 나열법

이에는 「-고」, 「-요」, 「고는」, 「-다 -다」, 「-(느)니 -(느)니」, 「-다가 -다가」, 「-고 -고」, 「-다느니 -다느니」, 「-랴 -랴」, 「-어서나 -어서나」 등이 있다. 서술어가 동사일 때와 형용사·지정사일 때, 앞뒤 마디의 차례를 바꿀 수 있는 경우가 있고 바꿀 수 없는 경우가 있다.

1. 「-고」
[1] 동사의 경우
앞뒤의 말의 차례를 바꿀 수 없는 경우

(1) ㄱ. 바람이 불면 떡잎은 서로를 부딪치어 웅얼거리는 소리가 들렸고 그 수런거림 속에, 인기척을 가려내어 애쓰시며 밤잠을 설치셨을 할머니.

ㄴ. 그는 자전거를 타고 학교에 간다. (수단)

ㄷ. 나는 이 책을 읽고 그 사실을 알았다. (완료)

ㄹ. 그는 살고 싶어한다. (희망)

ㅁ. 산 및 뜰 밖 샘터에서 들려오고 있습니다. (진행)

ㅂ. 알들이 샘물 속에 따리를 틀고 조금씩 움직거리는 모습이 참 신비
스럽습니다. (완료)

ㅅ. 시커먼 썬그라스에 카메라를 메고 어정거립니다. (완료, 상태)

ㅇ. 꽃다지들도 급기야는 개구리 성화에 못 이겨 눈을 뜨고 세상 구경
을 나옵니다. (완료, 상태)

ㅈ. 주말마다 친구들과 등산할 때는 출발 전에 30여 분 기다리고 등산
중에 중간중간 휴식을 하다 보면 하산은 언제나 해질녘이었다. (방법)

ㅊ. 가로수 낙엽들이 휘날리는 거리를 두고 곧장 집으로 가기엔 못내
아쉬웠다. (완료, 상황)

ㅋ. 포부를 안고 미국으로 유학 간 이 할 것 없이 다 나름대로 찬스에
도전했다. (소지)

ㅌ. 그 화분을 들고 여의도행 버스를 탔다. (방법)

ㅍ. 외국 나들이를 할 만큼 두둑한 경제력을 갖추고 살지 않아도 통큰
투자를 하는 것이다. (완료, 상태)

ㅎ. 세계사적 맥락에서 본다면 유럽은 쇠퇴하고 그 자리를 한국이 대
신하는 것인지도 모른다. (완료, 결과)

앞뒤 차례를 바꿀 수 있는 경우

(2) ㄱ. 찬바람 일고 귀뚜라미 우는 밤이었다.

ㄴ. 그렇게도 믿고 의지하고 좋아했던 스님께서 세상에 안 계신다는
현실이 믿어지지 않습니다.

ㄷ. 칼이 있어야 썰고, 자르고 다질 수 있다.

ㄹ. 가난을 참고 견딜 수 있다.

ㅁ. 그 동안 이를 악물고 재기를 노리면서 재보궐 선거가 있을 때마다 이삭줍기를 해 한 석 두 석 늘려왔는데….

ㅂ. 야속한 것은 믿고 의지했던 '님'의 배신이다.

ㅅ. 당시에 배달된 인쇄술을 활용해 대주교육을 실시하지 않고 과거와 같은 방식으로 외우고 암송하며 붓글씨 쓰기만을 강조하는 교육 방식을 고집했기 때문이라고 한다.

ㅇ. 어떤 후보가 이 나라를 이끌고 나갈 능력과 자질을 갖추고 있는지를 검증하고 판단할 시간적 여유도 없게 되었다.

ㅈ. 말로는 가장 가깝다고 하면서 양보보다는 사소한 것에도 반목하고 토라지고 함부로 말해 버리는 사이.

ㅊ. 착취, 억압하기 위해서가 아니라 사랑하고 베풀고 고쳐주기 위해서이다.

ㅋ. 누가 이기고 지든 간에 이 한 가지는 명심해야 한다.

[2] 형용사의 경우

앞뒤 차례를 바뀔 수 있는 경우

(1) ㄱ. 제주도에서 관광특구이자 경제특구를 조성하기 위하여 옛 간판을 없애고, 세계화에 맞춰 새로운 간판을 달 것이라는 기사가 신문 한 귀퉁이에 실린 것을 보면서 김판돌 씨는 담배를 꺼내 물었다.

ㄴ. 저 역시 어리석고 욕심 많고 야속함을 잘 타는 사람이었습니다.

ㄷ. 높고 푸른 가을 하늘.

ㄹ. 부끄럽고 죄스러워 어떻게 그런 일을 까버릴 수 있겠는가?

ㅁ. 마을 사람들의 손길이 얼마나 바쁘고 힘겨웠을까?

ㅂ. 높고 험한 산 위에 어떻게 나비가 올라왔을까?

ㅅ. 벨 주한미군사령관은 북한의 이 미사일은 고체연료를 사용해 발사가 신속하고 이동이 쉽다며 사거리 120km인 이 미사일이 서울과 이들 도시를 겨냥한 것이라고 했다.

앞뒤 차례가 바뀔 수 없는 경우

(2) ㄱ. 한국의 안보에 관한 한 차라리 햇볕 만능주의자나 햇볕 적극론자가 솔직하고 판단하기 쉽다.

ㄴ. 미국도 이라크 사태에 얽매여 더 이상 전선을 펼칠 여유가 없고 단지 북한의 핵이 대외적으로 수출되지 않도록 단속하는 선에서 타협할 것이고 중국 역시 북한의 핵을 사실상 용인하며….

ㄷ. 이웃인 양하는 것도 비위에 안 맞았고 텅 빈 상자를 타고 혼자오르내리는 것도 못할 짓이었다.

ㄹ. 베란다에 서서 빈 나뭇가지를 바라보며 마시는 커피도 좋았고 잠 안 오는 밤 달빛을 바다 푸르게 빛나는 모습을 보며 듣는 노래도 좋았다.

ㅁ. 표면은 미끄럽고 곡선의 나이테가 선명해 아름다웠다.

ㅂ. 가슴이 답답하고 숨이 막혀 오는 것을 한여름의 더위 탓만은 아닐 것이다.

이 경우를 분석하여 보면, 앞마디는 서술어가 형용사이고 뒷마디의 서술어는 동사일 때이다.

[3] 지정사의 경우

앞뒤 차례가 바뀔 수 없는 경우

(1) ㄱ. 기다림이란 살아 있음에 대한 증거이고 또한 살아 있어야 한다는
     존재 그 자체이기도 하다.
    ㄴ. 씩씩하고 우렁한 기적소리는 만남의 설레임이었고 당차게 내달리
     는 육중한 질주는 연결의 기약이었다.
    ㄷ. 나는 선생이고 너는 배우는 학생이다.
    ㄹ. 미국도 이라크 사태에 얽매여 더 이상 전선을 펼칠 여유가 없고
     단지 북한의 핵이 대외적으로 수출되지 않도록 단속하는 선에서
     타협할 것이고 중국 역시 북한의 핵을 사실상 용인하며….

앞·뒤 차례가 바뀔 수 있는 경우

(2) ㄱ. 우리에게는 이름조차 낯선 아프칸이고 이라크다.
    ㄴ. 누가 칼이고 누가 도마면 어떠냐?
    ㄷ. 이것은 책이고 저것은 연필이다.
    ㄹ. 노대통령이 혹시 다리 걸기에 성공하면 평화협정 같은 이외의 성
     과를 따낼 터이고 등배지기에 들려 넘어지면 곱빼기로 퍼주기를
     약속해야 할 것이다.
    ㅁ. 저것은 연필이고 이것은 칼이다.

2. 「-요」

이 어미는 지정사에만 쓰일 수 있다.

앞뒤 차례가 바뀔 수 있는 경우

(1) ㄱ. 저것은 승용차요, 이것은 오토바이다.

　　ㄴ. 저 아이는 중학생이요, 이 아이는 초등학생이다.

　　ㄷ. 여기는 서울이요 저기는 부산이다.

　　ㄹ. 이것은 잣이요, 저것은 호두이다.

　　ㅁ. 너는 처녀요 나는 총각이다.

앞뒤 차례가 바뀔 수 없는 경우

(2) ㄱ. 온ㄹ은 3.1절이요, 내일은 일요일이다.

　　ㄴ. 아버지는 훌륭한 학자요, 나는 대학원 학생이다.

　　ㄷ. 오늘은 나의 생일이요, 모레는 너의 생일이다.

　　ㄹ. 3월 5일은 경칩이요, 2일은 춘분이다.

대체적으로 차례대로 말하는 경우는 앞뒤 차례를 바꿀 수 없다.

3. 「고는」
이것은 「-고+는(조사)」로 된 것이다.

(1) ㄱ. 한참 동안 기억을 더듬고는 대꾸했다.

　　ㄴ. 나는 빚을 지고는 부란해 하는 성미이다.

　　ㄷ. 이명박 후보가 지금까지 드러난 의혹을 풀지 않고는 본선에서 매
　　　우 고전할 것이라고 본다.

　　ㄹ. 한 말 술을 먹고는 가도 지고는 못 간다.

ㅁ. 그렇다고는 하나 나는 고단하게 생을 이어가는 나무에 대해 어떤
　　대안도 가지고 있지 않다.

ㅂ. 그가 착하다고는 하지만도 마음씨가 좋지 않다.

ㅅ. 김판돌 씨는 서 주임에게 조심스럽게 인사를 건네고는 윤 실무대리
　　가 이끄는 대로 회의실에 앉았다.

ㅇ. 그는 밥을 먹고는 한 숨 자고 일터로 나갔다.

「-고」에 조사가 올 수 있는 보기를 들면 「-고만」, 「-고도」, 「-공부
터」, 「-고까지」, 「-고야」, 「-고들」, 「-고나」, 「-고나마」 등이 있다.

이외에도 여러 가지 나열법이 있다. 다음 여러 어미 중에는 차례
를 바꿀 수 있는 것도 있고 없는 것도 있다.

4. 「-다 -다」
이 어미 앞에 비종결어미가 없으면 되풀이를 나타내나 비종결어
미가 오면 나열의 뜻을 나타낸다.

(1) ㄱ. 너희가 그 경기에서 이겼다 졌다 하지 말고 바로 이야기 하여라.

　　ㄴ. 이 약이 건강에 좋겠다 안좋겠다고 누가 말하더냐?

　　ㄷ. 너는 가겠다 안 가겠다 하지 말고 단정적으로 말하여라.

　　ㄹ. 우리는 자주 왔다 갔다 하자.

주어 제약과 의향법 제약은 없으나 비종결어미는 「-었-」, 「-겠-」
만이 쓰인다.

5. 「-(느)니 -(느)니」
이것은 모든 용언에 다 쓰인다.

(1) ㄱ. 우리는 유산계급의 자제들과 같이 잘사느니 못사느니 하는 것을
　　　 따지지 말자.
　　ㄴ. 가느니 안 가느니 하지 말아라.
　　ㄷ. 미우니 고우니 하지 말고 잘 지내어라.
　　ㄹ. 먹느니 안 먹느니 하지 말고 어서 먹어라.
　　ㅁ. 너는 왜 가니 안 가니 말썽을 부리느냐?

주어 제약, 의향법 제약은 없다. 동사에는 비종결어미 「-었-」, 「-
겠-」, 「-시-」가 쓰일 수 있다.

(2) ㄱ. 그는 갔느니 안 갔느니 왜 다투느냐?
　　ㄴ. 너는 이것을 하겠느니 안 하겠느니 하지 말고 어서 하도록 하여라.
　　ㄷ. 아버지는 그곳에 가시겠느니, 안 가시겠느니 망설이고 계신다.

6. 「-(았)다가 -(았)다가」
이 어미는 모든 용언에 쓰인다.

(1) ㄱ. 그가 목소리만 듣고 혼자 경치에 앉았다가 섰다가 사방을 두리번
　　　 두리번 보고 있었는데, 근처에 있던 토막 안에서 인기척이 났다.
　　ㄴ. 나는 지난밤에 잠이 오지 않아 누웠다가, 일어났다가 하면서 밤을
　　　 세웠다.
　　ㄷ. 너는 왜 그녀를 믿었다가 안 믿었다가 변덕을 부리느냐?

ㅁ. 일을 하<u>다가</u> 말<u>다가</u> 성의가 없다.

ㅂ. 날씨가 흐렸<u>다가</u> 개였<u>다가</u> 한다.

ㅅ. 김선수는 공격수였<u>다가</u> 방어수였<u>다가</u> 하며 활약이 대단하다.

주어 제약은 없으며 비종결어미는 「-었-」이 쓰인다. 의향법은 서술법과 의문법이 쓰이는 것으로 보인다.

7. 「-고 -고」

이 어미는 모든 용언에 다 쓰인다.

(1) ㄱ. 나는 불효녀, 십 년이<u>고</u>, 이십년이<u>고</u> 내 늙은 엄마를 소뼈다귀 우려듯 우려먹고 싶다.

ㄴ. 좋<u>고</u> 싫<u>고</u> 간에 말을 좀 삼가하여라.

ㄷ. 그는 매일 이곳을 오<u>고</u> 가<u>고</u> 하면서 무엇 하는지 모르겠다.

ㄹ. 아버지는 그곳에 가시<u>고</u> 안 가시<u>고</u> 상관하지 말아라.(말까?)(말자.)

주어 제약, 의향법 제약은 없으나 비종결어미는 쓰일 수 없다.

8. 「-다느니 -다느니」

이 어미는 모든 용언에 다 쓰인다.

(1) ㄱ. 너는 왜 간<u>다느니</u> 안 간<u>다느니</u> 말이 많으냐?

ㄴ. 그는 잘났<u>다느니</u>, 못났<u>다느니</u> 왜 말이 많은가?

ㄷ. 꿈이었<u>다느니</u>, 생시었<u>다느니</u> 분간도 못하고 야단들이다.

ㄹ. 대통령후보를 검증한다면서 경제에 밝<u>다느니</u> 외교에 강하<u>다느니</u>,

법률지식이 풍부하<u>다느니</u> 말을 잘 한<u>다느니</u> 하는 이미지 조사식으로 흐르는 현재의 대통령 후보 검증시스템에는 중대한 구멍이 뚫려 있다고 경고하기 위해서다.

ㅁ. 콩을 심<u>는다드니</u> 팥을 심<u>는다드니</u> 말이 많았다.

ㅂ. 남는 장사를 한<u>다느니</u> 취직을 한<u>다느니</u> 부산을 떨다가 결국 취직을 하였다.

ㅅ. 선생은 서울에 가<u>신다느니</u> 안 가<u>신다느니</u> 하며 말썽을 부렸다.

ㅇ. 나는 이것을 하<u>겠다느니</u> 저것을 하<u>겠다느니</u> 망설였다.

주어 제약은 없으나 비종결어미는 「-리-」를 제외하고는 다 쓰인다. 의향법은 서술법과 의문법이 쓰인다.

9. 「-랴 -랴」
이 어미는 「이다」와 동사에 쓰인다.

(1) ㄱ. 서울이<u>랴</u> 부산이<u>랴</u> 오르내리며 고생하였다.

ㄴ. 떡이<u>랴</u> 밥이<u>랴</u> 음식을 많이 장만하였다.

ㄷ. 일하<u>랴</u> 공부하<u>랴</u> 매우 바쁘다.

이들 예는 『우리말사전』에서 따 왔는데, 이것밖에는 더 찾지 못하였다. 비종결어미는 쓰이지 못한다. 다만 「-시-」는 쓰일 수 있겠다 의향법은 서술법만 가능하다.

10. 「-어서나 -어서나」
이 어미는 다음 예에서 보는 바와 같이 「있다」에 쓰인 것만 나타나서 그대로 예시하겠다.

(1) ㄱ. 한글의 보급은 조선문화의 민중화에 있<u>어서나</u> 필요하다 하겠지만
　　 그보다도 이 한글을 우리 근로계급에 보급시킴으로써….
　 ㄴ. 한글의 연구에 있<u>어서나</u> 보급에 있<u>어서나</u> 남달리 애쓰지 아니하면
　　 되지 않는다.

위에서 설명한 같은 어미가 거듭 쓰일 때는 연발적인 뜻을 나타
내기도 한다.

3. 연결어를 만드는 연결어미

이에 대하여는 지금까지의 뜻이나 구실에 따라 연결어미를 분류
한 데서 모두 다루었으나 여기서 다시 알기 쉽게 보이면 다음과 같
다. 이것을 다루는 방법은 허웅 교수의 '형태론'에 따름을 밝혀둔다.

3.1. 연결어미에 뜻이 없는 것

3.1.1. 완료, 상태

1. 「-어/아」
이 어미는 단독으로는 하나의 음소에 불과하므로 뜻이 없으나 문
장 안에서는 완료, 상태 등의 뜻을 나타내므로 기능상으로는 연결
작용도 한다. 이 어미 뒤에는 의존동사와 의존형용사가 와서 하나

의 서술어를 이룬다.

- -어+있다: 솟아 있다. 앉아 있다. 서 있다. 누워 있다.
- -어+오다: 밀려온다. 끌려오다. 둘려온다. 물어온다.
- -어+가다: 돌아가다. 되어 가다. 져어 간다. 몰려간다.
- -어+보다: 물어 보다. 알아 보다. 안아 보다. 읽어 보다.
- -어+가지다: 물어 가지고 갔다. 사 가지고 왔다. 앉아 가지고 이야기하였다.
- -어+계시다: 앉아 계시다. 누워 계신다. 서 계신다.
- -어+나가다: 속여 나가다. 처리하여 나가다. 일을 하여 나가다.
- -어+버리다: 먹어 버리다. 잃어버리다. 씻어 버리다. 사 버렸다.
- -어+내다: 이겨내다. 참아내다. 견뎌내다. 찾아내다.
- -어+두다: 놓아두다. 가두어두다. 묶어두다. 심어두다.
- -어+놓다: 심어놓다. 말아놓다. 들어놓다. 모아놓다.

3.1.2. 섬김

- -어+주다: 읽어주다. 도와주다. 알아주다. 보아주다.
- -어+드리다: 도와 드리다. 밀어 드리다. 부쳐 드리다. 읽어 드리다.
- -어+바치다: 일러바치다. 고해바치다.
- -어+올리다: 삶아 올리다. 해 올리다. 말씀해 올리다.
- -어+달라: 도와 달라. 와 달라. 알려 달라. 수레를 밀어 달라. 닦아 달라.

3.1.3. 이루어짐

• -어+지다: 병이 나아지다. 잘 살아지다. 먹어지다.

3.1.4. 가능

• -어+지다: 읽어진다. 먹어진다. 써진다. 가진다.

3.1.5. 해보기

• -어+보다: 먹어 보다. 물어 보다. 낚아 보다. 써 보다. 읽어 보다. 입어 보다.

3.1.6. 힘줌

• -어+대다: 불러대다. 웃어대다. 읽어대다. 놀려대다.
• -어+쌓다: 웃어 쌓다. 떠들어 쌓다. 먹어 쌓다. 싸워 쌓다.
• -어+먹다: 속여 먹다. 우려먹다. 팔아먹다. 시켜 먹다.
• -어+터지다: 얻어터지다. 불어터지다. 물러터지다. 식어 터지다.
• -어+치우다: 먹어 치우다. 팔아 치우다. 갈아 치우다.
• -어+떨어지다: 녹아떨어지다. 곯아떨어지다.
• -어+빠지다: 썩어 빠지다. 거슬러 빠지다. 시어 빠지다.
• -어+제끼다: 먹어제끼다. 웃어제끼다. 우겨제끼다.
• -어+제치다/젖히다: 울어 제치다. 싸워 제치다. 대문을 열어 젖히다.
• -어+버릇하다: 써 버릇하다. 자 버릇하다. 먹어 버릇하다.

- −어＋말다: 싫어 말라. 부끄러워 말라. 어려워 말라. 서러워 말라.
- −어＋마지않다: 빌어 마지않다. 바라마지않는다.
- −어＋들다: 빠져들다. 걸려들다. 속아 들다. 몰려들다.
- −어＋넘어가다: 속아 넘어가다.
- −어＋넘기다: 속여 넘기다. 해 넘기다. 우겨 넘기다.
- −어＋보이다: 돈이 있어 보인다. 잘나 보인다. 예뻐 보인다. 추해 보인다.

3.1.7. 지움

1. 「−지」
- −지＋아니하다: 가지 아니하다. 오지 아니하다. 읽지 아니하다. 보지 아니하다.
- −지＋못하다: 읽지 못하다. 쓰지 못하다. 옳지 못하다. 입지 못하다.
- −지＋말다: 자지 말아라. 가지 말자. 먹지 말아라. 쓰지 말자.

2. 「−든/들」
- −든/들＋아니하다: 가든/가지 말자. 먹든/먹들 아니하다. 보들 아니하다. 듣들 아니하다.
- −든/들＋못하다: 먹들 못한다. 가들 못한다. 있들 못한다.
- −든/들＋말라: 가든 말라. 있들 말라. 웃들 말라.

3.1.8. 때

- −고＋있다: 자고 있다. 놀고 있다. 먹고 있다. 책을 읽고 있다.
- −고＋계시다: 놀고 계신다. 주무시고 계신다. TV를 보고 계신다.

◆ -고＋나다: 먹고 나다. 자고 나다. 싸우고 나다. 떠들고 나다.

3.1.9. 바람

◆ -고＋싶다: 보고 싶다. 자고 싶다. 가고 싶다. 들고 싶다.
◆ -고＋싶어한다: 보고 싶어한다. 가고 싶어하다. 자고 싶어하다.
◆ -고＋프다: 가고프다. 자고프다. 있고프다. 먹고프다.
◆ -고＋자하다: 보고 자하다. 먹고 자하다. 가고 자하다.
◆ -고＋지다: 보고 지다. 먹고 지다. 들고 지다. 가고 지다.

3.2. 연결어미에 뜻이 있는 것

3.2.1. 분명한 뜻을 가진 연결어미에 '하다' '들다'가 이어지는 것

◆ -어야＋하다: 먹어야 한다. 있어야 한다. 울어야 한다. 웃어야 한다. 고
  와야 한다. 책이어야 한다.
◆ -으려(고)＋하다: 일 하려(고) 하다. 공부 하려 하다. 누우려 하다.
◆ -고자＋하다: 놀고자 한다. 자고자 한다. 먹고자 한다.
◆ -고곤＋하다: 자주 가곤 한다. 자주 찾아오곤 한다. 늘 공부하곤 한다.
  자고 먹고 한다.
◆ -움직＋하다: 먹음직하다. 공부함직하다. 여기 있음직하다.
◆ -고＋들다: 좌고 들다. 치고 든다. 쑤시고 든다.
◆ -으려＋들다: 먹으려 들다. 찾으려 들다. 여기 있으려 든다.
◆ -으러＋들다: 공부하러 들다. 일하러 든다. 노래하러 든다.
◆ -으려(고)＋들다: 공부하려(고) 든다. 노력하려(고) 든다.

3.2.2. 힘줌을 나타내는 것.

여기서는 두 말이 겹쳐서 힘줌을 나타낸다.

1. 「-고」
• 넓고 넓은 바닷가에 오막살이 집한 채
• 멀고 먼 천리 길
• 물이 너무 차고 차서 세수를 못하겠다.
• 길고 긴 한강수는 끊임없이 흐른다.
• 귀엽고 귀여운 어린이

2. 「-으나」
• 머나 먼 남쪽 하늘 아래 그리운 고향
• 기나 긴 겨울
• 좁으나 좁은 골방
• 매우나 매운 북풍

3. 「-디」
• 차디 찬 바람
• 쓰디 쓴 고통
• 넓디 넓은 들판
• 깊디 깊은 물속

4. 「-기야」
• 하기야 하겠느냐?

- 먹기야 하겠느냐?
- 싸우기야 싸우겠느냐마는….

3.3. 되풀이되는 연결어미에 '하다'가 이어짐

- –까 –까: 갈까 말까 한다.
- –다 –다: 왔다 갔다 한다.
- –니 –니: 한문이니 영문이니 하는 것은 배울 틈도 없다.
- –겠다 –겠다: 가겠다 안 가겠다 하지 말고 갔다 오너라.
- –느니 –느니: 가느니 안 가느니 하지 말고 다녀오너라.
- –다가 –다가: 앉았다가 섰다가 하지 말고 가만히 앉아 있거라.
- –랴 –랴: 공부하랴 일하랴 하니 정신이 없다.
- –고 –고: 가고오고 하면서 무엇을 하느냐?
- –거나 –거나: 길이 멀거나 험하거나 하면 가지 말아라.
- –든지 –든지: 가든지 오든지 하면서 세월만 보낸다.
- –든 –든: 집에 있든 말든 하면서 시간만 보낸다.
- –다든가 –다든가: 어떤 사태의 실현이 바람직하다든가 적절하다든가 하
  는 의미를 나타내는 것이 있다.
- –나 –나: 그런 연설은 하나 마나 하다.
- –락 –락: 갈매기는 오락가락 한다. 정신이 오락가락 한다.
- –거니 –거니: 앞서거니 뒤서거니 하면 우리는 길을 갔다.
- –든가 –든가: 먹든가 말든가 마음대로 하여라.
- –을까 –을까: 공부를 할까 말까 한다.

제**3**장

맺음말

지금까지 다뤄 온 연결어미의 분류는 참으로 어려운 일이었는데, 하나의 어미가 구문에 따라 몇 가지로 뜻이 다르게 나타나는 경우가 만하 그에 따라 나누기도 하였고 분류하기도 하였는데, 실제 문장에서 보면 뜻으로 나누어야 할 경우도 있고 구실에 따라 나누어야 할 경우도 있기 때문이다.

(1) ㄱ. 꽃이 아름답<u>게</u> 피어 있는 공원에 놀<u>러</u> 갔었다.

　　 ㄴ. 꽃이 너무 아름다<u>워서</u> 나는 발걸음을 멈추고 <u>서</u> 있었다.

(1ㄱ)의 「-게-」는 뜻으로는 확정상태로 보아지며 구실로는 「피어 있는」을 꾸미고 있다. 또 「놀러」의 「-러-」는 뜻으로는 목적을 나타내나 구실로는 「갔었다」를 꾸미는 것으로 보아야 한다. (1ㄴ)의 「-워서」는 문맥적 뜻으로는 까닭을 나타내나 구실로는 "나는 발걸음을 멈추고"를 꾸미는 것으로 보아진다. 그리고 「-서-」는 「있었다」를 꾸미는데 뜻으로는 '완료'로 보아진다. 여기에서 「-게-」, 「-어서」,

「-어」 또는 「-고」는 뜻으로 나누는 것이 좋을까 구실로 나누는 것이 좋을까 상당히 망설여지는 경우이다. 허웅 교수가 「-고」를 '맞섬·벌임법'으로 본 것은 분명히 구실에 의한 분류법이지 뜻에 의한 분류법은 아니다. 따라서 뜻으로 나눌 경우는 뜻으로 나누되, 구실로 나누어야 할 경우는 구실에 따라 나누어야 할 것으로 생각된다.

따라서 지금까지 나눈 연결어미를 요약하여 보이면 다음과 같다.

1. [딸림] 앞 절이 뒷 절에 대해 종속성이 강한 것

1.1. 종결절에 대하여 구속력이 강한 연결어미

1.1.1. 반드시 종결절을 구속하는 연결어미

- 이유법: 「-거늘」, 「-건대」, 「-기로」, 「-기로서니」, 「-기로선들」, 「-기에」, 「-길래」, 「-는다니까」, 「-는다니」, 「-는지라」, 「-니까」, 「-을니라치면」, 「-자라서면」, 「-어서/아서」, 「-매」, 「-므로」, 「-을려기에」, 「-은즉」, 「-을새」, 「-을지니」
- 가정법: 「-거든」, 「-노라면」, 「-는다면(은)」, 「-더라면」, 「-더라손」, 「-던들」, 「-더라도」, 「-라면」, 「-으면」, 「-서라면」, 「-을것같으면」, 「-서라면」, 「-을것같으면」, 「-을진대」, 「-을라치면」, 「-자면」
- 필요법: 「-어야/아야」, 「-어야만/아야만」, 「-러야/라야」, 「-러야만/라야만」, 「-어야지/라야지」, 「-어야지만/러야지만」, 「-을지니」, 「-고서야」, 「-어서야/라서야」
- 비교법: 「-거든」, 「-느니」, 「-듯이」, 「-으리만큼」, 「-다시피」

- 의도법: 「-겠다고」, 「-고자/고저」, 「-는답시고」, 「-(으)러」, 「-(으)러」,
  「-었으면」, 「-어야겠다고」, 「-(으)려」, 「-을려고」, 「-을려고」,
  「-을라/을래야」, 「-을라고」, 「-을려니」, 「-을래도」,
  「-을려면」, 「-을려다가」, 「-을려도」, 「-으려야/을려야」,
  「-자고/자고도」, 「-자니/자니까」, 「-자며」, 「-자면서(도)」,
  「-으리라」, 「-으려는데」

1.1.2. 뒤집음으로 종결문장을 요구하는 연결어미

- 양보법: 「-으나마」, 「-는다마는」, 「-는다면서도」, 「-는다손」,
  「-눈댔자」, 「-는들」, 「-는다지만」, 「-더라도」, 「-라도」,
  「-라지만」, 「-래도」, 「-런들」, 「-던들」, 「-련만」,
  「-을지나」, 「-을지언정」, 「-읍니다마는」, 「-어도/-아도」,
  「-어서라도」, 「-(이)라도」, 「-은들」
- 불구법: 「-거니와」, 「-건만/건마는」, 「-게나마/나마」, 「-으나」,
  「-지마는/지만」, 「-고서도」, 「-고서라도」, 「-기로서니」,
  「-는데도」 「-(었)으면서도」, 「-아서도」, 「-(었)으나」,
  「-었지만」, 「-을지언정」, 「-을지라도」, 「-을망정」,
  「-으나따나」

1.2. 자유스럽게 쓰이는 연결어미

여기서의 뜻은 연결어미 뒤에 오는 종결절의 내용이 어미에 구애
되지 않고 다소 유동적인 내용이 와도 좋다는 뜻이다.

- 설명법: 「-나니」, 「-으나마나」, 「-노니」, 「-노라고」, 「-노라니」,
  「-는다며」, 「-는다고」, 「-는다는데」, 「-는다니」, 「-는대서」,
  「-는대서야」, 「-는데」, 「-느라」, 「-느라고」, 「-는바」,
  「-니」, 「-다면서」, 「-라」, 「-면서(도)」, 「-었다고」,
  「-었다는데」, 「-었다니」, 「-었대서」, 「-기로서니」,
  「-을작시면」, 「-라며」, 「-노라고」, 「-구나」,
  「-는다더니/라더니」, 「-더라고」, 「-더니」, 「-고라도」,
  「-고만」, 「-고서/-고선」, 「-고서야」, 「-는다」, 「-는다고도」,
  「-다보면」, 「-을시」, 「-으려더니」, 「-어지고」,
  「-지도/지는/지만」, 「-을지나」, 「-는지」, 「-거니와」,
  「-으려니와」
- 중단법: 「-다가」, 「-다가는」, 「-다가도」
- 지정법: 「-라고」, 「-이라」, 「-라고만」, 「-라고도」
- 겸함법: 「-으려니와」
- 습관법: 「-곤」
- 명령법: 「-으라고」, 「-으라는데」, 「-으라면서/-으라며」, 「-라면」,
  「-으라지」
- 추정의문법: 「-기야」, 「-(었)을까」, 「-었던가」, 「-으리라고」,
  「-을까말까」, 「-을지」, 「-으련마는」, 「-는지」, 「-려니」,
  「-을러니」, 「-으려는지」, 「-는지도」, 「-을는지」, 「-는가」,
  「-을라」, 「-을세라」
- 완료수식법: 「-게」, 「-게까지」, 「-게끔」, 「-게도」, 「-게만」, 「-구려」,
  「-어/러」, 「-리/이」, 「-스레」, 「-아서」, 「-애」, 「-어다」
- 경고법: 「-다고는」
- 반복법: 「-락 -락」, 「-거니 -거니」, 「-다 -다」, 「-고 -고」,

「-으나 -으나」

- 첨가법: 「-을뿐만아니라」, 「-을뿐더러」, 「-라고도」, 「-는데다가」,
  「-는데다」, 「-는가」, 「-고도」, 「-고서도」

- 더해감법: 「-을수록」

- 미침법: 「-도록」

- 연발법: 「-자」, 「-자마자」

- 조건법: 「-거들랑」, 「-되」, 「-려거든」, 「-거든」, 「-을진대」,
  「-어서는」, 「-어야」, 「-어야지/아야지」,
  「-어야지만/아야지만」

2. [맞섬] 앞 말이 뒷 말에 대하여 독립성이 강한 것

- 선택법: 「-거나」, 「-든지 -든지」, 「-(았)든가」, 「-건지」,
  「-는다든가」, 「-는다든지」, 「-는다거나」, 「-어서건」,
  「-는다거나」, 「-으나」, 「-(느)냐」, 「-으나 -으나」

- 나열법: 「-고」, 「-요」, 「고는」, 「-다 -다」, 「-(느)니 -(느)니」,
  「-(았)다가 -(았)다가」, 「-고 -고」, 「-다느니 -다느니」,
  「-랴 -랴」, 「-어서나 -어서나」

3. 연결어를 만드는 어미

3.1. 연결어미에 뜻이 없는 것

① 완료, 상태

「-어/야」: -어+있다, -어+오다, -어+가다, -어+보다, -어+가지다, -어+계시다, -어+나가다, -어+버리다, -어+내다, -어+두다, -어+놓다

② 섬김

-어+주다, -어+드리다, -어+바치다, -어+올리다, -어+달다

③ 이루어짐

-어+지다

④ 가능

-어+지다

⑤ 해보기

-어+보다

⑥ 힘줌

-어+대다, -어+쌓다, -어+먹다, -어+터지다, -어+치우다, -어+떨어지다, -어+빠지다, -어+제끼다, -어+제치다/젖히다, -어+버릇하다, -어+말다, -어+마지, -어+들다, -어+넘어가다, -어+넘기다, -어+

보이다

⑦ 지음

「-지」: -지+아니하다, -지+못하다, -지+말다

「-든/들」: -든/들+아니하다, -든/들+못하다, -든/들+말라

⑧ 때

-고+있다, -고+계시다, -고+나다

⑨ 바람

-고+싶다, -고+싶어하다, -고+프다, -고+자하다, -고+지다

3.2. 연결어미에 뜻이 있는 것

① 분명한 뜻을 가진 연결어미에 '하다' '들다'가 이어지는 것

-어야+하다, -으려(고)+하다, -고자+하다, -고/곤+하다, -움직+하다, -고+들다, -으려+들다, -으러+들다, -으려(고)+들다

② 힘줌을 나타내는 것

-고, -으나, -디, -기야

3.3. 되풀이되는 연결어미에 '하다'가 이어짐

-까 -까, -다 -다, -니 -니, -겠다 -겠다, -느니 -느니, -다가 -다가, -랴 -랴, -고 -고, -거나 -거나, -든지 -든지, -든 -든, -다든가 -다든

가, -나 -나, -락 -락, -거니 -거니, -든가 -든가, -을까 -을까

끝으로 덧붙여야 할 말은, 통계에 의하면 어미에 조사가 붙는 경우가 많은데 이것을 조사로 다루어야 하나 그저 어미로 다루어 전체적으로 '어미+조사'를 어미로 다루어야 하느냐는 문제인데, 어떤 경우는 어미로 다룬 데도 있고 그렇지 않은 경우도 있다. 격조사는 어미로 보기 어려우나 보조조사는 어미로 볼 만한 경우가 있음도 종종 발견하게 된다. 이상으로 연결어미의 분류를 마치나, 애매하게 된 데도 없지 아니하다. 앞으로 더 연구하여 완벽한 연결어미의 분류가 되도록 하여야 할 것으로 생각한다.

참고문헌

김승곤(1978), 「연결형 어미 '고'에 대하여」, 건대 『학술지』 21집, 49~62쪽.

김승곤(1978), 「상태지속 연결어미 '아'에 대하여」, 『눈뫼 허웅 박사환갑 기념논문집』, 109~125쪽.

김승곤(1978), 「연결어미 '-니까', '-아서', '-므로'」, 건대 『인문과학』 11집, 35-51쪽.

김승곤(1979), 「가정형에서 '면'과 '거든'에 대하여」, 건대 『인문과학』 12집, 27~42쪽.

김승곤(1979), 「선택형어미 '거나'와 '든지'의 화용론」, 연대어학당 『말』 4집, 9~28쪽.

김승곤(1980), 「연결형 어미 '니까'와 '아서'의 화용론 재고」, 『난저 남공 우박사환갑기념 논총』, 155~170쪽.

김승곤(1981), 「한국어의 연결형어미 '건대'와 '거늘' '기에'라 '는지라'의 화용론」, 건대 『학술지』 25집, 21~34쪽.

김승곤(1981), 「한국어 연결형어미의 의미분석연구」, 한글학회 60돌 기념특집(『한글』 제173, 174호 어우름), 35~64쪽.

김승곤(1984), 「한국어 이음씨끝의 의미 및 통어 기능연구」, 『한글』 186호, 3~33쪽.

김승곤(1986), 「이음씨끝 '-게'와 '-도록'의 의미와 통어기능」, 『국어학신 연구』(약천 기민수 교수 환갑기념), 237~2474쪽.

김승곤(1989), 「국어의 이음씨끝 '-아서'의 의미 및 통어기능」, 『백석 조
　　　문제박사 정년 기념논문집』, 3~14쪽.

김승곤(1995), 「'우리말본'의 씨끝바꿈에 대하여」, 『한희샘 주시경 연구』
　　　7~8집, 209~232쪽.

김승곤(1999), 『현대국어통어론』, 박이정.

김승곤(2003), 『현대표준말본』, 한국문화사.

정인승(1957), 『표준 고등말본』, 신구문화사.

최현배(1983), 『우리말본』, 정음사.

허웅(1995), 『20세기 우리말의 형태론』, 샘문화사.

益岡降志 외 3인(2004), 『文法』, (日本)東京: 岩波書店.

한길 김승곤 전집

국어 의향법 연구

나랏말ᄊᆞ미
異ᅵ잉ᄒᆞᆼᄍᆞᆼᄉᆞᆼ미
異ᅵ잉ᄒᆞᆼᄍᆞᆼ中듕國귁에달아
後ᅵ훃中듕國귁에달아
文문字ᄍᆞᆼ와로서르ᄉᆞᄆᆞᆺ디
아니ᄒᆞᆯᄊᆡ
이런젼ᄎᆞ로어린百ᅵᆨ姓셩이
니르고져호ᇙ배이셔도
ᄆᆞᄎᆞᆷ내제ᄠᅳ들시러펴디
몯ᄒᆞᇙ노미하니라

국어의 향법 연구

김승곤 지음

글모아출판

머리말

　『국어 연결어미 연구』에 이어 의향법에 관하여서도 한번 통계를
내고 사전에서 조사해 보고 싶은 심정에서, 한글학회 지음『우리말
사전』에서 일일이 조사하고, 또 신문이나 다른 글에서 통계를 냄은
물론 글쓴이의 고향 사투리에서 쓰이는 종결어미 등을 다 모아 보
니, 그 수는 참으로 많았다. 특히 지금까지 문법에서 다루어 왔던
'반말'에는 「-어-/-아-」, 「-지」의 두 가지가 있다고 하였으나 통계
에 나타난 것을 보면 그 수는 너무도 많았음을 알게 되었다. '말이란
시대에 따라 그렇게 변화 발전하는구나' 하는 생각이 들었다. 그뿐
만 아니라 이들 여러 어미 중에는 비종결어미 「-었-/-았-」, 「-겠-」,
「-시-」는 물론 이들의 복합형과도 같이 쓰이는 것이 많아, 실제로
그 수는 놀랄 만큼 많음을 알았다. 그래서 부족하지만 한 권의 책자
로나마 간행하기로 마음을 먹고, 글모아출판사 사장님께 말씀 드렸
더니 흔쾌히 승낙하여 주셔서 뜻한 바 소원을 이룰 수 있어, 기쁘기
한이 없다. 이 자리를 빌어서 양정섭 이사와 편집자 님께 고맙다는
말씀을 드린다. 하나 덧붙이고 싶은 것은 의향법 어미 하나하나에
대한 의미 설명을 하지 못한 것이 못내 아쉽다.

2018년 6월

지은이 김승곤

차례

머리말 ⎯⎯⎯⎯ 4

제1장 서론 ⎯⎯⎯⎯ 9

1. 의향법이란? ⎯⎯⎯⎯⎯⎯⎯⎯⎯⎯⎯⎯⎯⎯⎯⎯⎯⎯⎯ 10
2. 국어의 의향법 ⎯⎯⎯⎯⎯⎯⎯⎯⎯⎯⎯⎯⎯⎯⎯⎯⎯ 11

제2장 각 의향법에 따른 대우법 ⎯⎯⎯⎯ 13

1. 평서법의 대우법 ⎯⎯⎯⎯⎯⎯⎯⎯⎯⎯⎯⎯⎯⎯⎯⎯ 14
  1.1. 평서법의 극존칭 ⎯⎯⎯⎯⎯⎯⎯⎯⎯⎯⎯⎯⎯⎯ 14
    1.1.1. 말할이의 소원(기원)을 나타내는 '합쇼체'의 어미 ⎯⎯ 15
    1.1.2. 아룀(전달, 보고)을 나타내는 '합쇼체'의 어미 ⎯⎯ 17
    1.1.3. 권유의 뜻을 나타내는 '합쇼체'의 어미 ⎯⎯ 29
    1.1.4. 의도의 뜻을 나타내는 '합쇼체'의 어미 ⎯⎯ 30
  1.2. 평서법의 보통존칭 ⎯⎯⎯⎯⎯⎯⎯⎯⎯⎯⎯⎯⎯ 32
    1.2.1. 의도를 나타내는 '하오체'의 어미 ⎯⎯ 32
    1.2.2. 느낌을 나타내는 '하오체'의 어미 ⎯⎯ 35
    1.2.3. 서술을 나타내는 '하오체'의 어미 ⎯⎯ 37
  1.3. 평서법의 보통비칭 ⎯⎯⎯⎯⎯⎯⎯⎯⎯⎯⎯⎯⎯ 43
    1.3.1. 의도를 나타내는 '하게체'의 어미 ⎯⎯ 43
    1.3.2. 서술을 나타내는 '하게체'의 어미 ⎯⎯ 45

1.3.3. 추측의 뜻을 나타내는 '하게체'의 어미 ____ 49

1.3.4. 느낌의 뜻을 나타내는 '하게체'의 어미 ____ 52

1.4. 평서법의 반말 ·· 54

1.4.1. 서술의 뜻을 나타내는 '해체' 어미 ____ 55

1.4.2. 물음을 나타내는 '해체' 어미 ____ 64

1.4.3. 감탄의 뜻을 나타내는 '해체'의 어미 ____ 68

1.4.4. 추측의 뜻을 나타내는 '해체'의 어미 ____ 70

1.4.5. 시킴의 뜻을 나타내는 '해체'의 어미 ____ 71

1.5. 평서법의 극비칭 ·· 73

1.5.1. 서술의 뜻을 나타내는 '해라체'의 어미 ____ 74

1.5.2. 감탄의 뜻을 나타내는 '해라체'의 어미 ____ 82

1.5.3. 추측의 뜻을 나타내는 '해라체'의 어미 ____ 91

1.5.4. 의사의 뜻을 나타내는 '해라체'의 어미 ____ 96

1.5.5. 망설임과 염려의 뜻을 나타내는 '해라체'의 어미 ____ 100

1.5.6. 가능의 뜻을 나타내는 '해라체'의 어미 ____ 102

1.5.7. 다짐(확인), 강도의 뜻을 나타내는 '해라체'의 어미 ____ 103

1.5.8. 당연, 주장의 뜻을 나타내는 '해라체'의 어미 ____ 106

1.5.9. 약속의 뜻을 나타내는 '해라체'의 어미 ____ 108

2. 의문법의 대우법 ·· 109

2.1. 의문법의 극존칭 ·· 109

2.1.1. 말할이가 상대 어른에게 답을 요구하는 '합쇼체'의 어미 ____ 109

2.1.2. 말할이가 상대 어른의 뜻을 묻는 '합쇼체'의 어미 ____ 120

2.2. 의문법의 보통존칭 ·· 123

2.2.1. 상대방의 대답을 요구하는 어미 ____ 124

2.2.2. 상대방의 의사를 물어 보는 물음어미 ____ 127

2.3. 의문법의 보통비칭 ·· 130

2.3.1. 상대방의 답을 요구하는 어미 ____ 130

2.3.2. 상대방의 의사를 묻는 어미 ____ 137

2.4. 의문법의 반말 ·· 140

2.4.1. 상대방의 답을 요구하는 어미 ____ 140

2.4.2. 상대방의 의사를 묻는 어미 ____ 149

2.5. 의문법의 극비칭 ·· 151

2.5.1. 상대방의 답을 요구하는 어미 ____ 151

2.5.2. 상대방의 의사를 묻는 어미 ____ 173

3. 명령법의 대우법 ·· 180

　　3.1. 명령법의 극존칭 ·· 180

　　3.2. 명령법의 보통존칭 ·· 184

　　3.3. 명령법의 보통비칭 ·· 188

　　3.4. 명령법의 반말 ··· 190

　　3.5. 명령법의 극비칭 ·· 191

4. 권유법의 대우법 ··· 198

　　4.1. 권유법의 극존칭 ·· 198

　　4.2. 권유법의 보통존칭 ·· 200

　　4.3. 권유법의 보통비칭 ·· 201

　　4.4. 권유법의 반말 ··· 202

　　4.5. 권유법의 극비칭 ·· 203

제**3**장 맺는 말 205

부록: 국어의 대우법 207

1. 머리말 ··· 208

2. 선학님들의 대우법 ··· 210

　　2.1. 최현배 선생의 말대접 풀이 ······································ 210

　　　　2.1.1. 극비칭(해라) ____ 210

　　　　2.1.2. 보통비칭(하게) ____ 210

　　　　2.1.3. 보통존칭(하오) ____ 211

　　　　2.1.4. 극존칭(합쇼) ____ 211

　　2.2. 허웅 선생의 대우법 풀이 ··· 212

　　　　2.2.1. 서술법 ____ 212

3. 국어의 대우법 ··· 214

　　3.1. 형태적 방법에 의한 대우법 ······································ 215

　　　　3.1.1. 합쇼체 ____ 215

　　　　3.1.2. 삼가체 ____ 216

3.1.3. 해요체 ____ 217

3.1.4. 하오체 ____ 217

3.1.5. 하게체 ____ 218

3.1.6. 해라체 ____ 218

3.1.7. 해체 ____ 219

3.2. 통어적 방법에 의한 대우법 ·· 219

3.3. 어휘적 방법에 의한 대우법 ·· 222

3.3.1. 주체높임법 ____ 222

3.3.2. 객체높임법 ____ 223

3.3.3. 겸양법 ____ 223

4. 맺음말 ··· 226

참고문헌 _____ 229

제1장

서론

1. 의향법이란?

예스퍼슨의 『문법의 철학』에 따르면 서법을 사실법(fact-mood), 생각법(Thought-mood), 의지법(will-mood)이라 부르기도 한다. 그러나 Sweet가 말하고 있듯이 그것들은 "주어와 술어 간의 상이한 관계를 표현하는 것"은 아니다. 법의 선택이 실제 화자의 태도에 의해서 결정되는 것이 아니라, 절 그 자체의 성격과 그 절이 존속되어 있는 주절(main nexus)에 대한 관계에 의하여 결정되는 경우가 가끔 있지만, 그것들이 문단 내용에 대하여 화자가 갖는 어떤 심적 태도를 표시한다고 말하는 것이 훨씬 더 옳다. 나아가서 이와 같은 마음의 태도가 동사의 형태에 나타날 경우에만 '법'이라고 말한다는 것을 기억하는 것이 매우 중요하다. 그래서 통사적 범주이지 개념적 범주는 아니다.[1] 이와 같은 이론을 바탕으로 하여 허웅 교수는 서법

---

1) 예스퍼슨, 이석무·이한묵 공역(1987), 『문법철학』, 한신문화사, 424쪽 참조.

을 의향법이란 학술용어로 나타낸 것이다.

2. 국어의 의향법

국어의 의향법에는 평서법, 의문법, 명령법, 권유법의 넷이 있다. 이들 네 법에는 말할이의 들을이에 대한 신분 관계에 따라 몇 가지 대우법으로 나누게 되는데 이를 밝혀 보면 다음과 같다.

우리가 집이나 사회에서 어른을 대하여 말을 할 때는 아주 높여서 말하고 형이나 선배에게는 예사 높여서 말을 하며, 후배나 친구끼리는 예사 낮추어서 말하고 아랫사람에게는 아주 낮추어서 말을 하는데, 이런 어법을 대우법이라 한다. 옛날부터 어른들은 대우법을 우리말로 말대접이라 불러 왔기 때문에 여기서도 그렇게 부르기로 한 것이다. 대우법에는 집안에서 쓰는 집안어법과 사회에서 남남끼리 하는 남남어법의 두 가지가 있지만, 편의상 이들을 하나의 체계로 세워 다루기로 한다. 집안에서나 사회에서 어른을 높이어 공경스레하는 어법을 공경말이라 하고, 처질부, 처질녀, 고종의 며느리 등에 대하여 삼가는 어법을 삼가말이라고 하며 사회에서 성근 사람끼리 하는 어법을 성근말이라고 한다. 그리고 형제나 선·후배 사이, 부부 사이, 손아래 사람에 대하여 하는 어법은 말대접할 사람에 따라 예사 높여서 하는 어법과 예사 낮추어서 하는 어법과 아주 낮추어서 하는 어법 그리고 반어법 등이 있는데 이들 어법을 친근 말이라 한다.

이를 표로 보이면 다음과 같다.

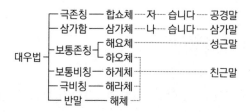

제**2**장

각 의향법에 따른 대우법

1. 평서법의 대우법

평서법은 말할이가 들을이에 대하여 자기가 하고 싶은 말을 해 버리는데 그치는 용언의 활용의 한 가지인데 들을이에 대한 말대접의 등분이 크게 일곱 가지로 나누임은 앞에서 설명하였다.

1.1. 평서법의 극존칭

평서법은 말할이가 들을이에 대하여 하고 싶은 말을 베풀어 말하는 의향법의 한 가지인데 말할이가 하는 말의 뜻에 따라 다음 몇 가지로 나눌 수 있다.

첫째, 말할이의 소원(기원)을 나타낸다.
둘째, 어른께 어떤 사실을 알리는 뜻을 나타낸다.
셋째, 권유하는 뜻을 나타낸다.

넷째, 말할이의 의사를 나타낸다.

이 '합쇼체'는 할아버지, 할머니, 큰할아버지, 큰할머니, 작은할아버지, 작은할머니, 아버지, 어머니, 큰아버지, 큰어머니, 작은아버지, 작은어머니나 아저씨, 고모아저씨, 이모아저씨 등 집안의 어른에 대하여 쓴다. 또 스승이나 사회의 웃어른께 대하여 쓰는 어법이다.

1.1.1. 말할이의 소원(기원)을 나타내는 '합쇼체'의 어미

1. 「-나이다」
이 어미는 존칭 중에서도 극존칭으로 글말, 특히 편지글이나 신이나 지위가 아주 높은 어른께 말을 할 때 쓰인다. 이 어미가 소원(기원)의 뜻으로 쓰일 때는 그 대상은 '신'이나 '하느님'이 된다. 이때는 비종결어미는 쓰일 수 없고 비는 주체는 말할이 자신이다.

(1) ㄱ. 비나이다. 비나이다. 신령님께 비나이다.
ㄴ. 비옵나이다. 비옵나이다. 하느님께 비옵나이다.

'비옵나이다'는 '비나이다'보다 더 간절하고 정중함은 물론이다.

2. 「-옵니이다/-옵니다」
이 어미에 의한 소원(기원)의 대상은 '신'이나 '하느님'임은 물론이요, 소원을 비는 이는 말할이 자신이다. 앞의 「-나이다」와 함께 비종결어미는 쓰일 수 없다. 소원을 나타내기 때문이다.

(1) ㄱ. 비옵니이다. 비옵니이다. 신령님께 비옵니이다.

　　ㄴ. 비옵니다. 비옵니다. 신령님께 비옵니다.

3. 「-(사)오이다」

이 어미는 아룀의 뜻도 나타내지만, 동사 '믿다', '바라다' 등에 쓰일 때는 소원(기원)을 나타낸다.

(1) ㄱ. 저희들은 하느님만 믿사오이다.

　　ㄴ. 신령님께 도와주시기를 바라오이다.

　　ㄷ. 하느님께 소원하오이다.

위와 같은 문장에서는 비종결어미는 쓰일 수 없다.

4. 「-(사)옵나이다」

이 어미도 '믿다', '바라다', '소원하다', '기원하다' 등의 동사에 쓰이면 소원(기원)을 나타낸다.

(1) ㄱ. 하나님만 믿사옵나이다.

　　ㄴ. 하나님, 도와주시옵기 바라옵나이다.

5. 「-겠습니다」

「-겠나이다」 어미들도 「-겠-」 때문에 '믿다'와 같이 쓰이면 소원을 나타낸다.

(1) ㄱ. 하나님만 믿겠습니다.

ㄴ. 하나님만 믿겠나이다.

이와 같이 「-자옵나이다/-자옵니다」도 소원을 나타낸다.

(2) ㄱ. 하나님만 믿자옵나이다.
　　ㄴ. 하나니만 믿자옵니다.

1.1.2. 아룀(전달, 보고)을 나타내는 '합쇼체'의 어미

이에는 「-는답니다/-ㄴ답니다」, 「-답니다」, 「-답디다」, 「-더니이다」, 「-더이다」, 「-더랍니다」, 「-랍니다」, 「-랍디다」, 「-러이다」, 「-옵니이다/-옵니다」, 「-ㅂ니다」, 「-옵디다」, 「-ㅂ디다」, 「-사옵니다」, 「-사오이다」, 「-사옵디다」, 「-습니다」, 「-습디다」, 「-올시다」, 「-올습니다」, 「-자옵나이다」, 「-자옵니다」, 「-자옵디다」 등이 있다.

1. 「-는답니다/-ㄴ답니다」
이 어미는 「-는(ㄴ)다 합니다」가 줄어서 된 것인데, 오늘날 하나의 어미로 쓰이고 있다. 이 어미는 과거에 남에게서 들은 말을 어른께 말하여 전하거나 어떤 느낌을 들은 대로 어른에게 베풀어 말할 때 쓰인다. 이 어미에는 비종결어미 「-었-/-았-」, 「-겠-」, 「-시-」 등이 쓰일 수 있다.

(1) ㄱ. 그는 요즈음 약을 잘 먹는답니다.
　　ㄴ. 올해는 이 밭에 감자를 심겠답니다.

ㄷ. 서울에는 벌써 눈이 많이 왔답니다.

ㄹ. 선생님은 내일 서울 가신답니다.

ㅁ. 이것이 보물이랍니다.

비종결어미 「-었-/-았-」과 「-겠-」이 쓰이면 「-는답니다」의 「-는/-ㄴ」은 줄어들며, 「-이다」에 쓰일 때는 「-랍니다」로 됨은 (1ㅁ)에서 보아 알 수 있다.

2. 「-는(ㄴ)답디다」

이 어미는 「-는다 합디다」가 줄어서 된 것으로 과거에 들은 말을 현재에 어른에게 베풀어 말할 때 쓰인다. 비종결어미 「-었-/-았-」, 「-겠-」과 같이 쓰이면 「-었(았)답디다」, 「-겠답디다」로 되고 「-이다」에 쓰이면 「-이랍디다」로 된다.

(1) ㄱ. 철수는 미국에서 잘 있답디다.

ㄴ. 그는 서울 집을 팔았답디다.

ㄷ. 철이는 방학이라 미국에서 벌써 돌아왔답디다.

ㄹ. 할아버지는 미국에 가신답디다.

ㅁ. 그는 곧 백만장자가 되겠답디다.

ㅂ. 철수가 영희는 의사랍디다.

(1ㅂ)의 「-랍디다」에는 「-었-/-았-」, 「-겠-」은 쓰일 수 없다.

3. 「-더니이다/-더이다」

「-더니이다」는 「-더이다」의 예스러운 말이라고 『우리말 사전』에서 설명하고 있다. 이 어미는 지난 사실을 돌이켜 생각하여 정중하게 또는 예스럽게 말할 때 쓰인다.

(1) ㄱ. 철이는 미국에서 잘 산다고 하더니이다.(하더이다.)

ㄴ. 참아, 그 참사에 대한 이야기를 들 수 없더이다.(없더니이다.)

ㄷ. 그 새가 "뇌오리"라는 새이더이다.(새이더니이다.)

ㄹ. 그는 일을 잘 하겠더이다.

ㅁ. 그 일은 이미 끝났더이다.(끝났더니이다.)

ㅂ. 아버지께서 서울에 가셨더이다.

ㅅ. 어른신은 잘 계시더이다.(계시더니이다.)

ㅇ. 그에 따르면 그것은 보물이었겠더이다.(보물이었겠더니이다.)

ㅈ. 그 일은 이미 끝났겠더이다.(끝났겠더니이다.)

「-더니이다/-더이다」는 「-리-」를 제외한 「-었-/-았-」, 「-겠-」, 「-시-」 등을 취할 수 있고 모든 서술어에 쓰이며 「-었겠-」과 같은 이 중 비종결어미도 취할 수 있다.

4. 「-더랍니다」
이 어미는 「-더라 합니다」가 줄어서 된 것으로 과거에 들은 사실을 현재에 어른에게 아뢸 때 쓰인다.

(1) ㄱ. 영희가 미국으로 가더랍니다.

ㄴ. 철수가 공항에서 영미를 만났더랍니다.

ㄷ. 시합에서 영희가 이기겠더랍니다.

ㄹ. 숙이가 아주 착하더랍니다.

ㅁ. 그때는 경기가 참 좋았더랍니다.

ㅂ. 미국의 경기도 좋겠더랍니다.

ㅅ. 그이는 지난날 부자였더랍니다.

ㅇ. 그녀는 장차 예쁜 신부이겠더랍니다.

이 어미는 모든 서술어에 다 쓰일 수 있고 비종결어미도 제약 없이 쓰인다.

5. 「-더랍디다」

이 어미는 「-더라 합디다」가 줄어서 된 것인데, 여기에는 「-더-」와 「-다-」가 두 개 겹쳐 있음이 특이하다. 앞의 「-더-」는 말할이가 전에 그의 상대로부터 들은 사실을 회상하여 말함을 나타내고 뒤의 「-다-」는 지금 말하는 사람이 어른께 과거에 들은 사실을 회상하여 직접 말함을 나타낸다. 이 어미는 비종결어미를 다 취할 수 있고 모든 서술어에 다 쓰일 수 있다.

(1) ㄱ. 그가 집에 있었더랍디다.

ㄴ. 그는 벌써 떠나고 없었더랍디다.

ㄷ. 그 어른은 훌륭한 학자였겠더랍디다.

ㄹ. 저 기사는 고장난 기계를 잘 수리하겠더랍디다.

ㅁ. 그 모임이 참으로 좋았더랍디다.

6. 「-랍디다」

이 어미는 동사에 오면 권유가 되는데, 아룀의 뜻으로는 「-이다/아니다」에 쓰일 때만 가능하다.

(1) ㄱ. 이것이 보석이랍니다.

ㄴ. 이것은 명저가 아니랍니다.

ㄷ. 10월 9일은 한글날로 국경일이랍니다.

ㄹ. 한글날은 국경일이라도 공휴일이 아니랍니다.

7. 「-랍디다」

이것은 「-라 합디다」가 줄어서 된 것으로 동사와 형용사에 쓰이면 「-라」는 명령법이 되고 「-디-」는 「-더-」의 어미화해 가는 형태이다. 이 어미는 「-시랍디다」로는 가능하다.

(1) ㄱ. 그는 학자랍디다.

ㄴ. 이것은 삼국유사의 진본이 아니랍디다.

ㄷ. 철수는 영희 더러 점잖하랍디다.

ㄹ. 철이는 영수를 보고 열심히 일하랍디다.

ㅁ. 할아버지께서 어서 오시랍디다.

8. 「-러이다」

이것은 「-이다/아니다」의 어간에만 쓰이는데 아마 「-이더이다」, 「아니더이다」의 「-더-」가 어간 「이-」 「니-」 밑에서 「이러이다」, 「아니러이다」와 같이 「-러-」로 바뀌게 된 것으로 보인다. 비종결어미는 「-시-」만이 쓰이는데, 이때는 「-이시러이다」의 꼴로 된다.

(1) ㄱ. 그는 천하의 명공이러이다.

ㄴ. 그녀는 그리 예쁜 미인은 아니러이다.

ㄷ. 저 사람은 천하의 사기꾼이러이다.

ㄹ. 그는 훌륭한 학자가 아니러이다.

ㅁ. 할아버지는 이름 있는 애국자이시러이다.

ㅂ. 이곳은 유명한 싸움터이러이다.

9. 「-옵니이다」

이 어미는 모든 서술어의 어간에 다 쓰일 수 있다. 비종결어미는 「-시-」만이 쓰일 수 있다.

(1) ㄱ. 저는 이제 집으로 가옵니이다.

ㄴ. 할아버지는 미국으로 여행 가시옵니이다.

ㄷ. 아버지는 편안히 잘 계시옵니이다.

ㄹ. 이곳은 모두 잘 지내옵니이다.

ㅁ. 저희들은 잘 지내옵니이다.

ㅂ. 영희는 책을 읽으옵니이다.

10. 「-옵니다」

이 어미는 「-옵-」에 「니이다」가 줄어서 된 것이다. 「-옵니이다」가 더 공손하고 정중함은 물론이다. 이 어미에는 비종결어미 「-시-」만이 쓰일 수 있고 모든 서술어의 어간에 다 쓰일 수 있다.

(1) ㄱ. 이것이 보석이옵니다.

ㄴ. 선생님이 가시옵니다.

ㄷ. 날마다 좋은 말씀만 들으옵니다.

ㄹ. 전문 서적을 열심히 읽으옵니다.

ㅁ. 저는 선생님만 믿으옵니다.

11. 「-옵디다」

이 어미는 「-옵-」에 「-더이가」가 줄어서 된 것으로 받침 없는 어간에 붙어 극존칭의 종결어미로 쓰인다.

(1) ㄱ. 할아버지는 누어 계시옵디다.

　　ㄴ. 선생님은 잘 가르치시옵디다.

　　ㄷ. 그것은 사실이옵디다.

　　ㄹ. 그것은 사실이 아니옵디다.

　　ㅁ. 그 꽃나무는 키가 너무 크옵디다.

이 어미에는 비종결어미 「-시-」만이 쓰일 수 있다.

12. 「-읍(ㅂ)니다」

이 어미 중 「-읍니다」는 받침 있는 어간 다음에 쓰이고 「-ㅂ니다」는 받침 없는 어간 다음에 쓰인다. 비종결어미는 「-시-」가 쓰일 수 있고 주어 제약은 없다.

(1) ㄱ. 이것은 책입니다.

　　ㄴ. 아버지는 건강하십니다.

　　ㄷ. 저 학생이 참으로 착합니다.

　　ㄹ. 이곳은 산속이라 아주 조용합니다.

　　ㅁ. 글월을 받자오니 참으로 기쁩니다.

13. 「-ㅂ디다」

받침 없는 어간에 붙어 합쇼할 자리에 말할이가 보았거나 들었거

나 겪은 사실을 베풀어 말할 때 쓰이는 종결어미로서, 비종결어미
는 「-시-」만이 쓰일 수 있다.

(1) ㄱ. 철수는 그 일에 대하여 모른다고 합디다.

ㄴ. 그곳은 선거인데도 매우 조용합디다.

ㄷ. 할아버지께서는 잘 계십디다.

ㄹ. 거기는 참 좋은 곳입디다.

ㅁ. 철수는 키가 매우 큽디다.

14. 「-사옵니다」

이 어미는 「-사옵-」에 「-니이다」가 합하여 줄어진 것으로 비종
결어미는 「-었-/았-」, 「-겠-」만이 쓰이고 「-시-」는 쓰일 수 없다.
동사와 형용사의 받침이 'ㄷ, ㅅ, ㅆ, ㅈ, ㅊ, ㅌ, ㅍ, ㅎ'일 때 쓰인다.
그리고 「-사옵-」은 「-삽-」으로 줄여 쓰이는 일도 있다.

(1) ㄱ. 아이는 밥을 먹었사옵고 어른은 죽을 드셨사옵니다.

ㄴ. 일은 잘 되었삽고 그들은 조용히 돌아갔사옵니다.

ㄷ. 이번 일은 잘 되겠사옵고 앞날이 밝을 것 같사옵니다.

ㄹ. 할아버지는 잘 계셨사옵니다.

ㅁ. 그때 우리는 좋은 일도 잦았사옵고 집안도 차차 정리되어 갔사옵
니다.

15. 「-사오이다」

이것은 「-삽-」의 변이형태로 받침 있는 동사나 형용사에 쓰이며
비종결어미는 「-사-」를 제외하고 다 쓰일 수 있으며 동사에 따라

기원을 나타낼 수 있으나 아룀의 뜻으로 쓰이는 일이 많다.

(1) ㄱ. 저희는 잘 있사오이다.
　　ㄴ. 영희는 작년에 결혼을 하였사오이다.
　　ㄷ. 일이 잘 되었사오이다.
　　ㄹ. 그는 일찍 미국으로 이민을 갔사오이다.
　　ㅁ. 동수는 부자가 되었사오이다.

16. 「-사옵디다」
이 어미도 「-사옵니다」와 같이 동사와 형용사의 받침이 'ㄱ, ㄷ, ㅂ, ㅅ, ㅆ, ㅈ, ㅊ, ㅌ, ㅍ, ㅎ'일 때 쓰이는데 「-사옵-」에 「-더이다」가 합하여 줄어서 된 것이다. 비종결어미는 「-었-/았-」, 「-겠-」만이 쓰일 수 있다.

(1) ㄱ. 그들은 일을 잘 처리하겠사옵디다.
　　ㄴ. 그들은 무난히 시험에 통과하였사옵디다.
　　ㄷ. 영희는 너무 기동이를 믿사옵디다.
　　ㄹ. 철수는 생고기를 지나치게 많이 먹사옵디다.
　　ㅁ. 거기는 기후가 좋사옵디다.

이 어미는 「-디-」가 있기 때문에 과거에 경험한 것을 들은이에게 회고하여 말할 때 쓰이는 합쇼체임은 물론이다.

17. 「-습니다」
이 어미는 전에 「-읍니다」와 「-습니다」를 통합하여 하나로 통일한 것으로 극존칭의 서술형 종결어미이다.

(1) ㄱ. 철수는 기분이 좋습니다.

　　ㄴ. 우리는 점심을 먹습니다.

　　ㄷ. 백두산은 높습니다.

　　ㄹ. 우리는 열심히 일하였습니다.

　　ㅁ. 비가 오겠습니다.

이 어미 바로 앞에는 비종결어미 「-시」는 쓰일 수 없다. 그러나 「-시었-」, 「-시겠-」 등으로는 쓰일 수 있다.

(2) ㄱ. 할아버지께서 가시었습니다.

　　ㄴ. 아버지는 건강하시겠습니다.

　　ㄷ. 그는 돈을 많이 벌었겠습니다.

18. 「-습디다」

이 어미는 받침 있는 각 어간이나 「-었-/았-」, 「-겠-」 다음에 붙어 과거에 경험한 것을 베풀어 말할 때 쓰인다. 그 바로 앞에 「-시-」는 쓰일 수 없지만, 「-시었-」, 「-시겠-」 등과 같이는 쓰일 수 있다.

(1) ㄱ. 철수는 이미 떠났습디다.

　　ㄴ. 영희는 입시에 합격하였겠습디다.

　　ㄷ. 우리 축구팀이 이기겠습디다.

　　ㄹ. 그는 벌써 미국에 도착하였습디다.

19. 「-올시다」

이 어미는 「-이다/아니다」의 어간에 붙어 쓰이는 극존칭의 서술형 종결어미로서 그 앞에 비종결어미는 쓰일 수 없다.

(1) ㄱ. 이것은 보석이올시다.

ㄴ. 저것은 소중한 책이올시다.

ㄷ. 우리 아버지는 대통이올시다.

이 어미를 다시 「-올습니다」로 하여 쓰는 사람이 있다. 방언적인 것으로 볼 수 있겠다.

(2) ㄱ. 좋은 책이올습니다.

ㄴ. 이것이 보석이올습니다.

ㄷ. 우리 아버지는 대통령이올습니다.

20. 「-자옵나이다」

이 어미는 「-잡-」과 「-자오-」가 뒤섞여 된 말로서 어간의 받침이 'ㄷ, ㅈ, ㅊ' 등이고 파열자음으로 시작되는 연결어미 앞에 쓰이기도 하나 「-나이다/-니다」의 앞에 쓰이어 종결어미가 된다. 비종결어미는 쓰이지 못한다.

(1) ㄱ. 고향 소식을 자주 듣자옵나이다.

ㄴ. 그는 자주 이곳을 찾자옵나이다.

ㄷ. 우리는 그를 가끔 쫓자옵나이다.

21. 「-자옵니다」

이 어미 역시 앞의 「-자옵나이다」와 같은 조건하에 쓰인다.

(1) ㄱ. 고향 소식을 자주 듣자옵니다.

ㄴ. 그는 자주 이곳을 찾자옵니다.

ㄷ. 저희는 자주 아버지의 글월을 받자옵니다.

이 어미 앞에는 비종결어미는 쓰일 수 없다.

22. 「-자옵디다」

이 어미는 「-잡-」과 「-자오」가 뒤섞이고 거기에 「-디다」가 합하여 이루어진 것으로 과거에 경험한 것을 들은이에게 전하는 종결어미이다. 비종결어미는 물론 쓰일 수 없다.

(1) ㄱ. 영희는 자주 고향 소식을 듣자옵디다.

ㄴ. 철수는 자기 고향을 자주 찾자옵디다.

23. 「-로소이다」

이 어미는 「-올시다」의 예스러운 말로 더 정중한 뜻을 띠는 말이다.

(1) ㄱ. 창세 전부터 아버지께서 나를 사랑한 것이로소이다.

ㄴ. 만천하 독자시여, 나는 무영탑의 작가가 아니로소이다.

ㄷ. 나는 왕이로소이다.

ㄹ. 당신은 우리의 구세주로소이다.

이 어미는 「-이다」, 「아니다」에 쓰이며 비종결어미는 쓰이지 않는 듯하며 주어는 제약이 없는 듯하다.

1.1.3. 권유의 뜻을 나타내는 '합쇼체'의 어미

이에는 「-으랍니다」, 「-랍니다」 등이 있다.

1. 「-으랍니다」
이 어미는 「-으라 합니다」가 줄어서 된 것으로 서술어의 어간이 폐음절일 경우에 쓰이면서 동사나 자제 가능한 형용사에 쓰이면 명령법이 된다. 이 어미는 「-이다」, 「아니다」에는 쓰일 수 없다. 뜻이 달라지기 때문이다.

(1) ㄱ. 선생님이 이것을 받으랍니다.
　　ㄴ. 아버지가 이 책을 읽으랍니다.
　　ㄷ. 할아버지가 이 선물을 받으랍니다.

비종결어미 「-었-/-았-」, 「-겠-」은 쓰일 수 없다.

2. 「-랍니다」
이 어미는 「-라 합니다」가 줄어서 된 것이다. 이 어미는 개음절 어간 밑에 쓰인다.

(1) ㄱ. 그는 철수를 서울에 가랍니다.
　　ㄴ. 철수는 영희에게 착하랍니다.

ㄷ. 공부를 열심히 하랍니다.

(1ㄱ)의 '가랍니다'를 분석하면 '가라 합니다'로 되고 (1ㄴ)의 '착하랍니다'는 '착하라 합니다'가 되며 (1ㄹ)의 '하랍니다'는 '하라 합니다'가 되는데, 「-라」는 명령법이 되고 '합니다'는 '말하다'가 되므로 전체적으로는 권유의 뜻이 된다. 그리고 이 어미에는 비종결어미는 쓰일 수 없다.

1.1.4. 의도의 뜻을 나타내는 '합쇼체'의 어미

이에는 「-(으)렵니다」, 「-겠사옵니다」, 「-겠사오이다」, 「-겠습니다」 등이 있다.

1. 「-으렵니다/-렵니다」
「-으렵니다」는 개음절에 쓰이고 「-렵니다」는 폐음절에 쓰인다.

(1) ㄱ. 저는 서울로 가렵니다.
ㄴ. 저는 그녀를 믿으렵니다.
ㄷ. 서울로 이사하렵니다.

이 어미는 「-려 합니다」가 줄어서 된 것으로 「-려」가 의도를 나타내고 '합니다'는 보고하면서 일종의 의도도 내포되어 있다. 비종결어미는 쓰일 수 없다.

2. 「-겠사옵니다」

이 어미가 의도(의사)를 나타내는 것은 「-겠-」 때문이다. 주어는
사람의 명사일 때이다.

(1) ㄱ. 저는 이만 물러가겠사옵니다.

ㄴ. 저는 이 책을 읽겠사옵니다.

ㄷ. 오늘은 이만 그치겠사옵니다.

3. 「-겠사오이다」

이 어미도 앞의 어미와 같이 「-겠-」 때문에 의도(의사)를 나타내
게 되는 것이다. 주어는 사람의 명사일 때이다.

(1) ㄱ. 오늘은 여기에서 머물겠사오이다.

ㄴ. 제가 하겠사오이다.

ㄷ. 그녀를 사랑하겠사오이다.

4. 「-겠습니다」

이 어미도 앞의 어미와 같이 「-겠-」 때문에 말할이의 의도(의사)
를 나타내게 된다.

(1) ㄱ. 저는 이만 가겠습니다.

ㄴ. 이것을 선물로 드리겠습니다.

ㄷ. 저는 학교에서 공부하겠습니다.

1.2. 평서법의 보통존칭

보통존칭을 형, 선배, 처형, 처제 등에 대하여 하는 어법으로 다음 세 가지 뜻으로 쓰인다.

1.2.1. 의도를 나타내는 '하오체'의 어미

이에는 「-려오」, 「-으리다」, 「-ㅂ죠」, 「-겠습지오/-겠습죠」, 「-겠소」, 「-지요」, 「-겠사오이다」 등이 있다. 만일 「-겠-」을 붙인다면 더 있을 수 있으나 여기서는 이 정도만 다루기로 한다.

1. 「-(으)려오」
이 어미는 「-려 하오」가 줄어서 된 것으로 비종결어미는 쓰일 수 없다.

(1) ㄱ. 나는 떡국을 먹으려오.
ㄴ. 나는 부처님을 믿으려오.
ㄷ. 나는 영국으로 떠나려오.

이 어미는 물음의 뜻으로도 쓰일 수 있다.

(2) ㄱ. 당신도 가시려오?
ㄴ. 무슨 일을 하려오?
ㄷ. 같이 가시려오?

위의 (1)에서 보면 주어는 2~3인칭은 불가능하다. 왜냐하면 이 어미는 의도를 나타내기 때문이다. (2)에서 보면 주어가 2인칭이 되니까 물음의 뜻을 나타낸다.

2. 「-(으)리다」

이 어미는 1인칭의 의도를 나타낸다. 따라서 비종결어미는 쓰일 수 없다.

(1) ㄱ. 나도 같이 가리다.
　　ㄴ. 나는 여기서 일하리다.
　　ㄷ. 제가 솔직하게 말하리다.
　　ㄹ. 저도 열심히 해 보리다.

이 어미가 2인칭과 3인칭의 주어에 쓰일 때는 추측을 나타낸다.

(1) ㄱ. 내일이면 그가 오리다.
　　ㄴ. 단풍이 들면 아름다우리다.
　　ㄷ. 그는 착한 학생이리다.

3. 「-ㅂ죠」

이 어미는 「-ㅂ지요」의 준말인데 받침 아래에서는 「으」를 필요로 하나 대개 「-습지요」로 잘 쓰인다. 주어가 1인칭일 때에 의지를 나타낸다. 따라서 비종결어미 「-었-/-았-」이 쓰이면 서술이 되고 1인칭 주어에는 「-시-」는 쓰일 수 없다.

(1) ㄱ. 이 일은 제가 합죠.

　　ㄴ. 제가 맡아 합죠.

　　ㄷ. 이것은 제가 먹습죠.

이 어미가 쓰인 문장에서 주어가 2인칭이나 3인칭이 되면 서술을 나타낸다.

4. 「-겠소」

이 어미는 의지를 나타내는 비종결어미 「-겠-」과 종결어미 「-소」가 합하여 된 것으로 엄밀히 말하면 어미 바꿈의 종결어미는 아니지만 의지를 나타내므로 여기에서 다루기로 한다.

(1) ㄱ. 이 일은 내가 하겠소.

　　ㄴ. 나는 내일 서울에 가겠소.

　　ㄷ. 오늘, 나는 집에서 쉬겠소.

「-소」는 서술의 뜻으로는 「-쇠다=소이다」의 형식으로 쓰이나 「-겠-」을 취할 때는 「-겠소이다」로는 쓰이나 「-겠쇠다」로는 쓰이지 않는다.

(2) ㄱ. 나는 가겠소다.

　　ㄴ. 나는 내일 미국으로 떠나겠소이다.

　　ㄷ. 나는 여기서 공부하겠소이다.

　　ㄹ. 나는 밥을 먹소.

5. 「-지요」

이 어미는 1인칭 주어의 서술어미로 쓰일 때는 문맥에 따라 의지를 나타내기도 하고 서술을 나타내기도 한다. 여기서는 의지를 나타내는 보기만 들기로 한다. 비종결어미는 쓰일 수 없다.

(1) ㄱ. 나도 같이 가지요.

　　 ㄴ. 나는 여기서 머물지요.

　　 ㄷ. 나는 이 주막에서 한잔 하지요.

이 어미는 「-지」에 높임의 특수조사 「-요」가 덧붙어 된 것이다.

1.2.2. 느낌을 나타내는 '하오체'의 어미

이에는 「-구려」, 「구료」, 「-라오」 등이 있다.

1. 「-구려/-구료」

이 어미는 느낌이나 깨달음을 나타내는 종결어미로 현재를 나타내는 동사에 쓰일 때는 「-는구려」로 쓰인다. 비종결어미를 취할 수 있고 주어 제약은 없다.

(1) ㄱ. 비가 오는구려.

　　 ㄴ. 당신도 가시겠구려.

　　 ㄷ. 나도 기분 좋구려.

　　 ㄹ. 벌써 가을이구려.

　　 ㅁ. 싸구려, 싸구려 울릉도 호박씨이야!

ㅂ. 이 옷이 싸구료.

ㅅ. 단풍이 참으로 아름답구료

2. 「-라오」

이 어미는 「-라 하오」가 줄어서 된 것으로 「-이다/아니다」의 어간에 붙어 간곡하거나 감탄스러움을 나타내는데, 비종결어미는 쓰일 수 없다.

(1) ㄱ. 이곳은 참으로 살기 좋은 곳이라오.

ㄴ. 그의 말로는 이것이 제일 좋은 것이라오.

ㄷ. 여기가 살기 좋은 내 고향이라오.

ㄹ. 이번 일은 그렇게 놀랄 일이 아니라오.

ㅁ. 이 일은 그의 잘못이 아니라오.

3. 「-고요」

이 어미는 동사, 형용사에 쓰이어 느낌을 나타낸다.

(1) ㄱ. 너냥 나냥 둘이둥실 놀고요, 낮이 낮이나 밤이 밤이나 참사랑이로구나.

ㄴ. 기분이 좋고 말고요.

ㄷ. 나도 같이 놀고 말고요.

ㄹ. 한우산도 아름답고요, 자굴산도 아름답고 말고요.

1.2.3. 서술을 나타내는 '하오체'의 어미

이에는 「-고요」, 「-다오/-라오」, 「-는대요/-ㄴ대요」, 「-소이다」, 「-오이다」, 「-소」, 「-습죠/-ㅂ죠」, 「-어요/-아요」, 「-요」, 「-오」, 「-예요」, 「-지요」 등이 있다.

1. 「-고요」

이 어미는 「-고」에 높임의 특수조사 「-요」가 합하여 된 것으로 위에서 본 바와 같이 「-고요」 단독으로도 쓰이나 종결어미 「-(는)다」 뒤에 쓰이어 단정의 뜻을 나타낸다. 비종결어미는 쓰일 수 없고 서술어 제약은 없다.

(1) ㄱ. 이곳에는 봄이 벌써 왔다고요.
    ㄴ. 그대는 착하다고요.
    ㄷ. 이것이 신라의 금관이라고요.
    ㄹ. 이 길이 험하다고요.
    ㅁ. 그는 매일 아침 우유를 마신다고요.

위 보기의 말들은 좋은 어투는 아니지만 요즈음 입말에서 쓰이고 있는데, 이런 말은 앞으로 삼가야 할 것이다. 「-이다/아니다」에 쓰이면 「-라고요」로 된다.

2. 「-다오/-라오」

「-다오」는 「-다 하오」가 줄어서 된 것이요, 「-라오」는 「-라 하오」가 풀어서 된 것이다. 「-다오」는 동사와 형용사에 쓰이고 「-라오」

는 「-이다/아니다」에 쓰인다. 비종결어미도 쓰일 수 있다.

(1) ㄱ. 당신은 참으로 아름답다오.

ㄴ. 나는 어제 그의 편지를 받았다오.

ㄷ. 그는 어제 미국으로 갔다오.

ㄹ. 내일은 비가 오겠다오.

ㅁ. 그는 그때 학생이었다오.

ㅂ. 그이는 장사가 아니라오.

3. 「-다오/-ㄴ다오/-는다오」

「-다오」는 형용사에 쓰이고 「-ㄴ다오/-는다오」는 동사에 쓰인다. 앞의 「-다오」는 동사의 경우 비종결어미가 올 때 쓰이고 「-라오」는 「-이다/아니다」에 쓰이나 여기의 「-다오」는 현재의 형용사에, 「-ㄴ다오/-는다오」는 현재의 동사에 쓰이는 점이 다르다.

(1) ㄱ. 아버지는 서울 가신다오.

ㄴ. 거기는 지금 비가 온다오.

ㄷ. 그대는 참으로 아름답다오.

ㄹ. 당신은 일을 잘 한다오.

ㅁ. 나는 내일 미국으로 떠난다오.

(1ㄱ~ㅁ)에서 보면 주어 제약은 없음을 알 수 있다.

4. 「-대요/-ㄴ대요/-는대요/-래요」

「-대요」는 「-다해요」가 줄어서 된 것이요. 「-ㄴ대요/-는대요」는

「-는(ㄴ)다 해요」가 줄어서 된 것이다. 「-대요」는 형용사에, 「-ㄴ대요/-는대요」는 받침의 유무에 따라 동사에 쓰인다. 「-래요」는 「라 해요」가 줄어서 된 것으로 「-이다/아니다」에 쓰인다. 「-대요」와 「-ㄴ대요/-느내요」에는 비종결어미 「-었-/-았-」, 「-겠-」이 쓰일 수 있는데 그때는 어미가 모두 「-대요」로만 된다.

「-래요」에는 비종결어미는 쓰이지 못한다.

(1) ㄱ. 이것이 운석이래요.

　　ㄴ. 그는 대학생이 아니래요.

　　ㄷ. 금강산이 아름답대요.

　　ㄹ. 그는 공부를 잘 한 대요.

　　ㅁ. 그는 벌써 도시락을 먹었대요.

　　ㅂ. 철수는 오늘 상을 받는대요.

　　ㅅ. 철민이는 시험에 합격하였대요.

5. 「-소이다」

사전에 따르면, 이 어미는 "「-사오이다」의 준말로서 좀 가볍게 쓰는 서술형 종결어미"라고 설명되어 있다. 그러므로 극존칭은 아니다.

(1) ㄱ. 나는 책을 읽소이다.

　　ㄴ. 그대는 잘 왔소이다.

　　ㄷ. 이 책은 재미있소이다.

　　ㄹ. 이 옷은 좀 작소이다.

　　ㅁ. 그는 훌륭한 학자였소이다.

ㅂ. 나는 이만 가겠소이다.

이 어미는 비종결어미 「-었-/-았-」, 「-겠-」을 취할 수 있음은 위의 예로 보면 알 것이다.

6. 「-오이다」
사전에서 보면 이 어미는 「-옵니다」보다 좀 예스러운 말로 풀이 되어 있다. 줄여서 「-외다」로도 쓰인다.

(1) ㄱ. 참으로 감사하오이다.
    ㄴ. 이것이 보석이외다.
    ㄷ. 그는 씩씩하오이다.
    ㄹ. 그대는 참으로 좋은 분이오이다.
    ㅁ. 나는 이만 가오이다.

7. 「-소/-오」
이 어미 중 「-소」는 동사와 형용사의 폐음절 밑에 쓰이고 「-오」 는 개음절 밑에 쓰이는데, 폐음절 밑에 쓰이면 「-으오」가 된다. 그 런데 「-소」는 남쪽 지방에서 많이 쓰이는 것 같고 「-오」는 중부 지방에서 주로 쓰는 것 같다.

(1) ㄱ. 나는 당신만 믿소.
    ㄴ. 어제는 비가 많이 왔소.
    ㄷ. 나는 돈이 없소.
    ㄹ. 나는 이만 가오.

ㅁ. 밖에는 눈이 오오.

ㅂ. 차차 날씨가 맑으오.(맑소.)

「-소」와 「-오」는 「-겠-」을 취하면 의사를 나타내고 그렇지 않고서는 서술 이외에 물음과 권유의 뜻으로도 쓰인다. 이 어미 「-소」는 비종결어미를 취할 수 있으며 주어 제약은 없다.

(2) ㄱ. 그는 어제 갔소.

　　 ㄴ. 하늘이 맑았소.

　　 ㄷ. 비가 오겠소.

　　 ㄹ. 당신은 착하오.

　　 ㅁ. 당신은 공부를 참 잘 하오.

8. 「-습죠/-습지요」

「-습죠」는 「-습지요」의 준말이고 「-습지요」는 받침 있는 각 어간에 붙어 서술을 나타낸다. 문맥에 따라서는 물음을 나타내는데, 이 경우는 '의문법조'를 참조하기 바란다.

(1) ㄱ. 다들 잘 있습지요.

　　 ㄴ. 나는 작년에 서울에 갔습지요.

　　 ㄷ. 철이는 너무나 마음이 밝습지요.

　　 ㄹ. 이것이 책이었습죠.

　　 ㅁ. 당신은 나의 둘도 없는 벗이었습지요.

　　 ㅂ. 그대는 나를 믿습죠.

이 어미 「-습지요」는 「-지요」보다는 좀 더 높임의 뜻이 있다.

9. 「-어여/-아요/-요」

이 어미는 반말의 어미 「-어-/-아」에 높임의 특수조사 「-요」가 와서 된 것으로 서술이나 물음, 시킴, 권유 등을 나타내나 여기서는 서술의 뜻으로 쓰이는 보기만 들기로 한다. 「-시-」, 「-었-/-았-」, 「-겠-」 등을 취할 수 있다. 「-겠-」을 취하면 의도나 추측을 나타내게 된다. 「-요」는 개음절 밑에 쓰인다.

(1) ㄱ. 나는 벌써 점심을 먹었어요.

ㄴ. 그는 아까 갔어요.

ㄷ. 서울에는 어제 비가 왔어요.

ㄹ. 당신은 학창시절에 공부를 열심히 하였어요.

ㅁ. 나는 내일 학교에 가겠어요. (의사)

ㅂ. 모래는 비가 많이 오겠어요. (추측)

ㅅ. 철수는 여기 있어요.

ㅇ. 날씨가 맑아요.

ㅈ. 나는 가요.

ㅊ. 잘 놀아요.

(1ㅊ, ㅋ)과 같은 표현은 서울에서 어린이에게 대하여 어른들이 친밀하게 또는 귀엽게 쓰는 어법인데, 일반적으로 「-어요/-아요」는 성근말로서 어른이 젊은이에게 쓰는 어법이다. 그러므로 젊은이나 자녀들이 부모나 어른에 대하여 하는 어법은 아니니 주의하여야 한다.

10. 「-지요」

이 어미는 앞의 '의도부'에서 다루었는데, 여기서는 서술의 경우를 다름에 유의하기 바란다. 비종결어미를 취할 수 있고 주어 제약은 없다. 서술어도 제약 없이 쓰인다. 이에 의한 어법도 집안의 어른이나 사회의 어른에 대하여는 써서 안 되고, 다만 자기와 대등한 사람이나 어른이 젊은이에 대하여 하는 어법이다.

(1) ㄱ. 가을에는 단풍이 들어 참으로 아름답지요.
ㄴ. 세상살이가 다 그런 법이지요.
ㄷ. 그는 한 달에 삼백만 원을 받지요.
ㄹ. 선생님은 이미 떠나셨지요.
ㅁ. 당신은 참으로 아름다웠지요.

1.3. 평서법의 보통비칭

이 어법은 형이 아우에게 선배가 후배에게 대하여 하는 어법으로 '의도', '서술', '추측', '약속', '권유', '느낌' 등의 뜻으로 쓰인다.

1.3.1. 의도를 나타내는 '하게체'의 어미

이에는 「-겠네」, 「(으)려네」, 「-으리」 등이 있다.

1. 「-겠네」

이 어미는 「-겠(의도)」에 서술의 「-네」가 합하여 된 것으로 엄밀하게 말하면 활용의 본래의 형태는 아니다.

(1) ㄱ. 나는 여기서 일을 하겠네.

　　ㄴ. 나는 내년에 미국에서 공부하겠네.

　　ㄷ. 우리는 정의를 위하여 싸우겠네.

이때는 주어가 1인칭일 때이고 비종결어미는 쓰일 수 없다. 서술어는 동사에 한한다.

2. 「-으려네」

이것은 「-으려 하네」가 줄어서 된 것으로 비종결어미는 「-시-」만이 가능하다.

(1) ㄱ. 나는 내일 유럽에 가려네.

　　ㄴ. 그도 내일 서울 가려네.

　　ㄷ. 내일 비가 오려네.

　　ㄹ. 아버지는 내일 서울 가시려네.

의도를 나타내는 경우, 주어가 3인칭일 때는 어쩌면 추측으로도 보이나 의도로 보아 크게 잘못은 없을 것 같아 같이 다루었다.

3. 「-으리」

이 어미가 의사를 나타낼 때는 주어는 1인칭이어야 하고 그 이외의 경우는 느낌이나 추측의 뜻을 나타낸다.

(1) ㄱ. 나는 그를 믿으리.

　　ㄴ. 다시는 그런 짓은 하지 않으리.

ㄷ. 나는 그의 은혜를 잊지 않으리.

이 어미에는 비종결어미는 쓰이지 않는다.

1.3.2. 서술을 나타내는 '하게체'의 어미

이에는 「-네」, 「-는다네」, 「-더니」, 「-데」, 「-을세」, 「-라네」, 「-로세」, 「-이」, 「-으니」 등의 어미가 있다.

1. 「-네」
이 어미에는 비종결어미가 올 수 있고 주어 제약은 없다.

(1) ㄱ. 나는 여기서 일하네.
　　ㄴ. 자네는 좋은 일을 많이 하였네.
　　ㄷ. 할아버지는 자주 놀러 가시네.
　　ㄹ. 영미는 매일 열심히 공부하고 있네.

2. 「-는다네」
이 어미는 「-는다 하네」가 줄어서 된 것으로 비종결어미는 「-시-」만이 쓰인다. 형용사에 쓰일 때는 「-다네」로 되고 주어 제약은 없다. 이 어미는 서술, 정다움 또는 방관적인 태도를 나타낸다.

(1) ㄱ. 나는 여기서 일을 하고 산다네.
　　ㄴ. 자네는 언제나 착하기만 하다네.
　　ㄷ. 이것이 보석이라네.

ㄹ. 선생님은 내일 출장 가신다네.

ㅁ. 그는 어제 미국으로 떠났다네

ㅂ. 10월 말쯤 돌아오겠다네.

「-는다네」 앞에 비종결어미 「-시-」, 「-었-/-았-」, 「-겠-」이 오
면 「-는」은 없어지고 「-다네」만이 쓰이는데 그 까닭은 「-었-/-았-」,
「-겠-」과 때매김이 맞지 않은 것과 발음상의 이유 때문이다. 주어
와 서술어 제약은 없다.

(1) ㄱ. 나는 여기서 산다네.

ㄴ. 정이월 다가면 삼월이라네.

ㄷ. 선생님은 내일 출장 가신다네.

ㄹ. 자네는 착하기만 하다네.

3. 「-더니」

이 어미는 어간에 붙어 과거에 경험한 사실을 돌이켜 일러주는
종결어미로 비종결어미는 쓰일 수 있다. 주어 중 1인칭은 잘 쓰이지
못하는데, 그것은 「-더-」 때문이다.

(1) ㄱ. 자네는 건강하더니.

ㄴ. 그는 매일 일만 하더니.

ㄷ. 낮에는 비가 오겠더니.

ㄹ. 선생님은 유럽에 가시더니.

ㅁ. 전에는 이 연못에서 고기가 잘 낚이더니.

ㅂ. 그도 지난날 잘 살았더니.

4. 「-데」

경험한 지난 일을 돌이켜 나타내는 서술형 종결어미로 주어로 1인칭은 잘 쓰이지 못한다. 서술어 제약은 없다.

(1) ㄱ. 철수가 그런 말을 하데.

　　ㄴ. 내일은 눈이 온다 하데.

　　ㄷ. 기일이 지나서도 관청에서는 세금을 받데.

　　ㄹ. 철이는 테니스 시합에서 이기겠데.

　　ㅁ. 그들은 나보다 먼저 그것을 구경하였데.

　　ㅂ. 아버지는 제일 먼저 가셨데.

　　ㅅ. 그가 보낸 것은 책이데.

　　ㅇ. 그곳은 경치가 좋데.

5. 「-ㄹ세(쎄)」

이 어미는 「-이다/아니다」의 어간에 붙어 쓰이기도 하나 동사, 형용사의 어간에 쓰이기도 한다. 비종결어미는 「-시-」만이 쓰이지만 「-었-/았-」이 쓰일 때는 「-을세」가 된다. 이 어미는 문장에 따라, 느낌, 추측, 가능성을 나타내나 여기서는 서술의 보기만을 들기로 한다.

(1) ㄱ. 잘못한 것은 그가 아닐세.

　　ㄴ. 거기에 있었던 사람은 바로 날세.

　　ㄷ. 그는 대학 교수일세.

　　ㄹ. 영희는 학생이 아닐세.

「-ㄹ세(쎄)」가 서술의 뜻으로 쓰일 때는 서술어가 「-이다/아니다」일 때이고 동사나 형용사가 되면 느낌이나 추측을 나타낸다.

6. 「-로세」

이 어미는 「-이다/아니다」의 어간에 붙어 「-ㄹ세」에 비하여 서술이나 느낌을 좀 예스럽게 나타낸다. 비종결어미는 「-시-」만이 쓰이고 주어 제약은 없는 듯하다.

(1) ㄱ. 나도 그 모임의 회원이로세.

ㄴ. 자네는 회원이 아니로세.

ㄷ. 철수는 국회의원이로세.

ㄹ. 선생님은 이 모임의 어른이시로세.

ㅁ. 나는 국화만 사랑함이 아니로세.

(1ㄱ~ㅁ)의 보기는 느낌보다는 서술의 뜻으로 이해된다. 느낌의 뜻으로 이해되기 위해서는 앞뒤 문장에 따라서 정해야 할 것 같다.

7. 「-이」

받침 없는 동사나 형용사의 어간에 붙어 서술을 나타낸다.

(1) ㄱ. 자네는 아주 노래를 잘 하이.

ㄴ. 그대는 키가 아주 크이.

ㄷ. 요사이 날씨가 꽤 차이.

ㄹ. 나는 서울 가이.

이 어미는 옛말투여서 현대에는 잘 쓰이지 않는데, 어떻게 보면, 반말어미처럼 보인다. 이 어미는 주로 중부지방에서 많이 쓰이는 듯하다.

8. 「-으니」

주로 받침 있는 어간에 붙어 하게 할 자리에 쓰이는 종결어미로 비종결어미는 쓰이지 아니하며 주어 제약은 없는 듯하다.

(1) ㄱ. 동해는 물이 맑으니

　　 ㄴ. 술 깨기에는 꿀물이 좋으니

　　 ㄷ. 나는 머리가 둔하니

　　 ㄹ. 자녀는 총기가 좋으니

　　 ㅁ. 영희는 소견이 없으니

　　 ㅂ. 그는 말이 별로 없으니

1.3.3. 추측의 뜻을 나타내는 '하게체'의 어미

「-겠네」, 「-겠더니」, 「-겠데」, 「-으리」, 「-을세」, 「-려니」 등이 있다.

1. 「-겠네」

이 어미는 「-겠-」 때문에 추측의 뜻을 나타낸다. 따라서 엄밀한 뜻에 있어서 추측의 어미로 보기는 어렵다.

(1) ㄱ. 나도 장차 훌륭한 사람이 되겠네.

ㄴ. 자네는 인기가 좋아서, 국회의원에 당선되겠네.

ㄷ. 영미는 훌륭한 신부감이겠네.

ㄹ. 봄이면 이곳은 경치가 참 좋겠네.

ㅁ. 그는 미국에서 크게 성공하였겠네.

(1ㅁ)에서 보면 「-겠-」 앞에 「-었-」이 오니까 과거나 완료의 추측을 나타내게 됨을 알 수 있다.

2. 「-겠더니」

이 어미도 「-겠-」 때문에 추측을 나타낸다.

(1) ㄱ. 어제는 비가 많이 오겠더니

ㄴ. 이번 시합에서 그가 이기겠더니

ㄷ. 영희가 예쁘겠더니

ㄹ. 그대가 로스엔젤레스에서 잘 살았겠더니

ㅁ. 아버지가 너를 믿으시었겠더니

「-겠-」앞에 「-었-/-았-」이 오니까 앞의 경우와 같이 과거의 일에 대한 추측을 나타낸다.

3. 「-겠데」

이 어미도 「-겠-」 때문에 추측을 나타낸다.

(1) ㄱ. 그대가 참 착하겠데.

ㄴ. 당신은 이번 시험에 합격하겠데.

ㄷ. 그 일이 잘 처리되겠데.

ㄹ. 민철이는 훌륭한 학자이겠데.

ㅁ. 그는 지난날 부자였겠데.

ㅂ. 영호는 옛날에 잘 살았겠데.

4. 「-으리」

받침 있는 각 어근에 붙어 쓰이는데 주어 제약은 없고 「-시-」, 「-었-/-았-」은 쓰일 수 있다.

(1) ㄱ. 내일이면 늦으리.

ㄴ. 거기에 간 사람은 틀림없이 영수였으리.

ㄷ. 선생은 아마 그 모임에 가셨으리.

ㄹ. 그가 벌써 왔으리.

ㅁ. 만일 그의 말을 들었더라면, 나도 그 꾐에 빠졌으리.

ㅂ. 자네도 그의 사기에 속았으리.

5. 「-으려니」

이 어미는 모든 서술어에 쓰이어 어떤 사실을 추측으로 일러 주는 뜻을 나타낸다. 비종결어미는 「-시-」, 만이 쓰일 수 있고 주어 제약은 없는 듯하다.

(1) ㄱ. 선생님은 저기에 가시려니

ㄴ. 모래면, 그가 이 편지를 받으려니

ㄷ. 휴가철이라 차가 몹시 분비려니

ㄹ. 그 모임에 너도 틀림없이 오려니

ㅁ. 지금은 가을걷이가 한창이려니

ㅂ. 너는 성적이 좋으려니

1.3.4. 느낌의 뜻을 나타내는 '하게체'의 어미

이에는 「-으리」, 「-는다네」, 「-라네」, 「-로세」 등이 있다.

1. 「-으리」

이 어미는 의도, 추측도 나타내나 느낌도 나타내므로 여기에서 다룬다. 비종결어미는 쓰일 수 없다.

(1) ㄱ. 때는 늦으리, 으~응, 때는 늦으리.

　　ㄴ. 모르리, 그대 모르리

　　ㄷ. 내일이면 늦으리, 때는 늦으리

　　ㄹ. 대한민국을 빛내리, 기필코 빛내리.

이 어미는 형용사, 동사에 쓰인다.

2. 「-(는)다네/-라네」

이 어미는 동사와 형용사, 지정사에 두루 쓰인다. 「-이다」에 쓰일 때는 「-라네」로 된다. 「-는다네」에는 비종결어미가 쓰일 수 있다.

(1) ㄱ. 이 땅에도 또 다시 봄이 온다네.

　　ㄴ. 정 이월 다 가고 삼월이라네.

　　ㄷ. 이것이 황금이라네.

ㄹ. 나는 그때 미국으로 유학 갔다네.

3. 「-을세」

이 어미는 문맥에 따라 서술, 느낌, 추측 등을 나타내지만, 여기서는 추측의 뜻으로 쓰이는 예만 보이기로 한다.

(1) ㄱ. 철민이는 벌써 떠났을세.

　　ㄴ. 거기는 지금 눈이 올세.

　　ㄷ. 말을 들으니 그대는 착할세.

　　ㄹ. 내일은 사람이 많이 모일세.

　　ㅁ. 나도 국회의원이 될 수 있을세.

　　ㅂ. 그 일은 일주일이면 끝날세.

　　ㅅ. 그 모임에는 선생님만 가실세.

　　ㅇ. 너도 장관이 될 수 있을세.

이 어미에는 비종결어미 「-었-/-았-」, 「-시-」만이 쓰일 수 있고 「-겠-」은 쓰일 수 없다. 왜냐하면 「-을세」의 「-을-」 때문이다.

4. 「-로세」

이 어미는 「-이다/아니다」에 쓰이어 「-로세」에 비하여 서술이나 느낌을 좀 예스럽게 나타낸다. 비종결어미는 「-시-」만이 쓰일 수 있다. 주어 제약은 없다.

(1) ㄱ. 나도 국회의원이로세.

　　ㄴ. 그것은 퍽 어려운 일이로세.

ㄷ. 나는 국화만 사랑함이 아니로세.

ㄹ. 우리는 이제 일등 국민이로세.

ㅁ. 하나님은 우리의 구세주이시로세.

위의 예들은 서술 또는 느낌을 나타낸다.

1.4. 평서법의 반말

반말은 부부가 부모 앞에서, 집안에서 나이는 어리나 촌수는 위인 사람이 나이는 많으나 촌수가 아래인 사람에게, 또는 친구 사이에 주고받는 경우에 쓰이는 어법으로 극비칭과 보통존칭 사이에 해당할 경우에 알맞게 쓰는 어법이다. 이 어미에는 「-아-/-어-」와 「-지」가 있다.

1. 「-어-/-아-」
「-어-」는 서술어의 어간이 음성모음인 경우에 쓰이고 「-아-」는 어간의 모음이 양성모음일 때 쓰인다.

(1) ㄱ. 밖에는 지금 눈이 오고 있어.

ㄴ. 나는 내일 서울 가.

ㄷ. 너는 언제나 너무 착해

ㄹ. 이것이 소중한 보물이어.

ㅁ. 나는 벌써 갔다 왔어.

ㅂ. 날씨가 비가 오겠어.

ㅅ. 아버지는 내일 서울 가셔.

(1ㄱ~ㅅ)에서 보면 모든 서술어에 「-어-/-아-」가 다 쓰일 수 있고 비종결어미도 다 취할 수 있으며 주어 제약도 없다.

2. 「-지」

이 어미는 어간의 모음 여하에 관계없이 쓰인다. 비종결어미도 다 취할 수 있고 주어 제약도 없다.

(1) ㄱ. 이 꽃은 참으로 향기롭지.

　　ㄴ. 이것이 소중한 나의 가보지.

　　ㄷ. 나는 매일 도서관에 가지.

　　ㄹ. 그는 어제 서울 갔지.

　　ㅁ. 너는 그때쯤이면 성공하겠지.

　　ㅂ. 내일은 날씨가 좋겠지.

위에서 말한 반말어미는 전통적인 것이나 현대에 와서는 입말에서 반말투가 너무 발달하여 다음과 같은 어미들이 있어서 여기에서 다루기로 한다. 이에는 「-고」, 「-거든」, 「-는걸」, 「-는거여」, 「-더래」, 「-던걸」, 「-을걸」, 「-라고」, 「-라나」, 「-라야지」, 「-야」, 「-야지」, 「-라는데」, 「-게」, 「-다고」, 「-는대」 등이 있다. 이 반말어미도 '서술', '감탄', '의문' 등의 뜻을 나타내는 것으로 분류할 수 있다.

1.4.1. 서술의 뜻을 나타내는 '해체' 어미

1. 「-거든」

까닭이나 서술의 뜻을 나타내는 반말투의 종결어미이다.

(1) ㄱ. i 왜 물이 찼지?
    ii 간밤에 비가 많이 왔거든.
  ㄴ. i 그가 장가 간다지?
    ii 올해 풍년이 들었거든.
  ㄷ. i 그가 왜 저리 야단이지?
    ii 기분 좋은 일이 있었거든.
  ㄹ. i 당신은 왜 싱글싱글 야단이야?
    ii 내가 이번에는 이기겠거든.

이 어미는 감탄을 나타내기도 한다. 그 예는 '감탄조'에서 다룰 것이다.

2. 「-고」
이 어미는 빈정거림, 항의, 다짐, 해명 등의 뜻을 나타내는 반말투의 종결어미로 주어 제약은 없으며 비종결어미의 제약도 없다.

(1) ㄱ. 그는 어제 일찍 갔다고
  ㄴ. 이번 시합에서는 내가 이기겠다고
  ㄷ. 세월이 너무 빠르다고
  ㄹ. 너는 너무 까분다고
  ㅁ. 선생님은 내일 서울에 가신다고
  ㅂ. 나는 일을 벌써 끝내었다고

이 어미는 물음의 뜻으로도 쓰이는데 그 보기는 그 조에 가서 다룰 것이다.

3. 「-ㄴ(는)걸」

이것은 「-ㄴ 것을」이 줄어든 말로 서술어의 어간에 붙어 스스로 느끼어 말하거나 상대에게 어떤 사실을 알게 하는 태도로 말할 때 쓰이는 반말투의 종결어미이다. 비종결어미를 취할 수 있고 주어 제약도 없다.

(1) ㄱ. 나는 지금 집에 가는걸

　　 ㄴ. 너는 너무나 착한걸

　　 ㄷ. 어제 여기는 비가 왔는걸

　　 ㄹ. 내일은 날씨가 따뜻하겠는걸

　　 ㅁ. 선생님은 아마 미국으로 이민 가시겠는걸

　　 ㅂ. 그대는 착한 학생인걸

4. 「-는거여(야)」

이것은 「-는 것이여」가 줄어서 된 것으로 어떤 사실을 단정하여 말할 때 쓰이는 종결어미로 비종결어미는 「-시-」, 「-겠-」은 쓰일 수 있지만 「-었-/-았-」은 쓰이지 못하는 것 같다. 주어 제약은 없다.

(1) ㄱ. 나이는 숫자에 불과한거여.(야.)

　　 ㄴ. 너는 여기서 공부하는거야.

　　 ㄷ. 나는 할 일이 많은거야.

　　 ㄹ. 선생님이 맡아서 하시는거야.

ㅁ. 내일은 그가 오겠는거야.

위의 예에서 보면 「-는 거여」보다는 「-는거야」로 쓰이는 경향이 많은 것 같다.

5. 「-더래」
이것은 「-더라 해」가 줄어서 된 것으로 비종결어미를 취할 수 있으며 주어 제약은 없이 쓰이는 듯하다. 서술어도 제약 없이 쓰인다.

(1) ㄱ. 철수는 집에 있더래
    ㄴ. 수희는 벌써 학교에 갔더래
    ㄷ. 이번 시합에서 명희가 이기겠더래
    ㄹ. 선생님은 댁에 계시더래
    ㅁ. 이 꽃은 너무 향기롭더래
    ㅂ. 그대가 제일 예쁜 학생이더래
    ㅅ. 영희가 제일 예쁜 미인이겠더래
    ㅇ. 나는 어려서 예뻤더래

6. 「-던걸」
이것은 「-던 것을」이 줄어서 된 말로 지난 일을 돌이켜 말할 때 쓰이는 종결어미로 후회 또는 서술하는 뜻을 나타낸다.

(1) ㄱ. 조금 전에 그가 왔던걸
    ㄴ. 그때 말할 수 있었던걸
    ㄷ. 그는 참 아까운 사람이던걸

ㄹ. 그대가 마음에 들었던걸

ㅁ. 그때 너는 승진할 번하였던걸

ㅂ. 이번에 나는 당선될 듯하겠던걸

7. 「-을걸」

이것은 「-ㄹ(은) 것을」이 줄어서 된 말로 지나간 일에 대하여 뉘우치거나 아쉬워함을 나타낸다.

(1) ㄱ. 어제 그에게 그 말을 할걸

ㄴ. 내가 가서 그 일을 처리할걸

ㄷ. 그 일은 모른다고 할걸

ㄹ. 네가 그 모임에 나갈걸

이 어미가 쓰이는 문장의 주어가 3인칭이 되거나 「-었-/-았-」이 쓰이면 추측의 뜻을 나타낸다. 이 경우는 '추측조'에서 다룰 것이다.

8. 「-라고」

이것은 「-이다/아니다」에 붙어서 잘못 알았던 사실을 깨달으면서 말할 때 쓰이는 반말투의 종결어미로 비종결어미는 쓰일 수 없다.

(1) ㄱ. 나는 착한 사람이라고.

ㄴ. 네가 수상자라고.

ㄷ. 네가 천재라고.

ㄹ. 이게 바로 그 책이라고.

주어 제약은 없다.

9. 「-라나」

이 어미는 「-이다/아니다」의 어간에 붙어 무엇을 무관심하게나
하찮게 이르는 뜻을 나타내는 반말투의 종결어미이다. 비종결어미
는 「-시-」 이외에는 쓰일 수 없다.

(1) ㄱ. 그가 역사 선생이라나
    ㄴ. 이것이 진짜라나
    ㄷ. 그는 내가 장군이라나
    ㄹ. 모두들 내가 바로라나
    ㅁ. 이게 임금님의 옷이라나
    ㅂ. 그가 우리 선생님이시라나

10. 「-라야지」

이것은 「-라야 하지」가 줄어서 된 말로 어떤 사실이 마땅히 그리
되어야 함을 나타낸다. 비종결어미는 쓰일 수 없다.

(1) ㄱ. 이것이 보물이라야지
    ㄴ. 나도 사람이라야지
    ㄷ. 너도 사람이라야지
    ㄹ. 그가 바보는 아니라야지
    ㅁ. 이것이 나의 명저라야지

이 어미는 「-이다/아니다」에만 쓰인다.

11. 「-야」

「-이다」, 「아니다」의 어간에 붙어 반말투나 극비칭의 뜻을 나타
내는 종결어미로 비종결어미는 쓰일 수 없다.

(1) ㄱ. 그것이 내 것이야.

　　ㄴ. 당신은 바보, 당신은 바보야.

　　ㄷ. 그가 천재야.

　　ㄹ. 내가 바보야.

12. 「-(어)야지」

이 어미는 「-라야지」, 「-어(-어)야지」에서 「-라」와 「-어/-아」가
탈락한 꼴로 동사, 형용사, 지정사에 두루 쓰이며, 비종결어미 「-었
-/-았-」, 「-시-」를 취할 수 있고 주어 제약은 없다. 마땅함을 나타
낸다.

(1) ㄱ. 아! 너도 가고 나도 가야지.

　　ㄴ. 나는 이것을 먹어야지.

　　ㄷ. 너도 우리와 같이 가야지.

　　ㄹ. 이 옷이 새 옷이어야지.

　　ㅁ. 우리는 그의 말을 들어야지.

　　ㅂ. 너는 거기에 갔어야지.

(ㄴ, ㄹ, ㅁ, ㅂ)에서 보면 「-야지」가 「-이다」나 「-었-/-았-」이나
폐음절 어간 다음에 쓰일 때는 「-어 야지」가 됨을 알 수 있다.

13. 「-라는데」

이것은 「-라 하는데」가 줄어서 된 말로 「-라는데」는 「-이다/아니다」의 어간에 붙어 들은 사실대로 인정하거나 주장하는 뜻을 나타내는 반말투의 종결어미이다.

(1) ㄱ. 그가 대학 교수라는데.

　　ㄴ. 이것이 무척 비싼 보석이라는데.

　　ㄷ. 이게 그의 가보라는데.

이 어미에는 비종결어미는 쓰일 수 없고 주어도 3인칭이면 아주 자연스럽다.

14. 「-게」

모든 서술어의 어간에 붙어 앞의 사실을 인정하면서 뒤의 사실도 인정해야 되지 않겠느냐 하는 뜻을 나타내는 종결어미로 「-었-/-았-」을 취할 수 있다.

(1) ㄱ. 이것을 가지면 얼마나 좋게.

　　ㄴ. 그런 말을 했다가 혼나게.

　　ㄷ. 그렇게 공부하였으면 박사가 되었게.

　　ㄹ. 그렇다면 이게 보물이게.

이 어미는 물음의 뜻으로도 쓰인다. (다음에서 다룰 '물음조'를 참조할 것.)

15. 「-다고」

이것은 생각한 바와 같음을 주장하는 뜻을 나타내는 반말투의 종결어미로 비종결어미를 취할 수 있다. 「-이다/아니다」에는 앞에서 설명한 바와 같이, 「-라고」가 된다.

(1) ㄱ. 이곳의 경치가 참 아름답다고.

ㄴ. 그는 벌써 갔다고.

ㄷ. 너는 공부를 너무 많이 한다고.

ㄹ. 나는 지금 배가 너무 고프다고.

ㅁ. 내일은 비가 오겠다고.

ㅂ. 할아버지가 가신다고.

이 어미는 「-다고」가 합하여 된 것이다. 비종결어미를 취할 수 있음은 위의 예를 보아 알 수 있다.

16. 「-는대」

이것은 「-는다 해」가 줄어서 된 말로 비종결어미를 취할 수 있다. 「-이다/아니다」에 쓰이면 「-래」가 된다.

(1) ㄱ. 그는 서울 간대.

ㄴ. 그는 시험에 합격했대.

ㄷ. 여기가 살기 좋대.

ㄹ. 이게 보석이래.

ㅁ. 아버지가 서울 가신대.

ㅂ. 그는 미국으로 이민 가겠대.

1.4.2. 물음을 나타내는 '해체' 어미

이에는 「-(는)고」, 「-게」, 「-는다지」, 「-다고」, 「-으라고」, 「-야」, 「-으라니」 등이 있다. 이들 중에는 앞에서 다룬 서술의 뜻을 나타내는 어미와 같은 것이 있는데, 같은 어미라도 문장의 짜임새에 따라 물음의 뜻을 나타내게 되는 것이다.

1. 「-는(은)고」
이 어미는 물음, 빈정거림, 항의 따위의 뜻을 나타내는 경우의 예는 앞 1.4.1.의 2. 「-고」에서 다루었다. 여기서는 물음의 예만 보이기로 한다.

(1) ㄱ. 너희가 다 먹으면 나는 무엇을 먹고?
ㄴ. 그럼 너는 무엇을 하고?(하는고?)
ㄷ. 이것이 무엇인고?
ㄹ. 그렇게 말하는 당신은 친절하고?
ㅁ. 돈이 없다면서 지갑 속의 그것은 무엇인고?
ㅂ. 거기에는 누가 가고?
ㅅ. 아버지는 어디를 가시는고?

이 어미에는 비종결어미는 「-시-」만이 쓰일 수 있다.

2. 「-게」
동사나 형용사 및 「-이다」에 붙어 물음을 나타낸다. 비종결어미는 「-시-」만이 쓰일 수 있다.

(1) ㄱ. 그 돈은 무엇에 쓰게?

　　ㄴ. 자네는 벌써 떠나게?

　　ㄷ. 이것이 얼마나 비싸게?

　　ㄹ. 나는 무엇을 하게?

　　ㅁ. 이것이 무엇이게?

　　ㅂ. 아버지는 무엇을 드시게?

3. 「-는다지」

이것은 「-는다 하지」가 줄어서 된 말로 서술어의 어간에 붙어 어떤 사실을 캐묻는 뜻을 나타낸다. 비종결어미를 취할 수 있으며 주어 제약은 없다.

(1) ㄱ. 무엇으로 홍수를 막는다지?

　　ㄴ. 이 난리통에 우리는 어디로 피난한다지?

　　ㄷ. 그곳의 경치가 매우 아름답다지?

　　ㄹ. 그가 서울로 이사하겠다지?

　　ㅁ. 이것이 무엇이라지?

　　ㅂ. 너는 미국으로 언제 이민 갔다지?

(1ㄷ)을 보면 형용사에 이 어미가 쓰이면 「-다지」로 되고 (1ㅁ)에서 보면 「-이다」에 쓰이면 「-라지」가 됨을 알 수 있다.

4. 「-다고」

모든 서술어에 붙어 물음을 나타낸다. 비종결어미를 취할 수 있고 주어 제약은 없다.

(1) ㄱ. 그가 언제 갔다고?

ㄴ. 이것이 무엇이라고?

ㄷ. 나는 무슨 일을 한다고?

ㄹ. 너는 벌써 식사를 하였다고?

ㅁ. 네가 철수에게 이기겠다고?

ㅂ. 금강산이 얼마나 아름답다고?

(1ㄴ)에서 보면 「-이다」에 「-다고」가 쓰이면 「-라고」로 됨을 알 수 있다.

5. 「-으라고」

서술어의 어간에 붙어 어떤 사실을 반문할 때 쓰는 종결어미로 비종결어미는 쓰일 수 없다.

(1) ㄱ. 이것을 내가 먹으라고?

ㄴ. 이 편지를 읽으라고?

ㄷ. 그러다가 소문나라고?

ㄹ. 잘못하다가 다치라고?

ㅁ. 이것이 책이라고?

6. 「-야」

이것은 「-이다/아니다」의 어간에 붙어 「-게」보다 더 뚜렷하게 다지는 뜻을 나타내는 물음의 종결어미이다.

(1) ㄱ. 여기가 어디야?

ㄴ. 어느것이 보석이야?

ㄷ. 이것은 누구의 옷이야?

ㄹ. 내가 누구야?

이 어미에는 비종결어미는 쓰이지 못하지만 주어 제약은 없다.

7. 「-으라니」

이 어미는 「-으라 하니」가 줄어서 된 것으로 물음을 나타내는 종결어미로 「-시-」를 제외한 비종결어미는 쓰일 수 없으며 주어 제약은 없는 듯하다.

(1) ㄱ. 이것이 무엇이라니?

ㄴ. 무엇을 먹으라니?

ㄷ. 너는 무슨 일을 하라니?

ㄹ. 나는 어디로 가라니?

ㅁ. 그는 집에 있으라니?

ㅂ. 아버지는 어디로 가시라니?

ㅅ. 어디로 가라니?

8. 「-는대」

이 어미는 「-는다 해」가 줄어서 된 말로 물음을 나타내며 비종결어미 「-았/었」, 「-겠」, 「-시-」 등이 쓰일 수 있다. 주어는 3인칭이 쓰인다. 「-이다/아니다」에 쓰이면 「-래」가 된다.

(1) ㄱ. 그는 집에서 공부한대?

ㄴ. 철수는 학교에 갔대?

ㄷ. 영미는 여기 있겠대?

ㄹ. 이것이 무엇이래?

ㅁ. 그의 아버지는 서울로 가신대?

1.4.3. 감탄의 뜻을 나타내는 '해체'의 어미

이에는 「-거든」, 「-ㄴ감」, 「-는데」, 「-던걸」, 「-던데」 등이 있다.

1. 「-거든」

이것은 가정, 조건, 견줌 등의 뜻도 나타내지만, 감탄의 뜻도 나타내므로 여기서는 감탄을 나타내는 경우의 예를 보이기로 한다.

(1) ㄱ. 올해는 농사가 잘 되었거든!

ㄴ. 시합에서 이기면 기분이 참 좋거든!

ㄷ. 야, 기분 좋거든!

ㄹ. 팔월대보름이면, 달도 밝거든!

비종결어미는 「-었/-았」이 쓰일 수 있고 주어는 1, 3인칭이 자연스러운 것 같다.

2. 「-ㄴ감」

이 어미는 「-ㄴ가 뭐」가 줄어서 된 말로 형용사, 「-이다」의 어간에 붙어서 가볍게 반박하거나 스스로 반문하면서 느낌을 나타낸다. 비종결어미는 쓰이지 않는 듯하다.

(1) ㄱ. 그 물고기가 큰감.

ㄴ. 처녀가 그녀 하나뿐인감.

ㄷ. 그녀가 예쁜감.

ㄹ. 설악산이 그리도 좋던감.

3. 「-는데」

반말의 종결어미에 쓰이며 감탄을 나타낸다.

(1) ㄱ. 비가 오는데, 비가 오는데, 우산도 없이.

ㄴ. 오늘은 달이 밝겠는데.

ㄷ. 참 좋은 사람이었는데.

ㄹ. 이기면 나는 기분이 참 좋겠는데.

이 어미는 모든 서술어에 다 쓰일 수 있고 비종결어미도 쓰일 수 있다.

4. 「-던걸」

이 어미는 「-던 것을」이 줄어서 된 말로 지나간 일을 돌이켜 알게 된 사실을 감탄스럽게 나타낸다.

(1) ㄱ. 그는 참 말을 잘 하던걸.

ㄴ. 금강산을 가보니까 참 좋던걸.

ㄷ. 과연 명산이던걸.

ㄹ. 그녀는 참으로 예뻤던걸.

ㅁ. 그 미인과 결혼하였더라면 참 좋았겠던걸.

(1ㅁ)의 예는 감탄하면서도 후회하는 뜻을 나타내고 있다. 이 어미는 비종결어미를 취할 수 있음을 위 보기로써 알 수 있다.

5. 「-던데」

반말투의 종결어미로 지난 일을 돌이켜 감탄하는 뜻을 나타낸다.

(1) ㄱ. 그 사람 말 잘 하던데.

　　 ㄴ. 경치가 너무 좋던데.

　　 ㄷ. 그는 썩 미남이던데.

　　 ㄹ. 그때가 참 좋았던데.

　　 ㅁ. 그때 나는 참 비굴하던데.

1.4.4. 추측의 뜻을 나타내는 '해체'의 어미

이에는 「-는가봐」, 「-는걸」, 「-ㄹ걸」 등이 있다.

1. 「-는가봐」

이 어미는 「-는가 보다」가 줄어서 된 말로 추측을 나타낸다. 비종결어미를 취할 수 있고 주어 제약은 없다.

(1) ㄱ. 도망친 사람이 그 사람인가봐.

　　 ㄴ. 이것이 금덩어린가봐.

　　 ㄷ. 내가 바쁜가봐.

　　 ㄹ. 네가 천잰가봐.

　　 ㅁ. 그가 서울에 갔는가봐.

ㅂ. 네가 이번에 대상을 받는가봐.

「-는가봐」가 개음절 밑에 쓰이면 「-ㄴ가봐」로 된다.

2. 「-ㄹ걸」

이 어미는 「-ㄹ 것을」이 줄어서 된 말로 추측을 나타낸다. 비종결어미 「-었-/-았-」과 「-시-」를 취할 수 있고 주어는 2~3인칭이어야 한다.

(1) ㄱ. 내일은 비가 올걸.
    ㄴ. 너는 장차 부자가 될걸.
    ㄷ. 그는 모래 한국을 떠날걸.
    ㄹ. 영출이는 시험에 합격하였을걸.
    ㅁ. 선생님은 교장 선생으로 승진하실걸.

「-ㄹ걸」은 서술의 뜻도 나타내는데 이에 대하여는 앞 '서술조'에서 이미 예시·설명하였다.

1.4.5. 시킴의 뜻을 나타내는 '해체'의 어미

이에는 「-라고」, 「-으래」, 「-으라는데」, 「-으라니까」 등이 있다.

1. 「-라고」

이 어미는 명령법 「-라」에 조사 「-고」가 붙어서 된 것으로 시킴의 뜻을 나타낸다. 비종결어미는 쓰일 수 없다.

(1) ㄱ. 그런 말을 제발 하지 말라고.

　　ㄴ. 너는 가지 말고 여기 있으라고.

　　ㄷ. 어서 이리 오라고.

　　ㄹ. 제발 조용하라고.

　　ㅁ. 모두 침착하라고.

이 어미는 자제 가능한 형용사에도 쓰이어 시킴의 뜻을 나타낸다.

2. 「-으래」

이 어미는 「-으라 해」가 줄어든 말로 비종결어미는 「-시-」만 쓰
일 수 있다. 이 어미도 자제 가능한 형용사에도 쓰인다.

(1) ㄱ. 나더러 이것을 먹으래.

　　ㄴ. 미자더러 부지런히 일하래.

　　ㄷ. 군미더러 집에 있으래.

　　ㄹ. 그는 너더러 청소하래.

　　ㅁ. 철수는 아버지더러 집으로 가시래.

여기의 시킴은 제3자가 내리는 명령이다.

3. 「-으라는데」

이 어미는 「-으라 하는데」가 줄어서 된 것으로 비종결어미 「-시-」
는 취할 수 있다. 자제 가능한 형용사에도 쓰일 수 있다.

(1) ㄱ. 그는 나더러 여기 있으라는데.

ㄴ. 그가 너더러 집으로 가라는데.

ㄷ. 이것을 더 먹으라는데.

ㄹ. 철수가 그의 아버지더러 서울에 가시라는데.

ㅁ. 지수가 나더러 고기를 사 오라는데.

ㅂ. 우리를 보고 조용하라는데.

4. 「-으라니까」

이 어미는 「-으라 하니까」가 줄어서 된 말로 동사와 자제 가능한 형용사에 쓰이어 시킴을 나타낸다. 비종결어미는 다 쓰일 수 없다.

(1) ㄱ. 돈이나 어서 갚으라니까.

ㄴ. 늦다고 어서 가라니까.

ㄷ. 모두들 침착하라니까.

ㄹ. 이리들 모이라니까.

ㅁ. 제발 조용하라니까.

1.5. 평서법의 극비칭

극비칭은 집안의 어른이 아들, 며느리, 손자, 조카 등 손아래 사람들에 대하여, 스승이 초·중·고등학교 제자에게, 다정한 친구 끼리 나누는 어법이다. 극비칭의 어미를 그 나타내는 뜻에 따라 나누어 보면 ① 서술, ② 감탄, ③ 확인·주장·당연, ④ 약속, ⑤ 강조, ⑥ 다짐(단정), ⑦ 추측, ⑧ 의도, ⑨ 염려·망설임, ⑩ 가능 등으로 세분된다. 다음에서 이들 각각에 대하여 풀이하기로 하겠다.

1.5.1. 서술의 뜻을 나타내는 '해라체'의 어미

이에는 「-는구먼/-ㄴ구먼」, 「-는다/-ㄴ다」, 「-는단다/-ㄴ단다」, 「-느니/느니라」, 「-는대야」, 「-니라」, 「-다」, 「-더니라」, 「-더라」, 「-더래」, 「-ㄹ지니라」, 「-ㄹ지라」, 「-라」, 「-란다」, 「-더라」, 「-로다」 등이 있다.

1. 「-는구먼」

이 어미의 줄임말은 「-구먼」이다. 비종결어미 「-었-/-았-」, 「-겠-」, 「-시-」가 쓰이면 「-구먼」으로 된다. 주어 제약은 없다.

(1) ㄱ. 밖에는 비가 오는구먼.

ㄴ. 그는 벌써 떠났구먼.

ㄷ. 날씨가 가물겠구먼.

ㄹ. 이러다가는 당신은 늦겠구먼.

ㅁ. 그 문제 때문에 나는 어리둥절하겠구먼(면).

ㅂ. 여기는 참으로 조용하구먼(면).

ㅅ. 이것이 이조 토기이구먼.

2. 「-는다/-ㄴ다」

「-는다」는 서술어의 폐음절 밑에 쓰이고 「-ㄴ다」는 개음절 밑에 쓰이어 이제의 일을 베풀어 나타낸다.

(1) ㄱ. 학생들이 책을 읽는다.

ㄴ. 나는 지금 서울 간다.

ㄷ. 너는 지금 정신을 잃고 있다.

ㄹ. 그는 어제 서울에 갔다.

ㅁ. 곧 비가 오겠다.

ㅂ. 아버지는 집에서 주무신다.

3. 「-는단다/-ㄴ단다」

이것은 「-ㄴ(는)다 한다」가 줄어서 된 말로 형용사와 비종결어미 「-었-/-았-」, 「-겠-」, 「-시-」가 쓰이면 「-단다」로 된다. 주어 제약은 없다. 「-이다/아니다」에 쓰이면 뒤에서 다루게 되겠지마는 「-란다」가 된다.

(1) ㄱ. 오빠는 잘 있단다.

ㄴ. 우리 아이는 공부를 잘 한단다.

ㄷ. 우리 아이는 매일 고기만 먹는단다.

ㄹ. 그 시합에서 우리팀이 이겼단다.

ㅁ. 이곳은 공기가 맑단다.

ㅂ. 이번 경기에서는 우리가 이기겠단다.

ㅅ. 할아버지가 오신단다.

4. 「-느니/-느니라」

이 어미는 경험을 바탕으로 어떤 사실을 일러 주는 뜻을 나타낸다. 비종결어미를 취할 수 있다. 「-이다/아니다」에 쓰일 때는 「-니/-니라」로 된다.

(1) ㄱ. 날이 무더우면 비가 오느니.

ㄴ. 조금만 더 가면 주막이 있느니.

ㄷ. 저기가 전에 논이었느니.

ㄹ. 그는 잘 있느니라.

ㅁ. 그분은 참으로 훌륭한 분이었느니.

ㅂ. 곧 눈이 오겠느니라.

5. 「-는대야」

이 어미는 「-는다 해야」가 줄어서 된 것으로 연결어미로도 구실을 하나 종결어미가 되기도 한다. 어쩌면 반말투인 것 같기도 하다.

(1) ㄱ. 그는 지금 떠난대야.

ㄴ. 한우산이 참으로 아름답대야.

ㄷ. 그가 박사이래야.

ㄹ. 철수가 이리로 오겠대야.

ㅁ. 그는 벌써 떠났대야.

ㅂ. 선생님이 서울로 전근가겠대야.

이 어미가 「-이다」에 쓰이니까 「-래야」로 되고 「겠대야」로 쓰이니까 「-겠-」 때문에 추측을 나타내기도 한다.

6. 「-니라」

주로 받침이 없는 형용사나 「-이다」에 쓰여 주로 경험을 바탕으로 어떤 사실을 알려 주는 뜻을 나타낸다. 비종결어미는 「-시-」가 쓰인다.

(1) ㄱ. 바닷물은 짜니라.

ㄴ. 이상과 현실은 어림없이 다르니라.

ㄷ. 밥이 보약이니라.

ㄹ. 설매는 언제나 얌전하니라.

ㅁ. 그의 마음은 비단이니라.

7. 「-다」

글을 끝맺는 종결어미로 비종결어미 「-었-/-았-」, 「-겠-」이 쓰일 수 있다. 서술어는 제약 없이 쓰인다.

(1) ㄱ. 당신의 웨딩드레스는 정말 아름다웠다.

ㄴ. 나는 이 책을 다 읽었다.

ㄷ. 중국 대륙을 가다.

ㄹ. 이곳은 정말 살기 좋다.

ㅁ. 그는 착한 학생이다.

ㅂ. 그는 공부를 잘 해서 일등을 하겠다.

ㅅ. 저 꽃이 붉다.

(1ㄷ)의 「가다」 할 때는 때 없는(무시제) 서술법이다. 원형이기 때문이다. (이 예는 책 이름이다.)

8. 「-더니라」

이 어미는 지난 사실을 돌이켜 일러 주는 뜻을 나타낸다. 이 어미가 「-이다/아니다」 어간에 오면 「-러니라」로 될 때가 있다. 비종결어미는 「-었-/-았-」, 「-시-」, 「-겠-」이 쓰일 수 있으나 「-러니라」

에는 비종결어미는 쓰일 수 없다. 주어가 「나」일 때는 회상할 때만 가능하다.

(1) ㄱ. 그 사람은 글씨를 잘 쓰더니라.

ㄴ. 옛날에는 산에 범이 많았더니라.

ㄷ. 지난날에는 이곳이 연못이더니라.

ㄹ. 그는 남보다 노력가였더니라.

ㅁ. 그것이 다 옛 어른들의 말씀이러니다.

ㅂ. 그런 행동은 옳은 짓이 아니러니다.

「-러니라」는 「-더니라」의 예스러운 말이다.

9. 「-더라」

각 어간에 붙어서 지난 사실을 돌이켜 생각하여 말할 때의 서술 종결어미로 비종결어미를 취할 수 있고 주어 제약은 없다. 1인칭 '나'에 쓰일 때는 특별한 회상일 때만 가능하다.

(1) ㄱ. 그는 지금 대학생이더라.

ㄴ. 나는 꿈에 혼자 공부하더라.

ㄷ. 너는 학생시절 착했더라.

ㄹ. 어제는 아주 춥더라.

ㅁ. 아버지는 혼자 계시더라.

ㅂ. 금강산을 가보니 과연 명산이더라.

10. 「-더래」

이 어미는 「-더라 해」가 줄어서 된 것으로 지나간 일을 돌이켜 생각하여 말할 때의 종결어미로 비종결어미를 취할 수 있고 주어 제약, 서술어 제약은 없다. 주어가 「나」일 때는 「-더라」와 같이 특별한 회상일 때만 가능하다.

(1) ㄱ. 어제는 날씨가 춥더래.

ㄴ. 철수가 보니까 내가 마루에서 잠을 자고 있더래.

ㄷ. 그가 보니까 네가 열심히 공부하고 있더래.

ㄹ. 철민이는 그가 반에서 일등이더래.

ㅁ. 순이는 숙제를 깜빡 잊고 있었더래.

ㅂ. 할아버지는 책을 읽고 계시더래.

11. 「-ㄹ(을)지니라」

이 어미는 '어떻게 할 것이니라', '어떠할 것이니라' 따위의 뜻으로, 믿는 바를 정중하게 말할 때 쓰이는 종결어미로 비종결어미는 쓰이지 못하며 주어는 1인칭은 잘 쓰이지 못하는 듯하다.

(1) ㄱ. 너는 이 일을 마칠지니라.

ㄴ. 영희는 이 책을 읽을지니라.

ㄷ. 철수는 정직한 사람일지니라.

ㄹ. 이 나무는 꽃이 아름다울지니라.

12. 「-ㄹ(을)지라」

어간에 두루 붙어 "응당 어떻게 할 것이다", 또는 "어떠할 것이라"

따위의 뜻으로 믿는 바를 말할 때 쓰이는 종결어미로 비종결어미는 쓰일 수 없으며, 주어는 1인칭은 잘 쓰이지 않는 듯하다.

(1) ㄱ. 너는 꼭 성공할지라.

ㄴ. 그는 착한 학생일지라.

ㄷ. 바람이 세차게 불지라.

ㄹ. 철수는 부자일지라.

13. 「-라」

이것은 「-이다/아니다」의 어간에 붙어 서술이나 감탄의 뜻을 나타낸다. 비종결어미는 쓰이지 아니한다.

(1) ㄱ. 백리 담양 흐르는 물은 굽이굽이 만경이라.

ㄴ. 내가 찾는 아이는 바로 그 아이라.

ㄷ. 누구나가 요구하는 것은 돈이라.

ㄹ. 우리가 바라는 것은 돈이 아니라.

14. 「-라니」

이 어미는 새삼스럽게 깨달음이나 감탄을 나타낸다. 비종결어미는 쓰이지 못하며 주어는 1인칭은 어려울 것 같다.

(1) ㄱ. 이것이 그렇게 신통한 약이라니!

ㄴ. 왠 돈이라니!

ㄷ. 이런 일이 나라 잃은 서러움이라니.

ㄹ. 아닌 밤에 홍두깨라니.

15. 「-란다」

이 어미는 「-라 한다」가 줄어서 된 것으로 동사에 쓰이나 「-이다/아니다」에 쓰이면 부드럽게 타이르거나 알리거나 뽐내듯 하며 말할 때 쓰인다. 비종결어미는 쓰일 수 없다.

(1) ㄱ. 그가 너를 오란다.

　　ㄴ. 이것이 보배란다.

　　ㄷ. 그는 박사가 아니란다.

　　ㄹ. 네가 바보란다.

　　ㅁ. 나는 바보가 아니란다.

16. 「-러라」

「-더라」의 뜻으로 「-이다/아니다」에만 붙어 쓰인다. 비종결어미는 쓰이지 못한다.

(1) ㄱ. 꽃구경 왔더니 다만 썩은 가지뿐이러라.

　　ㄴ. 동산에 오르니, 꽃은 없고 새소리뿐이러라.

　　ㄷ. 너는 훌륭한 나의 친구러라.

　　ㄹ. 나는 그에 비하여 둔재러라.

　　ㅁ. 이것이 이래도 보물이러라.

17. 「-로라」

이것은 「-이다/아니다」에 붙어 서술, 선언, 인용 따위의 뜻으로 예스런 표현에 쓰인다. 비종결어미는 쓰이지 못한다.

(1) ㄱ. 나는 산을 사랑하는 사람이로라.

　　ㄴ. 백구야 날지 마라 네 잡을 내 아니로라.

　　ㄷ. 이는 너희로 하여금 근원을 얻게 함이로라.

　　ㄹ. 너는 바보로라.

1.5.2. 감탄의 뜻을 나타내는 '해라체'의 어미

이에는 「-ㄴ지고/-는지고」, 「-노라」, 「-ㄴ(는)구나/-ㄴ(는)
군」, 「-ㄴ(는)구려」, 「-ㄴ(는)구먼」, 「-ㄴ(는)다니까」, 「-ㄴ(는)지고」,
「-더구나/-더군」, 「-더구먼/-더구면」, 「-ㄹ(을)러라」, 「-ㄹ(을)세라
」, 「-ㄹ(을)씨고」, 「-라」, 「-러라」, 「-로고」, 「-로구먼/-로군」, 「-로
구려/-로구료」, 「-로다」, 「-으리로다」, 「-ㅁ(음)에랴」, 「-어라/-아
라」 등이 있다.

1. 「-ㄴ지고/-는지고」
형용사나 「-이다」의 어간에 붙어 느낌을 나타내는 종결어미로
비종결어미는 쓰이지 않는다.

(1) ㄱ. 참으로 딱한지고.

　　ㄴ. 장한 사람인지고.

　　ㄷ. 우리가 이겨서 참으로 기쁜지고.

　　ㄹ. 설악산은 참으로 아름다운지고.

　　ㅁ. 예쁜지고 예쁜지고 춘향이가 예쁜지고.

2. 「-노라」

동사와 형용사의 어간이나 때를 나타내는 비종결어미에 붙어 베풂, 선언, 느낌, 인용 따위의 뜻으로 예스럽거나 정중한 표현에 쓰인다.

(1) ㄱ. 가노라 삼각산아 다시 보자 한강수야.
ㄴ. 귀 밑에 해 묵은 서리를 녹여 볼까 하노라.
ㄷ. 우리는 독립국의 자주민임을 선언하노라.
ㄹ. 너의 행동은 보기에 좋았노라.
ㅁ. 그것은 헛된 꿈이었노라.
ㅂ. 그도 열심히 하겠노라고 장담하였다.

3. 「-ㄴ(는)구나/-ㄴ(는)군」

서술어의 어간에 붙어 느낌을 나타낸다. 비종결어미에 쓰이면 「-구나/-군」이 된다.

(1) ㄱ. 그는 이미 성공하였군(성공하였구나).
ㄴ. 너는 일이 잘 되는군(되는구나).
ㄷ. 이곳은 공기가 참 좋구나.
ㄹ. 너는 놀라운 부자이구나.
ㅁ. 세월이 빨리도 가는구나.

4. 「-ㄴ(는)구려」

「-구려」의 뜻으로 쓰이는 감탄 어미로 형용사나 「-이다」에 쓰일 때는 「-구려」로만 쓰이며 비종결어미에 올 때도 「-구려」로 쓰인다.

(1) ㄱ. 이번 시합에서 우리가 이겼구려.

ㄴ. 착하구려. 심청이는.

ㄷ. 너는 많이도 먹는구려.

ㄹ. 내일은 비가 오겠구려.

ㅁ. 날이 벌써 밝는구려.

ㅂ. 싸구려! 울릉도 호박엿이구려.

5. 「-ㄴ(는)구먼」

「-구먼」의 뜻으로 서술어의 어간에 붙어 느낌을 나타낸다. 형용사나 「-이다」 비종결어미에 쓰이면 「-구먼」으로 된다. 이것의 준말은 「-ㄴ(는)군」이다.

(1) ㄱ. 눈이 내리는구먼(내리는군).

ㄴ. 날씨가 좋구먼.

ㄷ. 그 말을 들으니 기가 막히는구먼.

ㄹ. 너는 설도 아닌데 벌써 좋은 옷을 입었구먼.

ㅁ. 그가 박사이구먼.

ㅂ. 이번 시험에서 너는 일등이겠구먼.

6. 「-ㄴ(는)구료」

이 어미는 「-ㄴ(는)구려」와 같은 뜻으로 쓰인다. 형용사나 「-이다」 및 비종결어미에 쓰이면 「-구료」가 된다.

(1) ㄱ. 이것이 보배로구료.

ㄴ. 미타산은 참으로 아름답구료.

ㄷ. 세월이 빨리도 가는구료.

ㄹ. 그들이 이 시합에서 이겼구료.

ㅁ. 곧 눈이라도 내리겠구료.

7. 「-ㄴ(는)다니까」

이것은 「-는다 하니까」가 줄어서 된 어미로 상대에게 어떤 사실을 다시 나타내는데 비종결어미에 쓰이면 「-다니까」로 된다.

(1) ㄱ. 밖에는 비가 온다니까.

ㄴ. 이곳은 공기가 맑다니까.

ㄷ. 순옥이는 벌써 학교를 졸업하였다니까.

ㄹ. 나는 그와는 사귀지 않겠다니까.

ㅁ. 선생님은 모래 미국으로 떠나신다니까.

ㅂ. 그는 밥을 잘 먹는다니까.

8. 「-ㄴ(는)지고」

동사나 형용사 어간에 쓰이며 느낌을 나타낸다.

(1) ㄱ. 그녀는 참으로 착한지고.

ㄴ. 그는 밥을 잘도 먹는지고.

ㄷ. 그는 사무 처리를 잘도 하는지고.

ㄹ. 집을 아주 예쁘게 잘 짓는지고.

ㅁ. 영희는 마음씨가 참으로 고운지고.

9. 「-더구나/-더군」

모든 서술어에 쓰여 겪은 사실을 감탄적으로 베풀어 나타내는 어미로 비종결어미에도 쓰일 수 있다.

(1) ㄱ. 그 군함이 아주 크더구나.

ㄴ. 너는 어마어마한 집을 짓더구나.

ㄷ. 순철이는 크게 성공하였더구나.

ㄹ. 그를 보니 마음 놓고 살겠더구나.

ㅁ. 그곳 경치는 참 좋더군

10. 「-더구먼/-더구면」

여기 「-더구면」은 「-더구먼」과 같은 뜻으로 쓰이는데 지난 일에 대한 느낌이나 깨달음을 나타내며, 비종결어미에 쓰일 수 있다.

(1) ㄱ. 그것이 참하더구먼(참하더구면).

ㄴ. 이것이 소중한 물건이더구먼.

ㄷ. 그는 미국에서 잘 살았더구먼(살았더구면).

ㄹ. 레이니어산은 참으로 높더구먼.

11. 「-ㄹ(을)러라」

주로 형용사나 「-이다」에 쓰이며 겪은 사실을 돌이켜 생각하여 나타내거나 감탄의 뜻을 나타내는 종결어미로 비종결어미에는 쓰일 수 없다.

(1) ㄱ. 그 아이들이 참으로 착할러라.

ㄴ. 경치가 그렇게도 아름다운 곳일러라.

ㄷ. 이곳은 참으로 고요할러라.

12. 「-ㄹ(을)레라」

이것은 「-ㄹ러라」의 변이형태로서 그 용법은 「-ㄹ러라」와 같다.

(1) ㄱ. 나는 그가 왜 그러는지 모를레라.

ㄴ. 요즈음 그는 꽤 바쁠레라.

ㄷ. 거기라면 좋은 곳일레라.

ㄹ. 너는 요즈음 잘 지낼레라.

13. 「-ㄹ(을)세라」

이 어미는 염려, 까닭, 느낌 등을 나타낸다. 비종결어미는 쓰일
수 없다.

(1) ㄱ. 그녀는 마음씨도 고울세라.

ㄴ. 그는 드문 효잘세라.

ㄷ. 아마 너는 모를세라.

14. 「-ㄹ(을)씨고(구)」

이 어미는 예스러운 시나 노랫말에 쓰이어 감탄을 나타낸다.

(1) ㄱ. 이 섬을 빙빙 도는 바닷물이 고울씨고.

ㄴ. 우리 나랏말이 참으로 좋을씨고(좋을씨구).

ㄷ. 얼씨구 절씨구 오늘날이 좋을씨고.

15. 「-라」

이 어미는 「-이다/아니다」에 붙어 쓰이면서 감탄이나 예스러운 표현을 나타낸다. 비종결어미는 쓰일 수 없다.

(1) ㄱ. 삼월이라 삼짇날에 강남 제비 돌아오면….

ㄴ. 서울이라 요술쟁이 찾아갈 곳 못 되더라.

ㄷ. 넓고 넓은 이곳이 내 땅이라.

ㄹ. 오늘이 제비 온다는 삼짇날이라.

16. 「-러라」

시 같은데서 정중한 감탄을 나타낸다.

(1) ㄱ. 아름다운 새벽이러라.

ㄴ. 설악의 빛과 소리 자연의 신비러라.

ㄷ. 귀에 쟁쟁 들려옴은 그대 아리따운 목소리러라.

17. 「-로고」

「-로군」과 비슷하되 예스럽거나 괴이한 느낌을 나타낸다.

(1) ㄱ. 그건 알 수 없는 일이로고.

ㄴ. 여간 맹랑한 놈이 아니로고.

ㄷ. 참으로 기가 막히는 일이로고.

18. 「-로구나/-로군」

이것은 「-이다/아니다」의 표기에 붙어 「-구나」보다 좀 더 다지는 뜻을 나타낸다. 비종결어미는 쓰이지 않는다.

(1) ㄱ. 벌써 아침이로구나.

ㄴ. 그는 예사스러운 놈이 아니로구나.

ㄷ. 봄! 봄이로구나! 봄이로구나! 봄이로구나! 이팔청춘 뻥끗하는 봄이
로구나.

ㄹ. 이것은 아주 향기로운 풀이로군.

19. 「-로구려/-로구료」

여기의 「-로구료」는 「-로구려」와 같은 뜻을 나타낸다. 이들 어미
는 「-이다/아니다」에 붙어 「-구려」보다 예스럽거나 좀 더 다지는
뜻을 나타낸다.

(1) ㄱ. 부부는 참 좋은 친구로구려.

ㄴ. 벌써 가을이로구려(가을이로구료).

ㄷ. 이건 비싼 것은 아니로구려(아니로구료).

ㄹ. 봄, 봄이구려 봄이구려 봄이로구려.

20. 「-로다」

이것은 「-이다/아니다」의 어간에 붙어 정중한 느낌을 나타낸다.
비종결어미는 쓰일 수 없다.

(1) ㄱ. 그건 참으로 장한 일이로다.

ㄴ. 산은 옛 산이로되 물은 옛 물이 아니로다.

ㄷ. 장은 장이로되 못 먹는 장이로다.

ㄹ. 고향은 고향이로되 옛 고향이 아니로다.

21. 「-ㅁ(음)에랴」

이 어미는 되물으면서 느낌을 나타낸다. 비종결어미는 쓰일 수
없다.

(1) ㄱ. 더 말해 무엇하리, 그렇게 고집을 부림에랴.

ㄴ. 미리 좀 가리쳐 주면 어때, 어차피 다 알게 될 것임에랴!

ㄷ. 알아본들 무엇하리. 사실이 아님에랴.

22. 「-어라/-아라」

「-어라」는 어간의 모음이 음성모음일 때, 「-아라」는 양성모음일
때 쓰이어 느낌을 나타낸다.

(1) ㄱ. 아이 기분 좋아라.

ㄴ. 보름이라 달도 밝아라.

ㄷ. 아이 어두워라.

ㄹ. 아이 물도 맑아라.

ㅁ. 어머니의 사랑은 가이없어라.

ㅂ. 인생은 고생이어라.

ㅅ. 이번 일은 벅찬 기쁨이어라.

23. 「-은지고」

이것은 동사나 형용사의 어간에 붙어 느낌을 나타낸다.

(1) ㄱ. 많이 먹은지고

ㄴ. (너는) 많이도 아는지고

ㄷ. 그 아이 가엾은지고

ㄹ. 애닯고도 애닯은지고

ㅁ. 맑은지고 맑은지고 동해물이 맑은지고

1.5.3. 추측의 뜻을 나타내는 '해라체'의 어미

이에는 「-ㄹ(을)까보다」, 「-ㄹ(을)라」, 「-을세」, 「-ㄹ(을)러라」, 「-ㄹ(을)레」, 「-ㄹ레라」, 「-렸다」, 「-(으)리니라」, 「-리라」, 「-리로다」, 「-은가보다」, 「-는갑다」, 「-을껄」 등이 있다.

1. 「-ㄹ(을)까보다」
이것은 「-을까」에 의존형용사 「-보다」가 합하여 된 것으로 추측을 나타낸다.

(1) ㄱ. 그를 만나 본 지가 1년이나 되었을까보다

ㄴ. 그것이 나에게는 맞을까보다

ㄷ. 나는 이게 좋을까보다

ㄹ. 내일은 추울까보다

2. 「-ㄹ(을)라」
이것은 추측을 나타낸다.

(1) ㄱ. 빨리 가 보자. 그가 왔을라.

ㄴ. 거기는 비가 왔을라. 알아보자.

ㄷ. 아마 그는 이 일을 잊었을라.

3. 「-을세」

이것은 어떤 조건에 따른 추측이나 가능성을 나타낸다. 비종결어미는 「-었-/-았-」, 「-시-」가 쓰일 수 있고 「-겠-」은 불가능하다.

(1) ㄱ. 그는 벌써 집에 갔을세

ㄴ. 아저씨가 오시면 너는 좋을세

ㄷ. 그녀가 사 준 선물이면 아주 고급일세

ㄹ. 너는 아저씨를 따라 미국에 갈세

ㅁ. 여기에 있으면 참으로 편안할세

4. 「-ㄹ(을)러라」

이것은 받침 있는 동사나 형용사에 쓰이어 겪은 사실을 바탕으로 한 추측을 나타낸다.

(1) ㄱ. 아무리 찾을래야 못 찾을러라

ㄴ. 그것이 이것보다 좀 작을러라

ㄷ. 아무리 알아보아도 전혀 모를러라

ㄹ. 그것이 이것과 같을러라

5. 「-ㄹ레」

이것은 겪어 본 사실을 바탕으로 하여 추측을 나타낸다. 비종결어미는 「-았-/-었-」, 「-시-」는 쓰일 수 있다.

(1) ㄱ. 그는 벌써 갔을레

ㄴ. 들어 본즉 그 일이 잘 될레

ㄷ. 이보다 그게 더 클레

ㄹ. 그것도 한 가지 멋일레

ㅁ. 거기는 비가 왔을레

6. 「-ㄹ레라」

이것은 「-ㄹ러라」의 변이형태로 「-았-/-었-」, 「-시-」는 쓰일 수 있다.

(1) ㄱ. 무슨 까닭인지 모를레라

ㄴ. 요즈음 그는 꽤 바쁠레라

ㄷ. 거기라면 좋은 곳일레라

ㄹ. 그녀는 벌써 미국으로 떠났을레라

ㅁ. 할아버지는 건강하실레라

7. 「-렸다」

어근에 두루 붙어 확실히 그렇게 되거나 그러할 것임에 대한 추측을 나타내는데 「-었-/-았-」, 「-시-」는 쓰일 수 있다.

(1) ㄱ. 내일쯤은 비가 오렸다.

ㄴ. 이 옷이 좀 크렸다.

ㄷ. 네가 읽고자 하는 책이면 만화책이렸다.

ㄹ. 그는 어제 떠났으렸다.

ㅁ. 아버지는 내일 가시렸다.

8. 「-리니라」

이것은 어떤 사실을 추측하여 가르쳐 주는 종결어미이다. 비종결
어미는 잘 쓰이지 못하는 듯하다.

(1) ㄱ. 진달래꽃도 피리니라.

ㄴ. 그는 말과 행동이 다르리니라.

ㄷ. 쉽게 할 수 있는 일이리니라.

ㄹ. 그 아가씨는 예쁘리니라.

9. 「-리라」

받침 없는 어간이나 ㄹ받침 어간에 붙어서 추측의 뜻을 나타내는
데, 「-었-/-았-」, 「-시-」는 쓰일 수 있다.

(1) ㄱ. 우리 다시 만나리라.

ㄴ. 그 경치 아름다우리라.

ㄷ. 그는 어제 입사하였으리라.

ㄹ. 그곳에는 어제 눈이 왔으리라.

10. 「-리로다」

받침 없는 어간이나 ㄹ받침 어간에 붙어 주로 정중하거나 예스러
운 글체에 쓰이는 종결어미로 「-었-/-았-」 「-시-」는 쓰일 수 있다.

(1) ㄱ. 우리는 그 꿈을 이루리로다.

ㄴ. 뒷동산에는 진달래로 아름다우리로다.

ㄷ. 그것은 한갓 꿈이리로다.

ㄹ. 그는 고시에 합격하였으리로다.

11. 「-으리니라」

받침 있는 어간에 붙어 추측을 나타내는데 「-었-/-았-」, 「-겠-」
이 쓰일 수 있다.

(1) ㄱ. 그 거리라면 벌써 갔으리니라.

ㄴ. 내일은 날씨가 맑으리니라.

ㄷ. 어려운 일이 아니었으리니라.

ㄹ. 내년은 풍년이 들겠으리니라.

ㅁ. 그가 아마 왔으리니라.

12. 「-는갑다」

이것은 「-는가 보다」의 준말로 추측을 나타내는데 「-었-/-았-」,
「-겠-」, 「-시-」 등이 쓰일 수 있다.

(1) ㄱ. 그는 지금 떠나는갑다.

ㄴ. 거기는 언제 눈이 왔는갑다.

ㄷ. 큰소리치는 것을 보니 그가 씨름에서 이기겠는갑다.

ㄹ. 지금 선생님이 전근 가시는갑다.

ㅁ. 누가 너를 찾는갑다.

13. 「-을걸/-을껄」

이것은 「-을 것을」이 줄어서 「-을걸」이 되고 「-걸」이 ㄹ 밑에서
된소리화하여 「-을껄」로 되었다. 비종결어미 「-었-/-았-」, 「-시-」

가 쓰일 수 있다.

(1) ㄱ. 그는 이 책을 다 읽었을걸.

ㄴ. 그녀는 모래 결혼을 할걸(껄).

ㄷ. 아버지는 주무실걸(껄).

ㄹ. 죄인은 그 사람이 아닐걸.

ㅁ. 내일은 달이 밝을걸.

이 어미는 반말투로도 쓰이나 '해라'체로도 쓰이는 혼란상을 보이고 있다. 대개는 반말체에 쓰인다.

1.5.4. 의사의 뜻을 나타내는 '해라체'의 어미

이에는 「-ㄹ(을)거야」, 「-ㄹ(을)래」, 「-을(ㄹ)게」, 「-ㄹ(을)사」, 「-리라」, 「-(으)려더라」, 「-(으)련다」, 「-을까보다」, 「-을까」, 「-리로다」 등이 있다.

1. 「-ㄹ(을)거야」
이 어미는 「-ㄹ(을) 것이야」가 줄어서 된 것으로 비종결어미가 쓰이면 추측의 뜻을 나타낸다.

(1) ㄱ. 나는 집에 갈거야.

ㄴ. 나는 불고기를 먹을거야.

ㄷ. 나는 너를 믿을거야.

이 「-을거야」는 「-을 것이야」로 말하여야 하나 요즈음은 말을 줄여서 하는 것이 일반화되었기 때문에 「-ㄹ(을)거야」를 하나의 어미로 보아야 할 것 같아서 여기에서 다루게 된 것이다. 이것이 의사의 어미로 쓰일 때의 주어는 1인칭이 되어야 한다.

2. 「-ㄹ(을)래」

이 어미는 말할이 자신의 의사를 나타낸다. 상대방의 의사를 말할 때는 물음이 된다. 그런 보기는 '물음조'에서 다룰 것이다.

(1) ㄱ. 이 책은 내가 가질래.
　　 ㄴ. 이 곰탕은 내가 먹을래.
　　 ㄷ. 나는 집에 갈래.

3. 「-을(ㄹ)게」

이 어미는 동사에 쓰이며 비종결어미는 쓰일 수 없다.

(1) ㄱ. 나는 이것을 가질게.
　　 ㄴ. 나는 집에 있을게.

이 어미의 주어는 1인칭에 한한다.

4. 「-ㄹ(을)사」

동사에 붙어 의사를 나타낸다.

(1) ㄱ. 우리 그에 대하여는 말하지 말사

ㄴ. 이 일은 내가 할사

이 어미는 그리 잘 쓰이지 않는데 문맥에 따라서는 감탄을 나타
내기도 한다.

(2) ㄱ. 일이 잘 되어 좋음도 좋을사.
　　ㄴ. 달도 밝을사 이 밤이여.

5. 「-(으)리라」
이 어미는 동사의 어간에 붙어 의사를 나타낸다.

(1) ㄱ. 나는 이제 가리라.
　　ㄴ. 꼭 찾아내고 말리라.
　　ㄷ. 나는 그로부터의 선물을 받으리라.
　　ㄹ. 나는 가리라 정처 없이.

6. 「-려더라」
이것은 「-려 하더라」가 줄어서 된 것으로 「-더라」 때문에 서술로
보아야 하나 「-려」 때문에 의사를 나타내는 어미로 다룬다.

(1) ㄱ. 그는 공부를 열심히 하려더라.
　　ㄴ. 너는 그때 공부를 안 하고 자려더라.
　　ㄷ. 영미는 대학원에 진학하려더라.

실지로 의사를 나타내는 어미로 다루려면 말할이의 의사를 나타

내어야 하는데 그렇지 못하니, 이 어미는 서술에서 다루어야 한다.

7. 「-련다」

이 어미는 「-려 한다」가 줄어서 된 것으로 말할이의 의사를 나타낸다. 비종결어미는 쓰일 수 없다.

(1) ㄱ. 어린 악기 손을 잡고 감자 심고 수수 심는 두메산골 내 고향에 가련다. 떠나련다.
ㄴ. 고향으로 돌아가련다.
ㄷ. 나는 이제 공부하련다.
ㄹ. 나는 여기서 고향을 지키련다.

8. 「-을까보다」

이 어미는 「-을까」에 도움형용사 '보다'가 합하여 된 것으로 의사를 나타낸다. 주어는 1인칭 때이다.

(1) ㄱ. 이제 그만 갈까보다
ㄴ. 지금 점심을 먹을까보다
ㄷ. 공부를 좀 해볼까보다
ㄹ. 그를 도와 줄까보다

9. 「-을까」

동사 어간에 붙어 의사를 나타낸다. 비종결어미는 쓰일 수 없다. 주어는 1인칭 때이다.

(1) ㄱ. 그와 같이 여행이나 할까.

ㄴ. 잠이나 좀 자 볼까.

ㄷ. 돈을 벌어 볼까.

ㄹ. 그에게 이 문제에 대하여 물어 볼까?

10. 「-리로다」

동사의 어간에 붙어 그렇게 할 의사를 나타낸다. 비종결어미는 쓰일 수 없다. 주어는 1인칭 때이다.

(1) ㄱ. 나는 가리로다 정처 없이.

ㄴ. 그 일을 꼭 이루고 말리로다.

ㄷ. 나 이제 가리로다.

이 어미는 문맥에 따라 감탄이나 추측을 나타내기도 한다.

1.5.5. 망설임과 염려의 뜻을 나타내는 '해라체'의 어미

이에는 「-을까말가」, 「-로라」, 「-을(ㄹ)세라」가 있다.

1. 「-을까말까」

이 어미는 동사 어간에 붙어 어떤 행동을 망설임을 나타낸다. 비종결어미는 쓰일 수 없다. 이 어미는 「-을까」에 「-말다」의 망설임의 「말까」가 합하여 된 것이다.

(1) ㄱ. 오늘은 학교에 갈까말까.

ㄴ. 이것을 너에게 줄까말까.

ㄷ. 이 음식을 먹을까말까.

이 어미는 문맥에 따라 물음의 뜻을 나타내기도 한다.

2. 「-ㄹ(을)라」

동사 어간에 붙어서 염려를 나타낸다. 비종결어미 「-었-/-았-」, 「-시-」가 쓰일 수 있다.

(1) ㄱ. 그가 갔을라. 어서 가 보자.

ㄴ. 꼭 잡아라. 떨어질라.

ㄷ. 옷을 그렇게 입고 추울라.

ㄹ. 혹 그것이 가짤라.

3. 「-을(ㄹ)세라」

동사 어간에 붙어 염려를 나타내는데 「-았-/-었-」, 「-시-」를 취할 수 있다.

(1) ㄱ. 어린이가 혹 물가에 갈세라

ㄴ. 소가 벼를 먹었을세라

ㄷ. 가는 길이 험할세라

ㄹ. 거기가 위험한 곳일세라

ㅁ. 아버지가 술을 너무 많이 드실세라

이 어미는 문맥에 따라 까닭이나 느낌을 나타내기도 한다.

1.5.6. 가능의 뜻을 나타내는 '해라체'의 어미

이에는 「-ㄹ(을)러라」, 「-ㄹ(을)레라」, 「-ㄹ(을)레」 등이 있다.

1. 「-ㄹ(을)러라」
서술어의 어간에 두루 붙어 겪은 사실을 바탕으로 한 가능성을 나타낸다. 비종결어미는 쓰이지 않는다.

(1) ㄱ. 아무리 보아도 모를러라
    ㄴ. 나는 그 음식이라면 얼마든지 먹을러라
    ㄷ. 백리라도 달려갈러라
    ㄹ. 그의 말은 믿어도 좋을러라
    ㅁ. 너 같으면, 얼마든지 할 수 있을러라

이 어미는 문맥에 따라서는 추측이나 느낌을 나타낸다.

2. 「-ㄹ(을)레라」
이것은 「-ㄹ(을)러라」의 변이형태로서 가능을 나타낸다. 이 어미도 문맥에 따라서 감탄이나 추측을 나타낼 수 있다.

(1) ㄱ. 이 줄다리기에서 우리 편이 이길레라
    ㄴ. 구경이 좋다니까 많은 사람들이 모일레라
    ㄷ. 올해는 풍년이 들레라
    ㄹ. 내라면, 헤엄 쳐서 그 강을 건널레라
    ㅁ. 그녀는 미쓰 코리아에 당선될레라

3. 「-ㄹ(을)레」

이 어미는 문맥에 따라서는 추측을 나타내기도 하나 가능을 나타낸다. 가능을 나타낼 때는 「-었-/-았-」은 쓰일 수 없다.

(1) ㄱ. 알아본즉, 이번 일이 잘 될레
　　 ㄴ. 그가 이번 시험에서는 합격할레
　　 ㄷ. 그가 이 밥을 다 먹을레

1.5.7. 다짐(확인), 강도의 뜻을 나타내는 '해라체'의 어미

이에는 「-것다」, 「-는다니까」, 「-라야지」, 「-렸다」, 「-야지」, 「-고말고」, 「-다마다」, 「-다말다」 등이 있다.

1. 「-것다」

이것은 어떤 움직임이나 상태 따위를 다짐(확인)함을 나타낸다. 최현배 선생의 『우리말본』이래로 「-것-」을 비종결어미로 다루고 있어 글쓴이도 그렇게 다루었으나 여기서는 어미로 다루기로 하겠다. 비종결어미 「-었-/-았-」, 「-시-」를 붙여 쓸 수 있다.

(1) ㄱ. 서리가 많이 내린 것을 보니 오늘은 따뜻하것다.
　　 ㄴ. 그는 틀림없는 사람이것다.
　　 ㄷ. 그는 돈도 있것다. 실력도 있것다. 무슨 걱정이겠느냐?
　　 ㄹ. 그의 모습을 보니 돈이 많것다.

2. 「-는다니까」

이것은 「-는다 하니까」가 줄어든 말로 상대편에게 따지어 나타
내는 뜻을 가진다. 「-었-/-았-」, 「-겠-」이 쓰이면 「-다니까」로 되
고 「-시-」가 쓰이면 「-ㄴ다니까」로 된다.

(1) ㄱ. 나는 지금 서울 간다니까.

ㄴ. 내일은 눈이 오겠다니까.

ㄷ. 철민이는 집에 갔다니까

ㄹ. 아버지는 시장에 가신다니까

ㅁ. 미타산은 아름답다니까.

ㅂ. 그는 착한 학생이라니까.

(1ㅂ)에서 보면, 「-이다」에 「-는다니까」가 오니까, 「-라니까」로
됨을 알 수 있다.

3. 「-라야지」

이것은 「-라야 하지」가 줄어서 된 것으로 비종결어미는 쓰이지
못한다.

(1) ㄱ. 옷은 새 옷이라야지.

ㄴ. 낡은 것이 아니라야지.

ㄷ. 먹거리도 좋은 것이라야지

4. 「-렸다」

서술어의 어간에 붙어 으레 그렇게 하거나 그러해야 할 것임을

다지는 뜻을 나타낸다. 비종결어미는 잘 쓰이지 않은 것 같다.

(1) ㄱ. 다시는 두 말 못 하렸다.

ㄴ. 또다시 찾아오지 않으렸다.

ㄷ. 두 번 다시 말썽을 부리지 않으렸다.

ㄹ. 우리가 반드시 이기렸다.

5. 「-(어/아)야지」

양성음절 아래서는 「-아야지」가 쓰이고 음성음절 아래서는 「-어야지」가 쓰인다.

(1) ㄱ. 나도 가고 나도 가야지

ㄴ. 어서 밥을 먹어야지

ㄷ. 아버지도 가시야지

ㄹ. 떠날려면, 날이 밝아야지

ㅁ. 옷은 새것이야지

6. 「-고말고」

이것은 '그렇게 함이나 그러함'을 강조하는 종결어미로 비종결어미는 쓰일 수 없다. 행동이나 상태를 긍정적으로 강조한다.

(1) ㄱ. 그 모임에 가시겠습니까? 물론 가고말고

ㄴ. 같이 식사를 하시겠습니까? 물론 식사를 하고말고

ㄷ. 이번 모임에 오시겠습니까? 그럼 가고말고

ㄹ. 그곳이 조용합니까? 물론, 조용하고말고

ㅁ. 이것이 보물입니까? 그럼 귀중한 보물이고말고

7. 「-다마다」
이 어미는 위의 「-고말고」와 같은 뜻으로 쓰이는데 비종결어미는 쓰이지 못한다.

(1) ㄱ. 놀러 오시겠습니까? 그럼 가다마다.
ㄴ. 돈을 좀 빌려 주시겠습니까? 그럼 빌려 주다마다.
ㄷ. 같이 여행하시겠습니까? 물론 같이 여행하다마다.

8. 「-다말다」
이 어미는 위의 「-다마다」와 같은 종결어미로서 비종결어미는 쓰이지 못한다.

(1) ㄱ. 이것을 드시겠습니까? 물론 들다말다.
ㄴ. 이곳에서 머물겠습니까? 그럼 이곳에서 머물다말다.
ㄷ. 그곳이 그리도 좋습니까? 물론 좋다말다.

이 어미는 아마 사투리에서 쓰이는 말투 같다.

1.5.8. 당연, 주장의 뜻을 나타내는 '해라체'의 어미

이에는 「-더라니」, 「-더라니까」, 「-라니까」 등이 있다.

1. 「-더라니」

이것은 「-더라 하니」가 줄어서 된 것으로 '당연하다'는 뜻을 나타내는 종결어미로 「-었-/-았-」, 「-겠-」, 「-시-」가 쓰일 수 있다.

(1) ㄱ. 가지 말라도 기어이 가더라니

　　ㄴ. 그 사람 인상이 좋지 않더라니

　　ㄷ. 그렇게 낡은 것이라더니

　　ㄹ. 꼭 모슨 일을 저지르고 말겠더라니

　　ㅁ. 싸우지 말라 하였는데 싸웠더라니

2. 「-더라니까」

이것은 「-더라 하니까」가 줄어서 된 것으로 지난 사실을 돌이켜 확인시키거나 주장할 때 쓰이는 종결어미로 비종결어미가 쓰일 수 있다.

(1) ㄱ. 글쎄 가지 말라도 그가 가더라니까.

　　ㄴ. 이것을 먹어서는 안 된다 하였는데도 먹더라니까.

　　ㄷ. 그가 바로 십년 전의 그 학우였더라니까.

　　ㄹ. 그건 거짓말이었더라니까.

　　ㅁ. 그 옷감은 검지 않고 희더라니까.

3. 「-라니까」

이 어미는 「-이다/아니다」에 쓰이어 어떤 사실을 다시 확인시키거나 강조하여 알려 주는 뜻을 나타낸다.

(1) ㄱ. 그것은 내것이라니까

　　ㄴ. 그 사람이 아니라니까

　　ㄷ. 이것이 바로 고려청자라니까

　　ㄹ. 여기가 경주 포석정이라니까

이 어미는 문맥에 따라 명령의 뜻을 나타내기도 한다.

1.5.9. 약속의 뜻을 나타내는 '해라체'의 어미

이에는 「-ㄹ(을)게/ㄹ(을)께」, 「-마」 등이 있다.

1. 「-ㄹ(을)게/-ㄹ(을)께」

이 어미는 동사의 어간에 붙어 자기가 어떻게 할 뜻을 상대방에게 약속함을 나타낸다. 비종결어미는 쓰이지 않는다. 「-ㄹ(을)께」는 「-ㄹ(을)게」가 그렇게 발음됨을 나타내는데 사전에서는 하나의 형태소로 인정하지 않고 있다.

(1) ㄱ. 이 피아노를 너에게 사줄게.

　　ㄴ. 일찍 갔다가 오늘 중으로 돌아올게(께).

　　ㄷ. 그 문제에 관해서는 내가 해결할게(께).

　　ㄹ. 내가 자네를 도와줄게.

2. 「-마」

이 어미는 받침 유무에 관계없이 동사에 쓰여 자기가 그 행동을 하겠다는 약속을 나타낸다. 비종결어미는 쓰일 수 없다.

(1) ㄱ. 그 일을 내가 맡아 보마

ㄴ. 이것을 너에게 주마

ㄷ. 그 어려운 문제는 내가 해결해 주마

ㄹ. 이것은 내가 먹으마

ㅁ. 전화는 내가 받으마

2. 의문법의 대우법

말할이가 들을이에게 알고자 하는 어떤 일에 대하여 묻거나 상대방의 의사를 묻거나 하는 어법으로서 이에도 극존칭, 보통존칭, 보통비칭, 극비칭의 네 등급의 대우법이 있고 그 이외에 동급 외의 반어법이 있다. 차례에 따라 설명해 가기로 한다.

2.1. 의문법의 극존칭

이에는 말할이가 어떤 일이나 사실에 대하여 몰라서 상대 어른에게 알려 달라고 묻는 의문법과 상대 어른의 의사를 묻는 의문법의 두 경우가 있다.

2.1.1. 말할이가 상대 어른에게 답을 요구하는 '합쇼체'의 어미

이에는 「-ㄴ(는)답니까」, 「-ㄴ(는)답디까」, 「-더이까」, 「-더니이까」, 「-더랍니까」, 「-더랍디까」, 「-더이까」, 「-랍니까」, 「-으랍디까」, 「-ㅂ(읍)니까」, 「-ㅂ(읍)디까」, 「-사옵니까」, 「-사옵디까」, 「-습니까」, 「-습디까」, 「-(으)오니까」, 「-으옵니까」, 「-으옵디까」 등이 있다.

1. 「-ㄴ(는)답니까」

이것은 「-ㄴ(는)다 합니까」가 줄어서 된 어미인데 형용사와 「-었
-/-았-」, 「-겠-」에 쓰이면 「-답니까」로 되고 「-이다/아니다」에 쓰
이면 「-랍니까」로 된다.

(1) ㄱ. 선생님, 영순이가 어디로 간답니까?

　　ㄴ. 철이는 고시에 합격하였답니까?

　　ㄷ. 그는 언제 이사한답니까?

　　ㄹ. 민수가 철수를 이기겠답니까?

　　ㅁ. 아버지, 할아버지는 언제 오신답니까?

　　ㅂ. 이것이 무엇이랍니까?

　　ㅅ. 영미가 착하답니까?

2. 「-ㄴ(는)답디까」

이것은 「-ㄴ(는)다 합디까」가 줄어서 된 것으로 형용사와 「-었
-/-았-」, 「-겠-」에 쓰이면 「-답디까」로 되고 「-이다/아니다」에 쓰
이면 「-랍디까」로 된다.

(1) ㄱ. 그것이 무엇이랍디까?

　　ㄴ. 그는 언제 왔답디까?

　　ㄷ. 그녀는 예쁘답디까?

　　ㄹ. 호수는 공부를 잘 한답디까?

　　ㅁ. 영실이는 훌륭한 과학자였답디까?

3. 「-더이까」

이 어미는 지난 사실을 돌이켜 생각하여 정중하게 예스럽게 말할 때 쓰인다. 비종결어미를 취할 수 있다.

(1) ㄱ. 할아버지, 그곳은 날씨가 어떠하더이까?
ㄴ. 그 보자기에 든 것이 무엇이더이까?
ㄷ. 칠보는 공부를 잘 하더이까?
ㄹ. 저 소가 여물을 잘 먹더이까?
ㅁ. 억수가 벌써 다녀왔더이까?

4. 「-더니이까」

이 어미는 지난 사실을 돌이켜 생각하여 정중하게 예스럽게 말할 때 쓰인다. 비종결어미를 취할 수 있고 서술어 제약은 없다.

(1) ㄱ. 금년 농사가 어떠하더니이까?
ㄴ. 이번에 받은 상금은 얼마이더니이까?
ㄷ. 금돌이는 잘 있더니이까?
ㄹ. 금수는 그 책을 잘 읽더니이까?
ㅁ. 거기는 풍년이 들었더니이까?
ㅂ. 길이 험하여 차가 다니겠더니이까?

5. 「-더랍니까」

이 어미는 「-더라 합니까」가 줄어서 된 것으로 비종결어미를 취할 수 있고 서술어 제약은 없다.

(1) ㄱ. 그는 잘 지내더랍니까?

ㄴ. 비가 많이 와서 수해는 없었더랍니까?

ㄷ. 제주도 귤은 그곳의 명산품이더랍니까?

ㄹ. 지리산의 경치는 어떠하더랍니까?

6. 「-더랍디까」

이것은 「-더라 합디까」가 줄어서 된 것으로 「-더라 합니까」는 이전의 것을 회상하여 묻는다면 「-더라 합디까」는 과거의 일에 대하여 회상하여 묻는 어미이다.

(1) ㄱ. 그가 뭐라 하더랍디까?

ㄴ. 그때 거기에 비가 왔더랍디까?

ㄷ. 그 고기가 크더랍디까?

ㄹ. 그가 좋은 사람이랍디까?

ㅁ. 철수가 그 일을 하겠더랍디까?

이 어미가 「-이다/아니다」에 쓰일 때는 「-랍디까」로 되는데 비종결어미를 취할 수 있고 서술어 제약은 없다.

7. 「-더이까」

모든 서술어의 어간에 붙어 지난 사실을 돌이켜 생각하여 정중하게나 예스럽게 물을 때의 물음어미이다. 비종결어미가 쓰일 수 있다.

(1) ㄱ. 그는 어디로 가더이까?

ㄴ. 그 행사가 좋더이까?

ㄷ. 그 보자기에 든 것이 무엇이더이까?

ㄹ. 그는 잘 살겠더이까?

ㅁ. 철수는 거기에 무사히 도착하였더이까?

8. 「-으랍니까」

이 어미는 「-으라 합니까」가 줄어서 된 것으로 받침 있는 어간에 붙어 쓰인다. 비종결어미는 「-시-」만 쓰일 수 있다. 「-이다/아니다」에도 쓰일 수 있다.

(1) ㄱ. 무엇을 먹으랍니까?

ㄴ. 어느 책을 읽으랍니까?

ㄷ. 누구를 믿으랍니까?

ㄹ. 이것이 무엇이랍니까?

이 어미가 「-랍니까」로 될 때는 받침 없는 모든 서술어에 다 쓰일 수 있다.

(1) ㄱ. 이것이 무엇이랍니까?

ㄴ. 어디로 가시랍니까?

ㄷ. 누구를 보고 착하랍니까?

ㄹ. 무슨 공부를 하랍니까?

9. 「-으랍디까」

이 어미는 「-으라 합디까」가 줄어든 것으로 받침 있는 서술어에 쓰인다. 비종결어미는 쓰일 수 없다.

(1) ㄱ. 무슨 책을 읽으랍디까?

ㄴ. 무슨 약을 먹으랍디까?

ㄷ. 어디에 있으랍디까?

ㄹ. 이 이상 어떻게 아름다워랍디까?

이 어미도 「-으랍니까」와 같이 「-랍디까」로, 쓰이면 받침 없는 어간에 붙어 쓰이므로 「-이다/아니다」에도 쓰일 수 있다. 비종결어미는 「-시-」만이 쓰인다.

(1)′ ㄱ. 어떻게 착하랍디까?

ㄴ. 이 가방 안에 든 것이 무엇이랍디까?

ㄷ. 이것의 값이 얼마랍디까?

ㄹ. 어디로 오랍디까?

여기에 덧붙일 것은 「-다/-라 합디까」가 줄어서 「-다랍디까」로 쓰이는 일이 있다

(2) ㄱ. 이것이 어떻다랍디까?

ㄴ. 그가 잘 있다랍디까?

ㄷ. 그는 그 약을 잘 먹었다랍디까?

이것은 지금 하나의 물음어미로 보아질지 모르나 요즈음 말을 줄여서 하는 경우가 많으므로 이것이 굳어지면 하나의 어미로 보아질 수 있을 것이다.

10. 「-러이까」

이 어미는 「-더이까」의 뜻으로 「-이다/아니다」의 어간에만 붙어 쓰인다. 비종결어미는 쓰일 수 없다.

(1) ㄱ. 그는 어떤 사람이러이까?

ㄴ. 그는 박사가 아니러이까?

ㄷ. 그의 말이 참이러이까?

11. 「-ㅂ(습)니까」

이 어미는 받침 없는 어간에 쓰이어 물음을 나타내나 받침이 있는 서술어에 쓰일 때는 「-습니까」로 쓰인다. 맞춤법이 개정되기 전에는 「-읍니까」도 있었지만 「-습니까」와 쓰이는 경우의 구별이 잘 안 될 뿐만 아니라, 일반적으로 「-습니까」가 많이 쓰였기 때문이다.

(1) ㄱ. 이것이 무엇입니까?

ㄴ. 어디로 가십니까?

ㄷ. 어떤 일을 하였습니까?

ㄹ. 이곳의 공기가 얼마나 맑습니까?

ㅁ. 이 고기의 맛이 어떻습니까?

ㅂ. 언제 떠나시겠습니까?

ㅅ. 그녀는 얼마나 착합니까?

12. 「-ㅂ(습)디까」

이 어미는 받침 없는 어간에 쓰인다. 이는 상대방이 보았거나 들었거나 겪은 사실에 대하여 묻는 물음어미인데 받침이 있는 어간에 쓰일 때의 물음에는 「-습디까」가 쓰인다.

(1) ㄱ. 그는 요즈음 어떻게 지냅디까?

ㄴ. 속리산이 얼마나 아름답습디까?

ㄷ. 지난번 대통령 출마자는 어떤 사람입디까?

ㄹ. 그는 박사가 아닙디까?

ㅁ. 어디로 가십디까?

ㅂ. 그들은 무슨 일을 하였습디까?

13. 「-사옵니까」

이 어미는 「-사옵」에 「-니이까」가 줄어서 합하여 된 것으로 비종결어미를 취할 수 있는데 다만 「-시-」는 쓰일 수 없다. 이 자체가 높임인데 또 「-시-」가 쓰일 수 없기 때문이다. 그러나 「-시었-」, 「-시겠-」으로 쓰이면 가능하다. 서술어로 「-이다/아니다」는 쓰일 수 없다.

(1) ㄱ. 선생님은 그 사람을 믿사옵니까?

ㄴ. 어찌하여 그를 믿었사옵니까?

ㄷ. 해운대가 얼마나 아름답사옵니까?

ㄹ. 여기서 무엇을 찾사옵니까?

ㅁ. 선생님은 무슨 일을 오래 하셨사옵니까?

ㅂ. 이번 일은 잘 되시겠사옵니까?

이 어미는 반드시 받침 있는 서술어에 쓰인다. 이 어미는 서술어의 받침이 'ㅊ, ㄷ, ㅈ'일 때 쓰이는데 비종결어미는 쓰이지 못한다.

(2) ㄱ. ⅰ 누구의 말을 듣자옵나이까?

　　　ⅱ 누구의 말을 듣자옵니까?

　　ㄴ. ⅰ 누구의 노선을 쫓자옵나이까?

　　　ⅱ 누구의 노선을 쫓자옵니까?

이 어미는 「-자옵나이까」로 많이 쓰이나 「-자옵니까」로도 쓰이는데 요즈음은 그리 많이 쓰이지 않는 듯하다. 예스러운 글말투이기 때문이다. 또 연결어미로 「-자옵고」로도 쓰이나 서술어미로 「-자옵나이다」로도 쓰인다.

14. 「-사옵디까」

이 어미는 「-사옵-」에 「-더이까」가 줄어 합하여진 것으로 비종결어미 중 「-시-」는 쓰일 수 없다. 그 까닭은 「-사옵니까」에서 말한 바와 같다. 다만 「-시었-」, 「-시겠-」과 같은 경우는 가능하다. 그리고 「-이다/아니다」는 쓰일 수 없으며 받침 없는 서술어는 쓰일 수 없다.

(1) ㄱ. 선생님은 어디를 가셨사옵디까?

　　ㄴ. 선생님께서 언니를 이기시겠사옵디까?

　　ㄷ. 그는 무슨 일을 하였사옵디까?

　　ㄹ. 이번 잔치는 거룩하였사옵디까?

　　ㅁ. 그것이 무엇이었사옵디까?

　　ㅂ. 선생님은 어디에 있사옵디까?

이 어미도 「-사옵니까」의 경우와 같이 동사의 받침이 'ㄷ, ㅈ, ㅊ'

일 때는 「-사옵디까」로 된다. 이는 예스러운 글말체의 어미이다.

(2) ㄱ. 선생님은 그의 말을 믿자옵디까?

ㄴ. 그는 누구의 길을 쫓자옵디까?

15. 「-으오니까」

이것은 받침 있는 형용사의 어간에 붙어 예스러운 표현을 나타내는 물음어미이다.

(1) ㄱ. 그 산은 얼마나 높으오니까?

ㄴ. 그렇게도 많으오니까?

ㄷ. 이 연못이 그렇게 깊으오니까?

이 어미가 받침 없는 어간에 쓰일 때는 「-오니까」로 된다.

(2) ㄱ. 그녀는 얼마나 착하오니까?

ㄴ. 이 보석이 그렇게도 비싸오니까?

ㄷ. 영수는 참으로 착하오니까?

이 어미에 「-사옵-」이 합하여 「-사오니까」로 될 수 있다. 이때는 「-옵-」이 준다.

(3) ㄱ. 이 등불이 밝사오니까?

ㄴ. 이 방이 어둡사오니까?

16. 「-으옵니까」

이 어미는 「-으옵」에 「-나이까」가 줄어서 합하여 된 것으로 받침
있는 동사나 형용사에 쓰이어 물음을 나타낸다. 비종결어미는 「-시
-」만이 쓰인다.

(1) ㄱ. 이 책을 읽으옵니까?

ㄴ. 그녀를 믿으옵니까?

ㄷ. 이 선물을 받으시옵니까?

ㄹ. 이 물이 깊으옵니까?

받침이 없는 서술어에 쓰이면 「-옵니까」로 된다.

(2) ㄱ. 어디로 가옵니까?

ㄴ. 무슨 공부를 하옵니까?

ㄷ. 그 학생이 얼마나 착하옵니까?

17. 「-으옵디까」

이 어미는 「-으옵」에 「-더이까」가 줄어 합하여 된 것으로 지나
간 일을 돌이켜 생각하여 묻는 물음어미이다. 예스러운 글말투의
말이다.

(1) ㄱ. 그는 이 책을 잘 읽으옵디까?

ㄴ. 철수는 우리 말을 잘 믿으옵디까?

ㄷ. 그녀는 아주 불평 없이 저의 선물을 잘 받으옵디까?

이 어미도 받침 없는 동사나 형용사나 「-이다/아니다」에 쓰이면 「-옵디까」로 된다. 비종결어미 「-시-」가 쓰일 수 있다.

(2) ㄱ. 그는 아무 말도 없이 가옵디까?
   ㄴ. 이것이 그렇게도 소중한 물건이옵디까?
   ㄷ. 그는 그렇게도 무던하옵디까?
   ㄹ. 선생님은 어디로 가시옵디까?

이 어미에 「-사옵-」과 「-자옵-」이 줄어서 합하여 쓰일 수 있는데, 그때는 「-옵-」이 거듭되기 때문에 줄어든다.

(3) ㄱ. 그 어른은 저의 편지 내용을 믿자옵디까?
   ㄴ. 할아버지는 어디를 찾자옵디까?
   ㄷ. 선생님은 무슨 선물을 잘 받사옵디까?
   ㄹ. 그 방안은 얼마나 밝사옵디까?

2.1.2. 말할이가 상대 어른의 뜻을 묻는 '합쇼체'의 어미

이에는 「-(으)렵니까」, 「-(으)리까」, 「-(으)오리까」, 「-(으)오리이까」가 있다.

1. 「-(으)렵니까」
이 어미는 「-려고 합니까」가 줄어서 된 것으로 상대방의 의사를 묻는 합쇼체의 어미이다. 비종결어미는 「-시-」가 많이 쓰인다. 「-으렵니까」는 받침 있는 동사에 쓰이고 「-렵니까」는 받침 없는 동사에 쓰인다.

(1) ㄱ. 무슨 일을 하시렵니까?

ㄴ. 언제 떠나렵니까?

ㄷ. 선생님은 그를 믿으시렵니까?

ㄹ. 그 둔재를 잘 가르치시렵니까?

ㅁ. 어디로 가시렵니까?

이 어미에는 「-시-」가 쓰이는 것이 일반적이다.

2. 「-(으)리까」

이 어미는 동사의 어간에 붙어 그렇게 할 뜻을 상대에게 묻는 물음어미이다.

(1) ㄱ. 제가 그 일을 해보리까?

ㄴ. 어떻게 하오리까?

ㄷ. 무엇을 드리오리까?

ㄹ. 무슨 책을 읽으오리까?

ㅁ. 어디로 가오리까?

ㅂ. 어디로 가시오리까?

이 어미에 「-시-」가 쓰일 수 있다. 그리고 이 어미는 추측을 나타내는 일도 있다.

(2) ㄱ. 이 한밤중에 누가 찾아오리까?

ㄴ. 그녀의 신랑이 얼마나 착하리까?

ㄷ. 어디로 가옵기로 임의 나라가 아니리까?

ㄹ. 그이가 얼마나 착하리까?

3. 「-(으)오리까」

이 어미는 「-으리까」의 예스럽고 정중한 말이다.

(1) ㄱ. 어떻게 하오리까?

ㄴ. 이 또한 임의 뜻이 아니오리까?

ㄷ. 이것을 선물로 보냄이 어떠하오리까?

ㄹ. 이 종이를 뜯으오리까?

이 어미에는 「-사옵-」, 「-자옵-」이 들어가 줄어서 합하여 「-사오리까」, 「-자오리까」로 된다. 이때 「-옵-」은 줄어든다.

(2) ㄱ. 이 잔을 받자오리까?

ㄴ. 그 사랑을 좇자오리까?

ㄷ. 이 옷을 입사오리까?

4. 「-으오리이까」

이 어미는 「-오리까」의 예스럽고 정중한 말이다.

(1) ㄱ. 어찌 하오리이까?

ㄴ. 할아버지께서 이 글을 읽으오리이까?

ㄷ. 이것이 선물로서 어떠하오리이까?

ㄹ. 어차피 할아버지의 몫이 아니오리이까?

ㅁ. 이 귀한 선물을 받자오리이까?

ㅂ. 이 병풍으로 윗바람을 막사오리이까?

「으오리이까」에는 (ㅁ, ㅂ)에서 보는 바와 같이 「-자오-」「-사오」가 쓰일 수 있는데, 이때 「-오-」는 줄어든다. 「-오-」가 두 개 있기 때문이다.

5. 「-리이까」

이 어미는 「-시리이까」의 형태로도 쓰인다. 비종결어미 「-았-/-었-」, 「-겠-」, 「-리-」는 쓰일 수 없다. 동사에만 쓰인다.

(1) ㄱ. 가시리, 가시리이까, 버리고 가시리이까?

ㄴ. 어찌 하리이까?

ㄷ. 이 일을 도우리이까?

이 어미는 「-리까」의 예스럽고 정중한 말이다.

2.2. 의문법의 보통존칭

이 법은 아우가 형에게, 후배가 선배에게, 형부가 처제에게 또는 제부가 처형에게 대하여 '제가 -소(오)' 식으로 하는 어법으로 1) 상대방의 대답을 요구하는 물음어미와 2) 상대방의 의사를 물어 보는 어미의 두 가지가 있다.

2.2.1. 상대방의 대답을 요구하는 어미

이에는 「-ㅂ(읍)죠」, 「ㅂ(읍)지요」, 「-소(오)」, 「-어요/-아요」, 「-지요」, 「-으리요」, 「-나요」 등이 있다.

1. 「-ㅂ(읍)죠」
어미는 「-ㅂ지요/-읍지요」의 준말이다. 서술어 제약은 없으나 「-습죠」로도 쓰인다.

(1) ㄱ. 그 일은 사실입죠?
ㄴ. 눈이 많이 왔습죠?
ㄷ. 내일은 비가 오겠습죠?
ㄹ. 날씨가 따뜻합죠?

이 어미에는 「-았-/-았-」, 「-겠-」이 쓰일 수 있음을 알 수 있다.

2. 「-ㅂ(읍)지요」
이 어미는 받침에 관계없이 각 어간에 쓰이어 물음을 나타내는데 「-습지요」가 잘 쓰인다.

(1) ㄱ. 보리가 아직 푸릅지요?
ㄴ. 그이가 믿읍지요?
ㄷ. 이것이 무엇입지요?
ㄹ. 그는 잘 있습지요?
ㅁ. 이 옷이 꽤 좋습지요?

ㅂ. 그가 왔습지요?

「-습지요」는 받침 있는 서술어에 쓰임이 예사이다. 따라서 「-았
-/-었-」, 「-겠-」 등을 취할 수 있다.

3. 「-소(오)」
이 어미는 베풂, 물음, 시킴을 나타내나 여기서는 물음만 다루기
로 한다. 비종결어미 「-았-/-었-」, 「-겠-」은 쓰일 수 있다. 서술어
제약은 없다.

(1) ㄱ. 도산서원에는 언제 갔다 왔소?
ㄴ. 형님은 서울에 언제 가오?
ㄷ. 당신 이래도 좋소?
ㄹ. 형은 여기서 뭘 하오?
ㅁ. 이 옷이 어떠하오?
ㅂ. 어제 온 그가 누구였소?

「-소」는 받침 있는 서술어에 쓰이고 「-오」는 받침 없는 서술어에
쓰인다.

4. 「-어요/-아요」
이 어미는 반말어미 「-어/-아-」에 높임의 특수조사 「-요」를 더
하여 된 것으로 베풂, 물음, 시킴의 뜻을 타나내나 여기서는 물음만
다루기로 한다. 비종결어미 「-었-/-았-」과 「-겠」이 쓰일 수 있다.
모든 서술어에 다 쓰일 수 있다.

(1) ㄱ. 그는 벌써 갔어요?

　　ㄴ. 형은 언제 미국에 가겠어요?

　　ㄷ. 이 연못은 깊어요?

　　ㄹ. 그는 어떤 분이어요?

　　ㅁ. 약발을 잘 받아요?

　　ㅂ. 그는 잘 있어요?

「-었-/-았-」과 「-겠-」 다음이나 받침 있는 서술어 다음이나 어간이 음성모음으로 된 어간 다음에는 「-어요」가 쓰이고, 그렇지 않은 경우에는 「-아요」가 쓰인다. 그리고 어간이 「-이」일 경우에도 「-어요」가 쓰인다.

5. 「-지요」

이 어미는 반말어미 「-지」에 높임의 특수조사 「-요」가 합하여 된 것으로 베풂, 물음, 시킴이 듯을 나타내지만 여기서는 물음의 경우만 다루기로 한다.

(1) ㄱ. 이것이 무엇이지요?

　　ㄴ. 어디를 갔다 왔지요?

　　ㄷ. 그녀가 예쁘지요?

　　ㄹ. 내일은 날씨가 맑겠지요?

　　ㅁ. 아버지는 서울 가셨지요?

　　ㅂ. 아버지는 곧 돌아오시겠지요?

위의 예를 보면 비종결어미는 다 쓰일 수 있으며 서술어 제약은 없다.

6. 「-으리요」

이 어미는 「-으리」에 높임의 특수조사 「-요」가 와서 된 것으로 서술어 제약은 없으나 비종결어미는 쓰일 수 없다.

(1) ㄱ. 가는 세월을 누가 막으리요?

ㄴ. 그는 얼마나 좋으리요?

ㄷ. 이게 무슨 일이리요?

이 어미가 상대의 의사를 물을 수도 있다. (다소 무리한 점은 있다.)

(2) ㄱ. 같이 가시리오?

ㄴ. 지금 주무시리오?

7. 「-나요」

이 어미는 나이 많은 어른이 젊은이를 보고 하는 성근말 어미이다.

(1) ㄱ. 역으로 가려면 어디로 가나요?

ㄴ. 이것을 어떻게 여나요?

ㄷ. 그 개가 사료를 잘 먹나요?

2.2.2. 상대방의 의사를 물어 보는 물음어미

이에는 「-려요」, 「-ㄹ(을)래요」, 「-겠소」, 「-지요」 등이 있다.

1. 「-려오」

이 어미는 「-려 하오」가 줄어든 말로 동사에만 쓰이며 비종결어
미는 굳이 쓴다면 「-시-」만이 쓰일 수 있다.

(1) ㄱ. 이것을 드시려오?

　　ㄴ. 이 책을 읽으(시)려오?

　　ㄷ. 언제 오(시)려오?

　　ㄹ. 이제 주무시려오?

이 어미는 문장에 따라 대답을 요구하는 물음어미로도 쓰인다.

(2) ㄱ. 어디로 가시려오?

　　ㄴ. 무슨 말씀을 하(시)려오?

　　ㄷ. 언제 오시려오?

　　ㄹ. 무엇을 사시려오?

2. 「-ㄹ(을)래요」

이 어미는 「-ㄹ(을)래」에 높임의 특수조사 「-요」가 합하여 이루
어진 것으로 동사에 쓰이며 비종결어미는 「-시-」만이 쓰인다.

(1) ㄱ. 이것을 드실래요?

　　ㄴ. 지금 주무실래요?

　　ㄷ. 저와 같이 가실래요?

　　ㄹ. 이것을 가지실래요?

　　ㅅ. 이 선물을 받으실래요?

3. 「-겠소」

이 어미는 「-소」앞에 「-겠-」이 옴으로써 상대방의 의사를 묻는 물음어미가 된 것이다. 비종결어미는 「-시-」가 쓰일 수 있고 이 어미는 동사에만 쓰인다.

(1) ㄱ. 같이 가(시)겠소?

ㄴ. 지금 떠나겠소?

ㄷ. 이것을 드시겠소?

이 어미는 달리 추측이나 상대의 답을 요구하는 의문문에 쓰일 수 있다.

(2) ㄱ. 지금 가면 언제 오겠소?

ㄴ. 내일, 그가 오겠소?

ㄷ. 내일은 날씨가 어떠하겠소? 비가 좀 오겠소?

ㄹ. 설마, 그가 내일 오겠소?

4. 「-지요」

이 어미는 반말어미 「-지」에 높임의 특수조사 「-요」가 와서 된 것으로 상대방의 의사를 묻는 의문문을 만든다. 비종결어미는 쓰일 수 없으며 동사에만 쓰인다.

(1) ㄱ. 이 카레를 드시지요?

ㄴ. 저와 같이 여기서 놀지요?

ㄷ. 이 책을 가지지요?

ㄹ. 저 아가씨와 결혼하지요?

2.3. 의문법의 보통비칭

이 어법은 남자 형이 아우에게, 시누이가 시동생에게, 손위 동서가 손아래 동서에게, 백남댁·중남댁이 시누이에게, 장모가 사위에게, 선배가 후배에게, 교수가 대학생에게 대하여 하는 대우법이다. 이 어법에는 상대방의 대답을 요구하는 것과 상대방의 의사를 묻는 것이 있다.

2.3.1. 상대방의 답을 요구하는 어미

이 어미에는 「-ㄴ(는)가」, 「-ㄴ(는)고」, 「-,은가」, 「-은고」, 「-ㄹ(을)까」, 「-ㄹ(을)꼬」, 「-던가/-든가」, 「-든고/-던고」, 「-ㄹ(을)쏜가」, 「-런가」, 「-으려는가」, 「-으려는고」, 「-으려던가」, 「-겠는가」 등이 있다.

1. 「-ㄴ(는)가」
서술어의 어간에 붙어 물음을 나타내는데, 「-는가」는 동사에 쓰이고 「-ㄴ가」는 받침 있는 형용사나 「-이다/아니다」에 쓰인다. 비종결어미가 쓰일 수 있고 주어 제약은 없다.

(1) ㄱ. 자네는 지금 무엇을 하는가?
    ㄴ. 이 꽃이 아름다운가?
    ㄷ. 이것이 장미인가?

ㄹ. 내가 착한가?

ㅁ. 자네는 식사를 하였는가?

ㅂ. 철민이는 하계봉사에 가겠는가?

2. 「-ㄴ고」

받침 없는 형용사나 「-이다/아니다」에 쓰이어 「-는가」보다는 좀 예스럽거나 정중한 뜻을 나타낸다. 주어 제약은 없다.

(1) ㄱ. 이것이 무엇인고?

ㄴ. 그것은 얼마나 큰고?

ㄷ. 자네는 기분이 어떠한고?

ㄹ. 내가 믿음직한고?

3. 「-는고」

동사, 형용사의 어간에 와서 물음을 나타내는데 비종결어미 「-었-/-았-」, 「-겠-」, 「-시」 등을 취할 수 있고 주어 제약은 없다.

(1) ㄱ. 자네는 무엇하는고?

ㄴ. 그가 어디 갔는고?

ㄷ. 왜 내가 그를 믿었던고?

ㄹ. 그것이 무슨 일이었는고(일이었던고)?

ㅁ. 순희가 착했던고?

ㅂ. 그것이 무엇이겠는고?

4. 「-은가」

받침 있는 형용사에 쓰이어 보통존칭에 쓰이는 의문법어미이다. 비종결어미는 「-더-」가 쓰일 수 있고 주어 제약은 없다.

(1) ㄱ. 자네는 노는 게 그리도 좋은가?

ㄴ. 이 꽃이 그렇게도 아름답던가?

ㄷ. 내가 그리도 미운가?

ㄹ. 그가 마음이 그렇게 곧은가?

ㅁ. 자네가 그리도 돈이 많은가?

5. 「-은고」

형용사에 붙어 「-은가」보다 예스럽거나 정중한 뜻을 띤다. 받침이 없는 어간에는 「-ㄴ고」가 된다.

(1) ㄱ. 산은 얼마나 높은고?

ㄴ. 들은 얼마나 넓은고?

ㄷ. 비가 오니 당신은 기분이 어떤고?

6. 「-을까」

서술어에 붙어 스스로의 의문이나 의심을 나타내기도 하고, 자기 의사를 나타내거나 상대방의 의사를 묻는 뜻을 나타내기도 하며 가능성에 대한 물음을 나타낸다. 주어 제약은 없으며 비종결어미가 쓰일 수 있다.

(1) ㄱ. 그것이 무엇이었을까?

ㄴ. 그가 누구였을까?

ㄷ. 우리 같이 걸을까?

ㄹ. 혼자서 그가 그 일을 어찌 해내었을까?

ㅁ. 내일 날씨가 맑을까?

ㅂ. 어디로 갈까?

ㅅ. 무슨 일을 할까?

7. 「-을꼬/-ㄹ꼬」

서술어의 어간에 쓰이어 예스럽거나 정중한 느낌을 주는 물음어미이다. 이것은 스스로의 의문이나 자기 의사를 나타내거나 또는 상대방의 의사를 묻기도 하며 가능성에 대한 물음을 나타낸다. 비종결어미가 쓰일 수 있고 주어 제약은 없다.

(1) ㄱ. 우리는 무엇을 먹을꼬?

　　ㄴ. 그이가 무엇 하는 사람이었을꼬?

　　ㄷ. 그곳은 공기가 얼마나 맑을꼬?

　　ㄹ. 그가 이 어려운 일을 어찌 하였을꼬?

　　ㅁ. 이것이 얼마나 할꼬?

8. 「-던가/-든가」

이 어미에는 비종결어미가 쓰일 수 있고 주어 제약과 서술어 제약은 없다. 이 어미는 스스로 물음이나 상대방의 경험을 묻기도 하며 돌이켜 느낌의 뜻을 나타내기도 한다.

(1) ㄱ. 그때 내가 왜 공부를 열심히 하지 않았던가?

ㄴ. 당신이 왜 그리도 어리석었던가?

ㄷ. 얼마나 바보였던가?

ㄹ. 그곳의 농사가 어떠하던가?

ㅁ. 고향이 얼마나 그리웠던가?

ㅂ. 거기가 어디든가?

ㅅ. 그는 어디로 가든가?

ㅇ. 총각 선생이 무엇하러 왔든가?

9. 「-던고/-든고」

이 어미는 스스로의 물음을 나타내기도 하고 상대방의 경험을 물어 보기도 하며 돌이켜 느낌의 뜻을 나타내기도 한다. 비종결어미가 쓰일 수 있고 주어 제약은 없으며 모든 서술어가 다 가능하다.

(1) ㄱ. 그때 왜 내가 그리도 못났던고?

ㄴ. 그가 어디로 가든고?

ㄷ. 왜 당신이 그때 찾지 못했던고?

ㄹ. 우리가 이기겠든고?

ㅁ. 그때 대통령이 누구였든고?

ㅂ. 과연 그대가 대장이었던고?

10. 「-을쏜가/-ㄹ쏜가」

「-을쏜가」는 받침 있는 서술어 어간에 쓰이고 「-ㄹ쏜가」는 받침 없는 어간에 쓰인다. 비종결어미가 쓰일 수 있고 주어 제약과 서술어 제약은 없다. 이것은 예스러운 느낌을 주는 어미이다.

(1) ㄱ. 누구가 그를 나무랄쏜가?

　　ㄴ. 누가 그이보다 더 착할쏜가?

　　ㄷ. 내라고 험이 없을쏜가?

　　ㄹ. 당신이라고 허물이 없을쏜가?

　　ㅁ. 이것이 무슨 돈이었을쏜가?

11. 「-런가」

이것은 「-던가」의 뜻으로 「-이다/아니다」에 쓰여 물음을 나타내기도 하고 감탄을 띤 물음을 나타내기도 한다. 비종결어미는 쓰일 수 없으며 주어 제약은 없는 듯하다.

(1) ㄱ. 자네가 박사가 아니런가?

　　ㄴ. 내가 무엇이런가?

　　ㄷ. 이게 꿈이런가 생시런가?

　　ㄹ. 천보가 장군이런가?

　　ㅁ. 그대가 천사가 아니런가?

12. 「-으려는가/-려는가」

이것은 「-(으)려 하는가」가 줄어서 된 것으로 자기의 뜻을 묻거나 상대방의 답을 묻는 물음어미이다. 비종결어미는 「-시-」가 쓰일 수 있고 주어 제약은 없다. 「-이다/아니다」와 형용사에는 잘 쓰이지 못하는 것 같다.

(1) ㄱ. 그가 이 돈으로 무엇을 하려는가?

　　ㄴ. 당신은 이 돈으로 무엇을 사려는가?

ㄷ. 내가 이 돈으로 언제, 어디서 무엇을 하려는가? 물어보시오.

ㄹ. 그가 언제 이 책을 읽으려는가? 걱정이다.

ㅁ. 그들은 하느님으로부터 복을 받으려는가?

ㅂ. 이 감이 언제 붉으려는가?

13. 「-으려는고/-려는고」

이것은 「-(으)려」에 「-하는고」가 줄어서 합하여 된 것으로 그 용법은 위의 「-(으)려는가」와 같다. 「-이다/아니다」와 형용사에는 쓰이지 못한다.

(1) ㄱ. 우리는 이것으로 무엇을 하려는고?

ㄴ. 당신은 오늘 밤은 어디서 주무시려는고?

ㄷ. 이것으로 돈을 찾으려는고?

ㄹ. 그대는 여기서 농사를 지으려는고?

ㅁ. 그대는 어디로 가려는고?

14. 「-으려던가/-려던가」

「-으려던가」는 받침 있는 서술어에 쓰이고 「-려던가」는 받침 없는 서술어에 쓰인다. 이들은 「-(으)려 하던가」가 줄어서 합하여 된 것으로 비종결어미는 「-시-」가 쓰이고 주어 제약은 없다. 서술어는 동사가 쓰인다.

(1) ㄱ. 그들은 이것으로 뭘 하려던가?

ㄴ. 당신은 이 연장으로 무엇을 하려던가?

ㄷ. 우리는 이 돈으로 무엇을 하려던가?

ㄹ. 그들이 이 숟가락으로 밥을 먹으려던가?

ㅁ. 이런 일을 하고도 복을 받으려던가?

ㅂ. 언제 그가 오려던가?

15. 「-겠는가」

이 어미는 「-겠-」에 물음의 어미 「-는가」가 합하여 된 것으로 추측이나 가능에 대하여 상대방의 답을 요구하는 물음어미이다.

(1) ㄱ. 내일은 비가 오겠는가?

ㄴ. 이 문제를 풀 수 있겠는가?

ㄷ. 이것으로 무엇을 하겠는가?

ㄹ. 자네는 여기서 무엇을 하겠는가?

ㅁ. 내일은 맑겠는가?

위의 예문에서 보면 가능성과 추측에 대하여 묻고 있음을 알 수 있다.

2.3.2. 상대방의 의사를 묻는 어미

이에는 「-겠는가」, 「-ㄹ(을)까」, 「-을꼬」, 「-ㄹ(을)란가」, 「-으려는가」, 「-으려는고」 등이 있다.

1. 「-겠는가」

이 어미는 「-겠-」에 「-는가」가 와서 된 것으로 상대방의 뜻을 묻는 보통비칭의 물음어미이다. 비종결어미 중 「-시-」는 쓰이지 않음이 대우의 등급상 올바르다.

(1) ㄱ. 나하고 같이 가겠는가?

ㄴ. 여기 있겠는가?

ㄷ. 나하고 같이 여기서 공부하겠는가?

2. 「-ㄹ(을)까」

동사 어간에 붙어 자기 의사를 나타내거나 상대방 의사를 물어보는 어미이다. 비종결어미는 쓰일 수 없다.

(1) ㄱ. 점심을 같이 먹을까?

ㄴ. 학교에 같이 갈까?

ㄷ. 그러면, 지금 일을 시작할까(요)?

ㄹ. 우리, 모두 여기서 같이 살까?

3. 「-ㄹ꼬/-을꼬」

이것은 동사 어간에 붙어 자기 의사나 상대방의 의사를 묻는 어미이다. 비종결어미는 쓰일 수 없다.

(1) ㄱ. 우리 무엇을 먹을꼬?

ㄴ. 내가 무엇을 할꼬?

ㄷ. 우리 여기서 놀꼬?

이 어미는 의사를 물을 때는 그리 잘 쓰이지 않는 듯하다.

4. 「-ㄹ(을)란가」

이 어미는 입말에서 많이 쓰이는데 사전에는 나타나지 않는다. 비종결어미는 쓰이지 않는다.

(1) ㄱ. 자네는 여기 있을란가?

ㄴ. 동서는 어디로 갈란가?

ㄷ. 자네도 이것을 먹을란가?

이 어미는 상대방의 의지를 물을 때만 쓰이고 "우리 같이 여기 있을란가?"와 같은 경우는 추측이나 가능성을 묻기 때문에 여기서 다루는 범주에는 들지 않는다.

5. 「-ㄹ(을)려는가/-려는가」

이 어미는 「-려 하는가」가 줄어든 것으로 비종결어미는 쓰일 수 없다. 동사에 쓰이어 상대방의 의사를 묻는 어미이다.

(1) ㄱ. 자네는 여기 있으려는가?

ㄴ. 지금 떠나려는가?(떠날려는가?)

ㄷ. 우리와 같이 여기서 식사를 할려는가?(하려는가?)

6. 「-(으)려는고」

이 어미는 「-려 하는고」가 줄어서 된 것으로 비종결어미는 쓰이지 않는다.

(1) ㄱ. 자네는 어디로 가려는고?

ㄴ. 여기서 장사를 하려는고?

ㄷ. 이 떡을 먹으려는고? 안 먹으려는고?

지금까지 의문법의 보통존칭에서 다른 어미는 추측, 가능 및 상대의 답을 요구하는 기능을 함께 가지고 있는데, 특히 여기서는 상대의 의사를 묻는 경우만을 다루었으니 혼란이 없기를 바란다.

2.4. 의문법의 반말

부모 앞에서 부부 사이에서, 집안의 나이 적은 손위 사람이 촌수는 아래인데, 나이가 많은 집안사람에게 또 친구 사이에 주고받는 어법으로 이에도 상대방의 답을 요구하는 어미와 상대방의 의사를 묻는 어미가 있다.

2.4.1. 상대방의 답을 요구하는 어미

이에는 「-는감」, 「-는다지」, 「-(는)담」, 「-는대」, 「-는대야」, 「-는지/-지」, 「-다면서/-는다면서」, 「-ㄹ(을)는지」, 「-ㄹ(을)지」, 「-다고」, 「-으람」, 「-ㄹ(을)런가」「-ㄹ(을)런고」, 「-려는지」, 「-을는지」, 「-야/-여」, 「-으라고」 등이 있다. 이들 중에는 문장에 따라서, 상대방의 의사를 묻는 반말투의 의문문을 만들 수 있을 것이다. 반말이란 높일 수도 없고 낮출 수도 없는 어법으로 이것은 극비칭에서 보통존칭 사이의 경우에 쓰인다.

1. 「-는감」

이것은 「-는가 뭐」가 줄어서 된 것으로 비종결어미를 취할 수 있으며 상대편의 말을 반박하거나 스스로 반문하면서 느낌을 나타낸다. 주어 제약은 없으며 이 어미는 동사에 쓰인다.

(1) ㄱ. 누가 거기에 가는감?

　　ㄴ. 나도 거기에 가는감?

　　ㄷ. 자네가 거기에 또 가겠는감?

　　ㄹ. 서울에 누가 갔는감?

2. 「-는다니/-다니」

「-는다니」는 「-는다 하니」가 줄어서 된 말이며 「-다니」는 「-다 하니」가 줄어서 된 것으로 「-다니」는 비종결어미를 취할 수 있고 주어 제약은 없으며 서술어 제약도 없다.

(1) ㄱ. 너는 요즈음 어떤 약을 먹는다니?

　　ㄴ. 나도 가도 된다니?

　　ㄷ. 그들은 언제 학교가 끝난다니?

　　ㄹ. 누가 너의 친구였다니?

　　ㅁ. 그녀가 착하다니?

　　ㅂ. 철이가 그 모임에 가겠다니?

3. 「-는다며/-는다면서」

「-는다면」은 「-는다면서」의 준말이며 「-는다면서」는 「-는다 하면서」가 준 것으로 보이는데 「-다면서」의 뜻으로 쓰인다. 비종결어미가 쓰이면 어미 「-는-」은 줄어든다. 주어 제약은 없다.

(1) ㄱ. 너는 요즈음 술을 안 먹는다며?

ㄴ. 그는 절대로 담배를 안 피운다며?

ㄷ. 그는 요즈음 집에서 논다면서(논다며)?

ㄹ. 너는 일전에 서울 갔다면서(갔다며)?

ㅁ. 너는 미국에 가겠다면서(가겠다며)?

ㅂ. 나는 거기에 안 가도 괜찮다면서(괜찮다며)?

4. 「-는다지」

이것은 「-는다 하지」가 줄어서 된 어미로 무엇을 캐묻는 뜻을 나타낸다. 주어 제약은 없으나 서술어로 「-이다/아니다」는 쓰일 수 없으나 다음 (2)를 보라.

(1) ㄱ. 우리는 집에는 언제 간다지?

ㄴ. 그녀가 고약하다지?

ㄷ. 그들은 여기서 무엇을 하였다지?

ㄹ. 너희가 여기서 무엇을 하겠다지?

만일 「-는다지」가 「-이다/아니다」에 쓰이면 「-는다지」는 「-라지」로 된다. 그런데 「-었-/-았」 다음에 쓰이면 「-다지」가 그대로 쓰인다.

(2) ㄱ. 그가 누구였다지?

ㄴ. 이것이 그의 물건이라지?

ㄷ. 그는 박사가 아니라지?

5. 「-는담」

이 어미 앞에는 「-었-/-았-」과 「-겠-」이 쓰일 수 있고 「-이다/아니다」에 쓰이면 「-는담」은 「-람」이 된다.

(1) ㄱ. 너는 무엇을 먹는담?

　　ㄴ. 그는 벌써 집에 갔담?

　　ㄷ. 이것이 무엇이람?

　　ㄹ. 무슨 글을 그렇게 읽는담?

　　ㅁ. 언제 그가 집에 가겠담?

6. 「-는대」

이것은 「-는다 해」가 줄어서 된 어미로 겪은 사실을 바탕으로 물을 때 쓰인다. 비종결어미 「-겠-」과 어울려 「-겠대」가 되면 의도를 나타낸다. 「-이다/아니다」에 쓰이면 「-래」가 된다.

(1) ㄱ. 철부는 지금 책을 읽는대?

　　ㄴ. 그는 무엇을 한대?

　　ㄷ. 내가 거기 가도 괜찮대?

　　ㄹ. 네가 그것을 가져도 좋대?

　　ㅁ. 영희도 거기에 놀러 가겠대?

　　ㅂ. 길수는 그날 지각을 했대?

　　ㅅ. 그는 고향이 어디래?

7. 「-는대야」

이것은 「-는다 해야」가 줄어서 된 것으로 그 용법은 위와 같다. 다만 「-이다/아니다」에 쓰일 때는 「-았-/았」을 어간에 취하여 「-었대야」로 된다. 형용사의 경우는 「-대야」로 된다.

(1) ㄱ. 그는 지금 집을 짓는대야?

ㄴ. 그는 요즈음 무엇을 한 대야?

ㄷ. 철수는 모르고 그것을 먹었대야?

ㄹ. 그도 그것을 먹겠대야?

ㅁ. 내가 주운 것이 돈이었대야?

ㅂ. 설악산이 아름답대야?

이 어미에는 주어로 3인칭이 가장 자연스럽고 1~2인칭도 쓰일 수 있다. 문장의 짜임새에 따른다.

8. 「-는지/-ㄴ지」

「-는지」는 받침 있는 어간에 쓰이고 「-ㄴ지」는 받침 없는 어간에 쓰이어 물음을 나타낸다.

(1) ㄱ. 그가 누군지? 어디에 계시는지?

ㄴ. 비가 와서 얼마나 좋았는지?

ㄷ. 이게 무엇인지?

ㄹ. 네가 사람인지 소인지? 기가 막힌다.

「-지」는 받침 없는 서술어에 쓰이어 반말을 나타낸다. 비종결어미는 취할 수 있고 주어 제약은 없다.

(2) ㄱ. 어디가지?

ㄴ. 얼마나 아름답지?

ㄷ. 무엇을 먹었지?

ㄹ. 이것이 무엇인지?

9. 「-라고」

「-이다/아니다」에 붙어서 반문할 때나 잘못 알았던 사실을 깨닫
거나 받침 없는 동사에 쓰이어 그렇게 될까 봐 조심스러워 하면서
반문할 때 쓰인다. 「-었-/았-」 다음에 쓰이면 「-었다고」로 된다.

(1) ㄱ. 나는 이게 무엇이라고?

ㄴ. 네가 학생이라고?

ㄷ. 그것이 사실이 아니라고?

ㄹ. 난 그게 돈이라고?

ㅁ. 잘못하다가는 소문나라고?

ㅂ. 나더러 그를 죽이라고?

ㅅ. 나는 그가 박사였다고?

ㅇ. 자네는 식사를 하였다고?

10. 「-으람」

받침 있는 어간이나 받침 없는 어간에 쓰이어 「-으랬나 뭐」의 뜻
으로 가볍게 핀잔을 주거나 언짢음을 나타내는 물음어미이다. 「-이
다/아니다」에도 쓰인다.

(1) ㄱ. 누가 아프람?

ㄴ. 누가 거기에 가람?

ㄷ. 그게 무슨 말이람?

ㄹ. 그게 무슨 일이람?

ㅁ. 그게 돈이 아니람?

ㅂ. 내가 가람?

ㅅ. 누가 억지로 먹으람?

ㅇ. 누가 착하람?

11. 「-ㄹ런가/-을런가」

이것은 상대자의 겪은 바에 따른 가능성이나 추측을 물어 보는 어미로 모든 서술어에 다 쓰인다. 「-런가」의 강조어이다.

(1) ㄱ. 그 신이 자네 발에 맞을런가?

ㄴ. 이것이 네 몸에 좀 작을런가?

ㄷ. 그가 나의 말을 믿을런가?

ㄹ. 그가 그 모임에 갈런가?

ㅁ. 이게 꿈이런가 생시런가?

ㅂ. 자네가 나의 은인일런가 아닐런가?

12. 「-ㄹ런고/-을런고」

이것은 「-ㄹ런가」의 예스럽거나 정중한 말로 용법은 「-ㄹ런가」와 같다.

(1) ㄱ. 비가 언제 올런고?

ㄴ. 자네가 누굴런고?

ㄷ. 그가 나의 말을 믿을런가?

ㄹ. 그가 벌써 갔을런가?

ㅁ. 이게 무엇일런고?

ㅂ. 그녀가 과연 착할런고?

13. 「-려는지」

이것은 「-려 하는지」가 줄어서 된 말로 추측이나 가능을 나타내면서 모든 서술어에 다 쓰인다. 주어 제약은 없고 「-었-/았」이나 받침 있는 서술어에 쓰이면 「-으려는지」로 된다.

(1) ㄱ. 우리는 언제 고국에 갈 수 있으련는지?

ㄴ. 그는 벌써 갔으려는지?

ㄷ. 이것이 무엇이려는지?

ㄹ. 눈이 오려는지?

ㅁ. 그녀가 고우려는지?

14. 「-야/-여」

「-이다/아니다」에 쓰여 다져서 묻는 뜻을 나타낸다.

(1) ㄱ. 이것이 뭐야?

ㄴ. 여기가 어디여?

ㄷ. 자네가 누구여(누구야)?

ㄹ. 자네가 박사여(박사야)?

위의 예에서 보면 알겠지마는 (1ㄱ~ㄹ)까지의 「-여」「-야」는 놀람, 감탄의 뜻으로 이해되고 (1ㅁ) 「박사야」에서는 「-야」가 오니까 얕보고 하는 말인 것 같은 느낌이 든다. 「박사여」하면 그런 느낌은 덜 들고 느낌의 뜻이 강한 듯하다.

15. 「-라고/-으라고」

「-라고」는 받침 없는 어간 다음에 쓰이고 「-으라고」는 받침 있는 어간에 쓰여 그렇게 될까봐 조심스러워 하면서 반문할 때 쓰이는 반말어미이다.

(1) ㄱ. 나더러 가라고?

ㄴ. 내가 여기 있으라고?

ㄷ. 우산도 없이 옷이 다 젖으라고?

ㄹ. 모두들 여기서 기다리는데 나도 여기서 기다리라고?

16. 「-ㄹ지」

이 어미는 추측하여 묻거나 가능성을 물어보는 어미이다.

(1) ㄱ. 내일 그가 올지?

ㄴ. 값이 얼마나 비쌀지?

ㄷ. 그가 어떤 사람일지?

ㄹ. 하루 만에 다녀올지?

ㅁ. 내가 갈지? 네가 갈지?

2.4.2. 상대방의 의사를 묻는 어미

이에는 「-을런가/ -ㄹ런가」, 「-을런고」, 「-으려고/-을려고」, 「-ㄹ라고/-을라고」 등이 있다.

1. 「-을런가/-ㄹ런가」
사전에서는 가능성이나 추측을 물어 보는 어미라고 풀이되어 있지만, 실제 입말에서는 상대의 뜻을 물을 경우에 많이 쓰이는 반말투의 어미이다. 「-을란가」도 쓰인다.

(1) ㄱ. 자네도 우리와 같이 갈런가(갈란가)?
　　 ㄴ. 여기서 식사를 할란가?
　　 ㄷ. 자네는 부모님을 모실런가(모실란가)?
　　 ㄹ. 여기서 머물런가?

2. 「-ㄹ(을)런고」
이 어미는 「-ㄹ런가」의 예스럽거나 정중한 말로 비종결어미는 쓰일 수 없다.

(1) ㄱ. 우리와 같이 여기 있을런가?
　　 ㄴ. 자네도 여기서 공부할런고?
　　 ㄷ. 여기서 견뎌 볼런고?

3. 「-ㄹ라고/-을라고」
「-ㄹ라고」는 개음절 다음에 쓰이고 「을라고」는 폐음절 다음에 쓰인

다. 이것은 상대방의 의사를 묻거나 의심하면서 묻는 뜻의 반말어미인
데 주로 동사에 쓰인다.

  (1) ㄱ. 그가 혼자 다 먹었을라고?
      ㄴ. 너는 이것을 가져갈라고?
      ㄷ. 네가 이런 짓을 하면서 복을 받을라고?

이 어미에는 비종결어미 「-겠-」은 쓰일 수 없다.

  4. 「-(으)려/-을려고」
이 어미는 받침이 있는 어간에는 「-으려고」 또는 「-을려고」가
쓰이고 받침이 없는 어간에는 「-려고/-ㄹ려고」가 쓰인다. 상대방의
의사를 묻는 물음어미이다.

  (1) ㄱ. 벌써 갈려고(가려고)?
      ㄴ. 이 맛없는 음식을 먹을려고(먹으려고)?
      ㄷ. 자네는 여기서 살려고?
      ㄹ. 여기서 하루밤을 지낼려고?
      ㅁ. 지금부터는 영어 공부를 할려고?
      ㅂ. 자네는 여기서 무엇을 할려고?

이 어미는 「-이다/아니다」에는 쓰이지 못하며 자제 가능한 형용
사에는 쓰일 수 있다.

  (2) ㄱ. 너는 지금부터 착할려고?

ㄴ. 너도 부지런할려고?

ㄷ. 네가 건강하려고?

ㄹ. 지금부터 정직할려고?

(ㄱ~ㄹ)에서 보는 바와 같이 자제 가능한 형용사도 동사성 자질을 가지므로 마음만 먹으면 얼마든지 그 경지에 이를 수 있다.

2.5. 의문법의 극비칭

집안의 어른이 손아래 아이들에게, 선생이 제자에게, 장인이 사위에게, 친한 친구 사이에서 쓰는 대우법이다. 이 어미에도 상대의 답을 요구하는 어미와 상대의 의사를 묻는 어미의 두 가지가 있다.

2.5.1. 상대방의 답을 요구하는 어미

이에는 「-나/-냐」, 「-느냐/-으냐」, 「-느냐고」, 「-느뇨」, 「-노(누)」, 「-는가베」, 「-는다느냐」, 「-ㄴ(은)다면」, 「-는다면서」, 「-니/-으니」, 「-다니/-ㄴ다니」, 「-ㄴ(는)다지」, 「-ㄴ(는)대」, 「-던/-더냐」, 「-디」, 「-ㄹ건대」, 「-ㄹ(을)까보냐」, 「-ㄹ꺼나」, 「-ㄹ는지/-을는지」, 「-ㄹ쏘냐/-을쏘냐」, 「-ㄹ런지/-을런지」, 「-라느냐/-으라느냐」, 「-라니」, 「-라/-으랴」, 「-려나/-으려나」, 「-려느냐/-으려느냐」, 「-리/-으리」, 「-어라/-아라」, 「-아야지」, 「-ㄹ까말까/-을까말까」, 「-ㄹ까보냐/-을까보냐」, 「-뇨/-으뇨」, 「-으라느냐」, 「-ㄹ라고/-을라고」, 「-ㄹ려느냐/-을려느냐」, 「-려는지/-으려는지」, 「-ㄹ런고」, 「-ㄹ지/-을지」, 「-자느냐」 등이 있다.

1. 「-나/-냐」

이 어미 중 「-냐」는 「느냐」가 줄어서 된 것으로 보아지는데 동사, 형용사 「-이다/아니라」에 관계없이 쓰인다.

비종결어미를 취할 수 있으며, 주어 제약은 없다.

(1) ㄱ. 나는 여기서 뭘 하나(하냐)?

　　ㄴ. 너는 언제 오나(오냐)?

　　ㄷ. 그는 학교에 갔나?

　　ㄹ. 너는 어제 무엇을 했나(했냐)?

　　ㅁ. 내일은 비가 오겠나?

　　ㅂ. 선생님은 언제 가시나?

　　ㅅ. 그는 점심에 무엇을 먹나?

　　ㅇ. 너는 요즈음 건강하나(건강하냐)?

위에서 본 바대로 「-나/-냐」는 동사, 형용사에 두루 쓰일 수 있는데 「-이다/아니다」에는 반드시 「-냐」가 쓰인다.

(2) ㄱ. 이게 무엇이냐?

　　ㄴ. 너는 학생이 아니냐?

　　ㄷ. 여기가 서울이냐?

　　ㄹ. 어디가 식당이냐?

　　ㅁ. 이것은 보물이 아니냐?

　　ㅂ. 여기서 일하는 사람은 몇이냐?

　　ㅅ. 그가 온 지가 언제나?

　　ㅇ. 이것이 무엇이겠나?

ㅈ. 이것이 무엇이었나?

ㅊ. 이것이 보물이겠나?

위 예에서 보면 형용사는 받침 유무를 불문하고 「-냐」가 쓰이며 「-었-/-았」, 「-겠-」이 오면 어미는 「-나」로 된다. 「-이다/아니다」 에 비종결어미가 오면 「-냐」보다는 「-나」로 쓰임이 온다.

2. 「-으냐/-느냐」

「-으냐」는 바침 있는 형용사에 쓰이고 「-느냐」는 동사에 쓰이는 데, 받침 여부에 관계없이 쓰인다. 비종결어미를 취하며 주어 제약 은 없다.

(1) ㄱ. 그곳은 날씨가 좋으냐?

ㄴ. 그 아가씨는 마음씨가 고우냐?

ㄷ. 나는 여기서 무엇을 하느냐?

ㄹ. 너는 어디를 가느냐?

ㅁ. 식사를 하였느냐?

ㅂ. 내일은 그가 오겠느냐?

ㅅ. 너는 상을 타서 얼마나 좋았느냐?

위의 (1ㅅ)에 따르면 형용사에 비종결어미가 오니까 어미는 「-으 냐」가 안 되고 「-느냐」가 된다는 사실을 알 수 있다.

3. 「-냐고」

이 어미는 「-냐 하고」가 줄어서 된 것으로 비종결어미를 취할 수 있으며 서술어는 제약이 없고 주어도 제약 없이 쓰인다. 이 어미는 형용사와 모든 서술어에 쓰인다.

(1) ㄱ. 이게 뭐냐고?

ㄴ. 너는 언제 가냐고?

ㄷ. 나는 여기서 무엇을 하냐고?

ㄹ. 너는 언제 왔냐고?

ㅁ. 그가 거기를 가겠냐고?

ㅂ. 너는 얼마나 착하냐고?

ㅅ. 그가 온 지가 언제냐고?

4. 「-느냐고」

이 어미는 「-느냐 하고」가 줄어서 된 것으로 동사에 쓰이며 형용사와 「-이다/아니다」에는 비종결어미 다음에 쓰인다. 주어 제약은 없다.

(1) ㄱ. 나는 지금 여기서 무엇을 하느냐고?

ㄴ. 너는 언제 미국 가느냐고?

ㄷ. 그는 과거에 무엇이었느냐고?

ㄹ. 청미는 얼마나 착했느냐고?

ㅁ. 너는 시험에 합격하였느냐고?

ㅂ. 우리는 언제 미국 가겠느냐고?

5. 「-노/-누」

이 어미는 동사에 쓰인다. 비종결어미를 취할 수 있으며 주어 제약은 없다.

(1) ㄱ. 너는 어디 가노?

ㄴ. 내가 무엇 하겠노?

ㄷ. 너는 그때 뭐했노?

ㄹ. 영미는 어디 갔노?

ㅁ. 너는 여기서 뭘 하누?

이 어미는 사투리에서 많이 쓰이는데 근대 소설에서 많이 쓰였다. 주로 경상도 지역에서 많이 쓰는 어미이다.

6. 「-느뇨」

이것은 「-느냐」의 예스러운 말이다.

(1) ㄱ. 이 강물은 어디로 흘러가느뇨?

ㄴ. 보리밭이 얼마나 푸르렀느뇨?

ㄷ. 우리가 이 일을 시작한 지 몇 해나 지났느뇨?

ㄹ. 이 그림이 얼마나 아름다우뇨?

ㅁ. 이것이 무엇이뇨?

ㅂ. 그녀가 얼마나 착하뇨?

「-느뇨」는 형용사와 「-이다/아니다」에서는 「-뇨」로만 쓰이나 비종결어미가 오면 「-느뇨」로 쓰인다.

(2) ㄱ. 그게 무엇이었느뇨?

ㄴ. 그녀가 얼마나 착하였느뇨?

7. 「-는가베」

이 어미를 「-는가 보아」가 줄면서 「-는가베」로 된 것으로 경상도 사투리에서 많이 쓰인다. 비종결어미를 취할 수 있으며 모든 서술어에 다 쓰인다. 주어 제약은 없다.

(1) ㄱ. 이게 돈인가베?

ㄴ. 나는 바보인가베?

ㄷ. 그는 잘 있는가베?

ㄹ. 그대는 착한가베?

ㅁ. 너는 밥을 먹었는가베?

ㅂ. 내일은 비가 오겠는가베?

ㅅ. 저이는 과거 부자였던가베?

8. 「-는다고/-라고」

이 어미는 「-는다」에 「-고」가 와서 된 것으로 이것 때문에 물음의 어미가 된 것이다. 비종결어미가 오면 「-는다고」는 「-다고」로 된다. 「-이다/아니다」에 쓰이면 「-라고」로 된다. 만일 「-이다/아니다」에 비종결어미가 오면 「-다고」가 된다. 주어 제약은 없다.

(1) ㄱ. 너는 여행 간다고?

ㄴ. 철이는 미국 갔다고?

ㄷ. 그녀는 젊어서 미인이었다고?

ㄹ. 이것이 보물이라고?

ㅁ. 이 꽃이 아름답다고?

ㅂ. 그녀가 내일 서울에 오겠다고?

ㅅ. 순덕이가 착했다고?

ㅇ. 그는 공부를 참 잘 한다고?

9. 「-(는)다느냐」

이것은 「-는다 하느냐」가 줄어서 된 것으로 비종결어미를 취할 수 있고 「-이다/아니다」에 쓰이면 「-라느냐」로 된다. 그러나 비종결어미 다음에 쓰이면 「-다느냐」로 된다.

(1) ㄱ. 그는 밥을 먹었다느냐?

ㄴ. 그녀가 착하다느냐?

ㄷ. 이것이 보석이라느냐?

ㄹ. 내가 바보였다느냐?

ㅁ. 네가 어디 갔다 왔다느냐?

ㅂ. 그가 지금 밥을 먹는다느냐?

10. 「-는다니/-라니」

이 어미는 「-는다 하니」가 줄어서 된 것으로 「-는다니」는 동사에 쓰이고 「-다니」는 형용사나 비종결어미 다음에서는 동사, 형용사, 「-이다/아니다」에 쓰인다. 그리고 비종결어미가 없는 「-이다/아니다」 다음에서는 「-라니」로 된다.

(1) ㄱ. 그는 서울에서 무엇을 한다니?

ㄴ. 그녀는 예쁘다니?

ㄷ. 이것이 무엇이라니?

ㄹ. 그는 합격하였다니

ㅁ. 나는 여기서 무엇을 하여야 한다니?

ㅂ. 너는 어디 갔다 왔다니?

ㅅ. 저이는 과거에 순경이었다니?

ㅇ. 가야의 문화는 참으로 찬란하였다니?

11. 「-ㄴ다며」

이것은 「-는다면서」가 줄어서 된 것으로 물음을 나타낸다. 비종결어미를 취할 수 있으며 모든 서술어에 다 쓰인다. 다만 「-이다/아니다」에 쓰일 때는 「-라며」가 된다. 주어 제약은 없다.

(1) ㄱ. 너는 내일 영국 간다며?

ㄴ. 그는 여기서 공부한다며?

ㄷ. 내가 국회의원이라며(국회의원이었다며)?

ㄹ. 무궁화가 아름답다며?

ㅁ. 그는 옛날에 부자였다며?

ㅂ. 그들은 벌써 떠났다며?

ㅅ. 성수는 이번에 합격하겠다며?

12. 「-는다면서」

이 어미는 「-는다 하면서」가 줄어서 된 것으로 비종결어미를 취할 수 있으며 모든 서술어에 다 쓰인다. 그런데 「-이다/아니다」에 쓰일 때는 「-라면서」로 된다.

(1) ㄱ. 너는 유학 간다면서?

ㄴ. 내가 과장이라면서?

ㄷ. 그녀가 얌전하다면서?

ㄹ. 네가 그 시합에서 이겼다면서?

ㅁ. 내가 승진하겠다면서?

ㅂ. 성미가 착했다면서?

ㅅ. 여기가 백제의 성터였다면서?

13. 「-는다지/-다지」

『우리말 사전』에는 반말투라 했지만 아주 낮춤에도 쓰이므로 여기에서 다루기로 한다. 비종결어미를 취할 수 있고, 주어 제약은 없지만 「-이다/아니다」에 쓰이면 「-라지」로 된다. 그러나 비종결어미 뒤에 쓰이면 「-다지」가 된다.

(1) ㄱ. 거기가 어디였다지?

ㄴ. 이것이 무엇이라지?

ㄷ. 내가 무슨 일을 하였다지?

ㄹ. 네가 어디 갔다 왔다지?

ㅁ. 오늘은 무엇을 먹는다지?

ㅂ. 그는 언제 가겠다지?

14. 「-(으)니」

각 어간에 두루 붙어 물음을 나타내는데, 「-느냐」보다 정답거나 부드러움을 나타낸다. 비종결어미를 취할 수 있고 주어 제약은 없다.

(1) ㄱ. 내가 뭐라 했니?

　　ㄴ. 너는 언제 서울 가니?

　　ㄷ. 너는 무엇을 먹겠니?

　　ㄹ. 이 꽃이 얼마나 향기롭니?

　　ㅁ. 이것이 네가 말하던 그 책이니?

　　ㅂ. 이게 보물이었니?

　　ㅅ. 그녀가 얼마나 아름다웠니?

　　ㅇ. 그 꽃이 싫으니?

15. 「-(는)대/-래」

이 어미는 반말투의 물음어미라고 우리말 사전에는 풀이되어 있으나, 극비칭에도 요즈음은 많이 쓰므로 여기서 다루기로 한다. 비종결어미를 취할 수 있으며 주어 제약은 없다. 다만 「-이다/아니다」에 쓰이면 「-래」로 되나 비종결어미 다음에 쓰이면 「-대」가 된다.

(1) ㄱ. 이것이 무엇이래?

　　ㄴ. 내가 그때 뭐라고 했대?

　　ㄷ. 너는 그때 학생이었대?

16. 「-(는)다냐」

이것은 「-는다 하느냐」가 줄어서 된 어미로 비종결어미를 취할 수 있으며 주어 제약은 없다.

(1) ㄱ. 그는 뭘 한다냐?

　　ㄴ. 너는 어딜 간다냐?

ㄷ. 내가 무엇이라냐?

ㄹ. 그는 식사를 하였다냐?

ㅁ. 내일은 철민이가 오겠다냐?

ㅂ. 그는 과거에 친일파였다냐?

(1ㄷ)을 보면 「-이다」 다음에서는 「-다냐」가 「-라냐」가 되나 (1
ㅂ)에서 보면 비종결어미 뒤에서는 「-다냐」가 됨을 알 수 있다.

17. 「-더냐/-던」

이 어미는 지난 사실을 돌이켜 묻는 어미인데 비종결어미를 취할
수 있으며 주어 제약은 없다.

(1) ㄱ. 그가 무엇을 하더냐?

ㄴ. 그때 너는 무슨 일을 하였더냐?

ㄷ. 나는 그때 무엇하고 있더냐?

ㄹ. 거기는 진달래가 아름답더냐?

ㅁ. 그는 훌륭한 통역관이(었)더냐?

ㅂ. 거기 가서는 즐거웠더냐?

ㅅ. 그가 잘 있던?

ㅇ. 그 소가 잘 크던?

18. 「-디」

각 어간에 붙어 지난 사실을 돌이켜 묻는 어미로 비종결어미를
취할 수 있으며 주어 제약은 없다.

(1) ㄱ. 그가 무엇을 하디?

ㄴ. 그때 너는 무엇을 했디?

ㄷ. 나는 그때 무엇을 하고 있디?

ㄹ. 무궁화가 아름답디?

ㅁ. 그가 그 회사에서 무엇이디?

19. 「-래」

이 어미는 「-다 해」가 줄어서 된 것으로 모든 서술어에 다 쓰이어 물음을 타나낸다. 주로 입말에 쓰인다.

(1) ㄱ. 그것이 무엇이래?

ㄴ. 그는 어부가 아니래?

ㄷ. 누가 네가 착하래?

ㄹ. 누가 너를 집에 가래?

ㅁ. 내가 뭐래?

ㅂ. 네가 바보래?

(1ㄱ~ㅂ)에서 보듯이 「-래」 앞에는 비종결어미는 쓰일 수 없다.

20. 「-래디」

이 어미는 「-라 하디」가 줄어서 된 것으로 모든 서술어에 다 쓰이어 물음을 나타낸다. 비종결어미는 취할 수 없으나 주어 제약은 없다.

(1) ㄱ. 내가 뭐래디?

ㄴ. 그가 가래디?

ㄷ. 네가 그렇게까지 착하래디?

ㄹ. 철수가 변호사가 아니래디?

ㅁ. 누가 너를 오래디?

이 어미는 입말에서 주로 쓰인다.

21. 「-ㄹ라고」

이 어미는 의심하면서 묻거나 반문하거나 반박하는 뜻을 나타내는 물음어미이다. 비종결어미 「-었-/-았-」을 취할 수 있고 주어 제약은 없는데 1인칭이 주어가 되면((1)ㄱ 참조) 「-라고」가 된다. 서술어에 따라 「-으라고」, 「-을라고」로도 된다.

(1) ㄱ. 내가 그것을 읽으라고?

ㄴ. 설마 그가 혼자 가질라고?

ㄷ. 설마 그가 혼자 갈라고?

ㄹ. 설마 그것을 네가 먹었을라고?

ㅁ. 그때 그가 장관이었을라고?

ㅂ. 그녀가 얼마나 이쁠라고?

22. 「-ㄹ(-을)거지」

이 어미는 「-ㄹ 것이지」가 줄어서 된 것으로 비종결어미는 쓰일 수 없으며 주어는 2인칭에 한하며 서술어도 동사에 한한다.

(1) ㄱ. 너는 여기 있을거지?

ㄴ. 지금 가면 언제 올거지?

ㄷ. 너는 내일 갈거지?

ㄹ. 이 물건은 받을거지?

ㅁ. 여기에다 집을 지을거지?

23. 「-ㄹ쏘냐/-을쏘냐」

이것은 예스러운 표현으로 강한 반문을 나타낼 때 쓰인다. 서술어 제약은 없으며 주어 제약도 없다. 비종결어미 「-었-/-았-」은 쓰인다.

(1) ㄱ. 겉이 희다고 속까지 흴쏘냐?

ㄴ. 내가 아무리 그렇게 못난 사람일쏘냐?

ㄷ. 네가 과연 이길쏘냐?

ㄹ. 그가 이겼을쏘냐?

ㅁ. 이곳에 산삼이 있을쏘냐?

24. 「-라」

이것은 「-이다/아니다」에 쓰이어 반박하는 투의 물음어미로 비종결어미는 쓰이지 못한다. 주어제약은 없다.

(1) ㄱ. 내가 장관이라?

ㄴ. 네가 어른이라?

ㄷ. 그것도 일이라?

ㄹ. 그것이 돈이 아니라?

ㅁ. 그런 말을 한 자가 누구라?

25. 「-ㄹ런지/-을는지」

서술어의 어간에 붙어 스스로의 의문이나 의심을 나타낸다. 이 어미는 「-ㄹ는지」와 같은 뜻으로 쓰인다.

(1) ㄱ. 그가 언제 올는지(올런지)?

ㄴ. 길이 얼마나 멀는지(멀런지)?

ㄷ. 내가 그 일을 해낼는지(낼런지)?

ㄹ. 너도 그 일을 해낼런지(낼는지)?

ㅁ. 그런 사람이 누구일런지(일는지)?

ㅂ. 이 소가 이 풀을 잘 먹을는지(먹을런지)?

26. 「-ㄹ(을)건대」

이 어미는 「-ㄹ 것인대」가 줄어서 된 것으로 입말에서 많이 쓰인다.

(1) ㄱ. 당신 무엇을 먹을건대?

ㄴ. 그가 언제 올건대?

ㄷ. 이것으로 무엇 할건대?

이 어미로는 1인칭은 주어로 쓰일 수 없고 주로 상대방의 의사나 어떤 사실을 물을 때 쓰이는 물음어미이다.

27. 「-ㄹ까보냐/-을까보냐」

이것은 「-을까 보다」의 의문법으로 상대방의 추측을 물을 때 쓰이는 물음어미이다.

(1) ㄱ. 이 돈이 얼마나 될까보냐?

ㄴ. 내가 그것을 받을까보냐?

ㄷ. 네가 이길까보냐?

ㄹ. 그런다고 내가 갈까보냐?

ㅁ. 이 옷이 좀 클까보냐?

ㅂ. 이 사람이 네 친구일까보냐?

28. 「-ㄹ꺼나/-을꺼나」

이 어미는 「-ㄹ거나」와 같은 뜻으로 쓰이는데 스스로 반문하거나 상대방의 의사를 물어 보는 뜻을 나타낸다. 우리말 사전에서는 「-ㄹ꺼나」는 쓰지 말라고 하지만 실생활에서 많이 쓰이므로 여기서 같이 다루기로 한다.

(1) ㄱ. 울릉도로 갈꺼나(갈거나)?

ㄴ. 이걸 어찌 할거나?

ㄷ. 이것을 먹을꺼나?

이 어미는 동사에만 쓰인다.

29. 「-라느냐」

이것은 「-라 하느냐」가 줄어서 된 것으로 비종결어미는 「-시-」만이 쓰인다. 모든 서술어에 다 쓰인다.

(1) ㄱ. 이것이 무엇이라느냐?

ㄴ. 내가 거기에 가라느냐?

ㄷ. 자네가 나에게 무엇을 하라느냐?

ㄹ. 할아버지께서 거기를 가시라느냐?

ㅁ. 그녀를 착하다느냐?

30. 「-으랴/-랴」

이 어미는 느낌을 곁들여 반문하는 뜻을 나타낸다. 또 자기가 하려는 행동에 대하여 상대방의 의사에 대한 답을 묻는 뜻을 나타내기도 한다.

(1) ㄱ. 거기에 간 사람이 나뿐이랴?

ㄴ. 나는 지금 어디로 가랴?

ㄷ. 너는 서울로 가랴?

ㄹ. 너는 무엇을 먹으랴?

ㅁ. 내가 이것을 어찌하랴?

ㅂ. 이 꽃이 얼마나 향기로워랴?

31. 「-니가/-닌가」

이것은 「-니 이가」와 「-니 인가」가 줄어서 된 것으로 「아니다」에 붙어서 물음을 나타내는 어미이다. 사투리에서 많이 쓰인다.

(1) ㄱ. 네가 길동이 아니가?

ㄴ. 이게 금덩어리가 아닌가?

ㄷ. 내가 바보 아니가?

ㄹ. 이게 떡이 아닌가?

32. 「-려나/-으려나」

동사에 쓰이어 추측하여 묻거나 그냥 가벼운 물음을 나타내는 어미이다. 「-었-/-았-」, 「-시-」 등을 취할 수 있고 주어 제약은 없다.

(1) ㄱ. 너는 지금부터 무슨 일을 하려나?

ㄴ. 우리가 언제 다시 만나려나?

ㄷ. 내일은 비가 오려나?

ㄹ. 순이는 무슨 옷을 입으려나?

ㅁ. 할아버지께서 언제 오시려나?

33. 「-려느냐/-련」

이것은 「-려 하려느냐」가 줄어서 된 것으로 비종결어미는 「-시」만이 쓰일 수 있고 주어는 2인칭이나 3인칭이 쓰일 수 있으나 1인칭도 쓰일 수 있을 듯하다. 「-련」은 「-려느냐」가 줄어서 된 것이다. 동사에만 쓰인다.

(1) ㄱ. 너는 지금 어디로 가려느냐(가련)?

ㄴ. 언제 오시려느냐 그리운 임아?

ㄷ. 그는 무슨 공부를 하려느냐?

ㄹ. 언제 그가 오려느냐?

34. 「-려던」

이것은 「려 하던」이 줄어서 된 것으로 동사에 쓰이며 상대의 답을 요구하는 물음어미이다.

(1) ㄱ. 그가 무엇을 하려던?

ㄴ. 내가 그때 무엇을 하려던?

ㄷ. 그가 도망가려던?

ㄹ. 지금 차가 떠나려던?

35. 「-어라/-아라」

이 어미는 동사에 오면 시킴을 나타내고 형용사에 오면 느낌을 나타내지만 때로는 말할이가 되물을 때는 물음을 나타내기도 한다.

(1) ㄱ. 내가 이것을 먹어라?

ㄴ. 밥을 어서 먹어라?

ㄷ. 답안지를 빨리 쓰라?

ㄹ. 빨래를 걷어라?

「-어라/-아라」는 동사의 어간이 양성모음이냐 음성모음이냐에 따라 구별 사용되지만 때로는 「-으라」도 쓰일 때가 있다. (1ㄷ 참조.)

36. 「-아야지」

이것은 「-아야 하지」가 줄어서 된 것으로 입말에서 의문법으로 쓰이는 일이 있다.

(1) ㄱ. 작아도 여간 작아야지?

ㄴ. 스승의 은혜를 갚아야지?

ㄷ. 내가 가 보아야지?

ㄹ. 네가 가 보아야지?

37. 「-을까/-ㄹ까」

서술어 어간에 붙어 상대방 의사를 물어 보거나 가능성에 대하여 물어 보는 뜻을 나타낸다. 「-었-/-았-」, 「-시-」가 쓰일 수 있고 주어 제약은 없다.

(1) ㄱ. 우리 여기서 무엇을 먹을까?

ㄴ. 이 꽃이 피면 얼마나 아름다울까?

ㄷ. 이것이 무엇일까?

ㄹ. 네가 그때 거기에 갔을까?

ㅁ. 할아버지는 그 잔치에 가실까?

「-을까」는 받침 없는 동사나 형용사에 오면 「-ㄹ까」로 되고 「-이다/아니다」에도 「-ㄹ까」로 된다.

38. 「-을까말까/-ㄹ까말까」

이 어미도 상대방의 답을 물을 때 쓰인다. 「-었-/-았-」, 「-시-」가 쓰일 수 있고 주어는 별 제약이 있는 것 같지 아니하다.

(1) ㄱ. 나는 공부를 할까말까?

ㄴ. 내일은 날씨가 맑을까말까?

ㄷ. 우리는 이것을 살까말까?

ㄹ. 내가 갈까말까?

이 어미는 '우리'라는 집단에게 말할이 1인칭이 묻는 경우에 쓰인다. 이 어미는 동사에만 쓰인다.

39. 「-을까보냐」

「-을까 보다」의 의문법으로 상대방의 추측이나 의사를 물어보면서 한편으로 그렇게 할 리가 없음을 나타낸다. 「-었-/-았-」, 「-시」를 취할 수 있으며 주어는 2인칭은 쓰이기 어려운 듯하다.

(1) ㄱ. 지금까지 몇 시간이나 되었을까보냐?

　　ㄴ. 이런 일을 하는 것이 어찌 좋을까보냐?

　　ㄷ. 내가 그런 일을 했을까보냐?

　　ㄹ. 그것이 어찌 보물이 아닐까보냐?

　　ㅁ. 그런 말 한 마디가 어찌 죄일까보냐?

40. 「-(으)뇨」

이 어미는 형용사와 「-이다/아니다」에 쓰이어 「-으냐」보다 예스러운 뜻을 띠며 시에 잘 쓰인다.

(1) ㄱ. 이것이 무엇이뇨?

　　ㄴ. 영웅호걸이 몇몇이뇨?

　　ㄷ. 이 꽃이 얼마나 아름다우뇨?

　　ㄹ. 달이 이리도 밝으뇨?

41. 「-으라느냐」

이것은 「-으라 하느냐」가 줄어서 된 어미로 동사와 「-이다/아니다」에 쓰이어 물음을 나타낸다. 비종결어미는 쓰일 수 없고 주어 제약은 없는 듯하다.

(1) ㄱ. 내가 무엇을 먹으라느냐?

　　ㄴ. 네가 이것을 가지라느냐?

　　ㄷ. 그가 옷을 입으라느냐?

　　ㄹ. 이것이 무엇이라느냐?

42. 「-(으)라면서」

「-이라 하면서」가 줄어든 말로 어떤 사실을 반문하거나 다짐하거나 빈정거림의 뜻을 나타내는데, 이 어미는 반말에도 쓰이고 극비칭에도 쓰이므로 여기에서 다루기로 한다.

(1) ㄱ. 그의 말을 믿으라면서?

　　ㄴ. 너는 나를 가라면서?

　　ㄷ. 내가 이것을 먹으라면서?

　　ㄹ. 이 책을 가지라면서?

이 어미는 줄여서 「-으라며」로 쓰이는 일도 있다.

(2) ㄱ. 내가 이 옷을 입으라며?

　　ㄴ. 그가 나를 믿으라며?

이 어미는 동사에만 쓰일 수 있다. 비종결어미는 쓰일 수 없다.

43. 「-으란다며/-으란다면서」

이것은 「-으라 한다하면서/-으라 한다 하며」가 줄어서 된 것으로 동사와 「-이다/아니다」에 쓰인다. 비종결어미는 쓰일 수 없다.

(1) ㄱ. 그가 너에게 이 약을 먹으란다면서(먹으란다며)?

　　ㄴ. 이것이 보물이란다면서(보물이란다며)?

　　ㄷ. 영희가 나를 가란다면서(가란다며)?

44. 「-자느냐」

이 어미는 「-자 하느냐」가 줄어든 것으로 동사와 자제 가능한 형용사에 쓰이어 상대방의 의사를 묻는 의문법이다.

(1) ㄱ. 우리가 어디로 가자느냐?

　　ㄴ. 네가 무엇을 하자느냐?

　　ㄷ. 그가 무슨 일을 하자느냐?

　　ㄹ. 여기서 얼마나 쉬자느냐?

2.5.2. 상대방의 의사를 묻는 어미

이에는 「-ㄹ(을)거지」, 「-ㄹ(을)래」, 「-ㄹ(을)려고」, 「- 려나」, 「-려느냐」, 「- ㄹ까」, 「- 런」, 「- ㄹ(을)거나」, 「- ㄹ(을)려느냐」, 「-ㄹ까말까」, 「- 자느냐」 등이 있다.

1. 「-ㄹ(을)거지」

이 어미는 「-을 것이지」가 줄어서 된 것으로 동사나 자제 가능한 형용사에 쓰인다.

(1) ㄱ. 너는 오늘 여기서 일할거지?

　　ㄴ. 우리와 같이 공부할거지?

ㄷ. 여기서 머물거지?

ㄹ. 너, 이것 먹을거지?

ㅁ. 너는 착할거지?

2. 「-ㄹ래/-을래」

이 어미는 2인칭의 의사를 묻는 물음어미로 동사에만 쓰이며 비종결어미는 쓰일 수 없다.

(1) ㄱ. 너는 이것을 받을래?

ㄴ. 오늘 밤은 여기서 잘래?

ㄷ. 이 밥을 먹을래?

ㄹ. 이 책을 읽을래?

3. 「-ㄹ(-을)려고」

이 어미는 의사를 묻는 물음어미로 「-았-/-었-」은 쓰일 수 없다. 현재나 미래에 대하여 쓰인다. 의사를 묻기 때문이다. 주어도 2인칭에 한한다. 서술어는 동사에 한한다.

(1) ㄱ. 지금 갈려고?

ㄴ. 너는 무엇을 먹을려고?

ㄷ. 내가 가면 너는 울려고?

ㄹ. 지금 여기서 떠날려고?

ㅁ. 너도 이 학교에 지원할려고?

ㅂ. 너도 나와 같이 여기서 공부할려고?

4. 「-려나」

이 어미는 「-려 하나」가 줄어서 된 것으로 비종결어미는 쓰일 수 없으며 서술어는 동사에 한한다.

(1) ㄱ. 너도 같이 가려나?

　　ㄴ. 너는 여기서 지내려나?

　　ㄷ. 미국으로 유학 가려나?

　　ㄹ. 언제 오시려나? 그리운 님아.

이 어미는 상대방의 대답을 요구하는 의문문도 만들 수 있다.

(2) ㄱ. 내일은 그가 오려나?

　　ㄴ. 언제 다시 만나려나?

　　ㄷ. 너는 여기서 무엇을 하려나?

5. 「-려느냐」

이 어미는 「-려 하느냐」가 줄어서 된 것으로 동사에만 쓰이며 비종결어미는 쓰일 수 없다.

(1) ㄱ. 너는 서울로 이사 가려느냐?

　　ㄴ. 여기서 장사를 하려느냐?

　　ㄷ. 미국으로 관광차 떠나려느냐?

이 어미도 상대방의 대답을 요구하는 문장을 만들 수 있다.

(2) ㄱ. 무슨 공부를 하려느냐?

ㄴ. 무슨 일로 서울 가려느냐?

6. 「-ㄹ을까」

이 어미는 자기 의사를 묻거나 상대방 의사를 물을 때 쓰인다. 비종결어미는 쓰일 수 없고 동사에만 쓰인다.

(1) ㄱ. 우리 여기서 같이 놀까?

ㄴ. 이것을 먹을까?

ㄷ. 우리 바둑을 한 판 둘까?

ㄹ. 나는 무엇을 할까? (자신의 의사를 물음)

이 어미도 상대방의 대답을 요구하는 의문문을 만들 수 있고, 가능성을 나타내는 의문문도 만들 수 있다.

(2) ㄱ. 그는 어디서 올까?

ㄴ. 내일은 무슨 일이 있을까?

ㄷ. 그가 부자가 될 수 있을까?

ㄹ. 그 사람이 누구일까?

ㅁ. 그는 혼자서 그 일을 해 낼까?

7. 「-련」

이 어미는 「-려느냐」가 줄어든 것으로 동사에만 쓰이며 비종결 어미는 쓰일 수 없다.

(1) ㄱ. 같이 가련?

　　ㄴ. 이 옷을 입어 보련?

　　ㄷ. 이 책을 너에게 주련?

이 어미도 상대방의 대답을 요구하는 뜻을 나타내기도 한다.

(2) ㄱ. 너는 언제 미국으로 떠나련?

　　ㄴ. 너에게 무엇을 주련?

　　ㄷ. 그가 이 일을 할 수 있으련?

(2ㄷ)은 가능성에 대한 답을 요구하고 있다.

8. 「-ㄹ거나/-을거나」

이 어미는 동사 어간에 붙어 스스로 반문하거나 상대방의 의사를 물어 보는 종결어미이다. 비종결어미는 쓰일 수 없다.

(1) ㄱ. 울릉도로 갈거나?

　　ㄴ. 이 밥을 같이 먹을거나?

　　ㄷ. 여기서 그 일을 처리할거나?

이 어미도 상대방의 대답을 요구하는 뜻을 나타내기도 하고 감탄의 뜻을 나타내기도 한다.

(2) ㄱ. 이 일을 어쩔거나?

　　ㄴ. 너는 이 일을 어쩔거나?

9. 「-ㄹ(을)려」

이 어미는 동사 어간에 붙어 상대방의 의사를 묻는 뜻을 나타내며 비종결어미는 쓰일 수 없다.

(1) ㄱ. 너도 같이 갈려?
   ㄴ. 여기 있을려?
   ㄷ. 이 공장에서 일할려?

이 어미는 자신의 의사를 나타낼 때는 평서문이 되고 상대의 답을 요구하는 뜻을 나타낼 때는 의문문이 된다.

(2) ㄱ. 나는 공부 안 할려
   ㄴ. 너는 무엇을 먹을려?
   ㄷ. 그에게 무엇을 줄려?

10. 「-ㄹ(을)려느냐」

이 어미는 「-을려 하느냐」가 줄어서 된 것으로 동사에 쓰이며 비종결어미는 쓰일 수 없다.

(1) ㄱ. 너도 서울 가려느냐?
   ㄴ. 이 모자를 쓰려느냐?
   ㄷ. 이 차를 사려느냐?
   ㄹ. 이 떡을 먹을려느냐?

이 어미도 상대의 답을 요구하는 뜻을 나타내기도 한다.

(2) ㄱ. 너는 영어 공부를 하려느냐? 수학 공부를 하려느냐?

　　　(양자택일로 대답)

　　ㄴ. 너는 이들 중 어느 것을 가지려느냐?

11. 「-ㄹ(을)려고」

이 어미는 「-려고」와 뜻이 같은데, 연결어미로도 쓰이나 상대방의 뜻을 묻는 종결어미로도 쓰인다.

(1) ㄱ. 어느 수학 공부를 할려고?

　　ㄴ. 너는 술을 마실려고?

　　ㄷ. 무슨 책을 읽을려고?

이 어미도 상대의 답을 요구하는 뜻을 나타낼 수도 있다.

(2) ㄱ. 어디로 갈려고?

　　ㄴ. 언제 올려고?

12. 「-자느냐」

이 어미는 「-자 하느냐」가 줄어서 된 것으로 동사에만 쓰이며 비종결어미는 쓰일 수 없다.

(1) ㄱ. 같이 여기서 기다리자느냐?

　　ㄴ. 저 영화 구경을 가자느냐?

이 어미가 상대의 답을 요구하는 뜻도 나타내는데, 그 보기는 앞에서 다루었다.

3. 명령법의 대우법

이 법은 들을이의 면전에서 직접 사용되는 것이 특징인데 각 등분은 비종결어미와는 결합되지 않는다. 혹 극존칭법에서 「-시-」는 쓰일 수 있다. 명령법은 동사와 자제 가능한 형용사에 쓰임이 일반적이나 요즈음은 「-이다」에 쓰이어 강조의 뜻을 나타내는 일이 있다.

여기에서도 극존칭, 보통존칭, 보통비칭, 반말, 극비칭의 순서에 따라 다루겠는데, 삼가말은 극존칭의 범주에서 다룰 것이다. 사실 요즈음은 처제에 대하여는 보통존칭으로 대접함이 일반적이다.

3.1. 명령법의 극존칭

이 어법은 할아버지, 아버지, 스승, 큰아버지, 작은아버지, 외아저씨, 상관에게 대하여 하는 대우법이다. 사실 어른에 대하여 시킴이란 있을 수 없으나 부득이한 경우에 권유하는 식으로 말하여 어른이 행동하게 하는 것이 일반적이다.

이에 관한 어미에는 「-랍니다」, 「-랍디다」, 「-사오이다/-사외다」, 「시지요」, 「-세요/-으세요」, 「-으셔요」, 「-소서/-으소서」, 「-십시오」 등이 있다.

1. 「-랍니다」
이 어미는 「-라 합니다」가 줄어서 된 것으로 비종결어미는 「-시-」

가 쓰일 수 있다.

(1) ㄱ. 할아버지, 애비가 어서 오시랍니다.

ㄴ. 아버지, 여기서 기다리시랍니다.

ㄷ. 선생님, 댁으로 어서 오시랍니다.

ㄹ. 과장님, 회의에 참석하시랍니다.

이 「-랍니다」는 「-이다/아니다」에 쓰일 때는 평서법이 된다. 형용사 중 자제 가능한 것에 쓰이면 명령법이 된다.

(2) ㄱ. 여러분 조용하시랍니다.

ㄴ. 우리 모두, 부지런하랍니다.

ㄷ. 모두들 착하랍니다.

2. 「-랍디다」

이것은 「-라 합디다」가 줄어서 된 것으로 「-시-」가 오면 「-시랍디다」의 꼴로 된다. 지나간 때의 시킴을 현재에 와서 돌이켜 말하는 명령법이다.

(1) ㄱ. 선생님, 어서 오시랍디다.

ㄴ. 국장님이 여기에서 기다리시랍디다.

ㄷ. 할아버지, 천천히 오시랍디다.

3. 「-세요/-으세요」

이 어미는 「-으시어요」가 줄어서 된 것으로 이에는 비종결어미는 쓰일 수 없다.

(1) ㄱ. 어서 오세요.

ㄴ. 이 선물을 받으세요.

ㄷ. 많이 잡수세요.

ㄹ. 편안히 주무세요.

「-으세요」는 어간에 받침이 있는 동사에 쓰이고 「-세요」는 어간에 받침이 없는 동사에 쓰인다.

4. 「-으셔요/-셔요」

이것은 「-으세요」와 같은 뜻의 어미인데 「-으시어요」가 줄어서 된 것이다.

(1) ㄱ. 앉으셔요.

ㄴ. 이것을 받으셔요.

ㄷ. 새해 복 많이 받으셔요.

「-으셔요」는 어간에 받침이 있는 동사에 쓰이고 「-셔요」는 어간에 받침이 없는 동사에 쓰인다. 「-으세요」나 「-으셔요」는 자제 가능한 형용사에도 쓰일 수 있다.

(2) ㄱ. 오래 오래 편안하세요(편안하셔요).

ㄴ. 건강하셔요(건강하세요).

5. 「-소서/-으소서」

이 어미는 그 앞에 「-옵-」을 더하여 「-옵소서」로 쓰이기도 한다. 간절한 바람의 뜻을 나타낸다.

(1) ㄱ. 하느님, 복을 내려주소서.

ㄴ. 용서하시고 들으소서.

ㄷ. 부디 참으소서.

ㄹ. 용서하여 주옵소서.

ㅁ. 가시는 걸음걸음 놓인 그 꽃을 사뿐히 즈려밟고 가시옵소서.

(1ㅁ)의 '가시옵소서'는 「-가 옵소서」를 가장 높여서 한 말이 된다.

6. 「-십시오」

이 어미는 보통존칭의 「-ㅂ시오」에 「-시-」를 더함으로써 「-ㅂ시오」를 더 높였으므로 아주 높임의 명령법이 되었다.

(1) ㄱ. 안녕히 가십시오.

ㄴ. 안녕히 계십시오.

ㄷ. 좀 참으십시오.

ㄹ. 이 조품을 받아주십시오.

ㅁ. 이 술을 받아주십시오.

7. 「-시지오」

이 어미는 보통존칭의 「-지요」에 「-시-」를 더함으로써 극존칭이 되었다.

(1) ㄱ. 선생님, 이 차를 드시지요.

ㄴ. 이 책을 읽으시지요.

이 어미는 동사에만 쓰이고 비종결어미는 쓰일 수 없음은 다른 명령법과 같다.

3.2. 명령법의 보통존칭

보통존칭은 형, 선배, 처제, 처형 및 이들에 대등한 분들에게 쓰는 어법인데 이 어미에는 「-래요/-으래요」, 「-ㅂ시오/-읍시오」, 「-사오이다/-사외다」, 「-이요/-아요」, 「-으리오/-라오」, 「-ㅂ쇼/-읍쇼/-읍시오」, 「-요」 등이 있다.

1. 「-래요/-으래요」

이 어미는 「-라 해요」가 줄어든 것으로 동사와 형용사에 쓰이고 「-이다/아이다」에 쓰이면 서술법이 된다. 형용사는 자제 가능한 것에 한한다.

(1) ㄱ. 우리 모두 조용하래요.

ㄴ. 어서 나가래요.

ㄷ. 이 약을 먹으래요.

ㄹ. 모두들 부지런하래요.

ㅁ. 이 옷을 어서 입으래요.

ㅂ. 이 두루마기를 벗으래요.

(ㄷ, ㅁ, ㅂ)에서 보면 「-으래요」는 어간에 받침이 있을 때 쓰임을 알 수 있다.

2. 「-ㅂ쇼/-읍쇼/-읍시오/-ㅂ시오」

여기의「-ㅂ쇼」는 「-ㅂ시오」의 준말이요, 「-읍쇼」는 「-읍시오」의 준말이며, 「-읍시오」는 받침 있는 동사에 쓰인다. 「-읍시오」를 더 높일 때는 「-으십시오」가 되는데, 이것은 극존칭에서 다루었다. 「-ㅂ시오」는 개음절 다음에 쓰인다.

(1) ㄱ. 어서 옵쇼.

　　ㄴ. 어서 갑쇼.

　　ㄷ. 제 말을 믿읍쇼.

　　ㄹ. 이 선물을 받읍쇼.

　　ㅁ. 여기 앉읍시오.

　　ㅂ. 어서 옵시오.

　　ㅅ. 이것을 싼 값에 삽시오.

3. 「-어요/-아요」

이것은 어간의 모음이 양성모음이냐 음성모음이냐에 따라 구별, 사용된다. 자제 가능한 형용사에도 쓰인다.

(1) ㄱ. 어서 와요.

　　ㄴ. 조용해요.

　　ㄷ. 잘 있어요.

　　ㄹ. 이 책을 읽어요.

ㅁ. 이 우편물을 받아요.

이 「-어요/-아요」는 어른들이 어린이에 대하여 귀여워서 쓰는 일이 있다.

(2) ㄱ. 이것을 먹어요／
ㄴ. 조용히 해요／
ㄷ. 잘 가요／

(2)에서와 같이 이럴 때는 문장의 끝을 상승조로 말한다.

4. 「-오」
이 어미는 받침 없는 형용사 어간 다음에 쓰여 시킴을 나타낸다.

(1) ㄱ. 어서 오오.
ㄴ. 잘 가오.
ㄷ. 어서 보오

「-어요/-아요」, 「-오」가 '잘 가요/잘 가오', '어서 와요/어서 오오', '잘 있어요'와 같은 용법은 경우에 따라서는 인사를 할 때 쓰이고 있다. 이런 경우는 시킴이라고 보기는 어렵다. '시킴의 인사말 용법'이라고 하여야 할 것이다.

5. 「-소/-으소」
이 어미는 동사 어간에 쓰이어 시킴을 나타낸다. 또 경우에 따라

서는 인사말에도 쓰인다. 그 용법은 「시킴의 인사말 용법」이라고
하여야 할 것이다.

(1) ㄱ. 잘 가소, 잘 있소. (인사말 용법)
    ㄴ. 이리 오소.
    ㄷ. 이것을 가지소.
    ㄹ. 이 책을 받으소.
    ㅁ. 놀라지 마소.

「-소」는 서술법이나 의문법 보통존칭으로도 쓰인다. 예를 들면
다음과 같다.

(2) ㄱ. 그는 잘 있소↘ (서술)
       그는 잘 있소↗ (물음)
    ㄴ. 그 소는 풀을 잘 먹소↘ (서술)
       그 소는 풀을 잘 먹소↗ (물음)

6. 「-라오/-으라오」
이것은 「-(으)라 하오」가 줄어서 된 말로 동사와 자제 가능한 형
용사에만 쓰인다.

(1) ㄱ. 무조건 자기 말을 믿으라오.
    ㄴ. 이것을 가져 가라오.
    ㄷ. 누구든지 자기를 따르라오.
    ㄹ. 조용하라오.

ㅁ. 정직하라오.

이 어미가 「-이다/아니다」에 쓰이면 서술법이 된다.

(2) ㄱ. 이것이 세계지도라오.
    ㄴ. 여기가 서울이라오.
    ㄷ. 그는 군인이 아니라오.

3.3. 명령법의 보통비칭

보통비칭은 장성한 아우나 제자나 종질부, 생질부, 중년기 이상의 친구 사이나 타성의 장성한 후배에 대하여 쓰는 어법으로 이에는 「-게」, 「-게나」, 「-라네/-으라네」 등이 있다.

1. 「-게」
이 어미는 동사와 자제 가능한 형용사에 쓰인다. 주어는 2인칭에 한한다.

(1) ㄱ. 제발 부지런하게
    ㄴ. 열심히 공부하게
    ㄷ. 내일은 일찍 오게
    ㄹ. 이 선물을 받게
    ㅁ. 이것을 자네 어른께 드리게

2. 「-게나」

이 어미는 「-게」를 친근하게 나타내는 말로 「-게」와 용법이 같다.

(1) ㄱ. 이것을 좀 봐 주게나

ㄴ. 제발 좀 들게나

ㄷ. 좀 침착하게나

ㄹ. 천천히 하게나

ㅁ. 제발 밥 좀 먹게나

3. 「-라네/-으라네」

이것은 「-라 하네」가 줄어서 된 말로 동사와 자제 가능한 형용사에 쓰인다. 이 어미가 「-이다/아니다」에 쓰이면 서술법이 된다.

(1) ㄱ. 우리를 어서 오라네

ㄴ. 식사를 빨리 하라네

ㄷ. 이 선물을 받으라네

ㄹ. 우리 모두 착하라네

「-이다/아니다」에 오면 서술법이 되는 보기를 들면 다음과 같다.

(2) ㄱ. 이것이 책이라네.

ㄴ. 정이월 다 가고 삼월이라네.

3.4. 명령법의 반말

반말은 보통존칭과 보통비칭사이나 보통비칭과 극비칭 사이에 쓰이는데, 어느 쪽이든 분명하지 않게 애매하게 쓰는 어법이다. 부부가 부모(시어른) 앞에서 쓰기도 하고, 친한 친구끼리, 또는 집안사람 사이에서 나이는 적은데 촌수가 높은 사람이 나이는 많으나 촌수가 아래인 사람에 대하여 쓰는 어법이다. 이에는 「-어/-아」, 「-으래」, 「-지」 등이 있다.

1. 「-어/-아」
「-어」는 어간의 종성이 음성모음일 때, 쓰이고 「-아」는 양성모음일 때 쓰인다.

(1) ㄱ. 어서 먹어.

ㄴ. 좀 자주 놀러와.

ㄷ. 제발 조용해.

ㄹ. 아버지는 서울 가셔.

ㅁ. 어서 가.

(1ㄱ)의 「-먹어」는 '먹어라'는 뜻이오, (1ㄴ)은 '와요' 할 것을 '와'로 말하거나, '오게' 할 것을 '와'로 하였거나, '오너라' 할 것을 '와'로 나타낸 것으로 볼 수 있다. (1ㄷ)은 '조용하라' 또는 '조용하게'의 뜻으로 보아지며 (1ㄹ)의 '가셔'는 '가신다'의 뜻으로 이해된다. (1ㅁ)의 '가'는 '가요', '가게', '가라'의 여러 뜻으로 해석할 수 있다. 선배라도 친한 사이이면 '가'로 말할 수 있을 것이다. 따라서 반말은

참으로 어중간한 어법이다. 다음 표현을 보자. "형, 같이 가." 이때는 '형, 같이 가요'의 뜻으로 보아야 할 것이다.

2. 「-지」
이 「-지」도 앞의 「-어/-아」의 경우와 그 용법이 같다.

(1) ㄱ. 자네는 지금 떠나지 ('떠나게'의 뜻)
   ㄴ. 형도 같이 가지 ('가지요'의 뜻)
   ㄷ. 너도 같이 가지 ('가거라'의 뜻)
   ㄹ. 여기서 기다려 보던지 ('보아라'의 뜻)

이 「-지」는 「-어/-아」보다 더 애매한 표현이다. 「-어/-아」는 시킴의 뜻이 좀 분명하다면 이 「-지」는 그 뜻이 좀 모호하다는 느낌이 든다. (1ㄹ)의 '보던지'는 '보든지 말든지 마음대로 하라'는 아주 모호한 뜻으로 받아들여진다.

3.5. 명령법의 극비칭

극비칭은 다정한 친구나 손아래 사람에 대하여 직접 쓰는 어법으로 이에는 「-거라」, 「-너라」, 「-라」, 「-라니까」, 「-(으)려무나/-렴」, 「-렸다」, 「-어라/-아라」, 「-아야지」, 「-으라-」, 「-으라고」, 「-으래」, 「-을지어다」, 「-을지라」, 「-을지니라」 등이 있다.

1. 「-거라」
이 어미는 '가거라', '있거라', '자거라', '앉거라', '일어나거라', '서거라', '듣거라' 등과 같이 그 한정된 동사에 명령법으로 쓰인다. 비종 결어미가 쓰일 수 없음은 말할 필요가 없다.

(1) ㄱ. 가거라, 삼팔선아.

ㄴ. 잘 있거라. 나는 간다. 이별의 말도 없이

ㄷ. 잘 자거라, 아가야.

ㄹ. 편히 앉거라.

ㅁ. 자 같이 일어나거라.

ㅂ. 모두 일어서거라.

ㅅ. 모두들 잘 듣거라. 내일은 즐거운 소풍날이다.

2. 「-너라」

이 어미는 '오다' 류의 동사에 쓰인다. 극비칭에만 쓰인다.

(1) ㄱ. 어서 오너라.

ㄴ. 들어오너라.

ㄷ. 어서 나오너라.

ㄹ. 저리로 돌아오너라.

ㅁ. 삼팔선을 넘어오너라.

지방에 따라서는 「-나라」로도 쓰는 일이 있다. 즉 '오나라'와 같이 쓴다. 또 요즈음은 「-오라」, 「-와라」로 쓰는 경향이 있으나 오른 어법은 아니다.

3. 「-(으)라」

이 어미는 동사에 쓰이어 시킴을 나타내나 「-어라/-아라」, 「-거라」, 「-너라」에서 줄여서 쓰이기도 한다.

(1) ㄱ. 일어나라. 동포여!

ㄴ. 오라, 오라, 동포여!

ㄷ. 돌아보지 말고 어서 가라.

ㄹ. 이것을 너 혼자 먹어라.

ㅁ. 다음 물음에 대한 답을 쓰라.

ㅂ. 이 편지를 받아라.

ㅅ. 제발 종용하라.

ㅇ. 부지런하라, 여러분!

4. 「-ㄹ지어다/-을지어다」

동사 어간에 붙어 마땅히 하여야 한다는 뜻을 나타내므로 시킴의 어미로 봄직하다. 자제 가능한 형용사에도 쓰인다.

(1) ㄱ. 여러분! 열심히 할지어다.

ㄴ. 동포여! 일어설지어다.

ㄷ. 어른의 말씀을 잘 들을지어다.

ㄹ. 제발 조용할지어다.

이 어미는 예스러운 정중한 표현에 쓰인다.

5. 「-ㄹ진저/-을진저」

「-ㄹ진저」는 개음절 동사 어간에 쓰이고 「-을진저」는 폐음절 동사에 쓰인다. 이 어미는 '마땅히 하여야 할 것이다'의 뜻으로 당위성을 나타내므로 시킴으로 볼 수도 있으므로 여기서 다룬다. 정중한 말이나 글에 쓰인다.

(1) ㄱ. 학생은 마땅히 공부할진저
    ㄴ. 사람은 누구나 정직할진저
    ㄷ. 선생님의 말씀을 잘 들을진저
    ㄹ. 조용할진저
    ㅁ. 모든 사람은 부지런할진저

이 어미는 자제 가능한 형용사에도 쓰일 수 있다.

6. 「-라니까」

이 어미는 「-라 하니까」가 줄어든 것으로 주로 받침 없는 동사 어간에 붙어 불평하거나 꾸짖어 거듭 명령하는 뜻을 나타낸다.

(1) ㄱ. 잔소리 말고 어서 가라니까.
    ㄴ. 제발 어서 오라니까, 그래.
    ㄷ. 잠자코 있으라니까.

7. 「-려무나/-렴」

「-려무나」는 받침 없는 동사 어간에 붙어 간곡한 시킴의 뜻을 나타낸다. 「-렴」은 「-려무나」가 줄어든 말로 뜻은 같다. 자제 가능한 형용사에도 쓰인다.

(1) ㄱ. 가려무나, 어서 가려무나.

　　ㄴ. 놀다 오려무나.

　　ㄷ. 좀 부지런하려무나.

　　ㄹ. 여기에 조용히 있으려무나.

　　ㅁ. 하고 싶은 대로 하렴.

　　ㅂ. 제발 조용하렴.

8. 「-렷다」

ㄹ받침 이외의 받침 없는 형용사 어간에 붙어 시킴을 나타낸다. 예스런 표현에 쓰인다.

(1) ㄱ. 분부대로 거행하렷다.

　　ㄴ. 다시는 그런 일을 하지 말렷다.

　　ㄷ. 제발 조용하렷다.

　　ㄹ. 부디 부지런하렷다.

　　ㅁ. 그 시합에서 반드시 이기렷다.

9. 「-어라/-아라」

「-어라」는 동사 어간의 모음이 음성모음일 때 쓰이고 「-아라」는 양성모음일 때 쓰이는 시킴의 어미이다. 이 어미는 동사는 물론 자제 가능한 형용사에 쓰인다. 이 어미는 시킴의 대상이 정해져 있을 때 쓰인다.

(1) ㄱ. 열심히 노력하여 성공하여라.

ㄴ. 여러분, 조용하여라.

ㄷ. 감기에는 이 약을 먹어라.

ㄹ. 노는 일에 신경 쓰지 말아라.

시킴의 이 어미에는 「-시-」는 쓰일 수 있으나 「-었-/-았-」과 「-겠-」, 「-리」는 쓰일 수 없고 주어도 2인칭에 한한다.

그런데 「-어-/-아」가 형용사에 쓰일 때는 느낌을 나타낸다.

(2) ㄱ. 아이 기분 좋아라.

ㄴ. 달도 밝아라.

ㄷ. 아이, 예뻐라.

10. 「-아야지」

이 어미는 「-아야 하지」가 줄어든 말로 비종결어미 「-었/-았」, 「-시-」 등을 취할 수 있고 자제 가능한 형용사에도 쓰일 수 있다.

(1) ㄱ. 스승의 은혜를 갚아야지.

ㄴ. 언제나 조용했어야지.

ㄷ. 학교에 갔어야지.

ㄹ. 이 일을 밝혀야지.

ㅁ. 병을 고치려면 약을 먹어야지.

11. 「-으라」

이 어미는 정해진 대상이 없이 많은 사람을 대상으로 한 명령법이다.

(1) ㄱ. 이 물음에 대한 답을 쓰라.

　　　ㄴ. 이 문제를 잘 풀으라.

　　　ㄷ. 청년 여러분, 나의 말을 들으라.

「-으라」에 대하여 「-어라/-아라」는 일정한 상대자에게 대하여 쓰는 명령법이다.

(2) ㄱ 명희야 보아라

　　　ㄴ. 큰애야 보아라.

12. 「-으라고」

이 어미는 시킴의 어미 「-으라」에 인용조사 「-고」가 더하여 된 것이다.

(1) ㄱ. 비가 온다. 어서 가라고

　　　ㄴ. 보모의 말씀을 들으라고

　　　ㄷ. 너는 여기 있으라고

　　　ㄹ. 제발 침착하라고

13. 「-을지니라」

이 어미에 대하여 『우리말 사전』에는 서술어미로 설명되어 있지 만 그 뜻으로 보면 시킴의 뜻을 나타내는 경우가 있으므로 여기에 서 다룬다.

(1) ㄱ. 너는 가만히 있을지니라.

ㄴ. 하루 세끼 밥을 먹을지니라.

ㄷ. 우리는 마땅히 조용할지니라.

위의 보기에 따르면 '어떠하냐' 함을 말함으로써 간접적인 시킴의 뜻을 나타내고 있다.

4. 권유법의 대우법

이 어법은 상대방으로 하여금 어떤 행동을 말할이와 같이 하자고 꾀이는 법이다. 상대는 어른으로부터 젊은이에 이르기까지 같이 어떤 행위를 할 수 있는 사람이다. 이에도 말대접의 등분에 따라, 극존칭, 보통존칭, 보통비칭, 반말, 극비칭의 다섯 등급이 있다.

4.1. 권유법의 극존칭

「-으십시다/-으십세다」, 「-으십시다요/-으십세다요」, 「-으사이다」, 「-시지요」 등이 있다.

1. 「-으십시다/-으십세다」

「-으십시다」는 「-으십+시+다」로 된 것이요. 「-으십세다」는 「-으십+세+다」로 분석되나 느낌으로는 「-으십사이다」가 줄어서 된 것은 아닌가 하는 생각이 든다.

(1) ㄱ. 어르신, 같이 가십시다.

ㄴ. 모두 같이 가십세다.

2. 「-으사이다」

이 어미는 청원을 나타내는 권유가 된다. 비종결어미는 쓰일 수 없다.

(1) ㄱ. 같이 가사이다.

ㄴ. 이 선물을 같이 받으사이다.

ㄷ. 우리 모두 여기서 하루를 쉬어 가사이다.

이 어미는 예스러운 표현에 쓰인다.

3. 「-시지요」

이것은 요즈음 자주 쓰이는 권유법 어미이다.

(1) ㄱ. 어르신 같이 차를 타시지요.

ㄴ. 같이 회의장으로 가시지요.

위에서 보기로 든 어미 이외에도 명령법의 「-으세요」와 「-으셔요」도 문장에 따라 권유를 나타내는 일이 있다.

(2) ㄱ. 어르신, 같이 가세요.

ㄴ. 어르신, 같이 식사 하셔요.

권유법의 극존칭은 조부모나 부모, 스승, 일반 어른들에 대하여 사용하지만 어려운 경우에는 "할아버지, 지금 같이 가시면 좋겠습니다", "할아버지, 가시지 않으시겠습니까" 등과 같이 간접표현으로 권유를 나타내기도 한다.

4.2. 권유법의 보통존칭

이 어법은 형이나 선배, 처제, 처형 이들에 대등한 사람에게 쓰는 대우법이다. 이에는 「-ㅂ시다/-읍시다」, 「-읍세다」가 있다.

1. 「-ㅂ시다/-읍시다」
「-ㅂ시다」는 받침이 없는 어간에 쓰이고 「-읍시다」는 받침이 있는 어간에 쓰인다. 자제 가능한 형용사에도 쓰일 수 있다.

(1) ㄱ. 형, 같이 갑시다.

ㄴ. 형님, 같이 식사합시다.

ㄷ. 우리 모두 조용합시다.

ㄹ. 형, 같이 먹읍시다.

2. 「-읍세다」
이 어미는 「-읍 서이다」가 준 것은 아닌가 생각해 본다.

(1) ㄱ. 같이 놉세다.

ㄴ. 점심을 같이 먹읍세다.

ㄷ. 우리 모두 침착합세다.

이 어미도 「-ㅂ시다/-읍시다」와 그 용법에 별 다른 데가 있는 것 같지 아니하다.

경상도 사투리에서는 「같이 가소」와 같이 「-소」로써 권유를 나타내는 경우가 많다.

4.3. 권유법의 보통비칭

보통비칭은 장성한 아우나 제자나 종질부, 생질부, 중년기 이상의 친구 사이나 타성의 장성한 후배에게 대하여 쓰는 어법으로 여기에는 「-세」, 「-음세」가 있다.

1. 「-세」
이 어미는 동사와 자제 가능한 형용사에 쓰이는 권유법이다.

(1) ㄱ. 일하러 가세. 일하러 가세. 삼천리강산에 일하러 가세.
　　ㄴ. 우리 모두 부지런하세.
　　ㄷ. 우리 힘껏 일해 보세.

2. 「-음세」
받침 있는 동사나 자제 가능한 형용사에 쓰이어 권유의 뜻을 나타낸다.

(1) ㄱ. 우리 같이 감세.
　　ㄴ. 우리 같이 먹음세.
　　ㄷ. 우리 모두 조용하세.

경우에 따라서는 약속을 나타내는 일이 있다.

(2) ㄱ. 내일 갚음세.

　　ㄴ. 내일 그를 데려옴세.

4.4. 권유법의 반말

반말은 높이기도 그렇고 낮추기도 어중간한 경우에 쓰인다. 부모 앞에서 부부끼리 말을 주고받을 때, 또는 집안의 나이 적은 아저씨가 나이 많은 조카를 보고 '해라' 할 수도 없고 '하오' 할 수도 없는 경우에 쓰이는 어법이다.

이에는 「-어/-아」, 「-지」, 「-자니까」가 있다.

1. 「-어/-아」

이것은 「-어소/-아소」 또는 「-어요/-아요」, 보기에 따라서는 「-아라/-아라」가 줄어서 된 것으로 보아진다.

(1) ㄱ. 같이 가아.

　　ㄴ. 어디 가아.

　　ㄷ. 같이 먹어.

　　ㄹ. 조용해.

　　ㅁ. 제발 좀 침착해.

2. 「-지」

최현배 선생(1983)의 『우리말본』에서는 명령법과 권유법의 반말에는 「-지」는 쓰이지 않는다고 하였으나 실제 언어생활에서 보면 쓰이는 일이 있기 때문에 여기에서 다루기로 한다.

(1) ㄱ. 모두 같이 가지.
　　ㄴ. 어서 같이 들지.
　　ㄷ. 우리는 여기서 머물지.

3. 「-자니까」

이 어미는 「-자 하니까」가 줄어서 된 것으로 함께 하자는 내용을 거듭 강조하거나 언짢게 나타내는 반말투의 어미이다. 동사와 자제 가능한 형용사에 쓰인다.

(1) ㄱ. 그만 따지자니까
　　ㄴ. 어서 나가자니까
　　ㄷ. 제발 침착하자니까
　　ㄹ. 그만 파자니까

4.5. 권유법의 극비칭

이 어법은 집안의 어른이 손아래 사람에게, 또는 어린이나 젊은 이에게 대하여 말하거나 친한 친구 사이에서 말하거나, 선생이 제 자에게 대하여 하는 어법이다. 제자라도 대학생에게는 보통비칭법 을 써야 한다. 대학생은 성인이기 때문이다. 이 어미에는 「-자」하나 가 있다.

1. 「-자」

이 어미는 동사나 자제 가능한 형용사에 쓰이는데, 문장에 따라서는 무엇을 하겠다는 의지를 나타내기도 한다.

(1) ㄱ. 어서 가자, 가자 바다로 가자.

ㄴ. 나비야 청산 가자. 범나비 너도 가자.

ㄷ. 우리 조용하자.

ㄹ. 모두 모두 부지런하자.

ㅁ. 열심히 일하여 새 나라를 건설하자.

ㅂ. 낙하암 그늘 아래 울어나 보자.

ㅅ. 그 일에 대하여 내가 한번 생각해 보자.

(1ㄱ~ㅁ)까지는 권유의 뜻을 나타내나 (1ㅂ~ㅅ)은 말할이의 의지를 나타낸다. 즉 (1ㅂ)의 '울어나 보겠다'는 뜻이요, (1ㅅ)의 '생각해 보자'는 생각해 보고 어떤 판단을 내리겠다는 뜻이다.

제**3**장

맺는 말

지금까지 의향법에 대하여 한글학회 지음 『우리말 사전』과 기타 신문 잡지 등에서 통계를 내어 지은이 나름대로는 자세히 다룬다고 노력하였다. 그러나 빠져서 다루지 못한 어미가 있을 수 있을 것이다. 그리고 혹 잘못 배정된 어미가 있지는 않을까 하는 두려움도 없지 아니하다. 만일 빠진 것이나 잘못된 부분이 발견되면 앞으로 깁고 또 고쳐 나가겠다. 그런데 여기서 하나 덧붙이고 싶은 것은 거의 모든 어미에 「-요」를 붙이면 높임이 되는 것으로 알고 말을 하는 사람이 많은데, 이것은 옳은 어법이 아니다. 「-요」는 붙여서 써야 할 경우가 있는데 무조건 붙여 사용하는 일은 삼가야 할 것이다. 특히 가정에서나 학교에서 교육을 철저히 하여 올바르고 아름다운 말을 쓰도록 하여야 할 것이다.

부록

국어의 대우법

1. 머리말

국어의 대우법은 의향법과 밀접한 관계가 있으므로 여기에서 다루기로 한다. 지금까지 대우법의 연구에 따르면 최현배 박사는 극비칭(아주낮춤), 보통비칭(예사낮춤), 보통존칭(예사높임), 극존칭(아주높임), 반말의 다섯 등급으로 나누었는데, 반말은 '해라'와 '하게'와 '하오'의 중간에 있는 말이라 하였다. 허웅 교수는 비칭(낮춤, 안높임), 보통존칭(예사높임), 극존칭(아주높임)의 세 등급으로 나누었고 그 이외의 교수들의 대우법의 분류를 보면 다음과 같다.

민현식(1984): 해체, 해라체, 하게체, 해요체, 하오체, 합쇼체

강규선(1989): 해라체, 반말체, 하게체, 하오체, 합쇼체, 하소체

한 길(1991): 극비칭, 반말, 보통비칭, 보통존칭, 극존칭, 높낮이 없음

이경우(1998): 해체, 해라체, 하게체, 해요체, 하오체, 합쇼체, 하소서체

이익섭(1999): 해라체, 해체(반말체), 하게체, 하오체, 해요체, 합쇼체(채완

도 이와 같음)

김동언(1999): 해라체, 해체, 하게체, 하오체, 해요체, 합쇼체

윤석민(2000): 해라체, 반말체, 하게체, 하오체, 합쇼체, 하오서체, 등급
없음.

김태엽(2001): 안 높임, 조금 높임, 조금 더 높임, 아주 높임

등과 같이 그 등급의 분류는 가지각색인데, 현재 쓰고 있는 고등학교 문법교과서의 분류를 보면 다음과 같다.

합쇼체(극존칭), 하오체(보통존칭), 하게체(보통비칭), 해라체(극비칭), 해요체(보통존칭과 극존칭에 두루 쓰임), 해체(보통비칭과 극비칭에 두루 쓰임)으로 나누고 '해요체와 해체'는 비격식체라 하고 그 이외의 것은 격식체라 하였다.

사실 대우법의 등급은 먼저 우리의 전통 예법을 알아야 한다. 오늘날, 문법 교육이 제대로 되어 있지 않기 때문에 처제를 보고 '해라'를 하고 처질부나 처질녀를 보고도 '해라'를 하는, 예법에 벗어나는 말을 하고 있으니, 어찌 교양 있는 사람의 어투라 할 수 있겠는가?

그리고 우리말의 대우법에 격식체가 어디 있고 비격식체가 어디 있는가?

모두가 격식이 있는 어법이다. 즉 모두가 격식체이다. 고등학교에서 이렇게 가르치니까, 요즘음 젊은이들의 어법이 제멋대로이다. 장인을 '아버지'라 하고 장모를 '어머니'라 하며 처남을 '형님'이라 하는가 하면 자기 신랑을 보고 '자기'라 하며, 처남의 댁을 '아주머니'라 하는 등의 쌍말을 하고 있으니 도덕이 안 무너질 수가 있겠는가? 예법을 모르는 지각없는 사람들의 글에서 통계를 내어 보았자

소용이 없다. 우리에게는 고유한 어법이 있으니 이것을 밝혀서 국
민이 다 같이 쓰도록 교육하여야 할 것이다.

2. 선학님들의 대우법

여기서는 먼저 최현배 선생과 허웅 선생의 어법에 대한 설명을
알 보고 각 높임의 등분 하나하나에 대하여 설명하기로 하겠다.

2.1. 최현배 선생의 말대접 풀이

2.1.1. 극비칭(해라)

그 말을 듣는 사람을 아주 낮게 보고 하는 말이다(곧 어른이 아이에
게 또는 지체가 높은 사람이 지체가 낮은 사람에게 하는 말이다). 이를 테
면 다음과 같다.

아이가 글을 읽는다. 아이가 글을 읽느냐?
아이가 글을 읽는구나. 아이야, 글을 읽어라.
아이야 글을 읽자.

2.1.2. 보통비칭(하게)

그 말을 듣는 사람을 조금 낮게 보고 하는 말이다(곧 '해라'보다는
얼마만큼 듣는 사람을 높이는 셈이 되는 꼴을 이름이다). 이를 테면 다음

과 같다.

아이가 글을 읽네.
아이가 글을 읽는가?
이 사람아, 글을 읽게.
이 사람 글을 읽세.

2.1.3. 보통존칭(하오)

그 말을 듣는 이를 높여서 하는 말이로되 높임으로서는 대단한
것이 되지 못하고, 길 가는 사람끼리 서로 말함과 같은 경우에 흔히
쓰는 꼴이니, 이를 테면 다음과 같다.

아이가 글을 읽소. 아이가 글을 읽소?
여보, 아이가 글을 읽으오! 여보, 글을 읽읍시다.

2.1.4. 극존칭(합쇼)

그 말을 듣는이를 아주 높여서 하는 어투이니 아이가 어른에게,
지체가 낮은 사람이 지체가 높은 사람에게 대하여 말함과 같은 경
우에 쓰이는 꼴이다. 이를 테면 다음과 같다.

아이가 글을 읽습니다. 아이가 글을 읽습니까?
여보십시오. 글을 읽으십시오.
여보십시오. 글을 읽으십세다.

위의 말한 네 가지의 등분은 말 자체의 등급을 가른 것이어니와, 이제 만약 평교간에서 말하는이와 듣는이가 서로 한가지 등분의 말을 하는 경우에는, 그 뜻이 얼마만큼 중화가 되어서 그 높임과 낮춤의 뜻이 얼마만큼 사라지는 경향이 있다고 볼 만하다.

곧 (1) 아이들끼리는 '해라'를 쓰고, (2) 아주 무관하게 친한 벗들 사이에는 '하게'를 쓰고(이런 경우를 특히 '평교간'이라 하며, 또 '벗한다')고 하며 '하오'를 쓰고, (3) 길 가는 사람끼리 서로 '하오'를 쓰고, (4) 점잖은 사람끼리 '합쇼'를 쓰는 경우에는 그 낮춤과 높임의 뜻이 그리 특별히 말맛(어감)에 오르지 아니함과 같다. 그렇지만 만약 두 사람이 쓰는 말이 각각 그 등분이 다를 적에는, 그 높임과 낮춤의 뜻이 매우 까닭스럽게 말맛에 들어나게 된다. (5) '반말'은 '해라'와 '하게', '하게'와 '하오'의 중간에 있는 말이니 그 어느 쪽임을 똑똑히 들어내지 아니하며, 그 등분의 말맛을 흐리게 하려는 경우에 쓴다. 그러므로 반말은 극존칭 아님만은 분명하다.

위의 설명을 보면 대우법의 각 등분의 사용법을 어느 정도는 알 것 같으나 분명하지는 아니하다.

2.2. 허웅 선생의 대우법 풀이

2.2.1. 서술법

1. 낮춤(안 높임)

(가) 일러듣김: 말할이가 들을이를 높이지 않으면서, 자기의 뜻을 베풀어 일러듣기는 데 그치는 서술법의 한 아래 갈레인데, 그 일러듣기려는

정도가 강하면 때로는 명령도가 되는 일이 있다.

(나) 약속: 말할이가 들을이를 높이지 않으면서, 들을이에게 어떠한 일을
해줄 것을 약속하는 서술법의 한 아래 갈래인데, 이것은 동사에만 있
는 활용이다.

(다) 뜻 (의욕, 의도, 바람)

(라) 헤아림 (추측)

(마) 느낌

2. 보통존칭

(가) 일러 듣김-아룀

(나) 약속

(다) 뜻 (의욕, 의도, 바람)

(라) 헤아림

(마) 느낌

3. 극존칭

「-습…」의 쓰임,

「-답니다/랍니다」, 「-습네다/ㅂ네다」, 「-올습네다」, 「-으이다」, 「-나이
다」, 「-소이다/으소이다/을소이다」, 「-올시다」

등으로 되어 있다. 허웅 교수는 전통 대우법을 떠나서 현실 언어를
바탕으로 통계를 내어 설명하고 있다. 다시 말하면 극비칭과 보통
비칭은 낮춤으로 하고 보통존칭과 극존칭은 그대로 인정하는 체계
가 된다. 이와 같은 체계는 현실적인 언어생활과 맞지 않는 면이
있다. 낮춤에도 구별이 있기 때문이다.

3. 국어의 대우법

우리나라는 전통적으로 신분에 따라 말대접하는 방법이 여러 가지로 되어 있다. 우리의 대우법은 집안에서 쓰는 집안어법과 사회에서 남남끼리 하는 남남어법의 두 가지가 있으나 편의상 이들을 하나의 체계로 세워 다루기로 하겠다. 사회에서 어른을 높이어 공경스레하는 어법을 공경말이라 하고 처질녀, 처질부, 고종의 며느리 등에 대하여 삼가는 어법을 삼가말이라고 하며, 사회에서 성근 사람끼리 하는 어법을 성근말이라고 한다. 그리고 형제 및 선후배 사이, 부부 사이, 손아래 사람에 대하여 하는 어법은 말대접할 사람에 따라 예사 높여서 하는 어법과 예사 낮추어서 하는 어법과 아주 낮추어서 하는 어법 및 반어법 등이 있는데 이들 어법을 친근말이라 한다. 이를 표로 나타내면 다음과 같다.

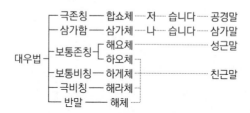

국어의 대우법은 형태적 방법, 통어적 방법, 어휘적방법의 세 가지가 있다.

3.1. 형태적 방법에 의한 대우법

여기서는 앞에서 합쇼체, 삼가체, 해요체, 하오체, 하게체, 하라체, 해체에 대한 어미를 자세히 설명하였으므로 이들 말이 어떤 경우에 쓰이는가에 대하여 설명하기로 한다. 왜냐하면 현재, 대우법을 제대로 모르는 사람이 너무도 많기 때문이다.

3.1.1. 합쇼체

합쇼체로 하는 말을 공경말이라 한다. 공경말은 할아버지, 할머니, 아버지, 어머니, 큰아버지, 작은아버지, 큰어머니, 작은어머니, 아저씨(외아저씨), 고모아저씨, 이모아저씨, 장인, 장모 사회에서 손위어른, 기관장, 선생에게 대하여 하는 말이다. 요즈음 고등학교 문법 교과서에서 반말과 「-어요/-아요」 등을 비격식체라 하고 「-어요/-아요」는 어른이나 보통존칭의 경우에도 쓴다 하였으나 그것은 잘못이다. 우리말의 대접법에는 모두가 격식이 있으며 비격식체는 없다. 예를 들면

(1) ㄱ. 아버지 돈 줘요.
    ㄴ. 선생님 어디 가요.
    ㄷ. 아버지 어디 가나요?

(1ㄱ~ㄷ)은 모두가 잘못된 말이다. 이런 식으로 말하면 아버지와 선생님은 제 친구격밖에는 되지 않는다. 다음과 같이 말하여야 올바른 말이 된다.

(2) ㄱ. 아버지, 돈 주세요.

   아버지, 돈 주십시오.

   ㄴ. 선생님, 어디 가세요.

   선생님, 어디 가십니까?

   ㄷ. 아버지 어디 가세요?

   아버지 어디 가십니까?

위의 (1)은 교양 없고 예법 모르는 사람이 쓰는 말이요. (2)는 예법을 제대로 알고 하는 말이다.

3.1.2. 삼가체

삼가체는 삼갈 자리에 쓰는 어법이다. 처제, 처형, 처질부, 처질녀, 처질녀의 며느리, 고종의 며느리, 외종의 며느리 등에 대하여 하는 어법이다. 이들은 모두 여자로서 남이기 때문이다. 요즈음 예법을 잘 모르는 사람들은, 처제, 처질녀, 처질부 외종의 며느리, 고종의 며느리에 대하여 예사로 해라체를 쓰는데, 이는 아주 큰 실례를 하는 일이다. 요즈음은 보통존칭으로 하여도 괜찮을 듯하다. 예를 들면 다음과 같다.

(1) ㄱ. 처질부, 안녕하세요. 고모아저씨, 잘 계셨습니까?

   나는 오늘 서울에서 왔습니다.

   ㄴ. 처제, 잘 계셨어요? 형부 오셨습니까?

   나는 서울에서 조금 전에 왔습니다(왔어요).

위의 경우 이외에 고종의 며느리, 외사촌의 며느리, 처제의 며느리, 처질부의 며느리에 대하여는 특별한 호칭이 없기 때문에 서로 대하여 말할 때, 예사 높여서 말하면 될 것으로 보인다.

3.1.3. 해요체

'성근말'이란 친밀하지 아니한 사이에 주고받는 말이다. 이때의 어미는 「-요」를 사용한다. 어른이 젊은이를 보고 하는 말이다. 그리고 남남끼리도 쓸 수 있다.

(1) ㄱ. 학생, 서대문으로 가려면 어느 길로 가야 하나요?

　　ㄴ. 실례합니다. 남대문 시장으로 가려면 어떻게 가면 되지요?

　　ㄷ. 이것을 무엇이라 하나요?

3.1.4. 하오체

이것은 '친근말'에 속하는데 보통존칭에 해당된다. 이 말은 나이 적은 집안 아제(아저씨), 나이 어린 할아버지뻘 되는 이들에게, 아우가 형에게, 후배가 선배에게, 이 하오체를 쓸 수 있다. 또 사회에서 말할이와의 여러 가지 관계로 보아 쓸 수 있다.

(1) ㄱ. 아저씨 어디 가오?

　　ㄴ. 모두, 이것을 드시오.

　　ㄷ. 형은 왜 늦었소?

3.1.5. 하게체

들는이를 '자네'라고 하면서 말의 종성이 '-네', '-게', '-가'로 끝나는 말을 '하게말'이라고 한다. 이 말은 형이 아우에게, 장모가 사위에게, 누나가 동생에게, 오라버니댁이 시누이에게, 며느리 끼리, 그 위가 아래에게, 종숙이 종질에게, 시외삼촌 내외가 생질부에게 써야 하는 어법이다.

(1) ㄱ. 동생은 잘 지내는가? (누나가 동생에게)

ㄴ. 자네는 요즈음 어떠한가? (형이 아우게게)

ㄷ. 오늘, 시장에 안 가는가? (손위 동서가 손아래 동서에게)

ㄹ. 박서방, 오는가! (장모가 사위에게)

3.1.6. 해라체

이 말은 아들, 딸, 며느리, 손자, 손녀, 손부, 조카, 질녀, 질부, 종손, 종손녀, 종손부, 종질녀, 재종질, 재종질녀에게, 친한 친구 사이에, 선생이 제자에게 사용하는 말하기이다.

(1) ㄱ. 질부야, 이리 오너라

ㄴ. 손부야, 물 좀 다오

ㄷ. 조카야, 무엇하러 가느냐?

ㄹ. 얘야 일찍 자거라.

3.1.7. 해체

이 말의 어미는 「아/-어」, 「-지」, 「-고」, 「-거든」 등으로 하는 말이다. 이 말은 부부 사이에 쓰는 것이 일반적이다. 또 친한 친구 사이에도 쓸 수 있다. (이에 대하여는 앞에서 자세히 설명하였음.)

(1) ㄱ. 신랑이: 자고 일어나니, 가슴이 답답해.

ㄴ. 아내가: 잠자리가 편지 않으면 그런 수가 있어.

ㄷ. 아내가: 병원에 한번 가보지.

ㄹ. 신랑이: 안 갈거야.

ㅁ. 박선생: 어디 가아?

3.2. 통어적 방법에 의한 대우법

이에는 주체존대법이 있다. 이것은 엄밀히 말하면 형태적인 대우법이다. 그러나 활용법과는 달리 비종결어미라는 까닭에서 주어와 서로 조응 관계에 있기 때문에 이렇게 제목을 붙여 보았다. 이 「-시-」는 주어가 집안의 어른이거나 선생, 대통령과 같은 지위가 높은 이가 될 때에 쓰인다.

(1) ㄱ. 할아버지께서 서울에 가셨다.

ㄴ. 아버지는 매일 운동을 하신다.

ㄷ. 대통령께서 이렇게 말씀하셨다.

이 「-시-」는 비종결어미 중에서 제일 앞에 온다. 즉 어근 바로 다음에 쓰이는 것이 특징인데 으뜸서술어와 의존서술어가 같이 쓰이는 문장에서는 그 쓰이는 자리가 다르다. 이것을 말해 보면 다음과 같다.

1. 주어에 관계없이 의존서술어에 '-시'가 오지 않는 경우
1) 가능의존동사 중 '-되다'에는 '-시-'가 안 옴
2) 당연의존동사 '-하다'에는 '-시-'가 안 옴

(1) ㄱ. 아버지는 서울에 가시게 되었다.

   ㄴ. 선생님은 미국에 가시게 되었다.

   ㄷ. ㉮ 선생님은 서울에 가셔야 한다.

     ㉯ 선생님은 서울에 가셔야 합니다.

2. 주어에 따라 '-시-'가 오기도 하고 안 오기도 하는 경우
1) 사동의존동사: -하다, 만들다
2) 소유의존동사: -가지다
3) 부정의존동사: 아니하다, 못하다, 말다

(1) ㄱ. 선생님은 아버지께 이유서를 쓰시게 하셨다.

   ㄴ. 나는 선생님을 잘 가시게 하였다.

   ㄷ. 선생님은 내가 잘 되게 하셨다.

(2) ㄱ. 선생님은 아버지가 잘 되시게 만드셨다.

   ㄴ. 아버지는 그 일을 잘 되게 만드셨다.

   ㄷ. 나는 선생님이 잘 가시게 만들어 드렸다.

3. '-시-'가 의존동사에 오는 경우

1) 진행의존동사: 가다

2) 완료의존동사: 나다, 내다, 버리다

3) 봉사의존동사: 주다, 비치다('드리다'는 그 자체가 높임말 이므로 '-시-'가 오지 않음.)

4) 시도의존동사: 보다

5) 강조의존동사: 쌓다

6) 두기의존동사: 놓다, 두다

7) 가식의존동사: 체하다, 양하다, 척하다

8) 될뻔함의존동사: 뻔하다

(1) 아버지께서는 가지 않으신다(못하신다)[옷을 입지 않으신다].

(2) 아버지는 이 일을 잘 처리해 가신다.

(3) ㄱ. 아버지는 그 어려움을 견디어 나셨다(내셨다).

ㄴ. 아버지는 그것을 철이에게 주어 버리셨다.

(4) ㄱ. 아버지는 그를 도와 주셨다.

ㄴ. 아버지는 그 일을 나라에 일러 바치셨다.

(5) 아버지는 이것을 한 번 들어 보셨다

(6) 아버지는 공연히 아이들을 꾸짖어 쌓으신다.

(7) 아버지는 이것을 받아 놓으셨다.

(1)~(7)에서 보면, 각 문장의 주어인 '아버지'의 동작이 의존동사에 모두 관계하므로 '-시-'는 의존동사에 쓰이게 되었다. 물론 '아버지'의 동작이 으뜸동사에도 관여할 수 있으나, 우리의 말버릇이 이런 경우는 '-시-'는 의존동사에만 쓰여야 한다.

3.3. 어휘적 방법에 의한 대우법

어휘적 방법에 의한 대우법에는 주체높임법과 객체높임법이 있다.

3.3.1. 주체높임법

'-시' 이외의 낱말로써 주어(주체)를 높이는 법을 어휘적 방법에 의한 주체높임법이라 한다.

(1) ㄱ. 할아버지께서 집에 계신다.

　　ㄴ. 할아버지께서 지금 주무신다.

　　ㄷ. 할아버지께서 진지를 잡수신다.

　　ㄹ. 아버지께서 약주를 자주 드신다.

주어를 높이는 명사, 조사, 동사에는 각각 다음과 같은 말들이 있다.

높임명사	높임조사	높임동사
말씀, 병환	께서	계시다
진지, 치아	께옵서	주무시다
약주, 염		잡수시다, 잡숫다, 자시다
안력		
연세, 춘추		돌아가시다, 분부하시다

위 표의 말들은 문장의 짜임새 여하에 따라서는 객체높임법에도 쓰일 수 있다. 다만, 조사 '께서', '께옵서'에 의한 말대접은 어휘적이라 하기보다 형태론적 처지에서는 곡용법에 의한 말대접이라 하여

야 한다.

3.3.2. 객체높임법

　문장에서 목적어나 위치어를 객체라 하고, 높임의 낱말이나 겸사의 낱말에 의하여 객체를 높이는 법을 객체높임법이라고 한다. 다만 조사 '께서', '께옵서'에 의한 것은 곡용법에 의한 대우법이다. 이때의 객체도 손위 어른에 한한다.

　(1) ㄱ. 아버지께 진지를 드린다.
　　　ㄴ. 할아버지께 이 말씀을 여쭈어라.
　　　ㄷ. 나는 선생님을 찾아뵈었다.
　　　ㄹ. 나는 아버지를 모시고 있다.

　위에서 조사 '께'에 의한 객체높임법은 곡용법에 의한 대우법이요. '-님'에 의한 것은 파생법에 의한 대우법이다.

3.3.3. 겸양법

　말할이가 스스로를 낮추어 말함으로써 들을이를 높여 대접하는 법이다. 따라서 이와 같은 대우법을 말할이 낮춤법이라 한다. 종래는 겸양법이라 하였다.
　이 대우법은 겸양 비종결어미 '잡, 자웁, 자오', '삽, 사오', '습', '으웁, 으오' 등에 의하여 이루어진다.

(1) ㄱ. 아버지 제가 가겠사오니, 기다려 주시옵소서

ㄴ. 아버님 하서를 받자오니 기쁘기 한량 없사옵니다.

ㄷ. 말씀 듣자옵고 어쩔 바를 몰랐습니다.

ㄹ. 아버님 말씀만 믿사옵고 있사옵니다.

ㅁ. 이제 저는 가오니 안녕히 계시옵소서

(ㄱ~ㅁ)에서 보듯이 겸양 비종결어미의 쓰이는 경우를 보면 다음과 같은데, 이들 비종결어미가 쓰일 때의 주어는 반드시 '제'가 되어야 한다.

1. 「-잡/-자읍」

어근의 받침이 'ㄷ, ㅈ, ㅊ'이고 파열자음으로 시작되는 연결어미 앞에 쓰이기도 하고 「-나이다/-니다」와 같은 어미 앞에 쓰이기도 한다. 그리고 이에는 비종결어미 「-았/-었-」, 「-겠-」 등은 쓰이지 못한다.

(1) ㄱ. 선생님의 말씀을 쫓잡고자 애쓰고 있사옵니다.

ㄴ. 아버님 하서 받잡고 기쁘기 한량없나이다.

ㄷ. 고향 소식 자주 듣자옵나이다.

2. 「-자오-」

어근의 받침이 'ㄷ, ㅈ, ㅊ'이고 연결어미 「-니-」 앞에 쓰인다. 이에도 「-잡/잡옵-」의 경우과 같이 「-았/었-」, 「-겠-」이 쓰이지 못한다.

(1) ㄱ. 말씀을 듣자오니 저의 잘못인가 하옵니다.

ㄴ. 글월 받자오니 기쁘기 한이없나이다.

'-자옵'계가 쓰이는 동사로는 '듣다, 받다' 등이 많이 쓰인다.

3. 「-삽/-사옵-」

어근의 받침이 'ㄷ, ㅆ, ㅈ, ㅊ'이거나 기타 자음이고 파열자음으로 시작되는 연결어미 앞이나 「-니다」, 「-나이다」와 같은 어미 앞에 쓰인다.

(1) ㄱ. 아이는 밥을 먹었사옵(삽)고 어른은 죽을 드셨사옵니다.

ㄴ. 하나님 아버지를 믿사옵나이(니)다.

ㄷ. 요즈음은 좋은 일도 잦사옵고, 집안도 차차 정리되어 가옵니다.

4. 「-사오-」

어근의 받침이 'ㄷ, ㅆ, ㅈ, ㅊ'이거나 기타 자음이고 「-니」로 시작되는 연결어미 앞에 쓰인다. 그리고 이에는 「-았/었-」, 「-겠-」이 쓰인다.

(1) ㄱ. 그들은 잘 지냈사오니 안심하옵소서.

ㄴ. 밥도 잘 먹사오니 안심사옵소서.

ㄷ. 제가 그를 믿겠사오니 그리 아옵소서.

ㄹ. 제가 그를 좇사오니 잘 인도하여 줄 것이옵니다.

ㅁ. 옷이 젖사오니 조심하시기 바라옵니다.

5. 「-습-」
자음이 받침인 어근 다음에 쓰인다.

(1) ㄱ. 돈을 많이 받습니다.
    ㄴ. 저는 잘 있습니다.
    ㄷ. 우리는 그를 찾습니다.

6. 「-으옵-」
모음 및 모든 자음으로 끝나는 어근 뒤에 쓰인다.

(1) ㄱ. 가옵니다.
    ㄴ. 가옵나이다.
    ㄷ. 받으옵나이다.

7. 「-으오-」
'가오니, 받으오니' 등과 같이 연결어미 '-니' 앞에 쓰인다.
　말을 하는 이 낮춤법은 글말에서, 특히 상대를 극히 존중하게 말 대접해야 할 경우에 쓰이고 입말에서는 별로 쓰이지 않는다.

4. 맺음말

　글쓴이는 '부록'에서는 의향법에 관하여 지금까지 조사되지 않았던 어미를 가능한 한 다 찾아내어 다룬다고 다루었다. 사전을 비롯하여 신문, 잡지 등은 물론 글쓴이가 아는 사투리로 봄 직한 것도

다 다루었다. 그러나 또 빠진 것이 있을 가능성이 있다. 왜냐하면, 요즈음은 하도 빨리 말이 바뀌고 있기 때문이다. 사실 의향법은 그것이 바로 우리의 대우법이다. 그러나 오늘날, 우리 겨레는 어떠한 경우에, 또는 누구에게 어떤 등급의 말을 하여야 예의에 어긋나지 않는가를 모르고 마구 말을 하기 때문에 '부록'에서 우리의 대우법에 대하여 설명하였다. 사실 '부록'에서 다룬 것은 학문적이라기보다는 우리가 알아야 할 상식적인 것이라 할 수 있으나, 의향법의 용법을 모르면 우리 국어를 모르는 것이 되기 때문에 학문의 일부로서 손색이 없을 것으로 판단되어 가능한 자세히 다룬다고 노력하였으나 충분하지는 못할 것이다. 용법을 알아야 올바른 말을 할 수 있다. 종래의 문법책에는 그 용법은 전혀 다루지 아니하였기 때문에 오늘날 우리말의 혼란이 야기된 것이다. 지식인이면 호칭법도 제대로 알아야 한다.

참고문헌

권재일(1992), 『한국어 통사론』, 민음사.

김종택(1981), 「국어대우법체계를 재론함 청자 예우를 중심으로」, 『한글』
　　　　172호.

리의도(1990), 『우리말 이음씨끝의 통시적 연구』, 어문각.

박지홍(1992), 『우리현대말본』, 과학사.

서태룡(1988), 『국어 활용어미의 형태와 의미』, 탑출판사.

여증동(1985), 『한국가정언어』, 시사문화사.

유목상(1985), 『서울연결어미』, 집문당.

정인승(1959), 『표준고등말본』, 신구문화사.

최현배(1983), 『우리말본』(열 번째 고쳐 펴냄), 정음문화사.

허웅(1995), 『우리말의 형태론』, 샘문화사.

한길 김승곤 전집

국어 때미김 연구

나랏말ᄊᆞ미
異ᅵᆼ乎ᅘᅩᆼ中듕國귁에달아
文문字ᄍᆞᆼ와로서르ᄉᆞᄆᆞᆺ디
아니ᄒᆞᆯᄊᆡ이런젼ᄎᆞ로어린百ᄇᆡᆨ姓싱이
니르고져호ᇙ배이셔도ᄆᆞᄎᆞᆷ내제ᄠᅳ들시러펴디
몯ᄒᆞᇙ노미하니라

국어 때매김 연구

김승곤 지음

글모아출판

머리말

　이 책에서는 선어말어미에 의한 때매김에 대하여서만 다루기로 한다. 우리말의 때매김에 대하여는 주시경 선생을 위시하여 최현배 선생, 허웅 선생으로 이어 오면서 많은 연구가 있었으나 때매김 형태, 즉 때매김의 종류에 어떠한 것이 있는가를 실제 통계를 내어서 그것에 의하여 때매김 연구를 한 것이 아니고, 허웅 교수를 제외하고는 글쓴이 나름대로의 직관에 의하여 다루다가 보니까 실제 언어 생활과는 거리가 먼 체계로 된 경우가 없지 않았다. 그래서 글쓴이는 가급적 많은 통계를 내어 거기에서 때매김의 종류와 각 때매김의 문맥적 의미를 뽑아내어 올바른 결론에 이르도록 하는 데 힘을 기울였다. 각 때매김을 다룰 때에 많은 예를 들어 보인 것은 바로 그런 뜻에서 한 것이니 읽을이 여러분의 오해 없기를 바란다. 사실 국어의 때매김은 시상적인 면도 많이 있으나 서술어가 형용사나 지정사가 될 때는 설명하기 어려운 점이 적지 아니하므로 시제로 보는 것이 설명상 무리가 없을 것으로 여겨져서 글쓴이는 시제로 다루었다. 예를 들면, '-었었-'은 과거완료로 보지 않으면 알맞은 명칭이 없는데 어떤 이는 '단속상'이라 하였으나 이로써는 그 본질을 살린 올바른 명칭으로는 보기 어렵다. 또 "순이는 어려서 지금보다 예뻤다"고 하면 이때의 '-었-'은 분명히 과거를 나타내지 완료를 나타내는 것으로는 볼 수 없다. 이와 같이 국어의 때매김은 어느 한쪽으로 결정짓기가 어려우나 교육상, 설명상 가능성이 있는 쪽으로 정하는 것이 좋을 것이다. 여기서는 선학들의 이론을 많이 소개하였는데 때매김의 연구에 대하여 많은 것을 시사하여 줄 것이기 때문이다. 부족함을 무릅쓰고 출판에 부쳤으니, 많은 가르침을 바라면서 끝을 맺는다.

2018년 03월
지은이 씀

차례

머리말 _____ 4

제1장 들어가는 말 _____ 11

제2장 이론적 배경 _____ 15

1. 전통문법에서의 이론 ·· 16

  1.1. 시제(tense) ··· 16

    1.1.1. 시간의 중요 구분 ____ 18

    1.1.2. 시간의 하위 구분 ____ 23

    1.1.3. 시제의 비시간적 사용 ____ 27

    1.1.4. 영어의 확충시제(정시제, 진행시제, 계속시제) ____ 34

    1.1.5. 시제에 관한 용어 ____ 37

  1.2. 상(aspect) ··· 39

    1.2.1. 정의 ____ 39

    1.2.2. 완료 ____ 41

2. 일본말에서의 때매김에 대한 설명 ····················· 43

  2.1. 텐스(tense) ··· 43

  2.2. 아스펙트(Aspect) ·································· 48

3. 모다리티(modality) ·································· 52

제3장 선학들의 국어 때매김 연구 _____ 57

1. 주시경 선생의 때매김법 ··· 59

  1.1. 끗기의 때 ··· 59

    1.1.1. 이때 ____ 59   1.1.2. 간때 ____ 59

    1.1.3. 올때 ____ 60

  1.2. 매김꼴의 때매김법 ··· 63

    1.2.1. 단순때의 매김꼴 ____ 63   1.2.2. 복합때의 매김꼴 ____ 63

    1.2.3. 잇기의 때 ____ 64

2. 최현배 선생의 때매김법 ··· 66

  2.1. 열두 가지 때매김(12시제) ··· 67

  2.2. 베풂꼴의 때매김 ··· 68

    2.2.1. 바로때매김 ____ 68

    2.2.2. 도로생각때매김(回想時制) ____ 73

    2.2.3. 도로생각때매김의 보기 ____ 74

  2.3. 매김꼴의 때매김 ··· 76

    2.3.1. 바로때매김 ____ 76

  2.4. 다른 끝바꿈꼴(活用形)의 때매김 ··· 80

    2.4.1. 물음꼴의 때매김 ____ 80   2.4.2. 감목법의 때매김 ____ 82

  2.5. 이음법의 때매김 ··· 83

    2.5.1. 바로때매김 ____ 83   2.5.2. 도로생각때매김 ____ 84

  2.6. 그림씨의 때매김 ··· 85

    2.6.1. 그림씨의 마침법의 베풂꼴의 때매김의 보기틀 ____ 85

    2.6.2. 그림씨의 매김꼴의 때매김 ____ 85

  2.7. 그림씨의 다른 끝바꿈꼴 때매김 ··· 91

    2.7.1. 그림씨 마침법의 물음꼴 때매김 ____ 91

    2.7.2. 그림씨 감목법의 이름꼴 때매김 ____ 91

    2.7.3. 그림씨 이음법의 때매김 ____ 92

  2.8. 잡음씨의 때매김 ··· 93

    2.8.1. 잡음씨 베풂꼴의 이적 ____ 93

    2.8.2. 잡음씨 베풂꼴의 지난적 ____ 93

    2.8.3. 잡음씨 베풂꼴의 올적 ____ 93

    2.8.4. 잡음씨 베풂꼴의 도로생각때매김 ____ 94

  2.9. 잡음씨 감목법의 매김꼴 때매김 ··· 94

2.9.1. 잡음씨 감목법의 매김꼴 이적때매김 ____ 94

2.9.2. 잡음씨 매김꼴의 지난적 ____ 95

2.9.3. 잡음씨 매김꼴의 올적 ____ 95

2.9.4. 잡음씨 매김꼴의 도로생각때매김 ____ 95

2.9.5. 잡음씨 매김꼴의 때매김 보기틀 ____ 96

2.9.6. 잡음씨의 다른 끝바꿈꼴 때매김 ____ 96

3. 정인승 선생의 때매김법 ·· 98

3.1. 움직씨의 때매김 ·· 98

3.1.1. 끝바꿈으로의 때매김 ____ 99   3.1.2. 도움줄기로의 때매김 ____ 99

3.2. 그림씨의 때매김 ·· 101

3.2.1. 끝바꿈으로의 때매김 ____ 101   3.2.2. 도움줄기로의 때매김 ____ 101

3.3. 풀이토씨의 때매김 ·· 103

3.3.1. 끝바꿈으로의 때매김 ____ 103   3.3.2. 도움줄기로의 때매김 ____ 103

4. 이희승 선생의 때매김법 ·· 105

4.1. 동사의 시제 ··· 105

4.2. 형용사의 시제 ··· 108

4.3. 존재사의 시제 ··· 111

5. 이숭녕 선생의 때매김법 ·· 113

5.1. 동사의 시제 ··· 113

6. 허웅 선생의 때매김법 ··· 116

6.1. 기본(단순) 때매김법 ·· 117

6.1.1. 현실법 ____ 118   6.1.2. 완결법 ____ 118

6.1.3. 추정법 ____ 119   6.1.4. 회상법 ____ 119

6.1.5. 복합때매김법 ____ 120

6.1.6. 매인풀이씨로 때의 흐름을 나타냄 ____ 123

7. 박지홍 선생의 때매김법 ·· 124

7.1. 때매김-안맺음씨끝 ··· 125

7.1.1. 이적-안맺음씨끝(이적-도움줄기) ____ 125

7.1.2. 지난적-안맺음씨끝(지난적-도움줄기) ____ 125

7.1.3. 올적-안맺음씨끝(올적-도움줄기) ____ 126

7.1.4. 돌이킴-안맺음씨끝(회상-도움줄기) ____ 126

7.2. 때안맺음과 때안맺음의 결합 ·· 127

7.2.1. -았었/었었- ____ 127

7.2.2. -았더/었더-: 지난적회상 ____ 127

7.2.3. -았겠/었겠-: 지난적짐작 ____ 127

7.2.4. -겠었-: 올적마침 ____ 128

7.3. 안맺음씨끝과 맺음씨끝의 이음 ·················· 128

7.3.1. '-았/었+는', '-겠는-'의 이음 ____ 128

7.3.2. '-았/었+을'의 이음 ____ 128

7.3.3. '-더+ㄴ'의 이음 ____ 129

제4장 현대 국어의 때매김 문제 _____ 131

1. 현대 국어의 때매김 형태소 ······················· 132

2. 현대 국어의 때매김 ······························· 134

2.1. 시제 ······································· 134

2.1.1. 과거 및 과거완료 ____ 134   2.1.2. 현재 '-는-' ____ 149

2.1.3. 미래시제 ____ 159

2.2. 시상 ······································· 165

2.2.1. 회상시상 ____ 165   2.2.2. 진행시상 ____ 176

3. 매김법의 때매김 형태소 ·························· 180

3.1. 시제 ······································· 180

3.1.1. 과거관형시제: -은/ㄴ- ____ 180

3.1.2. 현재관형시제: -는- ____ 181

3.1.3. 미래관형시제: 을/ㄹ ____ 185

3.2. 시상 ······································· 189

3.2.1. 과거관형시상: -었을- ____ 189

3.2.2. 미래관형시상: -겠는- ____ 190

3.2.3. 회상관형시상: -던- ____ 191

3.2.4. 과거회상관형시상: -었던- ____ 192

3.2.5. 과거완료회상관형시상: -었었던- ____ 195

3.2.6. 추정회상관형시상: -겠던- ____ 196

3.3. 진행시상 ····································· 196

3.3.1. 현재진행관형시상: '-고+있는-' ____ 196

3.3.2. 현재진행추정관형시상: '-고+있을-' ____ 197

3.3.3. 현재진행회상관형시상: '-고+있던-' ____ 197

3.3.4. 과거진행회상관형시상: '-고+있었던-' ____ 198

제**5**장 맺음말 ········ 199

참고서적 ········ 203

제**1**장

들어가는 말

우리 문법에서 때매김[1]을 시제로 보는 학자도 있고 시상으로 보는 학자도 있으며 시제와 시상을 구별하지 않는 것이 좋다는 학자도 있다.[2] 사실 깊이 따지고 보면 우리말의 때매김은 시제보다는 시상으로 볼 만한 점이 없지 않다. 그러나 더 자세히 살펴보면 시제로 보아야 좋을 것 같은 일면도 없지 아니하다. 따라서 이 글은 우리말에서 쓰이고 있는 때매김을 시상으로 보는 것이 합리적이겠는지 시제로 보는 것이 합리적이겠는지를 밝히고자 하는 데 그 목적이 있다. 그러나 시제는 형태, 의미, 기능 등의 여러 면에서 여러 가지로 분류할 수 있는데, 예를 들면

　(1) ㄱ. 그는 책을 읽는다.

---

1) 여기서 '때매김'은 '시제', '시상'과는 관계없이 때를 매기는 것만을 나타내기 위하여 쓰는 학술용어이다.
2) 최현배, 이희승, 이숭녕, 정인승, 박지홍 교수는 '시제'로, 허웅 교수는 '때매김'으로, 남기심 교수는 '시상'으로 보고 있다.

ㄴ. 그는 어제 책을 읽는다고 하더니 아직 안 읽었구나.[3]

(2) 그는 방금 식사를 하였다.

(1ㄱ)에서 '는'을 현재를 나타내는 형태소로 보고자 하는 데 반하여 통어상으로 보면 (1ㄴ)에서의 '는다'는 서술을 나타내는 것으로 볼 수도 있겠다. 그렇다면 과연 '는'을 현재의 형태소로 볼 수 있겠는가 하는 문제가 제기되는데 허웅 교수와 남기심 교수는 '는(다)'를 서술법어미로 보고 있다.[4] (2)의 '였'은 형태를 중심으로 보면 과거이나 뜻으로 보면 완료임이 분명하다. 따라서 시제를 형태 위주로 보아서 처리할 것이냐 뜻을 위주로 하여 처리할 것이냐도 문제가 된다.

(3) ㄱ. 그가 내일 오겠다.

ㄴ. 나는 이 책을 읽겠다.

ㄷ. 나는 이것을 가질 것이다.

(3ㄱ)에서의 '겠'은 뜻으로 보면 추측이요, 형태상으로 보면 미래가 될 것이다. (3ㄴ)은 뜻으로 보면 의지가 될 것이며 (3ㄷ)의 '-ㄹ 것'은 형태론적으로 되어 있지 않으나 의지를 나타내고 있다. 그렇다면 '겠'과 '을 것'을 같은 범주로 다루어야 할 것이냐 아니면 전자는 형태적으로 다루고 후자는 통어적(modality)으로 다루어야 할 것이냐도 문제가 된다. 이와 같은 일로 여러 해 동안 숙고하여 오다가

---

3) 박지홍(1986), 『고쳐 쓴 우리 현대어본』, 과학사, 156쪽에서 따 왔음.
4) 허웅(1995), 『20세기 우리말의 형태론』, 샘문화사, 1090쪽 참조.

시제와 시상에 관한 이론이 역사적으로 어느 언어에서 시발이 되어 오늘날 우리말의 문법에서까지 다루어지게 되었으며 우리 문법에서 여러 학자들은 어떻게 다루고 있는가를 알아보고 결론적으로 글쓴이의 주장을 밝힘으로써 우리말의 때매김 연구에 일조가 되게 하고자 한다.

제**2**장

이론적 배경

1. 전통문법에서의 이론

1.1. 시제(tense)

시제에 대한 이론은, 예스퍼슨의 『문법철학』에 의하면 Madvig의 라틴 문법에서 비롯되는 것 같은데, 본래 시제란 많은 언어에는 동사형 속에 표현되는 시간표시, 소위 '시제(tense)'라는 것이 있다[1]고 설명되어 있는데, 이것을 쉽게 풀어보면 "시제란 동사에 있어서(영어에서 형용사는 굴곡을 하지 않으므로) 시간적 관계를 나타내는 문법 범주"를 말하는 것으로 볼 수 있다. 콤리는 "텐스(tense)란 시간상의 자리를 문법적으로 표현한 것이라"고 말하고 있다.[2] 위의 두 학자의 정의를 알기 쉽게 풀어 보면 '텐스란 말할이의 말하는 그때를

---

1) 오토 예스퍼슨, 이환묵·이석무 공역(1987), 『문법철학』, 한신문화사, 343쪽 참조.
2) B. Comrie(1985), *Tense*, cambridge univ. press, p. 9.

중심으로 하여 사건이 일어난 때가 과거냐 현재냐 미래냐를 나타내는 동사의 활용 형태를 말하는 것'으로 이해된다. 예스퍼슨은 앞의 같은 책에서 시간의 삼대 구분을 다음과 같이 나누었다.

(1) ───────── ∘ ─────────
　　　　A　　　　　B　　　　　C
　　　(과거)　　　(현재)　　　(미래)

이 중간에 "몇 개의 시간을 넣으면 다음과 같은 표가 된다" 하고 일곱 시제로 나누었다.

(2)

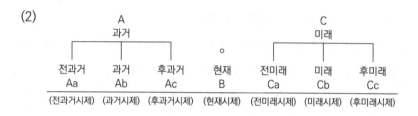

예스퍼슨은 (2)와 같이 시제를 일곱으로 나누고는 이 표에 가능한 모든 시간의 범주나 실제적으로 언어에 나타나는 시제들이 모두 포함되어 있다고 주장하지는 못한다고 하였다. 그리고는 먼저 주요 구분을 다루고 다음에 하위 구분을 다룸으로써 그것들이 여러 언어에서 어떻게 표현되는가를 조사하겠다고 하고는 시간의 주요 구분인 단순과거시, 단순현재시, 단순미래시에 대하여 비교적 자세히 다루었는데, 그 요점을 추려서 보면 다음과 같다.

1.1.1. 시간의 중요 구분

1.1.1.1. 단순과거시제(simple past time)

영어에서는 과거시제(preterite)가 있다. (예: wrote.) 라틴어의 예 scripsi와 scribebam처럼 두 개의 시제가 있는 언어도 있다. 언어에 따라서는 먼 과거와 가까운 과거를 표시하는 별개의 과거시제가 있는 언어도 있다. 후자의 경우는 프랑스어에서 "Je viens d'écrire(나는 이제 막 썼다)."와 같이 완곡법에 의하여 표현된다. 단순과거에 대한 표현 중에서 소위 역사적 현재(historic present)도 여기에서 다루어진다. 역사적 현재를 사용하는 말할이는 역사의 틀 밖으로 걸어 나와 과거에 일어난 일을 그것이 마치 그의 눈앞에서 있는 것처럼 생생하게 표현한다. 이 역사적 현재는 아일랜드어에서 차용되어 그 나라 무용담에 자주 쓰이고 헤로도투스(Herodotus)의 작품에서 자주 쓰였다.

1.1.1.2. 단순현재시제(simple present time)

이 단순현재시를 표시하기 위하여 동사에 시제 구분이 있는 언어들은 현재시제를 사용한다. 현재시제란 이론적으로 지속성이 없는 하나의 점이다. 현재순간인 '지금'은 과거와 미래 사이의 끊임없이 이동하는 경계에 불과하며 위에 그려 놓은 선을 따라 오른쪽으로 계속 움직이고 있다. 현재시제에 관해서는 모든 언어가 가장 엄격한 의미에서 이론상의 영점인 '지금'이라는 기간 안에 들어 있기만 하면 현재가 된다는 규칙을 가지고 있다. 예를 들면

(1) ㄱ. He lives at number 7. (그는 7번지에 살고 있다.)

　　ㄴ. Knives are sharp.

　　ㄷ. Lead is heavy.

　　ㄹ. Water boils at 100 degrees celsius.

　　ㅁ. Twice four is eight.

　위와 같은 영원한 진리에 관하여 우리들의 언어가 불완전하다고 잘못 이야기되고 있다. 왜냐하면, '영원한 진리'를 현재시제에 관해서만 진술하고 있기 때문이다. 현재시제가 엄밀하게는 과거와 미래에 속하는 어떤 부분과 관련되어 있다는 것을 고려할 때, 간헐적인 사건에도 적용될 수 있다.

(2) ㄱ. I get up every morning at seven.

　　ㄴ. The train starts at 8:32, the steamer leaves every Tuesday in winter, but in summer both Tuesdays and Fridays.

　(2ㄴ)의 문장에서 현재 순간은, 이야기되고 있는 한계 내에 있다. 다시 말하면, 그것은 현재의 선박 배치와 관련되어 있고 지난 몇 년은 물론 바로 그 해에도 그와 같은 날에 떠나며 다음 몇 년 동안에도 역시 같을 것이기 때문이다.

1.1.1.3. 단순미래시제(simple future time)

　우리도 미래에 대하여서는 과거에 대해서만큼 확실하게 알지 못한다. 그러므로 미래에 대하여서는 더 애매하게 이야기할 수밖에 없다. 이에 따라 미래시제에 대하여는 여러 가지 뜻으로 복잡하게 쓰게 되는데 그 주요 방법을 개관하기로 하겠다.

1) 현재시제가 미래의 의미로 쓰인다.

이 때매김은 현재 순간으로부터 시간 차이가 그렇게 크지 않을 때 특히 용이하다. '가다'를 의미하는 동사에 있어서 현재시제가 미래의 뜻으로 쓰인다.

(1) ㄱ. I start tomorrow.

ㄴ. I shall mention it when I see him.

(1ㄱ, ㄴ)에서 'start'나 'see'는 미래의 일이나 현재시제로써 표현하고 있다. 우리말에서도 이전 표현은 얼마든지 있다.

(2) ㄱ. 나는 내일 떠난다.

ㄴ. 그를 만나면 이것을 전하여라.

ㄷ. 내가 가면, 그 책을 줄래?

ㄹ. 철수는 내일 서울 간다.

국어에서 (2ㄱ, ㄹ)과 같은 경우는 물론 연결절의 서술어는 특별한 경우를 제외하고는 현재시제로 쓰인다.

2) 의지(volition)

영어의 'will'은 어느 정도까지는 본래 의미인 진정한 의지의 흔적을 가지고 있다. 그러므로 영어의 'will go'는 "It will certainly rain before night"에서처럼 자연현상에 쓰일 때에 특별히 나타나는 바와 같이 그 기능에 접근하지만, 순수한 '미래시제'로서 거론할 수는 없다. 또한 "I'm afraid I'll die soon"(특히 스코틀랜드와 미국에서)에서처럼 일인칭에서 'shall' 대신 'will'을 쓰는 경향이 이를 증명하고 있다. 이 경향 때문에 'will'은 보통의 미래 조동사로 취급된다. 루마니아어 "voiu canta(I will (shall) sing)"에서도 미래는 의지에 의하여 표현된다. 국어에서도 '겠'이 의지를 나타내는 데 많이 쓰인다.

(1) ㄱ. 나는 이것을 먹겠다.

　　ㄴ. 나는 내일 서울에 안 가겠다.

　　ㄷ. 나는 돼지고기는 안 먹겠다.

국어에서 '겠'이 의지를 나타내는 것으로 이해되는 경우는 주어가 1인칭일 경우이다.

3) 생각, 의도(thought, intention)

고대 북구어 'mun'이 있다. 이것은 의지와 쉽사리 구별될 수 없다.

4) 의무(obligation)

고대 영어의 'sceal'[3]과 지금의 'shall'의 의미가 이것이다. 영어에서는 의무의 의미는 거의 소멸되었지만 이 조동사의 사용은 평서문에 있어서의 일인칭과 의문문에 있어서의 이인칭에 한정되어 있다.

---

3) 고대 영어 'Shall'+'-de' 과거를 나타내는 어미.

그러나 몇몇 부류의 종속절에서는 세 인칭 모두에 사용된다. "he is to start tomorrow(그는 내일 출발하기로 되어 있다)"에서처럼 영어의 is to 또한 이 항에 넣을 수 있다.

  5) 운동(motion)
 'go'와 'come'을 의미하는 동사는 흔히 미래를 표시한다. 예를 들어

(1) I am going to write.

  (1)이 그것인데, 언제나 그런 것은 결코 아니지만 때로는 같은 근접 어감이 있다. 그리고 끝으로 그런 어감이 없는 예가 있다.

  (2) ㄱ. I wish that you may come to be ashamed of what you
        have done. (나는 당신이 한 일을 부끄럽게 생각할 수 있게 되기
        를 바란다.)
     ㄴ. They may get to know it. (그들은 그것을 알게 될 수도 있을
        것이다.)

  6) 가능성(possibility)
 영어 may는 흔히 약간 막연한 미래를 표시한다.

(1) This may end in disaster. (이것은 비참하게 끝날지도 모른다.)

  본래 가정법 현재가 미래시제로 되어 버린 라틴어의 'scribam'과 같은 경우를 여기에서 언급해도 좋을 것이다.

7) 미래를 나타내는 표현이 발달할 수 있는 다른 방법이 있다. 개념적 명령법은 반드시 미래시제와 관련이 있다. 소위 현재 명령법은 가까운 미래나 미래의 부정시 및 주로 특별히 지정된 어떤 시간에 관해서 사용되는 소위 미래 명령법을 가리킨다. '완료명령법'도 역시 미래에 관련이 되어 있는 것으로 완료의 사용은 말할이가 그의 명령이 얼마나 빨리 실현되기 바라는가를 표시하기 위한 문제상의 기교인 것이다.

(1) ㄱ. Be gone! (빨리 가버려!)
    ㄴ. Have done.

(1ㄴ)의 뜻은 'Stop at once'나 'Don't go on'과 같지만

(2) Let that which you have already done (said) he enough.
    (당신이 이미 한(말한) 것은 그것으로 충분하니 내버려 두시오)

라는 뜻을 완곡하게 표현한 것이다.

1.1.2. 시간의 하위 구분

여기서는 과거보다 앞서거나 뒤서거나 한 시제는 어떤 것을 말하는지 알아보아야 국어의 때매김 연구에 도움이 될 것 같아 다루어 보기로 하겠다.

1.1.2.1. 전과거시제(before-past time)

이 시점은 너무나도 빈번히 표현될 필요가 있어서 이 시점에 대한 특별 시제, 즉 영어의 'had written'과 이에 해당하는 게르만어와 로만스어의 표현과 같은 복합형(periphrastic)의 전과거시제(ante-preterit) (pluperfect, past perfect)를 발달시켜 놓은 언어가 많다. 고대영어에서 전과거는 단순시제에 부사 œr(before)를 덧붙여서 표시되는 일이 혼했다. "pœt pe he œr sœde"는 'what he had said'의 뜻이지만 직역하면 'that which he before said'이다. 단순과거와 전과거라는 두 시간의 관계는 다음과 같은 도표로 나타낼 수 있는바, 선은 편지를 쓰는 데 소요된 시간을 나타내고 점 C는 그가 온 시간을 나타낸다.

(1) ㄱ. I had written the letter before he came. = He came after
　　 I had written the letter. : — C

　 ㄴ. He came before I had written the letter. = I finished
　　 writting the letter after he had came. 또는
　　 I wrote the letter after he had come. : $\frac{\top}{C}$

　　 또는 C —.

1.1.2.2.. 후과거시제(after-past time)

이 개념에 대한 단순시제(post-preterit)를 가지고 있는 언어를 예스퍼슨은 모른다고 하였다. 그러면서 영어에서 가장 많이 쓰는 것은 'was to'라 하고 다음과 같은 예를 들었다.

(1) ㄱ. Next year she gave birth to a son who <u>was to cause her</u>
    <u>great anxiety.</u> (그 다음 해에 그 여자는 자기에게 큰 걱정을 끼치
    게 될 아들을 낳았다)

  ㄴ. It was Monday night. on Wednesday morning Monmouth
    <u>was to die. (Macaulay)</u> (월요일 밤이었다. 수요일 아침에
    Monmouth는 죽게 되어 있었다)

  ㄷ. He <u>was not destined to arrive</u> there as soon as he had
    hoped to do. (그는 그가 희망하였던 것만큼 빨리 거기에 도착하
    게 되어 있지 않았다) (Kingsley)

1.1.2.3. 전미래시제(before-future time)

이에 상응하는 시제는 보통 미래완료(future perfect)라고 한다.

(1) I shall have written. (he will have written)

영어와 독일어에 있어서 시간의 접속사 다음에서는 미래의 요소
가 표현되지 않는다.

(2) I shall be glad when her marriage has taken place.
    (그 여자의 결혼식을 올리게 되면 나는 기쁘겠다.)

위와 같은 경우에도 시간 관계를 도표로 나타낼 수 있다.

(3) ㄱ. I shall have written the letter before he comes. = He

will come after I have written (shall have written) the letter. : — C

ㄴ. He will come before I (shall) have written the letter. = I shall finish writing the letter after he come. 또는 I shall write the letter after he has come. $\frac{ㅜ}{C}$ 또는 C —.

1.1.2.4. 후미래시제(after-future)

이 시제는 주로 이론적인 관심사이다. "I shall be going to write(나는 쓸 예정이다)."(이것은 주로 미래시제에 대한 시간의 접근을 의미한다.) 후미래시제는 미래의 어느 시점에서 아직 일어나지 않은 일에 대한 자연스러운 표현을 부정문이라고 말해야 한다. 영어의 다음 예를 보자.

(1) If you come to seven, we shall not yet have dined. (…the sun will not yet have set.) (당신이 7시에 오면 우리는 아직 식사를 <u>하지 않았을</u> 것이다.) (…해는 아직 <u>지지 않았을</u> 것이다.)

괄호 속의 풀이 중 밑줄 부분을 보면 (영어의 경우도 그렇지마는) '-지 않았을'로 되어 완료의 부정형으로 되어 있다. 그러나 사실상 위와 같은 문장은 우리말에서 존재하느냐 하는 문제가 제기되어 이런 형식의 때매김을 용인할 것인가가 문제된다.

1.1.3. 시제의 비시간적 사용

1.1.3.1. 미래시제는 현재에 관련된 단순한 가정이나 추측을 표현하는 데 사용된다.

보통 시간 관계에 대한 문법적 표현이 다른 개념적 목적에 사용되는 경우가 있다. 그래서 미래시제는 흔히 현재에 관련된 단순한 가정이나 추측을 표현하는 데 쓰인다.

(1) He will already be asleep. (그는 벌써 잠들어 있을 것이다.)

(1)은 다음과 같은 문장으로 표현되는 뜻이 될 것이다.

(2) I suppose that he is asleep.
   (나는 그가 잠들어 있을 것이라 생각한다.)

그리고 또

(3) He will have seen it. (그는 그것을 보았을 것이다.)

와 (4)도 위 1.1.3.1에서 말한 것에 해당된다.

(4) He has probably seen it. (그는 이미 그것을 보았을 것이다.)

미래시제에 관하여는 단순히 가정과 추량만을 나타낸다고 주장할 수밖에 없다는 것이 사실이다. 그리고 이와 같은 사실은 이 경우에 마치 미래와 가정이 동일한 것 같아 언어적으로는 반대가 된다. 또는 그 생각이 다음과 같을 수도 있다.

(5) It will (some time in the future) appear that he is already (at the present moment) asleep. ('그가 현재 순간에' 벌써 잠들어 있다는 것이 '미래 어느 때에' 알려질 것이다.)

이것은 미래를 의미하는 'hope'를 다음과 같이 현재나 완료의 종속절과 함께 쓸 수 있는 것과 같다.

(6) ㄱ. I hope he is already asleep.
    ㄴ. I hope he has paid his bill.

이것은 'It will turn out later that he is now asleep or has now paid'의 뜻이다.

1.1.3.2. 과거형의 비시간적 용법은 비현실성이나 불가능성을 표시할 때 사용된다.

과거형의 가장 중요한 비시간적 용법은 비현실성이나 불가능성을 표시할 때 사용된다는 사실이다. 이 같은 사실은 소원과 조건문에 보인다. 만일 이 용법과 과거의 정상적인 시간적 용법 간의 논리적 관계를 갖고자 한다면 공통된 연결은 이 모든 경우에 있어서 현재시제에 관하여 무엇인가가 부정되어 있다고 말할 수 있다는 것이다.

(1) ㄱ. At that time he had money enough.

　　　(그때에 그는 돈을 충분히 가지고 있었다.)

　　ㄴ. I wish he had money enough.

　　　(나는 그가 돈을 충분히 가지고 있으면 좋겠다.)

　　ㄷ. If he had money enough.

　　　(만일 그가 돈을 충분히 가지고 있다면.)

이들 문장은 어느 것이나 제 각각

　　ㄹ. He has money enough. (그는 돈을 충분히 가지고 있다.)

와 대조가 된다.

　　ㅁ. I wish he had money enough.

ㅁ은 과거시제에 의하여 현재시제(시간)에 관한 소원을, 그리고 동시에 불가능성과 비현실성(unfortunately he has not money enough)을 표현한다. 이와 마찬가지로

　　ㅂ. I wish he had had money enough.

에서 전과거는 과거 어떤 때에 관한 소원을 표현하고 동시에 그가 그때 돈을 충분히 가지고 있었다는 사실을 부인한다. 그러나 보통 미래시제(시간)에 관해서는 어떤 것이든 그렇게 명확하게 부정할 수 가 없다. 그러므로 상응한 시제의 교체(will 대신 would)는 단순히 실

현의 불확실성을 표현하는 데 도움이 될 따름이다.

ㅅ. I wish he would send the money tomorrow.
(나는 그가 내일 돈을 부쳐 주었으면 좋겠다.)

한편

ㅇ. I hope he will send the money tomorrow.
(나는 그가 내일 돈을 보내 주기를 바란다.)

는 실현의 가능성에 대해서는 아무 말도 없이 소원을 나타낸다. 조건절에서도 같은 교체가 보인다.

ㅈ. If he had money enough.

위는 현재시제와 관계가 있어서 그가 돈을 충분히 가지고 있다는 사실을 부정한다.

ㅊ. If he had had money enough.

위는 과거와 관계가 있어서 그가 돈을 충분히 가지고 있었다는 것을 부정한다. 또한 현재시제에 있어서의 비현실성을 표시하기 위하여 사용되는 과거가

ㅋ. It is high time the boy went to bed.

(그 소년은 이제 잠잘 시간이다.)

에서처럼 결과적으로 미래를 말할 때에도 쓰일 수 있게 된다는 것
은 흥미롭다. 소원과 조건에 있어서 비현실성과 불가능성은 원래는
시제 교체 그 자체에 의해 표시하지 않고 직설법을 가정법으로 교
체하여 나타냈다. 그러나 덴마크어에서는 오늘날 과거시제(그리고
전과거시제)에는 두 법(mood) 간의 형식상의 구별은 없다. 그래서 의
미의 변화는 단지 시제에 따라 결정된다. 이 경우 영어에 있어서도
99% 이상이 그렇다. 왜냐하면 단 하나의 동사 be의 단수를 제외하
고는 고대의 과거시제 가정법이 과거시제 직설법과 동형이기 때문
이다. 그런데 동사 be의 경우는 아직도 'was'와 'were'가 구별되고
있다. 그렇기 때문에 수세기 전이라면 'were'가 요구되었을 곳에
'was'를 사용하지 못한 만큼 'was'와 'were'의 차이에 대한 직감적인
느낌이 명확하지 않다는 것은 쉽게 이해할 수 있다. 1700년 경 이래
점차 'was'가 이들 위치에 많이 쓰여 왔다. 예를 들면 다음과 같다.

ㅌ. I wish he was present to hear you. (Defoe)
ㅍ. A murder behind the scenes will affect the audience with
   great terror than if it was acted before their eyes.
   (Fielding)

문어에서는 최근 'were'에 유리한 반응이 일어나고 있으며 대부
분의 교사들이 이를 선호하고 있다. 그러나 구어에서 'were'는 "If
I were you"라는 경우를 제외하고는 비교적 드물다. 그리고 'was'가
'were'보다는 결정적으로 보다 의미가 강하다고 말하는 것이 타당

하며 고대의 가정법 형식보다 불가능성을 더 잘 표시한다고 말할
수 있겠다.

　ㅎ. I am not rich. I wish I was
　　　I am ill, if I wasn't, I should come with you.

위의 경우처럼 흔히 부정형으로 쓰인다. 이렇게 하여 약한 'were'
로써 막연히 미래의 가능성을 표시하는 'If he were to call'과 강한
'was'로서 'he is to call(now)'(여기에서 is to의 용법은 has to, is bound
to와 거의 동의적이다.)을 부정하는 'If he was to call'은 구별된다.

　ㄱ'. If I was to open my heart to you, I could show you
　　　strange sight. (만일 내가 당신에게 내 마음을 열어 보인다면
　　　이상한 광경을 보여 줄 수 있을 것이다.) (Cowper)
　ㄴ'. If I was to be shot for it I couldn't. (이것 때문에 내가 총살을
　　　당한다고 하더라도 나는 그럴 수가 없다.) (shaw)

여기에서 저자는 조건(가정)절에 있어서의 시제만을 이야기하였
는데 원래는 피조건절(주절)에도 같은 규칙이 적용되었다. 예를 들면

　ㄷ'. But if my father had not scanted me, … yourself,
　　　renowned prince, than <u>stood</u> as faire as any comer. (그
　　　러나 만일 제 아버지께서 저에게… 제한을 가하지 않으셨더라면,
　　　고명하신 전하께서도 찾아 오신 어느 분에 못지 않게 제 애정의
　　　후보자로서 유력하다고 생각합니다.) (Sh.)

ㄹ′. She <u>were</u> an excellent wife for Benedick. (그 여자는 Benedick에게는 훌륭한 아내<u>일 것이다</u>.)

또, 전과거시제에서도 같다.

ㅁ′. If thou hadst bene here, my brother <u>had not died</u>. (당신이 여기 있었더라면 내 형은 <u>죽지 않았을 것이다</u>.) (A.V.)

그러나 종속절에서보다는 주절에서 더 명확하게 미래를 표시하려는(이것은 영어에서는 'will'이나 'shall'의 사용에 영향 받는다.) 강력한 경향이 있는 것과 꼭 같이, 이들 조건이 붙은 문장에 있어서의 보다 짧은 표현은 'should'나 'would'를 가진 더 완전한 문장에 의하여 대체되었다.

ㅂ′. a. You would stand.
   b. She would be.
   c. My brother would not have died. 등등

'could'와 'might'가 부정사가 없어서 'should'나 'would'와 결합될 수 없기 때문에 아직도 구문에서는 옛날 방법으로 사용된다. 예를 들면 다음과 같다.

ㅅ′. ① How could I be angry with you.
      (내가 어떻게 당신에게 화를 낼 수가 있겠습니까?)
    ② He might stay if he liked.

(만일 그가 좋다면 머물러도 될 것이다.)

　비현실성을 나타내는 과거시제의 특별한 사용은 현재시제에 있어서의 책임이나 의무 등을 나타내는 'should'와 'ought'의 사용에서, 그리고 'can'의 의미로 쓰이는 'could'(Could you tell me the right time?), 'will'의 의미로 쓰이는 'would'(would you kindly tell me…?)와 'may'의 의미로 쓰이는 'might'(Might I ask…?)의 정중한 사용에서 보인다. 그렇게 되어 마침내는 과거시제의 'must'가 현재시제로 변하게 되었다.

1.1.4. 영어의 확충시제(정시제, 진행시제, 계속시제)

　영어에서 보면 is writing, was writing, has been writing, will(shall) be writing, will(shall) have been writing, would(should) be writing, would(should) have been writing, 그리고 수동의 예를 보면 is being written, was being written 등이 있다. 확충시제의 의미는 본질적인 지속이 아니고 어떤 다른 행동에 의해 점유된 더 짧은 시간과 비교하여 상대적인 지속을 표현하는 것이다.

　(1) Methuselah lived to be more than nine hundred years old.
　　　(므두셀라는 900살이 넘도록 살았다.)

에서는 확충되지 않은 'lived'가 매우 긴 시간을 나타내고 있다.

　(2) He was raising his hand to strike her, when he stopped short. (그는 그 여자를 때리려고 손을 올리고 있다가 갑자기 그만

두었다.)

에서는 아주 짧은 동안에 지속되는 행동이 확충시제에 의하여 표현
되고 있다.

심리상태, 감동 등을 나타내는 동사는 일반적으로 확충시제로 사
용될 수 없다. 이 사실은 'is on -ing'라는 결합으로부터 시작한다면
쉽게 설명된다. 왜냐하면,

(3) He is on (engaged in, occupied in) liking fish.

라고 말할 수는 거의 없기 때문이다. 그럼에도 불구하고 지나가는
상대에 대하여 말할 때는 'I am feeling cold'라고 말할 수 있다. 'go',
'come'과 같은 동작을 나타내는 동사의 확충형에 대하여는 특별히
언급하여야 한다. 이와 같은 동사들은 첫째 본질적으로 시발동작이
라는 관념을 불려 일으키지 않는 어떤 특별한 의미를 갖는 곳이면
어디에서나 보통 방법으로 사용된다.

(4) ㄱ. My watch has stopped, but the lock is <u>going</u>.
    ㄴ. Things <u>are coming</u> my way now.
    ㄷ. You <u>are going</u> it, I must say.
        (당신이 정신 차려야 한다고 말해야겠다.)

두 번째로, 오거나 가는 단일 동작이 문제되지 않는 경우에 사용
될 수 있다.

(5) ㄱ. The real hardships <u>are now coming</u> fast upon us.

ㄴ. She turned to the window.

ㄷ. Her breath was <u>coming</u> quickly.

ㄹ. Cigarettes <u>were then coming</u> into fashion.

그러나 대부분의 경우에 'is coming', 'is going'은 많은 언어에서 이에 상응하는 동사가 정확히 현재시제에서 미래시의 의미를 얻게 되는 것과 같이 미래에 사용된다. 경매인은 "going, going, gone(팔립니다. 팔립니다. 팔렸습니다.)"라고 말한다. 다음에도 또한 그렇다.

(6) ㄱ. I <u>am going</u> to Birmingham next week.

ㄴ. Christmas <u>is coming</u>, the geese are getting fat.

그리하여 'he is going to give up business'와 같이 가까운 미래에 대한 표현까지도 생기게 되었다.

현대 영어에 있어서 대부분의 확충시제 사용은 지금까지 제시된 규칙으로 설명될 것이다. 확충형은 어떤 일이 일어나는 시간 한계를 생각하게 하는 한편 단순형은 시간 한계를 나타내지 않는다.

(7) ㄱ. He is staying at the Savoy Hotel.

ㄴ. He lives in London.

ㄷ. What are you doing for a living? I am writing for the papers.

ㄹ. What do you do for a living? I write for the papers.

위에서 (7ㄱ)과 (7ㄴ), (7ㄷ)과 (7ㄹ)을 비교하여 보면 습관은 일반적으로 비확충시제로 표현해야 한다.

그러나 만일 습관적 행동이 그 외의 어떠한 것에 대한 틀로서 간주되면 확충시제가 필요하다.

(8) ㄱ. I realize my own stupidity when I <u>am playing</u> chess with him.

ㄴ. Every morning when he <u>was having</u> his breakfast his wife asked him for money.

한편 시간에 있어서의 완전한 동영상(coextension)은 다음의 두 문단에서 확충과거시제에 의하여 표현될 수 있다.

(9) Every morning when he was having his breakfast his dog <u>was staring</u> at him.

현재 순간을 나타내는 'He is being polite'와 그 사람 성격의 분별의 특성을 나타내는 'he is polite'와의 구별이 이제 겨우 인식되기 시작하고 있지만 영속적인 상태와 대조되는 일시적인 상태를 표현하기 위한 확충형의 사용은 아주 최근 단순동사 be에까지 이르게 되었다.

1.1.5. 시제에 관한 용어

현대 언어에서는 여러 가지 조동사가 광범위하게 사용되므로 모든 가능한 결합에 대하여 특별한 이름을 부여하는 것은 불가능하거나 적어도 비실용적인 것으로 되었다. 그리고 많은 결합이 두 가지 이상의 기능을 가지고 있기 때문에 더욱 그렇다. 실제로 'would have written'에 대하여 'Future perfect in the past(과거에 있어서의 미래완료)'와 같은 명칭은 필요 없다. 그 까닭은 이미 보았듯이 'would have written'은 주요 용법에 있어서 미래시제와는 전혀 관계가 없고 'would'는 의지라고 하는 본래의 의미의 흔적을 아직도 어느 정도 보유하고 있기 때문이다. 만일 미래시제의 예로서 "I shall write, you will write, she will write"를 든다면 'he says that he shall write'에서 'he shall write'를 'I shall write'가(간접화법으로) 전환된 것이라고 생각할 때 난관에 부딪히게 된다. 만일 각 조동사의 본래 의미와 그 후의 약화된 의미를 알아보고 한편으로 미래(미래시제)가 영어에서는 때에 따라 약화된 'will'(의지)이나 약화된 'shall', 또는 'is to'(의무), 때로는 그 밖의 수단(is coming) 같은 여러 가지 장치에 의하여 표현되지만 어떤 형식상의 표시 없이도 문맥 가운데 함축되어 있는 수도 흔히 있다는 것을 보여 준다면 학생들에게 이 모든 사실을 이해시키기가 더욱 쉬울 것이다. 따라서 'I shall go'와 'He will go'는 미래시제가 아니라 현재시제의 조동사와 부정사를 포함한다고 말할 수 있을 것이다. 시간 개념은 주동사의 시제에 의존하기 때문이다. 특별 시제 명칭에 대한 근거가 있는 유일한 경우는 'have written(had written)'이다. 왜냐하면 'have'의 보통의미는 이 경우 완전히 상실되고 그 결합은 하나의 매우 특별한 시간관계를 표시하는 일만을 전적으로 도와주고 있기 때문이다. 그러나 여기에서까지도 '완료(perfect)'라는 명칭이 없는 것이 더 좋지 않을까 하는 문제가 제기될 수도 있다.

영어에서는 "I am glad to see you"는 현재시제를, "I was glad to see her"는 과거시제를, "I am anxious to see her"는 미래시제를 나타낸다. 맨 끝의 예는 특수한 보기이다. 즉 "he anxious to"라는 관용구가 미래를 나타내는 것이다.

1.2. 상(aspect)

1.2.1. 정의

동사에 관한 문법범주의 하나로, 동사가 나타내는 동작·상태의 양상을 보는 관점과 그것을 나타내는 문법 형식이다. 콤리(Comrie, 1976: 3)는 의미면에서 상을 "어떤 사태의 내부에 있어서의 시간적 전후 구성에 관한 여러 가지 관점의 다름을 상이라 한다"고 하였다.

(1) John was reading when I entered.

(1)에서 'I entered'라는 문장은 내가 들어간다는 사건을 하나의 점으로서 보고 있다. 즉 시작, 중간, 끝이 하나의 점 안에 포함되어 있어서 '들어간다는 행위'를 그 이상 분할하지 않고 제시하고 있다. 이와 같은 뜻을 갖는 상태를 완결상이라고 한다. 한편 (1)의 전반부 'John was reading'은 존이 독서하는 중간부를 가리키고 있다. 즉 사건 내부의 시간적 구성에 주목하고 있는데 이와 같은 뜻을 가지는 것을 비완결상이라 한다. 콤리(Comrie)는 완결상을 습관상과 계속상으로 나누고 계속상을 진행상과 비진행상으로 나누고 있다. 찰레스톤(Charleston, 1955: 263~270)은 동작·상태가 어떤 한 시점에서 끝났는

가 끝나지 않았는가를 말할이의 마음의 눈을 통하여 보는 것이 상이라 한다고 하면서, 첫째 어떤 시점에서 그 활동, 상태가 과거의 어느 시점에서 시작하여 어떠한 시간을 경과하여 완료하였다고 보는 관점, 즉 완료형은 완료상, 회고상을 나타낸다고 하였고, 둘째 그 활동, 상태가 과거 어느 시점에서 시작하여 아직 경과 중에 있어서 미완료라고 보는 경우, 즉 진행형은 미완료상을 나타낸다고 하였다. 셋째 그 활동, 상태가 아직 개시되고 있지 않으나 일어나려고 하고 있다고 보는 경우로, 즉 'be going to'의 형식은 전망상(prospective aspect)을 나타낸다고 하여 위 세 상을 단계적상이라 하였다. 위의 구분은 주관적 입장에서 본 것이다. 그리고 그는 전망상 미래시제는 아주 희박하다 하였다.

인구어는 처음에는 시제 구분을 위한 진짜 형식이 동사에 없었고 완료상, 미완료상, 일시상(panctual), 계속상(durative), 기동상(inceptive) 등 여러 가지 상을 표시하였으며 이러한 구분으로부터 가장 오래된 인구어에 나타나 있고 현존 체계의 기초가 되는 시제 체계가 점차 발달되었다는 것이 일반적인 가정이다. 학자들은 스라브어 동사로부터 상에 대한 이러한 생각을 얻게 되었는데, 스라브어에서 상은 기본적인 것이며 비교적 명확하고 뚜렷하다. 상에 관한 한, 학자들은 자신들의 용어를 만들어 내었는데, 가능한 네 가지 표현, 즉 (1) 동사 그 자체의 보통 의미, (2) 문맥이나 상황에 따라 생기는 동사의 의미, (3) 파생적 접미사, (4) 시제 형식을 반드시 구별하지 않았다. Charleston은 다음과 같은 가능성에 관하여 논하고 있다. 즉 말할이가 동작·상태의 일부를 현미경으로 확대하여 바라보는 것 같이 미시적으로 주시하는 입장을 취하고 있다. 말할이의 관심은 동작·상태의 개시, 계속, 종료, 반복의 어느 것에 집중된다.

기동상: 어떤 동작 상태가 시작된다든가 어떤 상태에서 다음 상태로 변하는
　　　것을 나타내는 동사 즉 기동동사로 집중된다. begin, commence,
　　　start, fall to, come to 등에 의한 상이다.
계속상 또는 진행상: 동작 상태가 계속하고 있음을 나타내는 계속동사로
　　　표시된다. go on, continue, remain 등에 의한 상을 말한다.
종지상, 종동상 혹은 결과상: 동작 상태의 종료나 완성을 나타내는 결과동사
　　　로 표시된다. cease, finish, leave off 등에 의한 상이다.
반복상: 동작의 반복을 나타내는 동사로 표시된다. 이상의 상을 Charleston
　　　은 단면적상이라 부르고 있다.

　위의 구분은 모든 언어에 다 적용될 수 있는 것은 아니라고 보아
지는데, 낱말 하나하나의 뜻에 따라 상을 인정한다는 것은 합리적
이라고 보기 어렵기 때문이다. 예스퍼슨은 고트어에서 완료화
(perfectivation)는 첫째는 '종료', 두 번째는 '변화', 세 번째는 '행동을
통한 얼음' 등이라 하고 이는 시간 구분이나 시제 구분과는 아무
관계가 없다 하였다.[4]

1.2.2. 완료[5]

　완료는 현재이지만 과거에서 이어지는 현재다. 그것은 과거 사건
의 결과로서의 현재 상태를 나타내므로 현재의 소급적인 변종이기
때문이다. 완료는 지금의 상태를 의미한다.

---

4) 오토 예스퍼슨, 이환묵·이석무 공역(1987), 앞의 책, 389쪽 참조
5) 위의 책, 363~386쪽에 의거함.

(1) He has become mad.

완료는 원래 상태를 나타낸다. 고대 완료형 중 약간은 전적으로 진짜 현재로만 사용된다. 게르만어에서 완료였던 것이 현재라는 요소를 잃어버리고 영어의 'drove', 'sang', 'held'처럼 순수한 과거가 되었다. 그 다음 완료의 의미를 표현하기 위하여 'have'와의 복합형이 형성되었다. 예를 들면 'I have driven'과 같다. 옛날 과거시제와 완료형의 혼성으로 생긴 라틴어의 완료형은 그 두 가지 시제의 통사적 기능을 아울러 가지고 있었다. 그러나 로만스어의 동사에서는 옛날 완료형이 완료 기능을 잃고 순수한 과거시제가 되었다. 왜냐하면 그것들과 나란히 미완료형이 있기 때문이다. 그런데 이들 새로운 완료형에 현재시제형 'have'를 사용함에도 불구하고 과거사건의 현재 결과라는 관념과 이들 과거사건 그 자체에 관한 관념 간의 분명한 구별이 계속 유지되기가 어려워 보인다. 그래서 완료형은 단순히 과거시제가 되는 경향이 있다. 'yesterday'나 'in 1897'과 같은 말을 포함하고 있는 문장은 단순과거시제를 필요로 한다. 시간의 표시가 앞에 오면 과거시제가 요구된다. 영어를 비롯하여 스페인어, 프랑스어 등 완료형으로부터 과거형으로의 이행은 전반적인 경향에 기인한 듯하다. 소급적인 과거시제, 예를 들면 'had written'은 완료형이 현재에 대하여 가지고 있는 것과 같이 과거의 어떤 시기에 동일한 관계를 가지고 있지만, 상술한 전과거(ante-preterit)[6]와 구별될 수 없다. 이와 마찬가지로 위에서 전미래(전미래시제)라고 했던 것도 소급미래, 즉 'will have written'과 구별될 수 없다. 'have'동사를

---

6) 1.1.2. '시간의 하위 구분' 참조.

이용한 완곡어법은 사람들이 이들 두 시제를 단순과거시제보다는 완료형에 더 대동한 것으로 보고 싶어 한다는 것을 지시하는 것 같다. 그리하여 과거완료(had perfect)와 미래완료(future perfect)라는 명칭도 여기에서 나온 것이다.

2. 일본말에서의 때매김에 대한 설명

일본말은 우리말과 상당히 가까운 언어이다. 따라서 일본 학자들은 그들의 때매김을 어떻게 다루고 있는가를 앎으로써 우리말의 때매김 문제를 해결하는데 다소 도움이 될 것이기 때문에 그들이 설명한 것을 우리말로 옮겨서 보이기로 한다.[7]

2.1. 텐스(tense)

텐스란 <u>이야기때를 기준으로 하여 당해 사태의 때를 정하는 것을 말한다.</u> 구체적으로는 이야기때보다 앞의 것을 과거, 이야기때와 동시의 것을 현재, 이야기때보다 뒤의 것을 미래라고 하는 식으로 때를 정하는 것을 말한다. 텐스를 나타내는 것에는 대별하여 '지난달', '다음주'나 '이미'와 같이 때를 나타내는 명사, 부사와 서술어의 형태에 의하여 결정하는 두 종류가 있다. 명사, 부사는 임의적으로 나타나는 데 대하여 서술형은 반드시 선택하여야 한다는 의미에서 문법면에서 아주 중요하다. 그러므로 서술형에 초점을 맞추어 텐스

---

7) 益岡隆志 외 3인(2004), 『文法』(언어과학5), 東京: 岩波書店, 60쪽 이하에 의함.

를 살펴보기로 한다. 서술어 서술형을 가지는 문장 중에는 텐스를 가지지 않는 것도 있다는 것에 대하여 간단히 언급하겠다.

(1) ㄱ. 태양은 동쪽에서 뜬다.

　　ㄴ. 야채를 큼직큼직하게 썰어서 솥 안에 넣는다.

(1ㄱ)과 같이 진리를 나타내는 문장이나 (1ㄴ)과 같은 작업의 절차를 나타내는 문장인데, (1ㄴ)과 같은 작업의 절차를 나타내는 문장에서는 서술어는 서술형으로 표시되나 이 경우, 과거, 현재, 미래 중의 어떠한 때를 나타내는 것은 아니고 그와 같은 시간의 흐름을 초월하여 있다는 점이 특징적이다. 시간의 흐름을 초월하여 있다는 의미에서 텐스를 가지지 않는다고 말하여도 좋을 것이다. 이러한 문장을 제외하면 문장 끝의 서술형이 어떻게 굴곡하느냐에 따라 어떠한 텐스를 나타낸다. 그러면 '서술형'은 구체적으로 과거, 현재, 미래의 어느 것을 나타낼까? 이 문제를 살피는 데 있어서 서술어가 동적인 성질의 것이냐 상태적인 성질의 것이냐에 따라 사정이 달라지므로 이 양자를 구별하여 살피기로 한다.

먼저 상태적인 서술어의 경우는 다음 보기에서 나타나는 바와 같이 서술형은 현재의 상태냐 현재까지의 상태, 과거의 특정 시점의 상태 또는 과거의 특정 시점까지의 상태를 나타낸다.

(2) ㄱ. 지금은 매우 바쁘다. (현재의 상태)

　　ㄴ. 요즈음 계속 바쁘다. (현재까지의 상태)

(3) ㄱ. 어제는 매우 바빴다. (과거의 특정 시점의 상태)

　　ㄴ. 어제까지 계속 바빴다. (과거의 특정 시점까지의 상태)

어떤 상태의 완료가 현재에 이르러 있으면 서술형이 쓰이며 어떤 상태가 확실하게 존재할 것을 알고 있으면 서술형이 선어말어미 없이 미래의 상태를 나타낼 수도 있다.

(4) 내일도 틀림없이 바쁘다.

한편 서술어가 동적인 경우에는 서술형은 미래시점을 나타내고 '-았/었다'가 되면 과거시점을 나타낸다. 이런 사실은 다음과 같은 예에서 찾아볼 수 있다.

(5) ㄱ. 얼마 있으면 올림픽이 시작된다. (미래시점)
    ㄴ. 어제 올림픽이 시작되었다. (과거시점)

다만 서술형은 선어말어미 없이 다음 보기와 같이 동작의 반복이나 습관을 나타낼 수 있다.

(6) 요즈음 비가 자주 온다.

또 동적인 서술어 가운데는 서술형으로써 현재를 나타내는 것이 있다. 감각, 지각을 나타내는 동사나 사고(思考)동사의 경우가 그렇다.

(7) ㄱ. 생선을 굽는 냄새가 난다.
    ㄴ. 오른쪽에 우체국이 보인다.
    ㄷ. 자네가 말하고 싶은 것은 잘 안다.
    ㄹ. 너는 그것으로 좋다고 생각한다.

자세히 말하면 '바쁘다'와 같은 상태를 나타내는 서술어가 현재를 나타내는 경우와 감각, 지각을 나타내는 동사나 사고(思考)를 나타내는 동사가 현재를 나타낸다고 할 경우에는 다소의 의미 차이가 있는 것으로 보인다. 즉, 상태의 서술어가 현재의 상태를 나타낸다고 할 경우, 과거에서 현재에 이르고 다시 미래로 지향한다는 시간의 폭이 있는 데 대하여 감각·지각의 동사나 사고의 동사가 현재를 나타낼 때는 현재시 그것만을 나타낸다고 생각된다. 예를 들면 (7ㄱ)과 (8ㄱ)에서는 후자는 시간의 폭을 가지고 있으나, 전자는 그렇지 않다는 차이가 있다고 생각된다.

(8) ㄱ. 아까부터 생선을 굽는 냄새가 나고 있다.

그러나 일본말과는 달리 우리말의 경우는 감각·지각·사고동사라도 시간의 폭을 가질 수 있다.

(9) ㄱ. 아까부터 생선 굽는 냄새가 난다.
　　ㄴ. 나는 어제 그가 말한 것을 기억한다.

다음의 예를 보자.

(10) ㄱ. 앗, 떨어진다. 떨어진다. 떨어졌다.
　　ㄴ. 열차가 도착하였습니다.

(10ㄱ)은 우리가 야구장에 가서 공이 떨어지는 것을 보고 한 말로 생각한다면 '떨어졌다'의 때매김을 현재로 보아야 하느냐 과거로

보아야 하느냐 문제이나, '떨어졌다'는 말은 공이 떨어지고 난 후에
한 말이다. 그러므로 아무리 말할 그 때에 가까운 때라 하더라도
이 경우는 과거로 보아야 한다는 것이 올바른 태도일 것이다. 이와
같이 (10ㄴ)은 지하철역에서 보면, 열차가 들어오면 전광 안내판에
빨간 글자로 '열차가 도착하였습니다'로 나타나는데, 이 경우도 (10
ㄱ)과 같이 보아야 할 것 같다.

다음에는 종속절의 텐스에 관하여 살펴보기로 하자.

문장 끝의 텐스는 말할 때를 기준으로 하였다. 이에 대하여 종속
절의 텐스는 주절의 사태를 기준으로 하는 것이 적지 않다. 다음
예를 보자.

(11) ㄱ. 새가 <u>날아가는</u> 것이 <u>보였다</u>.

　　ㄴ. 이 <u>영화를 보기</u> 전에 원작본을 <u>읽었다</u>.

　　ㄷ. <u>이 책을 읽은</u> 후에 바로 <u>레포트를 작성하였다</u>.

(11ㄱ)에서 '보였다'는 시점과 '새가 날아가는' 시점은 같은 때이
다. (11ㄴ)은 '영화를 보기' 시점은 '원작본을 읽었다'는 시점보다 뒤
이다. (11ㄷ)은 '이 책을 읽은' 시점은 '레포트를 작성한' 시점보다
먼저이다.

한편 종속절과 주절이 다 같이 말할 때를 기준으로 하는 경우도
있다.

(12) ㄱ. 그저께도 일이 순조롭게 되지 않았고 어제도 또한 순조롭게 되지
　　　　않았다.

　　ㄴ. 지난달에 산 책을 지난주에 친구에게 빌려 주었다.

위에서와 같이 종속절의 텐스를 정하는 기준이 되는 것에는 말할 때와 주절의 사태에 의한 때 등이 있다. 일반적으로 전자를 절대적텐스, 후자를 상대적텐스라 한다. 경우에 따라서는 종속절이 절대적텐스와 상대적텐스의 양쪽을 허용하는 경우가 있다.

(13) 공원에서 놀고 있을 때/놀고 있었을 때, 어떤 남자가 말을 걸어왔다.

2.2. 아스펙트(Aspect)[8]

아스펙트는 텐스와 밀접한 관계를 가지고 있다. 아스펙트는 사태가 가지고 있는 내적인 시간 구성을 실현하거나 분별하여 나타내는 데 관한 문법 범주이다. 다시 말하면, 동적인 사태의 시간적인 전개에 있어서 여러 가지 단계(국면)을 나타내는 것이라고 말할 수 있다. 구체적으로는 사태가 시작하기 전 단계, 사태가 시작되어 있으나 끝나지 않은 단계, 사태의 마지막 단계, 사태의 마지막 상태가 지속하고 있는 단계 등의 여러 단계가 문제가 된다.

(1) 이 책은 벌써 읽었느냐?

위의 문장을 텐스의 개념만으로 해결하려고 하면 충분한 특징을 부여할 수가 없다. 이 문장은 시제의 면(-느냐?)과 아스펙트면(-었-)의 양면을 가지고 있다. 즉 시제면으로는 현재를 나타내고 아스펙트면에서는 사태의 마지막 단계를 나타낸다고 볼 수 있다. 사태의

---

8) Aspect에 관해서는 위의 책, 64~68쪽을 그대로 옮겨 놓은 것임.

실현·미실현이란 사태가 전개 중 끝 국면에 이르렀느냐 않았느냐의 문제라고 생각하자는 것이다.

(2) 벌써 책을 읽었다.

(2)에서 보면 '-었-'은 사태의 종료를 나타내고 <u>'-다'는 말할이가 문장을 끝맺는 시제를 나타낸다</u>. 이렇게 보면 '-었다'는 이 양자를 다 나타내고 있다. 그렇다면 순수한 아스펙트의 표현에는 어떤 것이 있는가 하는 문제에 봉착하게 된다.

국어에서는 '-고+있다/-어+있(다)/-어 놓다(두다)/-어 버리다/-어 가다/-어 오다' 등이 있는데 이와 같은 아스펙트를 이차적 아스펙트라 한다.

'-고+있다'는 동작이나 사태의 계속을 나타낸다. 이것은 다음과 같은 용법이 있다. 즉, 습관, 반복하는 동작, 또는 반복하는 사태 등을 나타낸다.

(3) ㄱ. 나는 요즈음 아침에 30분 정도 <u>산보하고 있다</u>. (습관)

　　ㄴ. 지구는 태양의 주위를 <u>돌고 있다</u>. (진리)

　　ㄷ. 그는 매일 시장에서 생선을 <u>팔고 있다</u>. (반복되는 행위)

　　ㄹ. 시계는 언제나 <u>돌아가고 있다</u>. (반복되는 동작)

　　ㅁ. 그곳에는 항상 전쟁이 <u>일어나고 있다</u>. (반복되는 사태(사건))

　　ㅂ. 이 꽃은 요즈음 매일 <u>피고 있다</u>. (반복되는 상태)

위의 '-고+있다'에 반하여 '-어+있다'는 어떤 동작이 완료되어 그 결과가 상태를 나타내고 있음을 말할 때 쓴다.

(4) ㄱ. 삼각산이 높이 <u>솟아 있다</u>.

　　ㄴ. 문이 <u>닫혀 있다</u>.

또 다음의 예를 보자.

(5) 미국은 1945년에 태평양전쟁에서 일본을 <u>이겨 내었다</u>.

(5)는 1945년에 태평양전쟁에서 미국이 일본을 이겨 내었다는 과거의 사실이 현재에 있어서 어떠한 의의가 있는가가 잘 나타나 있는데, 과거의 어떤 사건, 동작이 현재와 어떻게 관련되어 있는가를 문제 삼고 있다.

다음으로 '<u>되어 있다</u>'와 같이 수동 형태로 되어 있을 때는 어떤 행위의 결과, 그 행위가 실현한 상태를 나타낸다는 사실이다. 이와 같은 경우는 어떤 목적을 위하여 그 행위가 이루어졌다는 함의가 있다는 점에 유의하여야 할 것이다.

(6) ㄱ. 책상 위에 꽃이 <u>장식되어 있다</u>.

　　ㄴ. 좌석이 <u>예약되어</u> 있으므로 안심이다.

　　ㄷ. 그 일의 일정이 <u>잡혀 있으니</u> 안심이다.

다음에는 '-하여 버리다'로 되는 형식인데 이는 어떤 동작이나 일이 마지막 단계에 이르러 있어서 다시는 본래의 상태로 돌이킬 수 없다는 기분을 함의하고 있다.

(7) ㄱ. 엉뚱한 말을 <u>하여 버렸다</u>.

ㄴ. 잘못하여 집에 불을 <u>내어 버렸다</u>.

(7ㄱ, ㄴ)은 후회할 때에 '-여 버리다' 형식을 사용할 수 있음을 알 수 있다.

보조서술어를 취하는 마지막 예는 '-어 오다', '-어 가다'이다. '-어 오다'와 '-어 가다'가 대조적인 관계에 있으므로 그 의미에 있어서도 대조적인 관계를 구성한다. '-어 오다'는 기준이 되는 시점까지를 문제로 하고 '-어 가다'는 기준이 되는 시점 이후를 문제로 한다. 기준이 되는 시점이 현재면 '-어 오다'는 과거에서 현재까지의 때를 나타내고 '-어 가다'는 현재에서 미래로 나아가는 때를 나타낸다. 이렇게 보면 동적 사태가 전개되는 단계를 나타낸다는 아스펙트를 표현하는 데 있어서 다소 이색적인 것이라 할 수 있다. 그리하여 관계하는 동사가 계속의 뜻을 나타내는 경우, '-어 오다', '-어 가다'는 사태가 계속된다는 뜻을 나타내고, 동사가 변화를 나타내는 경우는 점진적으로 변화하는 의미를 나타낸다.

(8) ㄱ. 점점 일이 쉬워져 온다(왔다). (점진적 변화)
     ㄴ. 지금부터도 곡식이 잘 익어 가겠다. (계속)

이상에서 보아 온 바와 같이 아스펙트에는 '-었-/-았-'형과 '-어/아+있다'형, '-어+버리다'형, '-오다/가다'형이 있고 또 '-어+나다/내다'형이 있다.

3. 모다리티(modality)9)

글쓴이가 때매김을 이야기하는 글에서 모다리티를 굳이 다루는 까닭은 시제와 시상 및 양태에 대하여 분명히 알아 둘 필요가 있기 때문이다.

그러면 '모다리티가 무엇이냐' 하고 생각함에 있어서는 문장 전체의 성립에 대하여 생각하지 않으면 안 된다.

따라서 문장 전체의 성립을 개략적으로 말하면, 문장은 두 개의 이질적인 요소에 의하여 이루어진다. 하나는 '언제, 어디서, 누가, 무엇을, 하였다'와 같은, 표현주체로부터 독립한 객관적인 사실을 나타내는 요소이다. 다른 하나는 객관적 사실에 대한 표현주체의 태도나 들을이에 대한 언어주체의 태도를 나타내는 요소이다.

(1) 너는 내일 일찍 가거라.

(1)에서 '너는 내일 간다'라고 하는 객관적인 부분과 '일찍 -거라'라고 하는 주관적인 부분이 합하여 문장이 이루어져 있다고 할 수 있다.

이와 같이 문장이 성립하는 기반이 되는 두 요소 중 전자를 <u>명제</u> 또는 <u>언표사태</u>라 하고 후자를 <u>모다리티</u> 또는 <u>언표태도</u>라고 한다. 여기서 다시 모다리티란 무엇이냐 하는 문제에 대하여 개략적으로 규정하여 보면, 그것은 발화시에 있어서의 명제나 들을이에 대한 표현주체의 태도를 나타내는 것이라고 말할 수 있다. 그렇다면 모

---

9) 이에 대하여도 위의 책, 68~71쪽에 의할 것임.

다리티를 나타내는 것에는 구체적으로 어떤 것이 있을까? 제일 먼저 명제에 대한 진위의 판단을 나타내는 것이 있다.

(2) ㄱ. 내일은 오후부터 비가 온다.

ㄴ. 내일은 오후부터 비가 오겠다.(올 것이다.)

(2ㄱ)과 같이 문장 끝이 단순한 서술어로 끝나 있을 경우, 표현주체는 당해 사태가 성립될 것을 단정하고 있다. 한편 (2ㄴ)과 같이 '-겠다', '-을 것이다'가 부가된 표현의 경우 당해 사태가 이루어질 것이 유보되어 있다. 이와 같이 표현되어 있는 사태의 진위 판단에 관한 모다리티를 여기서는 '진위판단의 모다리티'라 부르기로 한다. '-겠다', '-을 것이다'는 '진위판단의 모다리티'를 표현하는 형식의 하나이다. 그렇기 때문에 '-겠다'와 '-을 것이다'는 과거의 표현으로 바꾸든지 부정하든지 하는 일은 있을 수 없다.

'진위판단의 모다리티'를 나타내는 것에는 위의 것 이외에 어떤 종류의 근거에 기인한 추정을 나타내는 '-을 것 같다', '-을 듯하다', 추론의 귀결을 나타내는 '-을 것이다', 가능성을 나타내는 '-을지도 모른다', 확신을 나타내는 '-에 틀림없다', 양태·예상을 나타내는 '-을 것처럼 보인다' 등을 들 수 있다.

(3) ㄱ. 그에게는 무슨 생각이 <u>있는 것 같다</u>.

ㄴ. 올해는 가을이 일찍 <u>올 듯하다</u>.

ㄷ. 이 일이 잘 <u>될 것이다</u>.

ㄹ. 이것이 잘 <u>돌아갈지 모르겠다</u>.

ㅁ. 이것이 잘 <u>돌아감에 틀림없다</u>.

ㅂ. 이것으로 잘 <u>작동할 것처럼 보인다.</u>

이들 모든 형식은 과거 표현으로 바꿀 수가 있다. 또 '-을 것 같다', '-을 듯하다', '-을 것처럼 보인다'는 부정의 표현으로 바꿀 수 있다. 앞에서 말한 모다리티의 규정에 의하면 과거를 나타내는 형식은 모다리티 요소는 아닌 것이 되나, 판단의 모다리티 체계에서 본다면 모다리티 요소의 내부에 포함시키는 것이 타당하다. 여기서 오로지 표현주체의 발화시의 판단을 나타내는 것을 '진정(眞正)모다리티', 그렇지 않은 것을 '의사모다리티'라 부르기로 한다.

다음으로 두 번째 모다리티로 인정하여야 할 것으로는 어떤 사태의 실현이 바람직하다든가 적절하다든가 하는 의미를 나타내는 것이 있다. 이런 모다리티를 '가치판단의 모다리티'라 부르기로 한다. 이에는 '-는 일(것)이다', '-여야 한다', '-하는 편이 좋다(낫다)', '-않으면 안 된다', '-없어서는 안 된다' 등의 형식이 있다.

(4) ㄱ. 이럴 때는 가만히 있어<u>야 하는 것이다.</u>
ㄴ. 친구를 소중하게 하<u>여야 하는 일이다.</u>
ㄷ. 빨리 가서 부모를 <u>도와야 한다.</u>
ㄹ. 너는 가만히 있는 <u>편이 좋다.</u>(낫다)
ㅁ. 하고 싶은 말은 분명히 <u>하는 것이 좋다.</u>
ㅂ. 내일 아침은 조금 일찍 <u>일어나지 않으면 안 된다.</u>

이들 형식 중에서 과거의 표현이 안 되는 것은 '-는 것이다', '-는 일이다' 등이요, 부정으로 표현할 수 없는 것은 '-는 것이다', '-는 일이다', '-여야 한다', '-는 편이 좋다', '-않으면 안 된다' 등이다.

그러므로 진정한 모다리티로 볼 수 있는 것은 '-는 일이다', '-는 것이다'이다. 더욱 주체가 어떤 인칭을 취하는 경향이 있는가 하는 문제에 관하여 언급하여 보면 '-는 것이다', '-는 일이다', '-편이 좋다', '-는 것이 좋다'는 2인칭을 취하는 경향이 있고 '-여야 한다', '-지 않으면 안 된다'는 1인칭과 2인칭을 다 같이 취하는 경향이 있다.

또 하나의 중요한 모다리티 형식은 당해 문장이 표현·전달 기능의 관점에서 볼 때 어떠한 성격을 가지느냐를 나타내는 형식이다. 문장은 그것이 성립할 때, 불가피하게 어떠한 표현, 전달상의 기능을 띤다는 것이다. 이와 같은 표현·전달면에서 문장을 유형적으로 특징짓는 모다리티를 '표현유형의 모다리티'라 부르기로 한다. 그리고 여기서는 다섯 종류의 표현유형을 인정하기로 한다. 구체적으로 말하면 서술형, 정의표출형, 호소형, 의문형, 감탄형의 다섯이다. 이들 중 서술형은 어떠한 지식, 정보를 표현, 전달하는 것이다. 다음의 예가 이에 해당한다.

(5) 그는 한국사 공부를 시작하였다.

정의 표출이란 표현주체의 감정, 감각 또는 의지 등을 표출하는 것을 말한다. 예는 다음과 같다.

(6) ㄱ. 뭔가 시원한 것이 먹고 싶다.
   ㄴ. 빨리 설거지를 하자.

호소형은 다음 보기와 같이 들을이에게 어떤 동작을 행할 것을 요구하는 것을 말한다.

(7) 빨리 뒤치다꺼리를 하여라.

의문형은 미확정 부분을 들을이나 자기 자신에게 묻는 것을 말한다. 다음과 같은 예를 보자.

(8) ㄱ. 이것으로 무엇을 만듭니까?
ㄴ. 저 사람은 무엇을 만들고 있을까요?

감탄형은 다음 예와 같이 감동을 나타낸다든지 놀람을 나타내는 것을 말한다.

(9) ㄱ. 아! 참으로 아름답구나.
ㄴ. 왔도다. 왔도다. 봄이 왔도다.

이상의 모다리티 이외에 겸양의 모다리티를 말하는 사람이 있으나 이것은 참된 모다리티라고 결론지을 수 있다.10)
지금까지 살펴본 모다리티는 통어론적 범주에 속하고 시제(mood)는 형태론적 범주에 속한다. 따라서 모다리티와 시제에 대하여 혼동이 없어야 할 것이다.

---

10) 위의 책, 71쪽의 모다리티 끝 부분 참조.

제**3**장

선학들의 국어 때매김 연구

이 장에서는 주시경 선생으로부터 오늘에 이르기까지 중요한 문법 학자(최현배, 정인승, 이희승, 이숭녕, 허웅, 박지홍)들의 때매김에 대한 주장을 자세히 설명하고, 제4장에서는 글쓴이의 때매김에 대한 견해를 서술하고자 한다.

1. 주시경 선생의 때매김법

주시경 선생의『국어문법』61쪽에 따르면 다음과 같이 설명하고 있다.

1.1. 끗기의 때

1.1.1. 이때

그 남이(서술어)가 이때에 되어 가는 것.

(본) 말이 뛰오: '오'가 끗기니 그 남이 '뛰'가 이때에 되어 가는 것.
(본) 그 말이 검다: '다'가 끗기니 그 남이 '검'이 이때에 들어나아 가는 것.
(본) 이것이 먹이다: '이다'가 끗기니 그 남이 '먹'이 이때에 잇어 가는 것이라.

1.1.2. 간때

그 남이가 이때에 다 되어 있는 것과 되었다가 없어 진 것.

(본) 그 사람이 가앗다.

'앗다'가 끗기니 '앗'은 간때에 표라.
이는 그 남이가 '가'되어 그 '가'를 흠의 다 됨이 지금 저곳에 들어 나 있음을 보이는 것이라.

(본) 그 마당을 씰엇엇다.

'엇엇다'가 끗기니 '엇엇'은 간때에 표라. 이는 남이 '씰'이 다 되어 그 '씰'을 홈의 다 됨이 깨끗홈으로 잇다가 다시 더럽게 되어 '씰'을 홈의 들어남이 없어진 것이니 몬저 '엇'은 '씰'이 다 됨을 보임.

1.1.3. 올때

그 남이가 이담 때에 될 것.

(본) 비가 오겟다.: '겟다'가 끗기니 '겟'은 올때의 표라. 이는 그 남이 '오' 가 이담때에 될 것을 보이는 것이라.

(알이) 그 남이의 되고 못됨으로 말ᄒᆞ면 이때라 홈은 그 남이가 이때에 되어 가는 것이니 되는때라 홀 것이요, 간때라 홈의 '가앗다'라 ᄒᆞ 는 '앗'과 같은 것은 그 남이가 가다 맞아(완료하여)잇는 것이니 이 때맞음(현재완료)이라 하든지 맞아잇음(완료지속)이라 홀 것이요, '씰엇엇다'라 ᄒᆞ는 '엇엇'과 같은 것은 그 남이 '씰'이 다 맞아(완료 되여)잇다가 없어진 것이니 간때맞음(과거완료)이라 하든지 맞아지 남(완료과거)이라 홀 것이요, 올때라 홈의 '오겟다'라 홈에 '겟'과 같은 것은 그 남이 '오'가 이담때에 될 것이니 올때됨이라 홀 것이 라. 그러ᄒᆞ나 이는 '오'가 되리라고 뜻ᄒᆞ는 것이니 또한 거짓뜻ᄒᆞ 는때(가상때)라 홀 것이라.
"꽃이 되엇겟다" ᄒᆞ면 '엇겟'은 간때표 '엇'에 올때표 '겟'이 더한 것이니 '피'가 되엇다고 거짓 뜻홈이라. 이를 간올때(과거미래)라

ᄒ든지 거짓맞은 때(과거가상시제)1)라 홀 것이니 漢字로 譯ᄒ면 過去將來라 ᄒ든지 過去假想時라 홀 것이라.

[잡이] "그 사람이 가오" ᄒ면 '오'는 이때를 아우른 끗기니 이는 이러ᄒ게 물어 말홀 것이요, 때를 보이는 때가 따로 잇는 것은 끗기에 아우르어 한 끗기로 삼고 이를 풀 때에는 각각 말홀지니라.

지금 알아본 주시경 선생의 때매김을 요약해 보면, 다음과 같다.

```
           ┌─이때 (또는 되는 때) ──────────────────── ∅
단순때매김─┼─간때 (또는 이때맞음) ──────────────── 앗
           └─올때 (또는 올때됨)(거짓뜻ᄒ는때) ──────── 겠
           ┌─간때맞음(맞아지남) ──────────────── 엇엇
복합때매김─┤
           └─간올때 (거짓맞은때) ──────────────── 엇겠
```

간올때는 과거장래라 하든지 과거가상시를 뜻하는 말이다. 즉 '겠'은 가상 또는 추량(측)의 뜻을 나타내는 것으로 본 듯하다. 그런데 이때(현재시제)에는 어떤 형태소가 있는지 말하지 아니하고 비어 놓았다.

1.2. 움본언(매김꼴의 때매김법)

움몸(동사)을 '언몸(형용사)' 되게 하는 것.

---

1) 주시경 선생은 '거짓맞은때'를 '과거가상시'라 하였으나 그 용어로 보면 '가상완료시'로 보아야 할 것 같다.

가는: 움몸 '가'에 '는'을 더한 것이니 '는'은 이때를 아우르어 움몸 '가'를
　　　언몸이 되게 ㅎ는 것.

간: 움몸 '가'에 'ㄴ'을 더한 것이니 'ㄴ'은 간때를 아우르어 움몸 '가'를
　　언몸이 되게 하는 것.

갈: 움몸 '가'에 'ㄹ'을 더한 것이니 'ㄹ'은 올때를 아우르어 움몸 '가'가
　　언몸이 되게 ㅎ는 것.

가앗는: '가'에 맞아잇는(완료지속) 때로 '앗'을 더ㅎ고 이에 '는'을 더하여
　　　　언몸이 되게 ㅎ는 것.

씰엇엇는: '씰'에 맞아지난때(완료과거 또는 과거완료)로 '엇엇'을 더ㅎ고
　　　　　이에 '는'을 더하여 언몸이 되게 ㅎ는 것.

가겟는: '가'에 올때로 '겟'을 더ㅎ고 이에 '는'을 더ㅎ여 언몸이 되게 ㅎ는 것.

가던: '가'에 간때에 되는 것(과거회상)으로 '더'를 더ㅎ고 이에 'ㄴ'을 더
　　　ㅎ여 엇몸이 되게 ㅎ는 것.

가앗던: '가'에 맞아 있는 때로 '앗'을 더ㅎ고 이에 다시 간때에 되는 것으
　　　　로 '더'를 더ㅎ고 이에 'ㄴ'을 더ㅎ여 엇몸이 되게 ㅎ는 것이니
　　　　'맞아지난때'로 쓰는 것이라. 이러ㅎ으로 '씰엇엇는이라' ㅎ과 그
　　　　때가 한가지라.

가겟던: '가'에 올때로 '겟'을 더ㅎ고 이에 다시 간때에 되는 것으로 '더'를
　　　　더ㅎ고 이에 다시 'ㄴ'을 더ㅎ여 언몸이 되게 ㅎ 것이니 '가기로'
　　　　뜻ㅎ여 가는 것이 '지나아감' 곳맞아지남으로 쓰는 것이다.

(알이): '가랴'는 '랴'는 '겟'과 한가지나 '랴'는 '가기를' 뜻ㅎ 것이요, '겟
　　　　은' 가기로 '뎡ㅎ' 것이니 '가랴던'과 '가겟던'의 다름도 이를 밀어
　　　　알 것이라.

먹는: '가는'과 한가지니 이는 붙음소리의 알에든지 웃듬소리의 알에든지
　　　다 쓰는 것.

먹은: '은'은 '간'의 'ㄴ'과 한가지니 붙음소리의 말에 쓰는 것.

먹을: '을'은 '갈'의 'ㄹ'과 한가지니 붙음소리의 알에 쓰는 것.

위에서 본 주시경 선생의 설명을 요약하여 말하여 보면 다음과 같다.

1.2. 매김꼴의 때매김법

1.2.1. 단순때의 매김꼴

```
                   ┌ 이때 ─────────────────── 는
단순때의 매김꼴 ┤ 간때 ─────────────────── 은/ㄴ
                   └ 올때 ─────────────────── 을, 겠는
```

1.2.2. 복합때의 매김꼴

```
                  ┌ 완료지속 ─────────────── 앗는
                  ├ 과거완료 ─────────────── 었었는
복합때의 매김꼴 ┤ 완료 회상(과거회상) ─────── 앗던
                  └ 추량회상(미래회상) ─────── 겠던
```

지금까지 다룬 '끗기의 때'와 '움본언'에 의한 때매김을 종합하여 보면 주시경 선생은 시제와 시상을 구분하여 때매김에 대하여 설명한 것으로 보인다. 예를 들면, "그 마당을 씰엇엇다"에서 선생은 '-엇엇다'가 끗기니 '엇엇'은 간때의 보임이라. 이는 남이 '씰'이 다

되어 그 '씰'을 함의 다 됨이 깨끗함으로 잇다가 다시 더럽게 되어 '씰'을 함의 들어남이 없어진 것이니, 몬저 '-엇'은 '씰'이 다 됨을 보임이요, 알에 '엇'은 그것이 없어짐을 보이는 것이라 한 것에서 알 수 있다. 또 '-엇겟'을 과거가상사시라 한 것이라든가 '가앗다'의 때를 이때맞음(현재완료)이라고 한 것은 물론 '가앗던'의 설명에서 "'가'에 맞아있는때로 '앗'을 더하고 이에 다시 간때에 되는 것으로 '더'를 더하고 이에 'ㄴ'을 더하여 엇몸이 되게 하는 것이니 '맞아지 난때'로 쓰는 것이라. 이러함으로 '씰엇엇는이라' 함과 그 때가 한가 지라" 한 것을 보면 '앗'을 완료형태소로 본 것이니 선생은 1910년 대에 시제와 시상을 인식하였다고 볼 수 있다.

1.2.3. 잇기의 때

잇기(이음씨끝)의 때는 이때, 간때, 올때의 셋을 내세워 설명하였 는데, 올때 다음의 [잡이]에서 회상때김의 '더'에 대하여 설명하고 있는 것이 특이한데, [잡이]의 설명 내용으로 볼 때 '더'를 잇기로 본 듯하다.

1.3.3.1. 이때

(본) 가니, 가는데, 먹으니, 먹는데: 니와 으니와 는데는 다 이때의 잇기라.

1.3.3.2. 간때

(본) 가앗으니, 가앗는데, 먹엇으니, 먹엇는데: 앗으니와 앗는데와 엇으니

와 엇는데는 다 간때의 잇기니 앗이나 엇은 다 간때를 보이는 표라.

1.3.3.3. 올때

(본) 가겟으니, 가겟는데, 먹겟으니, 먹겟는데: 겟으니와 겟는데가 다 올때
의 잇기니 겟은 올 때를 보이는 표라.

[잡이] 니와 으니와 는데와 같은 잇기 들의 때를 밝게 다시 말ᄒ면
이때에 되는 것이요, 앗으니와 앗는데와 엇으니와 엇는데와 같은
잇기 들은 때를 밝게 다시 말ᄒ면 다 되어 잇는 것이요, 겟으니와
겟는데와 같은 잇기 들의 때를 다시 밝게 말ᄒ면 이담에 될 것이니
곳 되리라고 거짓 뜻ᄒ는 것이요, 가더니의 '더'는 지난때에 맞지
안이ᄒ 것이니 곳 지난때에 되어 가는 것이라.

위의 1), 2), 3)과 [잡이]에서의 설명을 보면 '이때'를 나타내는 형
태소는 인정하지 아니한 듯하니 그 증거로는 간때의 '앗/엇'은 간때
를 보이는 표라 하였고 또 올때의 '겟'은 올때를 보이는 표라 하였
다. 그런데 '더'의 경우도 보면 '표'라는 말을 하지 아니하였다. 사실
글쓴이도 작년부터 '더'는 때매김의 형태소로 볼 수 없지 않느냐 하
는 생각이 들었는데 그 까닭은 "아버지께서 서울 가시었겠더라"에
서 보면 맺음씨끝 바로 앞에 오는 것이 '더'이다. 그뿐 아니라 '더'는
지나간 일을 지금 회상하는 뜻이 있지, 지나간 시간을 회상하는 것
은 아니기 때문이다. 그런데 이때에 돌아가서 살펴보자. 선생은 이
때에 대한 '표'를 말하지 아니하고 있는데 이것을 묵시적으로 형태
소가 있다고 인정할 것이냐 아니냐가 문제 되는데, 최낙복 교수는

『주시경 문법의 연구(2)』의 75쪽에서 "이때의 (본)의 설명에서 {-니}와 {-으니}와 {-는데}는 다 '이때(현재)'의 '잇기'라 했으니 '이때'를 나타내는 '이끼'에서도 무형의 형태소 {-∅-}가 있음을 의식했다는 것을 알 수 있다. 즉 〈가니, 가는데, 먹으니, 먹는데〉가 이때를 나타내기 위해서 각각 〈가+{∅}+니, 가+{∅}+는데, 먹+{∅}으니, 먹+{∅}+는데〉의 구조로 되어 있다고 의식했던 것이다"라고 설명하고 있는데, 다음의 예를 보기로 하자.

(4) 그는 집에 간다.

(4)의 '간다'를 분석하여 보면 '가+ㄴ다'로 되는데 '가'와 'ㄴ' 사이에 무형의 형태소가 있다고 하면 'ㄴ'이 '가'와 결합할 수 있을까 하는 의문이 생기게 된다.

끝으로 '잇기의 때'에서는 복합때는 언급하고 있지 않다는 것만 덧붙여 둔다.

2. 최현배 선생의 때매김법

최현배 선생은 주시경 선생의 제자로서 그 말본 체계를 현대 과학적으로 확립한 학자이므로 주시경 선생 바로 다음에 다루게 된 것이다. 『우리말본』(1983년 열 번째 고친판) 443쪽에서 479쪽까지 자세히 설명되어 있는데 이를 요약하여 여기에 소개하기로 한다. 외솔은 때매김을 시제(tense)로 보고 있다.

2.1. 열두 가지 때매김(12시제)

2.1.1. 으뜸때(原時)

1) 이적(현재), 2) 지난적(과거), 3) 올적(미래)

2.1.2. 끝남때(완료시제)

1) 이적―이적끝남(현재완료)
2) 지난적―지난적끝남(과거완료)
3) 올적―올적끝남(미래완료)

2.1.3. 나아감때(진행시제)

1) 이적―이적나아감(현재진행)
2) 지난적―지난적나아감(과거진행)
3) 올적―올적나아감(미래진행)

2.1.4. 나아감끝남(진행완료시제)

1) 이적―이적나아감끝남(현재진행완료)
2) 지난적―지난적나아감끝남(과거진행완료)
3) 올적―올적나아감끝남(미래진행완료)

2.1.5. 바로때매김(직접시제)과 도로생각때매김(회상시제)

2.1.5.1. 바로때매김(직접시제)

말할이가 말하는 그 시점을 대종삼아서 그 말에 들어오는 움직임의 때를 매기는 것을 이룬다.

(예) 비가 온다. 비가 오았다. 비가 오겠다.

와 같은 것들이다.

2.1.5.2. 도로생각때매김(회상시제)

지난적에 겪은(경험한) 일을 도로생각하여(회상하여) 말할 때 쓰이는 때매김이니, 말할이가 말하는 그 시점을 대종삼지 아니하고, 지난적에 그 일을 겪던 그 시점을 대종을 삼아서 그 말에 들어오는 움직임의 때를 매기는 것이니라.

2.2. 베풂꼴의 때매김

2.2.1. 바로때매김

2.2.1.1. 베풂꼴의 이적

움직씨의 줄기에 씨끝 '다'가 붙는 것. 곧 움직씨의 으뜸꼴(原形)로써 나타내는 것.

(예) 가다, 오다, 끄다, 막다, 접다, 눕다.

외솔 선생은 이적의 형태소는 없는 것으로 다루었다. 이는 주시경 선생과 같이 본 듯하다. 그리고 설명을 덧붙이기를 "베풂꼴의 모든 씨끝은 '다'와 마찬가지로 '이적'의 때매김을 나타내는 것이 원칙일 것이다" 하고 다시 설명하기를 시킴꼴과 꾀임꼴도 '이적'으로 보아야 한다면서 물음꼴에 대하여는 아무런 설명이 없다.

2.2.1.2. 베풂꼴의 지난적

지난적때도움줄기 '았'이나 '었' 및 '였'을 더하여 만든다 하였다.

(예) 그는 제 아내를 <u>노려보았다</u>.

2.2.1.3. 베풂꼴의 올적

올적때도움줄기 '겠' 혹은 '리'를 더하고 다시 씨끝 '다' 혹은 '라'를 더하여 만든다 하였다.

(예) 나는 새벽 네 시 차로 <u>떠나겠다</u>.
　　　한 번 가면 다시 못 <u>오리라</u>.

2.2.1.4. 이적끝남(現在完了)

움직임이 이적에 막 끝나서 그 결과가 방금 들어나 있음을 보이는 때매김이니 그 꼴은 움직씨의 이적꼴에 마침의 때도움줄기 '았'이나 '었' 또는 '였'을 더하여 만드니라.

(예) 봄이 오니 푸성귀가 <u>나왔다</u>.
　　여보, 박(朴)님이 <u>성공하였소</u>.

외술의 이적끝남은 지난적과 그 형태가 같으므로 구별하기가 아주 어려워 보인다. 올적끝남의 [잡이]를 보면 이것은 어디까지나 시제로 보고 있음은 틀림없다고 보아진다.

2.2.1.5. 지난적끝남(過去完了)

지난적에 움직임이 막 끝나서 그 결과가 그때에 들어나 있었음을 보이는 때매김이니 지난적에 움직임을 마쳤기 때문에 시방은 그 결과가 들어나 있지 아니함이 예사이다. 지난적끝남은 지난적때도움줄기 '았'이나 '었' 또는 '였'을 더하여 만드니라.

(예) 그도 같이 갔었다.
　　그도 그때에는 동의하였었다.

2.2.1.6. 올적끝남(未來完了)

올적에 움직임이 막 끝나서 그 결과가 들어나 있겠음을 보이는 때매김이니 그 꼴은 움직씨의 이적끝남꼴에 올적때도움줄기 '겠'을 더하여 만든다.

(예) 그때에는 꽃이 다 <u>피었겠다</u>.

다음에 만날 때는 나도 어른이 <u>되었겠다</u>.

[잡이] 이런 따위의 보기에서는 '겠'을 미룸도움줄기의 뜻으로 보기 쉽지마는, 여기에는 그것이 아니라, 때도움줄기로 보는 것이다.

위의 [잡이]를 보면 외솔 선생은 완료도 시제로 보고 있음이 확실하다.

2.2.1.7. 이적나아감(現在進行)

그 움직임이 이적에 바야흐로 되어 가는 중에 있음을 보이는 것이니 이에는 두 가지 꼴이 있느니라.

첫째꼴: -고+있다

둘째꼴: -는/ㄴ다

(예) 두 청년이 <u>노래하고 있다</u>.

비가 <u>온다</u>.

어부가 고기를 <u>낚는다</u>.

2.2.1.8. 지난적나아감(過去進行)

움직임이 지난적에서 되어 가는 중에 있었음을 보이는 때매김이니 그 꼴은 움직씨의 이적나아감 첫째꼴에 지난적때도움줄기 '었'

을 더하여 만드니라.

(예) 그 여자는 그 아이를 <u>보고 있었다</u>.
　　　문수는 눈도 떠보지 않고 글만 <u>읽고 있었다</u>.

2.2.1.9. 올적나아감(未來進行)

때가 아직 오지는 아니하였지마는 오기만 하면 그때에 움직임이
되어 가는 가운데 있겠음을 보이는 때매김이니 그 꼴은 움직씨의
이적나아감 첫째 꼴에 올적때도움줄기 '겠'을 더하여 만드니라.

(예) 9시까지는 이 촛불이 <u>타고 있겠다</u>.
　　　그때에는 내가 해변에서 <u>놀고 있겠다</u>.

2.2.1.10. 이적나아감끝남(現在進行完了)

이어가던 움직임이 막 끝났음을 보이는 때매김이니 그 꼴은 이적
나아감 첫째꼴에 끝남때도움줄기 '었'을 더하여 만든다.

(예) 나는 여태까지 <u>자고 있었다</u>.
　　　저 사람은 저기서 밭을 <u>갈고 있었다</u>.

2.2.1.11. 지난적나아감끝남(過去進行完了)

이어가던 움직임이 지난적에 이미 끝났음을 보이는 때매김을 이

름이니 그 꼴은 이적나아감끝남꼴에 지난적때도움줄기 '었'을 더하
여 만든다.

(예) 그는 그때 여기서 흙을 <u>파고 있었었다</u>.

　　나는 이 학교에서 글을 <u>가르치고 있었었다</u>.

2.2.1.12. 올적나아감끝남(未來進行完了)

이어가던 움직임이 올적에 끝났음을 보이는 때매김이니 그 꼴은
이적나아감끝남꼴에 올적때도움줄기 '겠'을 더하여 만든다.

(예) 우리가 그 집을 들러서 오후 한시에나 오게 되면 자네는 여기서 우리
　　를 <u>기다리고 있었겠다</u>.

2.2.2. 도로생각때매김(回想時制)

지난적에 일어난 일을 도로생각할 적에 나타내는 때매김이니 바
로때매김의 꼴에 도로생각때도움줄기 '더'를 더하여 만든다. 이는
달리 경험때매김이라고도 한다. '더'는 마침법에서는 베풂꼴과 물
음꼴과만 어우르고 감목법에서는 매김꼴과만 어우르고 이음법에서
는 매는꼴, 풀이꼴과만 어우른다. 그리고 어우르는 꼴의 모든 씨끝
과 어우르지도 못하고 그 중 몇 개와만 어우른다.

(예) 그가 공부하더라. (베풂꼴)

　　그가 공부하더냐? (물음꼴)

책을 읽던 사람 (매김꼴)

그가 오더면 이리로 안내하여라. (매는꼴)

비가 오더니 꽃이 피었다. (풀이꼴)

2.2.3. 도로생각때매김의 보기

2.2.3.1. 도로생각때매김의 이적

(예) 그도 걱정하더라.

2.2.3.2. 도로생각때매김의 지난적

(예) 시골에는 벌써 벼가 피었더라.

2.2.3.3. 도로생각때매김의 올적

(예) 사흘만 있으면 꽃이 활짝 피겠더라.

2.2.3.4. 도로생각때매김의 이적끝남

(예) 내가 그 문안에 들어서니, 벌써 일곱 사람이나 왔더라.
벚꽃이 많이 피었더라.

여기서 보면 도로생각때의 지난적과 이적끝남이 그 형태가 같으니, 이는 곧 시제와 시상을 구분하지 아니한 것 같기도 하고 어쩌면

이적끝남을 인정한 것을 보면 시상도 전혀 인식하지 아니한 것은
아닌 듯이 보인다.

2.2.3.5. 도로생각때매김의 지난적끝남

(예) 두어 해 전에 내가 그 사람을 만나 보았을 적에, 그 사람이 벌써 학교
　　를 <u>마쳤었더라</u>.

2.2.3.6. 도로생각때매김의 올적끝남

(예) 5월 하순이면, 동소문 안의 앵도가 <u>익었겠더라</u>.
　　4월 20일 쯤이면 벚꽃이 활짝 <u>피었겠더라</u>.

2.2.3.7. 도로생각때매김의 이적나아감

(예) 그 사람이 <u>자고 있더라</u>.

2.2.3.8. 도로생각때매김의 지난적나아감

(예) 그 사람은 고기를 <u>잡고 있었더라</u>.

2.2.3.9. 도로생각때매김의 올적나아감

(예) 여섯 시에 가면 그이가 <u>자고 있겠더라</u>.
　　여름이 되면 그 시내에는 물이 <u>흐르고 있겠더라</u>.

2.2.3.10. 도로생각때매김의 이적나아가기끝남

(예) 그는 그때까지 <u>놀고 있었더라</u>.

　　오후 3시까지 <u>기다리고 있었더라</u>.

2.2.3.11. 도로생각때매김의 지난적나아가기끝남

(예) 그 뒤에 내가 그 사람을 만나보니 그는 그날 오전 9시까지 우리를

　　<u>기다리고 있었었더라</u>.

2.2.3.12. 도로생각때매김의 올적나아가기끝남

(예) 그때 생각에는 이 군이 삼월달까지는 <u>기다리고 있었겠더라</u>.

2.3. 매김꼴의 때매김

2.3.1. 바로때매김

2.3.1.1. 매김꼴의 이적

움직씨의 으뜸꼴의 씨줄기에 이적을 나타내는 매김꼴씨끝 '을'을
더하여 만든다.

(예) 해가 돋을 적에 왔습니다.

　　<u>떠날 적</u>에 또 찾아가겠습니다.

2.3.1.2. 매김꼴의 지난적

(예) 그건 내가 벌써 보았는 것이다.

죽었는 범을 살았는 줄로만 알았지오. (이상은 첫째꼴임)

밥을 먹은 사람은 어서 오시오.

죽은 범을 보고, 그렇게 놀랐더라오. (이상은 둘째꼴임)

위의 첫째꼴은 옛적법이요 둘째꼴은 사방 쓰이는 법이니 그 쓰이는 얼안이 넓으니라.

2.3.1.3. 매김꼴의 올적

첫째꼴: 내일이면 피겠는 꽃이 얼마 되지 못하오.

떨어지겠는 꽃이 왜 피었던가.

둘째꼴: 먹을 것과 입을 것이 없다.

나는 범을 잡을 터이다.

여기서 외솔 선생은 둘째꼴을 이적꼴과 같으나 그 뜻인즉 판연히 다르다고 하였다.

2.3.1.4. 매김꼴의 이적끝남

첫째꼴: 옷이 젖었는 걸요.

여러 번 읽었는 책도 다시 대하면 새 맛이 나오.

둘째꼴: 얻은 떡이 두레 반이다.

<u>업은</u> 아기 삼년 찾는다.

2.3.1.5. 매김꼴의 지난적끝남

첫째꼴: 이것이 본래 저기에 <u>붙었는</u> 것이라.

한번 <u>갔었는</u> 데를 또 간들 무슨 재미가 있으랴?

둘째꼴: 한번 <u>보았은</u> 구경이 또 왔다네.

나도 그때에는 그 이야기책을 열심히 읽었었다. 그러나 <u>읽었은</u> 책

이 시방은 다 어디로 가버렸는지 하나도 볼 수 없다.

그러나 이 지난적끝남꼴은 흔히 쓰지 아니하느니라.

2.3.1.6. 매김꼴의 올적끝남

첫째꼴: 오늘이면 다 <u>되었겠는</u> 일이 어째서 아직도 이 모양인가?

임 오실 적에 곱게 <u>피었겠는</u> 꽃은 매화뿐이라.

둘째꼴: 사흘 뒤에만 오면 이 벽이 다 <u>말랐을</u> 것이다.

당신이 이 다음에 올 적에는 꽃이 다 <u>피었을</u> 줄로 생각하오.

[잡이 1] 올적끝남꼴은 그 본대의 뜻으로 쓰기보다 차라리 끝남미
룸(완료추측)으로 쓰는 일이 많으니라.

첫째꼴: <u>이겼겠는</u> 사람은 둘뿐이다.

<u>피었겠는</u> 꽃이 아직도 이 모양인가?

둘째꼴: 하마 다 <u>피었을</u> 것이다.

꽃이 이미 <u>피었을</u> 줄로 생각한다.

[잡이 2] 위에서 풀이한 바와 같이 끝남때에는 다 각각 두 가지씩의 꼴이 있으나 그 사이에는 어떠한 구별이 있다고 꼭 말할 수 없는 것 같다.

2.3.1.7. 매김꼴의 이적나아감(現在進行)

첫째꼴: <u>놀고 있는</u> 사람이 무슨 별수가 있나?
둘째꼴: <u>보는</u> 사람마다 모두 애처로운 마음에 가슴이 쓰리었지요.
　　　　꿩 <u>잡는</u> 게 매라.

2.3.1.8. 매김꼴의 지난적나아감(過去進行)

첫째꼴: 내가 한참 동안은 거기서 <u>놀고 있었는</u> 일도 있었다.
둘째꼴: <u>구경하고 있은</u> 사람

[잡이] 매김꼴의 때매김의 지난적나아감은 잘 쓰이지 아니하고 그 대신에 도로생각때매김의 지난적나아감(-고 있었던)이나, 이적나아감(-고 있던)이나, 이적으뜸때(-던)를 쓰는 일이 일상 회화에 많으니라.

2.3.1.9. 매김꼴의 올적나아감(未來進行)

첫째꼴: 아홉 시까지 <u>보고 있겠는</u> 사람은 다 이리로 오시오.

둘째꼴: 언제까지나 <u>버티고 있을</u> 모양인가?

2.3.1.10. 매김꼴의 이적나아가기끝남(現在進行完了)

첫째꼴: 그 말을 <u>듣고 있었는</u> 사람이 어째 이 모양이니?
둘째꼴: <u>듣고 있은</u> 사람

2.3.1.11. 매김꼴의 지난적나아가기끝남(過去進行完了)

첫째꼴: 나도 한 동안은 글은 <u>가르치고 있었는</u> 사람이오.
둘째꼴: <u>보고 있었은</u> 사람

[잡이] 이 지난적나아감끝남꼴은 일반으로 잘 쓰이지 아니하느니라.

2.3.1.12. 매김꼴의 올적나아가기끝남

첫째꼴: 그때까지 <u>기다리고 있었겠는</u> 사람이 누가 있겠소?
둘째꼴: 그때까지 <u>기다리고 있었을</u> 사람이 누구란 말이오?

2.4. 다른 끝바꿈꼴(活用形)의 때매김

2.4.1. 물음꼴의 때매김

베풂꼴에 대하여는 이미 말하였고 시킴꼴과 꾀임꼴은 자체의 성
질상 때매김이 따로 있지 아니하고 때가 있다면 다만 다 올적에 붙

을 따름이다. 그리고 물음꼴만이 베풂꼴과 같은 때매김이 있느니라. 이에, 물음꼴의 때매김의 보기틀을 만들면, 다음과 같으니라.

2.4.1.1. 바로때매김

	씨몸	으뜸때	끝남때	나아감때	나아감끝남때
이적	자쫓주집	} 느냐	} 았 } 었 } 느냐	} 고 있느냐	} 고 있었느냐
지난적	자쫓주집	} 았 } 었 } 느냐	} 았었 } 었었 } 느냐	} 고 있었느냐	} 고 있었었느냐
올적	자쫓주집	} 겠느냐	} 았겠 } 었겠 } 느냐	} 고 있겠느냐	} 고 있었겠느냐

2.4.1.2. 도로생각

	씨몸	으뜸때	끝남때	나아감때	나아감끝남때
이적	자쫓주집	} 더냐	} 았더 } 었더 } 냐	} 고 있더냐	} 고 있었더냐
지난적	자쫓주집	} 았더 } 었더 } 냐	} 았었더 } 었었더 } 냐	} 고 있었더냐	} 고 있었었더냐
올적	자쫓주집	} 겠더냐	} 았겠더 } 었겠더 } 냐	} 고 있겠더냐	} 고 있었겠더냐

2.4.2. 감목법의 때매김

감목법 중 매김법은 이미 말하였고 어찌꼴은 때매김이 없음이 원칙이요, 이름꼴만이 바로때매김이 있느니라. 이제, 이름꼴의 때매김의 보기들을 만들면, 다음과 같으니라.

씨몸	으뜸때 1	으뜸때 2	끝남때 1	끝남때 2
이적 (자잡주출)	(ㅁ)음 (ㅁ)음	} 기	} 았 } 었 } 음	} 았 } 었 } 기
지난적 (자잡주출)	} 았 } 었 } 음	} 았 } 었 } 기	} 았었 } 었었 } 음	} 았었 } 었었 } 기
올적 (자잡주출)	} 겠음	} 겠기	} 았겠 } 었겠 } 음	} 았겠 } 었겠 } 기

씨몸	나아감때 1	나아감때 2	나아감끝남때 1	나아감끝남때 2
이적 (자잡주출)	} 고 있음	고 있기	} 고 있었음	고 있었기
지난적 (자잡주출)	} 고 있었음	고 있었기	} 고 있었었음	고 있었었기
올적 (자잡주출)	} 고 있겠음	고 있겠기	} 고 있었겠음	} 고 있었겠기

2.5. 이음법의 때매김

목적꼴, 뜻함꼴, 되풀이꼴, 잇달음꼴 밖의 모든 끝바꿈꼴, 곧 매는 꼴, 놓는꼴, 벌림꼴, 풀이꼴, 견줌꼴, 가림꼴, 그침꼴, 더보탬꼴, 더해 감꼴, 미침꼴에는 각각 때매김이 있느니라. 그 보기로 매는꼴(抱束 形)의 씨끝 '-니', '-면'을 들어서 때매김의 보기틀을 만들면, 다음과 같으니라.

2.5.1. 바로때매김

	씨몸	으뜸때	끝남때	나아감때	나아감끝남때
이적	자 잡 주 적	니(면) 으니(으면) 니(면) 으니(으면)	} 았 } 었 } 으니 (으면)	고 있으니 (고 있으면)	고 있었으니 (고 있었으면)
지난적	자 잡 주 적	} 았 } 었 } 으니 (으면)	} 았었 } 었었 } 으니 (으면)	고 있었으니 (고 있었으면)	고 있었었으니 (고 있었었으면)
올적	자 잡 주 적	} 겠으니 (겠으면)	} 았겠 } 었겠 } 으니 (으면)	고 있겠으니 (고 있겠으면)	고 있었겠으니 (고 있었겠으면)

2.5.2. 도로생각때매김

	씨몸	으뜸때	끝남때		나아감때	나아감끝남때
이적	자 잡 주 적	} 더니 (더면)	} 았더 } 었더	} 니 (면)	고 있더니 (고 있더면)	} 고 있었더니 (고 있었더면)
지난적	자 잡 주 적	} 았더 } 었더 } 니 (면)	} 았었더 } 었었더	} 니 (면)	고 있었더니 (고 있었더면)	} 고 있었었더니 (고 있었었더면)
올적	자 잡 주 적	} 겠더니 (겠더면)	} 았겠더 } 었겠더	} 니 (면)	고 있겠더니 (고 있겠더면)	} 고 있었겠더니 (고 있었겠더면)

[잡이] 이음법의 여러 꼴 가운데에, 1) 매는꼴(抱束形)의 씨끝 중 '면', '니'만은 도로생각때매김이 있지마는, 다른 것은 바로때매김만 있고, 도로생각때매김이 없으며, 2) 풀이꼴 '-니'는 도로생각때매김 (-더니)만이 있고, 바로때매김은 도모지 없으며, 3) 그 밖에 모든 이음법의 끝바꿈꼴(活用形)에는 도로생각때매김이 없느니라.

2.6. 그림씨의 때매김

그림씨의 때매김에 대하여는 편의를 위하여 간략하게 표로써 보이기로 한다.

2.6.1. 그림씨의 마침법의 베풂꼴의 때매김의 보기틀

때매김	씨몸	바로때매김 으뜸때	도로생각때매김 으뜸때
이적	차 높 효 크 적	} 다	} 더라
지난적	차 높 크 적	} 았다 } 었다	} 았더라 } 었더라
올적	차 높 크 적	} 겠다	} 겠더라

2.6.2. 그림씨의 매김꼴의 때매김

2.6.2.1. 그림씨의 매김꼴의 이적

첫째꼴: 하루도 <u>편안할</u> 날이 없었다.
둘째꼴: <u>높은</u> 산이 솟아 있소.

[잡이 1] 첫째 꼴과 둘째 꼴과의 다름은 대략 다음과 같다.

첫째 꼴은 변해가는 도중에 있는 성질을 순간적(瞬間的)으로 가리키는 것이니, 반드시 때에 관한 임자씨를 꾸밀 적에 쓰인다.

(1) 그가 날씨가 <u>더울 적</u>에 여기로 왔소.
   나는 <u>어릴 때</u> 일을 그만 잊어 버렸네.

(2) 사람은 <u>젊을 적</u>에 일을 해 놓아야 하오.
   음식이 <u>따뜻할 적</u>에 잡수시오.

위의 보기에서, (1)의 '더울', '어릴'은 지난적의 일을 현재적(現在的)으로, 순간적으로 가리키는 것이요, (2)의 '젊을', '따뜻할'은 이적의 일을 순간적으로 가리키는 것이다. 그리하여, 두 가지가 다 '이적(現在)'의 때매김을 나타내는 것이다.

둘째꼴은 이미 되어 있는 성질을 고정적(固定的)으로 가리키는 '이적'이니 주장으로 일몬(事物)을 꾸미는 경우에 쓰이며, 간혹 때에 관한 임자씨를 (固定的, 靜的으로) 꾸밀 적에도 쓰인다.

(1) <u>깊은</u> 바다를 건너고, <u>높은</u> 산을 넘어갔다.
   <u>부지런한</u> 사람은 큰 일을 이뤄 내는 법이오.

(2) 오늘은 <u>추운</u> 날이오.
   이 <u>어수선한</u> 시대에 나서, 뉘가 안락한 생을 누릴 수 있으랴?

위의 보기에서, (1)의 '깊은', '높은', '부지런한', '큰'은 일과 몬(物)의 성질을 나타낸 것이요, (2)의 '추운', '어수선한'은 때에 관한 임자씨의 성질을 기성적(旣成的)으로, 고정적으로 가리키는 것이다. 그리하여, (1)(2) 두 가지가 다 '이적 때매김'이 된다.

[잡이 2] 이제, 이 두 가지 꼴과 그 뒤에 오는 말과의 관계를 가지고 그 차이를 살펴보면, 대략 다음과 같다.

(1) 때에 관한 임자씨 앞에는 첫째 꼴과 둘째 꼴이 두루 쓰이되, 그 뜻이 각각 달라, 서로 아무렇게나 마구 바꾸지 못한다. 이를테면,

    (ㄱ)첫째꼴: …… "약이 <u>따뜻할</u> 적에 잡수시오."
                   "책값이 쌀 적에 샀다면 좋았을 것을."을
      둘째꼴: …… "약이 <u>따뜻한</u> 적에 잡수시오."
                   "책값이 싼 적에 샀다면 좋았을 것을."로

고치면, 그 뜻도 얼마큼 달라지거니와, 그 말이 보통으로 잘 쓰이지 아니하는 것이 되어 버린다. 다만 고식(古式, 옛재)의 말에서는 오늘의 첫째꼴 쓰는 것을 둘째꼴로 하는 일이 있나니

<u>어린</u> 적부터 길맛가지.
나는 <u>어린</u> 적 일을 잊었다.

와 같은 것이다. 또 뒤집은 보기로,

    (ㄴ)둘째꼴: …… "오늘은 <u>따뜻한</u> 날이오."
               "이 <u>어수선한</u> 시대에 나서, 뉘가 안락한 살이를 누릴 수

있으랴?"를

첫째꼴: …… "오늘은 <u>따뜻할</u> 날이오."

"이 <u>어수선할</u> 시대에 나서, 뉘가 안락……."으로

고쳐 놓으면, 도모지 쓰이지 아니하는 꼴이 되고 마나니 대체 그 말의 뜻이 순간적으로 가리킬 것이 아니기 때문이다(그러나, 이것이 만일 말이 된다면, 그것은 '이적'이 아니라 '올적'이 될 것이다).

(2) 일몬(事物)에 관한 임자씨 앞에는, 둘째꼴만 쓰이고, 첫째꼴은 도모지 쓰이지 아니하나니, 이는 대개 일몬의 성질은 순간적 현재로 가리킬 것이 아닌 때문이니라. 이를테면,

둘째꼴: …… "<u>밝은</u> 달이 높은 하늘에 떴다."를

첫째꼴: …… "<u>밝을</u> 달이 높을 하늘에 떴다."로

고치면, 도모지 쓰이지 아니하는 말씨가 되는 것과 같다.

[잡이 3] 나는 일찍 이 둘째꼴을 '이적 끝남'으로 풀어서 '을'과 '은'의 용법을 저 움직씨의 매김꼴 경우에서와 일치하게 한 일이 있었다. 그리하던 것을 이제 이와 같이 고쳐 풀이함은 다음의 까닭에 말미암은 것이다. 곧 우리가 이미 그림씨의 베풂꼴에 '끝남때'가 없음을 보아 알았다. 그러한데, 원래 때매김이 마침법의 베풂꼴보다 불완전한 감목법의 매김꼴에 '이적 끝남'이 있다 함은 너무도 억설(臆說)이 될 듯할 뿐 아니라, '높은', '깊은' 따위를 이적으로 풀이함이 일반의 언어 이론에 더 가까우며, 따라 깨치기에 더 쉬우리라고

생각하는 때문이다(뒷날의 깊은 연구의 나오기를 기다리고, 위선 이와 같이 하여 두노라).

2.6.2.2. 그림씨의 매김꼴의 지난적

(예) 그때는 아직 날이 <u>밝았을</u> 적이오.
　　　내가 <u>어렸을</u> 적에 가 본 일이 있소.

2.6.2.3. 그림씨의 매김꼴의 올적

(예) 때가 오면, <u>맑을</u> 황하수(黃河水)러냐?
　　　시간이 그렇게 <u>급할</u> 것인가?

와 같다. 그러나 이 올적꼴은 잘 쓰이지 아니하며 올적을 나타내려 면 도움움직씨 '지다'를 더하여 만듦이 예사이니라. 이를테면,

<u>맑아질</u> 황하수.
<u>희어질</u> 빨래.
<u>급해질</u> 사세(事勢).

의 밑줄과 같은 따위이다.

2.6.2.4. 그림씨의 매김꼴의 도로생각때매김

(1) 이적 '―던'

그 곳 경치가 퍽 좋던 걸.

물렁물렁하던 것이 어째서 이리 굳어 졌나?

깊이 든 잠 놀라 깨니, 꿈에 보던 고향 산천 간곳 없구나!

(2) 지난적 '—았던, —었던'

이게 그 때는 아주 좋았던 것이오.

그가 그 때는 배가 불렀던 게지.

아마 그가 퍽 기뻤던 게지요.

조고마한 촌락인 고향에서, 이름 모르는 꽃처럼, 피었다 쓰러지기에는, 우희(虞姬)는 너무도 아름다웠던 것이다.

(3) 올적 '-겠던'

그 때 보기에는 퍽 좋겠던 것이 왜 이 모양이 되었나?

나에게는 크겠던 신이 그만 줄어 들었소.

2.7. 그림씨의 다른 끝바꿈꼴 때매김

2.7.1. 그림씨 마침법의 물음꼴 때매김

때매김		바로때매김	도로생각때매김
	씨몸	으뜸때	으뜸때
이적	차 높 크 적	냐 으냐 냐 으냐	} 더냐
지난적	차 높 크 적	} 았 } 었 } 느냐	} 았더 } 었더 } 냐
올적	차 높 크 적	} 겠느냐	} 겠더냐

위에서 보는 바와 같이 그림씨의 마침법의 물음꼴의 때매김은 베풂꼴의 때매김과 별 다름이 없음에 유의하여야 한다.

2.7.2. 그림씨 감목법의 이름꼴 때매김

때매김		으뜸때	
	씨몸	1	2
이적	차 높 크 적	ㅁ 음 ㅁ 음	} 기
지난적	차 높 크 적	} 았 } 었 } 음	} 았 } 었 } 기
올적	차 높 크 적	} 겠음	} 겠기

감목법의 어찌꼴에는 때매김이 없고 이름꼴에는 도로생각때매김
이 없다. 이것은 움직씨의 이름꼴에 도로생각때매김이 없음과 같다.

2.7.3. 그림씨 이음법의 때매김

그림씨의 이음법의 1) 되풀이꼴, 2) 잇달음꼴, 3) 뜻함꼴에는 때매
김이 없고, 그 나머지 1) 메는꼴, 2) 놓은꼴, 3) 벌림꼴, 4) 풀이꼴,
5) 견줌꼴, 6) 가림꼴, 7) 그침꼴, 8) 더보탬꼴, 9) 더해감꼴, 10) 미침
꼴에는 모두 때매김이 있다.

그 본보기로 매는꼴(抱束形)의 씨끝 '-니', '-면'을 써서 바로때매
김과 도로생각때매김의 보기틀을 만들면 다음과 같다.

때매김		바로때매김	도로생각때매김
	씨몸	으뜸때	으뜸때
이적	차 높 크 적	니(면) 으니(으면) 니(면) 으니(으면)	} 더니 (더면)
지난적	차 높 크 적	} 았 } 었 } 으니 (으면)	} 았더 } 었더 } 니 (면)
올적	차 높 크 적	} 겠으니 (겠으면)	} 겠더니 (겠더면)

[잡이] 이음법의 여러 꼴 가운데에, (1) 매는꼴(抱束形)의 씨끝 중에
'니', '면' 둘만은 도로생각때매김이 있지마는 다른 것들은 바로때매
김만이 있을 뿐이요, 도로생각때매김은 없으며, (2) 풀이꼴 '-니'는

도로생각때매김만이 있고, 바로때매김은 도모지 없으며(211 눈 얼러 보라), (3) 그 밖의 모든 이음법의 끝바꿈꼴에는 도로생각때매김이 없느니라.

2.8. 잡음씨의 때매김

잡음씨의 때매김에는 다만 으뜸때 한 가지가 있을 뿐이다.

2.8.1. 잡음씨 베풂꼴의 이적

잡음씨의 베풂꼴의 이적은 줄기에 씨끝 '다'가 붙은 것 곧 으뜸꼴이 그 대표적인 것이다.

(예) 구름은 김으로 된 것<u>이다</u>.
　　 고래는 물고기가 <u>아니다</u>.

2.8.2. 잡음씨 베풂꼴의 지난적

(예) 옛날 옛적 호랑이 담배 먹을 적<u>이었다</u>.
　　 그럴 것이 <u>아니었다</u>.

2.8.3. 잡음씨 베풂꼴의 올적

(예) 내일은 말날(午日)<u>이겠다</u>.
　　 그것이 도리어 너의 이익<u>이리라</u>.

여기에서는 올적의 안맺음씨끝 '겠'과 '리'가 쓰인다.

2.8.4. 잡음씨 베풂꼴의 도로생각때매김

(예) 그 사람이 아주 천재<u>이더라</u>.

그도 젊었을 적에는 장사<u>이었더라</u> 하오.

그 이튿날은 청천<u>이겠더이다</u>.

※ 잡음씨의 마침법의 베풂꼴의 때매김 보기틀

으뜸때		씨몸	베풂꼴
이적	바로	(사람)이	다
	도로생각		더라
지난적	바로	(사람)이	었다
	도로생각		었더라
올적	바로	(사람)이	겠다
	도로생각		겠더라

2.9. 잡음씨 감목법의 매김꼴 때매김

2.9.1. 잡음씨 감목법의 매김꼴 이적때매김

(예) 첫째꼴: 내가 그 학교 교원일 적에 그를 알았소.

둘째꼴: 너는 내가 누구<u>인</u> 줄 알았더냐?

[잡이] 그림씨에서와 같이. 첫째 꼴은 주장으로 때에 관한 임자씨

앞에 쓰이어서, 순간적(瞬間的) 현재로 꾸미는 경우에 쓰이고 둘째
꼴은 기정한 사실을 고정적(固定的)으로 정적(靜的)으로 가리키는 것
이니, 주장으로 사실에 관한 임자씨 앞에 쓰이느니라.

2.9.2. 잡음씨 매김꼴의 지난적

잡음씨의 매김꼴의 지난적은, 그 '첫째 이적꼴'의 줄기와 씨끝 사
이에 지난적때도움줄기 '었'을 더하여 만드느니라.

"—었을" …… 내가 소학생<u>이었을</u> 적에 그 선생님께 배웠어요.

2.9.3. 잡음씨 매김꼴의 올적

잡음씨의 매김꼴의 올적은, 그 으뜸꼴의 줄기에 올적을 나타내는
매김꼴씨끝 'ㄹ'을 더하여 만드느니라. (그 꼴은 '첫째 이적꼴'과 한가
지로되, 그 뜻인즉 서로 다르니라.)

'—ㄹ' …… 파 내는 돌마다 금일 날이 있을가?

2.9.4. 잡음씨 매김꼴의 도로생각때매김

잡음씨의 매김꼴의 도로생각때매김은 도로생각때도움줄기 '더'
와 씨끝 'ㄴ'을 씨몸 뒤에 더하여 만들되, 1) 이적은 '던'만을 더하고,
2) 지난적은 '었던'을 더하고, 3) 올적은 '겠던'을 더하느니라.

- 이적: '-던' …… 그가 그 때 동래 부사(東來府使)이던 사람이오.
- 지난적: '-었던' …… 여태까지 대장격(大將格)이었던 그는 그만 비분 (悲憤)을 이기지 못하였다.
- 올적: '-겠던' …… 대장이겠던 아이가 졸개이요, 졸개이겠던 아이가 대장이오.

2.9.5. 잡음씨 매김꼴의 때매김 보기틀

잡음씨의 매김꼴의 때매김의 보기틀을 만들면 다음과 같으니라.

으뜸때		씨몸	매김꼴
이적	바로	(사람)이	ㄹ, ㄴ
	도로생각		던
지난적	바로	(사람)이	었을
	도로생각		었던
올적	바로	(사람)이	ㄹ
	도로생각		겠던

2.9.6. 잡음씨의 다른 끝바꿈꼴 때매김

2.9.6.1. 잡음씨 마임법의 물음꼴 때매김

잡음씨의 마침법의 물음꼴의 때매김은, 베풂꼴의 그것과 별 다름이 없느니라.

이제, 그 보기틀을 만들면, 다음과 같다.

으뜸때		씨몸	물음꼴
이적	바로	(사람)이	냐
	도로생각		더냐
지난적	바로	(사람)이	었느냐(었나)
	도로생각		었더냐
올적	바로	(사람)이	겠느냐(겠나)
	도로생각		겠더냐

2.9.6.2. 잡음씨 감목법의 이름꼴 때매김

잡음씨의 감목법의 어찌꼴에는 때매김이 없고, 이름꼴에는 바로 때매김만이 있느니라.

이름꼴의 때매김의 보기틀을 만들면 다음과 같다.

으뜸때	씨 몸	이름꼴
이적	(사람)이	{ ㅁ / 기
지난적	(사람)이	었 { 음 / 기
올적	(사람)이	겠 { 음 / 기

2.9.6.3. 잡음씨의 이음법의 잇달음꼴

잡음씨의 이음법의 잇달음꼴에는 때매김이 없고, 그 밖의 (1) 매는 꼴, (2) 놓는꼴, (3) 벌림꼴, (4) 풀이꼴, (5) 견줌꼴, (6) 가림꼴, (7) 그침꼴, (8) 더보탬꼴, (9) 더해감꼴에는 다 바로때매김만이 있고, 도로생각때매김은 없음이 원칙이니라.

그런데 매는꼴의 씨끝 '-니', '-면'들과 풀이꼴의 '-니'에만은 바로때매김뿐 아니라, 도로생각때매김도 있나니, 그 보기들은 다음과 같으니라.

때매김		씨몸	매는꼴		풀이꼴
이적	바로	(사람)이	니	면	니
	도로생각		더니	더면	더니
지난적	바로	(사람)이	었으니	었으면	었으니
	도로생각		었더니	었더면	었더니
올적	바로	(사람)이	겠으니	겠으면	겠으니
	도로생각		겠더니	겠더면	겠더니

3. 정인승 선생의 때매김법

정인승 선생의 때매김에 관하여는 『고등말본』(1956년 간행)에 설명되어 있는 것을 그대로 옮기기로 한다.

3.1. 움직씨의 때매김

움직씨에는 때의 어떠함을 나타내는 몇 가지 방식이 있으니, 이를 '때매김'(시제)이라 하는데, 움직씨로 때매김을 나타내는 방식은 1) 끝바꿈으로써 하는 것과 2) 도움줄기로써 하는 것과의 두 가지가 있다.

3.1.1. 끝바꿈으로의 때매김

움직씨의 매김꼴에서 본 바와 같이,

1) '이제'는 반드시 '는',　　　　(먹는, 보는)
2) '지난적'은 반드시 '(으)ㄴ',　　(먹은, 보니)
3) '도로생각'은 반드시 '던',　　　(먹던, 보던)
4) '올적'은 반드시 '(으)ㄹ',　　　(먹을, 보리)

로 되는 외에, 마침꼴이나 이음꼴에서도 대개 이에 가까운 모양의 소리 구별로 때매김을 나타내니, 1) '이제'는 '(느)ㄴ다, 는가, 느냐, 는구나, 네, 는지, 는지라, 는데, …'들과 같이, '느' 소리가 주로 쓰이고, 2) '지난적'은 '(으)ㄴ지라, (으)ㄴ바, …'들과 같이, '느' 소리를 쓰지 않고 '(으)ㄴ' 소리로 되며, 3) '도로생각'은 '더라, 더니라, 데, 더니, (으)ㅂ디다, (으)ㅂ딘다, 더면, 던들, …'들과 같이, '더' 소리가 주로 쓰이고, 4) '올적'은 '(으)리, (으)리라, (으)리다, (으)려면, (으)려니와, (으)ㄹ까, (으)ㄹ꼬, (으)ㄹ찌, (으)ㄹ찌라, (으)리까, (으)리이까, (으)리요, (으)랴, …'들과 같이, 'ㄹ' 소리가 주로 쓰인다.

3.1.2. 도움줄기로의 때매김

끝바꿈만으로는 때매김을 충분히 나타내기 어려우므로, 줄기에다가 도움줄기('았, 었, 겠' 들)를 더하여서, 끝바꿈과 아울러 여러 가지로 때를 나타낸다. 이에는 아래와 같은 다섯 가지의 형식이 있다.

1) 지난적: '었(았, 였, 랐, 렀, ㅆ)'을 씀.

먹었다, 보았다, 하였다, 몰랐다, 이르렀다, 갔다.

2) 지난적의 끝남(완료): '었(았, 였, 랐, 렀, ㅆ)었'을 씀.

먹었었다, 보았었다, 하였었다, 몰랐었다, 흘렀었다, 갔었다.

3) 지난적의 장차: '겠었'을 씀.

먹겠었다, 보겠었다.

4) 올적: '겠'을 씀.

먹겠다, 보겠다.

5) 올적의 끝남: '었(았, 였, 랐, 렀, ㅆ)겠'을 씀.

먹었겠다, 보았겠다, 하였겠다, 몰랐겠다, 흘렀겠다, 갔겠다.

끝바꿈이나 도움줄기로도 때를 충분히 나타내기 어려울 경우에는, 다른 낱말을 빌어서 쓰기도 한다. 가령, '하고 있다', '하는 중이다', '하고 났다', '하여 버렸다', '할 터이다', '할 것이다' 따위와 같다.

3.2. 그림씨의 때매김

그림씨에도 움직씨에서와 같이 때매김이 있는데, 그 형식은 또한 1) 끝바꿈으로써 하는 것과 2) 도움줄기로써 하는 것과의 두 가지가 있음이 움직씨와 같되, 두 가지에 다 이제를 나타내는 방식이 움직씨와 다르다.

3.2.1. 끝바꿈으로의 때매김

그림씨의 매김꼴

1) '이제'는 반드시 '(으)ㄴ',   (밝은, 희ㄴ)
2) '도로생각'은 반드시 '던',   (밝던, 희던)
3) '올적'은 반드시 '(으)ㄹ',   (밝을, 희ㄹ)

로 되는 외에, 마침꼴이나 이음꼴에서도 대개 이에 가까운 모양의 소리 구별로 때매김을 나타내니, 1) '이제'에는 'ㄴ' 소리를 전연 쓰지 않고, '(으)ㄴ' 소리로 되며, 2) '도로생각'에는 '더' 소리가 주로 쓰이고, 3) '올적'에는 'ㄹ' 소리가 주로 쓰인다.

3.2.2. 도움줄기로의 때매김

끝바꿈만으로는 때매김을 충분히 나타내기 어려우므로, 또한 움직씨에서와 같이, 줄기에다가 도움줄기('았, 었, 겠')를 더하여서, 끝바꿈과 아울러 여러 가지로 때를 나타낸다. 그 형식은 또한 움직씨에서와 같이 다음의 다섯 가지가 있다.

  1) 지난적: '았(었, 였, 랐, 렀, ㅆ)'을 씀.

밝았다, 희었다, 딱하였다, 달랐다, 글렀다, 비쌌다.

  2) 지난적의 끝남(완료): '았(었, 였, 랐, 렀, ㅆ)었'을 씀.

밝았었다, 희었었다, 딱하였었다, 달랐었다, 글렀었다, 비쌌었다.

  3) 지난적의 장차: '겠었'을 씀.

밝겠었다, 희겠었다.

  4) 올적: '겠'을 씀.

밝겠다, 희겠다.

  5) 올적의 끝남: '았(었, 였, 랐, 렀, ㅆ)겠'을 씀.

밝았겠다, 희었겠다, 딱하였겠다, 달랐겠다, 글렀겠다, 비쌌겠다.

3.3. 풀이토씨의 때매김

풀이토씨의 때매김은 그림씨의 것과 같다.

3.3.1. 끝바꿈으로의 때매김

풀이토씨의 매김꼴

1) '이제'는 반드시 'ㄴ',   (학생<u>인</u>)
2) '도로생각'은 반드시 '던',   (학생<u>이던</u>)
3) '올적'은 반드시 'ㄹ',   (학생<u>일</u>)

로 되는 외에, 마침꼴이나 이음꼴에서도 대개 이에 가까운 모양의 소리구별로 때매김을 나타내니, (그림씨와 같이) 1) '이제'에는 '느'소리를 전연 쓰지 않고, '(으)ㄴ' 소리로 되며, 2) '도로생각'에는 '더' 소리가 쓰이고, 3) '올적'에는 'ㄹ' 소리가 주로 쓰인다.

3.3.2. 도움줄기로의 때매김

끝바꿈만으로는 때매김을 충분히 나타내기 어려우므로, 또한 움직씨나 그림씨와 같이, 줄기('이')에다가 도움줄기(었, 겠)를 붙여, 끝바꿈과 아울러 여러 가지로 때를 나타낸다. 그 형식은 또한 움직씨나 그림씨에서와 같이, 다음의 다섯 가지가 있다.

1) 지난적: '었'을 씀.

학생이었다. 학자이었다.

2) 지난적의 끝남(완료): '았었'을 씀.

학생이었었다. 학자이었었다.

3) 지난적의 장차: '겠었'을 씀.

학생이겠었다. 학자이겠었다.

4) 올적: '겠'을 씀.

학생이겠다. 학자이겠다.

5) 올적의 끝남: '었겠'을 씀.

학생이었겠다. 학자이었겠다.

정인승 선생도 때매김을 '시제'로 보고 다루었는데, 최현배 선생과 다른 점은 '지난적의 장차'를 인정하여 '학생이겠었다', '밝겠었다', '먹겠었다' 등의 예를 보인 것이 특이하다. 그리고 교과서만으로 보면 12시제를 다 인정하지 않은 것으로 보이나, 『표준고등말본 교사용 지침서』의 42쪽에 보면 '먹었었던', '먹겠었던' 등으로 미루어 볼 때 현실적으로 언중이 쓰는 데 바탕을 둔 시제 체계로 다루어진 것은 아닐까 하고 추정해 본다.

4. 이희승 선생의 때매김법

이희승 선생의 때매김법에 관하여도 『새고등말본』에 설명되어
있는 것을 그대로 옮기기로 하겠다.

4.1. 동사의 시제

(1) 아기가 지금 젖을 <u>먹는다</u>.
　　은순이는 시방 학교에 <u>간다</u>.

이 예의 '먹는다, 가ㄴ다'는 당장 행하는 동작이나 작용을 나타내
는 말이니, 이와 같이 시방 당장 행하는 것을 현재(現在)라 이른다.

(2) 아기가 어저께 과자를 <u>먹었다</u>.
　　은순이는 아까 학교에 <u>갔</u>(=가았)<u>다</u>.

이 예의 '먹었다, 가ㅆ다(=가았다)'는 어저께 또는 아까 행한 동작
이나 작금을 나타내는 말이니, 이와 같이 이미 행하여 지난 것을
과거(過去)라 이른다.
　　과거를 나타내기 위해서는, 어간에 '었'이나 '았'이나 혹은 'ㅆ'을
붙여서 쓴다.

(3) 복동이가 어렸을 적에 젖을 <u>먹었었다</u>.
　　바위는 전에 학교에 <u>다녔</u>(=니었)<u>었다</u>.

이 예의 '먹었었다, 다녔(=니었)었다'는 퍽 오랜 전에 행하였든 동작이나 작용을 나타내는 말이니, 이와 같이 그전 어느 때에 행하였든 것을 대과거(大過去)라 이른다.

대과거를 표시(表示=나타내)하기 위하여는, 어간에 '었었'이나 '았었'이나 혹은 'ㅆ었'을 붙여서 쓴다.

　(4) 아기가 있다가, 또 젖을 <u>먹겠다</u>.
　　　은순이는 내일도 학교에 <u>가겠다</u>.

이 예의 '먹겠다, 가겠다'는 이 다음에 행할 동작이나 작용을 나타내는 말이니, 이와 같이 앞으로 장차 행할 것을 미래(未來)라 이른다. 미래를 표시하기 위하여는, 어간에 '겠'을 붙여서 쓴다.

이상(以上)과 같이, 말을 하는 데 있어서 현재·과거·대과거·미래를 구별(區別)하는 법을 시제(時制)라 일컫는다.

시제를 나타내기 위하여 '었(았)·었(았)었·겠' 등을 어간에 붙이면, 그것이 다시 한 덩어리의 어간이 되어 활용한다.

먹+다		먹+었+다		먹+었었 +다		먹+겠+다	
먹	어야 으면 고 더니 지	먹었	어야 으면 고 더니 지	먹었었	어야 으면 고 더니 지	먹겠	어야 으면 고 더니 지

〈주의〉 ☐ 표 안에 든 것이 어간이다.

이 '었(았)·었(았)었·겠'과 같이 어떠한 어간에 붙어서, 그 어간으로 더불어 다시 한 덩어리의 어간이 되는 말을 보조어간(補助語幹)이라 이른다.

현재를 나타내는 동사에는 보조어간이 쓰이지 않고, 어간에 어미만 붙어서 현재를 표시하게 된다.

그리고 어미 '다'가 붙을 경우에는 그 '다' 대신에 '는다'(받침을 가진 어간 아래에) 또는 'ㄴ다'(모음으로 끝난 어간 아래에)가 붙어서 현재를 표시하게 된다.

만일, 어간에 '다'만 붙이면, 이것은 동사의 기본형(基本形)을 나타내는 동시에, 시제는 표시되지 않아서, 현재도 과거도 대과거도 미래도 되지 못하고, 다만 동사라는 것만을 나타내게 된다. 그러므로 이 기본형과 구별하기 위하여 현재에는 특별히 '는다' 또는 'ㄴ다'라는 어미를 붙여서 시제를 확실히 표시한다.

먹 다	개 다	(동사의 기본형)
먹 는다	개 ㄴ다	(동사의 현재)
먹 었 다	개 았 다	(동사의 과거)
먹 었었 다	개 았었 다	(동사의 대과거)
먹 겠 다	개 겠 다	(동사의 미래)

〈주의〉 '는다'와 'ㄴ다'는 동사의 시제 현재에만 쓰이는 특별한 어미이다.

위에서 말한 시제는 동사를 서술어로 쓸 경우의 것이다. 동사를 수식으로 쓸 때에는, 그 시제를 어미로써 표시하고, 보조 어간은 쓰이지 않는다.

$$
먹 \begin{cases} 는 & \cdots\cdots 밥 \\ 을 & \cdots\cdots 밥 \\ 은 & \cdots\cdots 밥 \\ 든 & \cdots\cdots 밥 \end{cases} 가 \begin{cases} 는 & \cdots\cdots 사람 \quad (현재) \\ ㄹ & \cdots\cdots 사람 \quad (미래) \\ ㄴ & \cdots\cdots 사람 \quad (과거) \\ 든 & \cdots\cdots 사람 \quad (과거미완) \end{cases}
$$

이 '는·을(ㄹ)·은(ㄴ)·든'은 관형사형 전성어미들이다.

그리고 이 관형사형 어미에는 대과거가 없고, 그 대신으로 과거미완(過去未完)의 시제가 있다. '가든 길·먹든 밥'이라 하면, '간다·먹는다'라는 행동이 지나간 과거의 일인 동시에, '못 다 간 길·못 다 먹은 밥'으로서, 아직 미진한 일이 남은 것이다. 이 미진한 것이 곧 미완이므로, 이것을 과거미완이라 이른다.

4.2. 형용사의 시제

형용사에도 시제가 쓰이는 일이 있다.

종결어미가 붙을 경우

1) 현재
얼굴이 붉다.
옷이 희다.

2) 과거
부끄러워서 얼굴이 잠간 붉었다.
이 옷은 빛이 희었다.

3) 대과거

그 사람도 젊었을 시절에는 얼굴이 붉었었다.

이 옷을 처음 입을 제는 빛이 희었었다.

4) 미래

술을 먹으면, 얼굴이 붉겠다.

이 옷을 잘 빨면, 빛이 희겠지.

관형사형 전성어미가 붙을 경우

1) 현재

붉은 얼굴, 희느 옷.

2) 과거

붉든 얼굴, 희든 옷.

3) 미래

붉을 얼굴, 희르 옷.

〈주의〉 어미 '은(ㄴ)'이 동사에 쓰이면 과거가 되지마는, 형용사에 쓰이면
　　　　현재가 된다. 그리고 어미 '든'이 동사에 쓰일 경우에는 과거미완이
　　　　되지마는, 형용사에 쓰일 경우에는 과거가 된다.

이것을 간단히 표로 보이면 다음과 같다.

1) 종결어미가 붙을 경우

현재	과거	대과거	미래
붉다	붉었다	붉었었다	붉겠다
희다	희었다	희었었다	희겠다

2) 관형사형 전성어미가 붙을 경우

현재	과거	미래
붉은	붉든	붉을
희ㄴ	희든	희ㄹ

이 표를 보면, 1) 종결어미가 붙을 경우에는, 과거는 보조어간 '었 (혹은 았)'이, 미래는 보조어간 '겠'이 각각 어간과 어미 새에 들어간 다. 그리고 현재를 표시할 경우에는 보조어간은 쓰이지 않고 어미 만 붙는다.

    어간 + 어미 ·················· 현재.   예: 붉다
    어간 + 었 + 어미 ············· 과거.   예: 붉었다
    어간 + 었 +었 + 어미 ········· 대과거.   예: 붉었었다
    어간 + 겠 + 어미 ·············· 미래.   예: 붉겠다

2) 관형사형 전성어미가 붙을 경우에는, 보조어간은 쓰이지 않고 현재 어미 '은(혹은 ㄴ)', 과거 어미 '든', 미래 어미 '을(혹은 ㄹ)'이 각각 쓰인다.

    어간 + 어미 (은 혹은 ㄴ) ······ 현재.   예: 붉은, 희ㄴ
    어간 + 어미 (든) ················ 과거.   예: 붉든, 희든
    어간 + 어미 (을 혹은 ㄹ) ······ 미래.   예: 붉을, 희ㄹ

형용사의 시제는 동사의 경우보다 그 쓰이는 범위(範圍)가 좁아서, 매우 간단하다.

4.3. 존재사의 시제

존재사에도 시제가 쓰인다.

1) 종결어미가 붙을 경우

현재	있다 없다 계시다 안계시다	있느냐 없느냐 계시(느)냐 안계시(느)냐	있구나 없구나 계시구나 안계시구나
과거	있었다 없었다 계시었다 안계시었다	있었느냐 없었느냐 계시었느냐 안계시었느냐	있었구나 없었구나 계시었구나 안계시었구나
미래	있겠다 없겠다 계시겠다 안계시겠다	있겠느냐 없겠느냐 계시겠느냐 안계시겠느냐	있겠구나 없겠구나 계시겠구나 안계시겠구나

2) 연결어미가 붙을 경우

현재	있으면 없으면 계시면 안계시면	있는데 없는데 계시ㄴ데 안계시ㄴ데	있고 없고 계시고 안계시고
과거	있었으면 없었으면 계시었으면 안계시었으면	있었는데 없었는데 계시었는데 안계시었는데	있었고 없었고 계시었고 안계시었고
미래	있겠으면 없겠으면 계시겠으면 안계시겠으며	있겠는데 없겠는데 계시겠는데 안계시겠는데	있겠고 없겠고 계시겠고 안계시겠고

3) 관형사형 전성어미가 붙을 경우

현재	있는	없는	계시ㄴ(는)	안계시ㄴ(는)
과거	있든	없든	계시든	안계시든
미래	있을	없을	계시ㄹ	안계시ㄹ

이 표들을 보면, 1) 종결어미와 연결어미가 붙을 경우에는, 과거는 보조어간 '었', 미래는 보조어간 '겠'이 각 어간과 어미 새에 들어간다.

그리고 현재를 표시할 경우에는, 보조어간은 없고 어미만 붙는다.

|어간| + 어미 ·························· 현재.   예: 있다, 없으면

|어간 + 었| + 어미 ················ 과거.   예: 있었다, 없었으면

|어간 + 겠| + 어미 ················ 미래.   예: 있겠다, 없겠으면

2) 관형사형 전성어미가 붙을 경우에는, 보조어간은 쓰이지 않고, 현재 어미 'ㄴ(혹은 는)'과 과거 어미 '든'과, 미래 어미 'ㄹ(혹은 을)'이 각각 어간에 붙는다.

|어간| + 어미 (ㄴ 혹은 는) ··· 현재.   예: 있는, 계시ㄴ(는)

|어간| + 어미 (든) ············· 과거.   예: 있든, 계시든

|어간| + 어미 (ㄹ 혹은 을) ··· 미래.   예: 있을, 계시ㄹ

3) 존재사에는 대과거시제 '있었었다', '없었었다'는 쓰이지 않는 것이 보통이다. (만일, 이러한 시제를 세워 놓은 문법이 있다면, 그것은 이론(理論)에 지나치는 것이요, 언어현실(言語現實)에는 볼 수 없는 일이다.)

존재사의 시제는 동사의 경우보다 간단하나, 형용사의 경우보다
는 좀 복잡하다.

5. 이숭녕 선생의 때매김법

이숭녕 선생의 때매김법도 『고등국어문법』에 설명되어 있는 것
을 그대로 옮겨 싣기로 한다.

5.1. 동사의 시제

행동에는 시간이 겹쳐 있다. 어느 때 그 행동이 움직이고 있는가에서
시제(時制)라는 것이 문제가 되는 것이다. 시제에는 다음과 같은 것
이 있다.

① 현재(現在) ………… 먹-는-다

② 과거(過去) ………… 먹-었-다

③ 대과거(大過去) …… 먹-었-었-다

④ 미래(未來) ………… 먹-겠-다

동사의 현재는 '어간+-ㄴ-다', '어간+-는-다'의 형성(形成)이어서,
어미로서는 '-ㄴ-', '-는'에 달린 것이다.

나는 밥을 먹는다 ………… 먹-는-다

나는 물을 버린다 ………… 버리-ㄴ-다

물론 이것은 어간말음이 자음이냐(먹-는다), 모음이냐(버리-ㄴ다)
에 따라 결정되는 것이다.

과거형은 '어간+았(었)다'의 연결로서 '어간+-아(어)-ㅆ-다'의 형성
이고, '-아, -어-'의 구별은 오직 모음조화 규칙에 의한다.

가+았다 〉 갔다 ('아+았'의 준 것)
먹+었다 〉 먹었다

대과거(大過去)는 과거보다 한 걸음 전에 다 끝난 행동을 말한다.
'어간+-았(었)-었-다'의 형성이다.

받-았-었-다 〉 받았었다
가-았-었-다 〉 갔었다
먹-었-었-다 〉 먹었었다

미래는 '어간+-겠-다'의 형성이다.

받-겠-다 〉 받겠다('받것다' …… 짐작)
가-겠-다 〉 가겠다('가것다' …… 짐작)
먹-겠-다 〉 먹겠다('먹것다' …… 짐작)

이것은 또한 짐작을 뜻하기도 한다. 미래와 짐작의 사이에 형태
상 구별이 없어지고 있다.

그러므로 과거의 일을 확실히 모르고 대체로 짐작하는데 쓰이는 동
사의 형태는 다음과 같이 된다.

받-았-겠-다 〉 받았겠다
먹-었-겠-다 〉 먹었겠다

그러므로 '았, 었'은 과거의 뜻을 나타내고, '겠'은 행동의 짐작,
또는 미래의 행동을 뜻하는 어미다.

이러한 시제에 따라 활용을 다음과 같이 나눈다.

1) 과거형

먹-었-	먹-었-으며	먹-었-는데
	먹-었-는데	먹-었-거든
	먹-었-어도	먹-었-기, 먹-었-음
	먹-었-느냐?	

2) 대과거형

먹-었-었-	먹-었-었-다	먹-었-었-는지
	먹-었-었-고	먹-었-었-거든
	먹-었-었-지	먹-었-었-기
	먹-었-었-는데	

3) 미래형

먹-겠-	먹-겠-으며	먹-겠-는지
	먹-겠-는데	먹-겠-던
	먹-겠-어도	먹-겠-음, 먹-겠-지
	먹-겠-으나	

시제에서 본 관형사형 어미는 특히 주의할 만하기에 다음에 예시해 둔다.

(현재)	(미래)	(과거)	(불완전과거) (不完全過去)
먹-는 밥	먹-을 밥	먹-은 밥	먹-던 밥
오-는 기차	올- 사람 (오-ㄹ)	온- 사람 (오-ㄴ)	오-던 사람

여기서 '불완전과거(不完全過去)'라 함은 과거에서 행동이 끝을 맺지 못하고 중간에 그만둔 것을 그리 말한다.

그 밥은 아까 내가 먹던 것이다.
그것은 내가 먹던 밥이다(밥이 아직 얼마 쯤 남아 있다고 본다).

이상에서 보면 이숭녕 신생의 때매김 체계는 이희승 선생의 체계를 그대로 따르고 있음을 알 수 있다.

6. 허웅 선생의 때매김법

허웅 선생은 앞에서 말한 다른 선생과는 달리 때매김법을 시제냐 시상이냐를 구별하여 밝히지 않고 그대로 '때매김법'이라고 하였는데, 이것은 아마 우리말의 때매김법이 시제와 시상의 양자적 성격을 띠고 있어서 그 어느 한쪽으로 단정 짓기 어려운 데서 그렇게 처리한 것 같이 생각된다.[2] 허웅 선생은 "때의 흐름을 나타내는 방법에는 적극적인 방법과 소극적인 방법의 둘이 있다하고 전자에는 안맺음씨끝과 매김법의 맺음씨끝 '-는', '-은', '-을'과 같은 것이 있다 하고 후자에는 '-는다/ㄴ다/다/라'와 같은 맺음씨끝에 의한 것이 있다" 하였다.[3] 그리고 때매김법을 다음과 같이 나누어서 설명하였다.

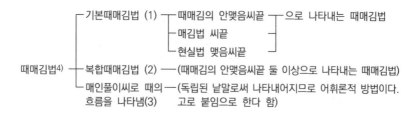

6.1. 기본(단순) 때매김법

〈기본 때매김법의 체계〉 기본 때매김법은, 때매김의 안맺음씨끝 하나만으로, 매김의 맺음씨끝으로, 또는 현실과 미정(추정)을 나타내는 맺음씨끝으로 때의 흐름을 나타내는 방법이다.

때매김을 나타내는 안맺음씨끝: '-었-', '-겠-', '-더-', '-으리-'
매김의 맺음씨끝: '-는', '-은', '-을'
현실을 나타내는 맺음씨끝: '-는다/ㄴ다/다/라', '-느냐', '-습니다', '-습
　　　　　　　　　　　　니까'…

2) 허웅(1995), 『20세기 우리말의 형태론』, 샘문화사, 1079~1228쪽 참조.
3) 위의 책, 1080쪽 참조.
4) 위의 책, 1081쪽 참조.

미정을 나타내는 맺음씨끝: '-을래', '-을라', '-을러라', '-을걸', '-을까', '-을지'…

```
현실성 ┬ 있음 ─────────────── 현실법 ─(때매김의 안맺음씨끝이 없음.
      │                            (1-1)   다만 맺음씨끝으로나 매김씨끝의
      │                                    '-는'으로 나타냄)
      └ 없음 ─ 회상성 ┬ 있음 ─────── 회상법 ─('-더-')
                     │              (1-4)
                     └ 없음 ─ 완결성 ┬ 있음 ─ 완결법 ─('-았-/-었', '-은')
                                    │         (1-2)
                                    └ 없음 ─ 추정법 ─('-겠-', '-으리', '-을')
                                              (1-3)
```

6.1.1. 현실법

여기에는 의향법의 씨끝 중 서술법의 씨끝, 물음법의 씨끝, 매김법 씨끝('-는', '-은') 등이 속한다.

6.1.2. 완결법

'-았-/-었-'에 의하여 서술법, 물음법, 시킴법, 꾀임법, 및 두 자격법 등에 쓰이어 완결의 뜻을 나타내고 '-았었-'에 의하여 서술법, 물음법, 두 자격법 등에 쓰이어 완결의 뜻을 나타내기도 한다. 그리고 '-었댔-'에 의하여 서술법, 물음법 등에 쓰이어 완결의 뜻을 나타내기도 한다. 또 매김법의 씨끝 '-은'에 의하여 완결(또는 지속)의 때매김을 나타내는데, 이는 안은마디의 풀이씨의 때를 기준으로 하여 완결되고 때로는 그 결과가 지속됨을 나타낸다.

6.1.3. 추정법

이 법은 '-겠-', '-으리-'와 맺음씨끝의 '-을'과, '-을'과 '-으리-'가 맺음씨끝에 녹아 붙어 만들어진 복합맺음씨끝으로 나타난다. 예를 들면 서술법의 '-을래, -을란다, -을이꺼나, -을라, -을러라/을레라, -을래, -을세라, -으렸다, -으려니, -을걸, -을세, -을래요, -을걸요' 등과 물음법의 '-을런가/을런고, -을까/을꼬, -을지, -을런지/-을는지, -으랴, -을래, -을까요, -을지요, -을지요/을는지요' 등과, 이음법씨끝과의 어울림 등이다. 그리고 매김법의 '-을'도 이에 속한다.

6.1.4. 회상법

6.1.4.1. 한자격법

한자격법에

1) 의향-서술법 맺음씨끝과 어울림

이에 대한 씨끝만 여기에 소개하면 다음과 같다. '-더라, -더니라, -더니, -데, -더라네, -더라니까, -더라나, -더라고, -더구나/더군, -더구려, -더구료, -더구먼, -더라니, -던데, -던지, -던걸, -더라오, -데요, -더라니까요, -더라나요, -더라고요, -더군요, -더구먼요, -더라니오, -던데요, -던걸요, -더이다/데다/디다' 등이다.

2) 의향-물음법 맺음씨끝과의 어울림

'-더냐, -더뇨, -던가, -던고, -던지, -던감, -데/디, -더라, -더란, -더라고, -더라며, -더라면서, -더라니, -더라지, -더냐고, -더냐니까, -던가요' 등을 예로 보이고 다시 그 밖에 '-던지요, -던데(도)요, -더라고요, -더라며요, -더라면서요, -더라니요, -더라지요, -더냐고요, -더냐니까요, -더이까, -읍데까/읍디까' 등을 더 예시하였다.

3) 이음법 맺음씨끝과 어울림

'-더라면(마땅함), -더면(마땅함), -던데도(뒤집음), -던들/런들(뒤집음), -던데(풀이), -던바(풀이), -던지(풀이)' 등이 있다고 예시하였다.

6.1.4.2. 두자격법에 '-던'

이 '-던'은 움직씨, 그림씨, 잡음씨에 쓰인다고 하면서 많은 예를 들고 있다(1193~1196쪽 참조).

6.1.5. 복합때매김법

복합때매김법의 체계를 보면 다음과 같다.

1) 완결법 + 추정법   2) 추정법 + 회상법
3) 완결법 + 회상법   4) 완결법 + 추정법 + 회상법

위의 체계에 따라 1)~4)를 차례로 그 표현 방식을 허웅 교수의 저서에 따라 알아보면 다음과 같다.

6.1.5.1. 완결추정법의 네 가지 표현 방식

'「-었-」과 「-었었-」과 추정을 나타내는 한자격법의 맺음씨끝과의 겹침으로'의 보기, 즉 먼저 '-었을라, -었으렷다, -었으려니, -었을런가, -었을까(요), -었을지요, -었을런지/었을는지(요), -었으랴, -었으려니와' 등을 예시하고 다시 〈서술법의 맺음씨끝과 어울림〉의 보기로 '-었겠다, -었겠느니라/나니라, -었겠네(요), -었겠어(요), -었겠지(요), -었겠거니, -었겠구나/군(요), -었겠구려/구료, -었겠구먼/만(요), -었겠도다, -었겠는데(요), -었겠는걸(요), -었겠소, -었겠습니다, -었겠나이다' 등을 들고 있다. 그리고 〈'-었겠-'과 '-었었겠-'이 서술법의 맺음씨끝과 어울림〉 예를 다음과 같이 들고 있다. '-었겠다, -었겠느니라/나니라, -었겠네(요), -었겠어(요), -었겠지(요), -었겠거니, -었겠구나/군(요), -었겠구려/구료, -었겠구먼/만(요), -었겠도다, -었겠는데(요), -었겠는걸(요), -었겠소, -었겠습니다, -었겠나이다' 등과 〈물음법의 맺음씨끝과 어울림〉의 보기로 '-었겠느냐, -었겠는가, -었겠나(요), -었겠니, -었겠어(요), -었겠지(요), …' 등을 보이고 〈이음법의 맺음씨끝과 어울림〉의 보기로 '-었겠으니(까)(마땅함), -었겠으므로, -었겠으매, -었겠은즉, -었겠기에, -었겠지마는(뒤집음), -었겠지마는, -었겠는데도, -었겠으니, -었겠고(벌임), -었겠으며' 등의 예를 들고 있다.

또 〈두자격법 씨끝과 어울림〉의 예로서 '-었으리라, -었으리다, -었으리, -었으리로다, -었으리요(물음), -었으리라고(요)(물음), -

었으리니(마땅함)' 이외에 '-었을'과 '-었었을'에 의한 예도 많이 들고 있다.

6.1.5.2. 추정회상법

여기서는 '-겠더'와 〈한자격법 맺음씨끝의 어울림〉의 보기를 먼저 들고 있는데 다음과 같다. 즉 '-겠더라, -겠더니라, -겠던걸(요), -겠데(요), -겠더라니, -겠더라니까, -겠더래(요), -겠더구나/군(요), -겠더랍니다, -겠더랍디다, -겠더이다, -겠더냐, -겠던가, -겠던(물음), -겠던고, -겠더래(요)(물음), -겠더랍니까, -겠더랍디까, -겠더이까, -겠더라도, -겠더라면' 등의 예를 들고 이어 '-겠던'에 의한 보기를 들고 추정회상법은 끝을 맺고 있다.

6.1.5.3. 완결회상법

여기서는 '-었더-'와 '-었었더-'의 예를 먼저 들고 있는데 그것을 보이면 다음과 같다. 먼저 〈서술〉 부문에서는 '-었더라, 었더니라, -었더구나/었더군(요), -었더구려/었더구먼(만), -었더라니까, -었더랍니다, -었더랍디다, -었더래(요), -었던걸, -었더랬습니다, -었더랬어, -었던지, -었더이다, -었데' 등을 예시하였고 〈물음〉에서는 '-었더냐, -었던, -었던가(요), -었던고, -었던감, -었더라지요, -었더이까, -었더랍니까, -었더랍디까' 등이 예시되었고 〈마땅함〉에서는 '-었더라면, -었던지라, -었던만큼, -었더니만큼' 등을 예시하였고 〈뒤집음〉에서는 '-었던데(도), -었던들'이 있다 하였고 〈풀이〉에서는 '-었던바, -었더니(만), -었더라니, -었던지, -었더랬는데, -었습데다/었습디다, -었습딘다, -었습데까/었습디까, -었었더라, -었었습데다/었었습디다, -었었더니라, -었었데(요), -었었더라네, -었었더면' 등이 있다 하고 다시 다음과 같은 말꼴들도 가능하다 하고 '-었었더라니까, -었었더라나, -었었더라고, -었었더구나, -었었더구려, -었었더구료, -었었더구먼(만), -었었더라니, -었었던지, -었었던걸(요), -었었더랍니다, -었었더냐?, -었었던가(요)?, -었었던지(요)' 등을 추가, 예시하였다. 그리고 이어서 움직씨와 그림씨, 잡음씨에 '-었던'이 쓰인 예를 많이 들고 끝에 가서 '-었었던'이 쓰인 예를 몇 개 들고 이 예는 그리 흔하지 않다고 하였다.

6.1.5.4. 완결추정회상법

이는 '-었겠더-'로 나타내는데 예가 그리 많지 않은 듯 7개만 들어 놓았다. 몇 개만 여기에 보이기로 한다.

- 생각하니 우리 고향에는 보리가 이미 다 익<u>었겠습디</u>다.
- 너 그때 정말 기분이 좋<u>았겠데</u>.

6.1.6. 매인풀이씨로 때의 흐름을 나타냄

'-고 있다': 저 여자는 좋은 옷을 <u>입고 있다</u>. (상태의 유지)
'-어 있다': 삼각산이 우뚝 <u>솟아 있다</u>.
'-고 계시다': 지금 <u>누워 계십니다</u>.
'-어 가다': 밤이 <u>깊어만 간다</u>.

'-어 나가다': 세상 끝이 어떻게 <u>되어 나가는 지</u> 알기나 할까?

'-어 오다': 점점 내 곁으로 <u>가까와 온다</u>.

'-어 내리다': 그는 편지를 <u>써 내렸다</u>.

'-어 버리다': 그는 밥을 <u>먹어 버렸다</u>.

'-고 나다': <u>하고 나니</u> 아무것도 아니었다.

'-어 내다': 나는 더위를 <u>이겨 내었다</u>.

'-어 가지다': 도시락을 <u>싸 가지고</u> 들놀이를 나간다.

'-어 두다': 이것을 <u>받아 두어라</u>.

'-어 놓다': 문을 <u>열어 놓다</u>.

등의 예를 보이고 끝으로 다짐법을 붙여 놓았는데 본래 다짐법은 '-것-'으로 나타내었는데 오늘날은 '-겠-'으로 나타내는 일이 있어 이에 대해서도 보기를 들어 놓았다(1228쪽 참조).

이상으로 허웅 교수의 때매김법을 모두 소개하였는데, 허웅 교수는 앞에서도 언급하였지마는 때매김을 시제로도 말하지 아니하였고 시상으로도 말하지 아니하였지마는 사용한 갈말(학술용어)로 볼 때 우리말의 때매김을 시상(aspect)으로 보고 있는 듯하다.

7. 박지홍 선생의 때매김법

박지홍 교수는 『고쳐 쓴 우리 현대어본』(1986)의 155~161쪽까지에서 때매김법에 대하여 논하고 있는데, 이를 요약하여 설명하기로 하겠다.

7.1. 때매김-안맺음씨끝

이에는 이적-안맺음씨끝, 지난적-안맺음씨끝, 올적-안맺음씨끝 돌이킴-안맺음씨끝의 넷이 있다 하고 그 보기를 다음과 같이 들고 있다.

7.1.1. 이적-안맺음씨끝(이적-도움줄기)

'-는/ㄴ-' 하나가 있다. '-는-'은 이적의 지속을 비롯하여, 지난적 어느 때의 지속과 '어느 때의 사실'이나, 올적의 '의지적 사실'을 나타낸다.

- 순이는 천천히 밥을 먹는다. (이적의 지속)
- 어제 읽는다고 하더니, 아직 안 읽었군. (어느 때의 사실)
- 그날 화랑은 모두 모였다. 한 화랑이 웃는다. (어느 때의 지속)
- 나는 내일 가ㄴ다. (의지적 사실)

7.1.2. 지난적-안맺음씨끝(지난적-도움줄기)

'-았-/었-'이 있다. '-았-'은 지난적이나 끝남과 같은 확정된 일을 나타낸다.

- 받을 것을 받았으면 빨리 가거라. (끝남)
- 어제는 하늘은 맑았다. (지난적)
- 그는 나와 동기동창이었다. (지난적)

7.1.3. 올적-안맺음씨끝(올적-도움줄기)

'-겠-', '-으리-'가 있다. '-겠-'은 올적에 속하는 일이나, 짐작이나, 말할이의 약간의 의지적 짐작을 나타낸다.

- 우리는 놀다가 가겠으니, 너는 그만 가거라. (올적)
- 내일은 날씨가 맑겠습니다. (짐작)
- 그도 꼭 같은 인간이겠지. (짐작)
- 우리는 그날은 그가 웃으리라 기대하고 있었다. (짐작)
- 나도 그와 함께 읽을까? (의도적 올적)
- 우리는 언제 갈지 모른다. (짐작)
- 그렇게 말하면 그 사람도 웃으렷다. (짐작)

위의 '-을-'은 '의도적 올적'이나 짐작을 나타낸다. 그리고 '-렷-'은 '경험'이나 '이치'로 미루어 보아 사실이 으레 그러한 것이나, 그리될 것을 짐작으로 정함을 나타낸다. 이도 넓은 뜻에서 올적안맺음씨끝에 넣을 수 있다. ('-렷-'은 (기움)에서 다루고 있음에 유의할 것임.)

7.1.4. 돌이킴-안맺음씨끝(회상-도움줄기)

'-더-' 하나가 있다. 이는 체험을 회상할 때 쓰는데 '-더-'의 임자말은 꿈과 같은 특이한 경우가 아니면 1인칭은 쓰이지 않는다. 그것은 그런 경우의 '나'는 2인칭이 될 수 있기 때문이다.

- 어제는 그이와 같이 오더니, 오늘은 어째서 혼자 오니?

- 나리꽃이 어제는 곱더니, 오늘 벌써 시들어졌구나.
- 그는 아직도 소년이더라.
- 어젯밤 꿈에 나는 방향없이 가고 있더라.

7.2. 때안맺음과 때안맺음의 결합

7.2.1. -았었/었었-

움직임의 지난적마침(과거완료)을 나타낸다. 앞 형태소인 '-았/었-'은 지난적을, 뒤형태소인 '-었-'은 마침을 나타낸다.

- 그 사람은 갔었구나.

7.2.2. -았더/었더-: 지난적회상

- 너는 일찍 간 줄 알았더니 가지 아니하였구나.
- 무궁화가 한창 피었더라.

7.2.3. -았겠/었겠-: 지난적짐작

- 그는 벌써 도착하였겠지.
- 그 일 때문에 여간 걱정이 아니었겠구나.

또 이것은 지난적에 끝난 일을 다지고 강조할 때도 쓰인다.

・너는 졸업도 하였겠다, 취직도 하였겠다, 아무 걱정이 없겠구나.

(이때의 '겠'은 '것'으로 써야 옳으나 오늘날 'ㅡ겠ㅡ'으로 잘못 쓰이고 있는 실정이다.)

7.2.4. ㅡ겠었ㅡ: 올적마침

・내일 이때쯤이면 일이 끝나겠었다.
・꼬옥 그랬으면 좋겠었다. (채만식, 순공 있는 일요일)

이때의 'ㅡ겠었ㅡ'은 올적의 강조로 보아진다.

7.3. 안맺음씨끝과 맺음씨끝의 이음

7.3.1. 'ㅡ았/었+는', 'ㅡ겠는ㅡ'의 이음

・작년에 가 보았는 곳을 못 찾다니 (지난적끝남의 사실)
・내일이면 피겠는 꽃봉오리가 몇 개 있소? (올적의 사실)

7.3.2. 'ㅡ았/었+을'의 이음

・이미 들었을 터이지만, 그는 벌써 미국에 갔다고 한다.
  (지난적끝남의 짐작)

7.3.3. '-더+ㄴ'의 이음

• 내가 살던 곳은 흥룡 폭포가 있는 돌실마을이다. (어느 때의 지속)

이상으로 일곱 분의 때매김법에 대한 체계를 살펴보았는데, 주시경 선생을 위시하여 최현배, 정인승, 이희승, 이숭녕, 박지홍 교수는 우리말 때매김을 시제로 보는가 하면 허웅 교수는 뚜렷이 지적하여 말하지는 않았으나 그 쓰이고 있는 갈말로 미루어보면 시상으로 보는 듯한 느낌을 받기도 한다. 위의 여러 가지 예문에서 보아 왔듯이, 우리말의 안맺음씨끝에 의한 때매김법(때매김 형식)에는 몇 가지가 있는지도 정해져 있지 않은 것 같으며 또 시제로 보는 게 옳은지 시상으로 보는 게 옳은지도 많은 예를 통하여 알아보아야 할 단계에 이르렀다고 본다. 따라서 다음에서는 이에 대하여 깊이 분석·검토하여 타당한 결론을 내려야 할 것으로 생각된다.

제4장

현대 국어의 때매김 문제

1. 현대 국어의 때매김 형태소

다음은 글쓴이가 직접 통계를 내어 얻은 때매김 형태소와 글쓴이의 직관에 의하여 사용 가능할 것으로 보이는 것을 묶어 간단히 표로 보이기로 하겠다. 특히 아래 표에서 밑줄 친 것은 글쓴이의 직관에 의한 것을 보인 것이니 유의하기 바란다.

1. 시제
    A. 과거
        a. 과거시제: -었- / -았- / -었었-
    B. 현재
        a. -는-
    C. 미래
        a. -겠-
        b. -으리-

2. 시상

    A. 회상시상

        a. 과거회상시상:

            1) -었더-   2) -었었더-

        b. 추정회상시상: -겠더-

        c. 과거추정시상:

            1) -었겠-   2) -었으리-

        d. 과거추정회상시상: <u>-었겠더-</u>

    B. 진행시상

        a. 현재진행시상: -고+있-

        b. 과거진행시상: -고+있었-

        c. 현재진행회상시상:

            1) -고+있더-

        d. 과거진행추정시상: -고+있었겠-

        e. 과거진행추정회상시상: <u>-고+있었겠더-</u>

3. 관형법의 때매김

    A. 시제

        a. 과거관형시제: -은/ㄴ

        b. 현재관형시제: -는-

        c. 미래관형시제: -을/ㄹ-

    B. 시상

        a. 과거추정관형시상: -었을

        b. 미래관형시상: <u>-겠는-</u>

        c. 회상관형시상: -던-

        d. 과거회상관형시상:

            1) -었던-   2) -었었던-

        e. 추정회상관형시상:

            1) -겠던-   2) -겠다던-

    C. 진행시상

        a. 현재진행시상: -고+있는-

        b. 현재진행추정시상: -고+있을-

        c. 현재진행회상시상: -고+있던-

        d. 과거진행회상시상: <u>-고+있었던-</u>

2의 A와 B는 지방에 따라 쓰이나 실제 통계에서는 잘 나타나지 않는다. 그러나 1과 2를 가지고 선학들이 설명한 때매김 형태소들과 비교하면 상당한 차이가 있음을 알 수 있다. 즉 '고+있었었', '었었더/았었더', '고+있었었더', '았었는/었었는', '었겠는/았겠는', '고+있었는', '고+있은', '고+있겠는', '고+있었은', '고+있었겠는', '고+있었었던', '고+있겠던', '겠었' 등은 실제 통계에서 나타나지 않는다.

이제 다음에서 1과 2에서 든 때매김 형태소 하나하나를 가지고 그 때매김이 시제인지 시상인지를 따져 보기로 하겠다.

2. 현대 국어의 때매김

2.1. 시제

2.1.1. 과거 및 과거완료

2.1.1.1. 과거시제

-었-/-았-: 이 형태소는 통계에서 가장 많이 나타나는데 그 용법을 보면 다음과 같다.

1) '-었-/-았-'이 완료를 나타내는 보기
① 열차가 방금 도착하였습니다.
② 해가 방금 돋았습니다.
③ 내가 두고 왔을 때 어린 고양이었던 레오는 이제 어른 고양이가 되어

있었다.

④ 인간미와 신비감을 동시에 지녔다는 평도 받았다.

⑤ 내가 "으응" 하고 대답하자 쪼우는 헤어질 때가 다 되었다는 듯이 내게 손을 내밀어 악수를 청했다.

⑥ 부모가 이혼했다는 말을 친구 끼리 하지 않았다는데…

⑦ 그 포악한 동물들의 마스코트 같은 것을 만들어 고양이라고 이름 지었을 것이었다.

⑧ 뜻있는 사람들은 늘 이름에 걸맞는 국어학 이론서가 나오길 기대하였다.

⑨ 혹한의 이국땅에서 내일의 희망도 없이 눈물로 개척을 한 것이었다. 이때 경상도 전라도 농민들이 일제에 속아 이민으로 십만여 명이 갔다.

⑩ 조선 팔도 방방곡곡은 완전히 흥분과 환희 감격의 도가니로 변했다.

⑪ 연희전문학교를 비롯해 몇 개의 사립전문학교가 설립되었다. 초등학교는 벽지 큰 부락에 1년제 간이학교가 한 군에 1~2개 교가 있었고 작은 면에는 4년제, 상대적으로 큰 면에는 6년제 학교가 1면에 1개 교가 설립되었다.

⑫ 눈을 돌리고 이들의 문제를 끊임없이 제기하며 이들을 대변하는 전통을 세워 갔다.

⑬ 오사카는 17세기 때 이미 인구 30만 명을 넘어섰으며 상업이 발달해 물건도 풍족했다.

⑭ 왜 내게는 골프장 이야기를 한 번도 하지 않았을까 하는 것이었다.

⑮ 엄마 가슴에도 봄바람이 단단히 들었구나 싶었다.

⑯ 기자 회견 장소인 세실레스토랑도 23일 예약했다고 한다. 그런 결심을 굳히기까지 여러 사람을 만나 조언을 구했다.

2) '-었-/-았-'이 과거를 나타내는 보기

① 내가 두고 왔을 때 어린 고양이었던 레오는 이제 어른 고양이가 되어 있었다.

② 초등학교는 벽지 큰 부락에 1년제 간이학교가 한 군에 1~2개 교가 있었고 작은 면에는 4년제, 상대적으로 큰 면에는 6년제 학교가 1면에 1개 교가 설립되었다.

③ 일면식도 없던 두 사람이 두 시간가량 만난 것은 정 전총장의 요청 때문이었다.

④ 기자 회견 장소인 세실 레스토랑도 23일 예약했다.

⑤ 정운찬 전 서울대 총장은 30일 대선 불출마 선언을 한 뒤 "홀가분하다" 고 말했다.

⑥ 등산 중에 중간 중간 휴식을 하다 보면 하산은 언제나 해 질 녘이었다. 그러니 종종걸음으로 집에 가기 바빴다.

⑦ 사람들의 왕래가 없는 길은 이미 길이 아니라는 것을 확실하게 설명해 주고 있었다.

⑧ 일 년 내내 통화 한번 하지 않은 번호가 더러 있었다.

⑨ 철부지 때 해수욕을 하고 올라와 몸을 헹구던 옹달샘이었다.

⑩ 아이들의 간을 꺼내 먹는다고 굳게 믿고 있었기 때문이었다.

⑪ 초등학교 1학년 때 학교에 가려면 고개를 넘어야 했고 고개 마루에는 성황당이 있었다.

⑫ 빈센트는 마음이 심란했다. 3개월 주기의 발작이 또 다시 올 것 같아서 였다.

⑬ 이 회장과 나 두 사람만의 겸상이었다.

⑭ 왜 내게는 골프장 이야기를 한 번도 하지 않았을까 하는 것이었다. 그로 부터 한참이 지나서였다. 당시 나는 서울 컨트리클럽 소속 프로였다. 라운드도 언제나 내 마음대로 할 수 있었다.

⑮ 또 다른 나를 만들고 싶어 찾은 겨울 바다였지만 욕심을 버리고 지금처럼 살아가는 게 나음을 깨달았다.

⑯ 야스쿠니 신사 합사 문제도 매우 즐거운 기사였습니다. 또 배웠지요.

⑰ 이극로 박사가 김성수 선생을 마중 나가는 사이었다. 이것은 사전 편찬원들은 다 알고 있는 일이었고 설날에 김성수 선생 댁에 가서 만나는 사이었다.

⑱ 오사카는 통신사 일행이 처음 접하는 일본의 대도시였다. 세도나이카이 일대의 어촌들도 교통의 중심지라고는 해도 모두 작은 마을이었다. 그러나 오사카는 17세기 때 이미 인구 30만 명을 넘어 섰으며 상업이 발달해 물건도 풍족했다.

⑲ 왜란을 거치며 일본에 대한 분노와 불신이 채 가라앉지 않았기 때문에 눈에 보이는 대로 곱게 평가할 수만은 없었던 것이다.

⑳ 말로만 듣던 장충동 집을 두리번거리며 들어갔더니 안방에 큰 자개상이 차려져 있었다.

㉑ 고등학교는 일본 본토에는 다수 있었으나 한국에는 1개교도 없었고 유일한 대학인 경성제국대학 예과가 있었을 뿐이었다.

㉒ 심지어 자기 부모에게도 우리말을 사용하지 않고 통역자를 통해 일본말로 대화했다는 황당한 일도 있었다.

㉓ 자손 대대로 왕실과 깊은 관계를 유지했다고 한다.

㉔ 8.15 해방, 1945년 8월 15일 정오에 일왕 히로히토는 떨리는 목소리로 역사적인 라디오 방송을 하였다.

㉕ 일반 시민들은 취업이란 거의 불가능한, 반봉건주의 영세 소작민이었고 농민들이 피땀으로 거두어 드린 수확물은 소위 공출로 수탈당한 농민들의 생활상은 거의 기아 상태였다.

㉖ 서울을 비롯한 대도시에서만 인가·설치되었다. 그 후 각 군에 농업 기

술자 양성 목적으로 1년제 농업보습학교가 설립되었고 그것이 2년제 농업전수학교로 승격되어 8.15 해방 전까지 존속되었다.

㉗ 1938년 2월에 학도병 제도 곧 이어 4월에는 지원병 제도가 시행되었다. 대부분 본인의 의사와는 관계없이 영예로운 일왕의 적자로서 열렬한 환영을 받으며 사지의 전선으로 강제 투입되었다. 말이 지원병이지 온갖 회유와 엄포로 아까운 청년들을 수만 명을 일제 침략의 제물로 바쳐졌던 것이었다.

㉘ 아들의 책값을 벌기 위해 시장에 간 엄마는 아직 열무 삼십 단을 팔지 못했다.

㉙ 도쿄 쓰구다(佃)는 주로 가난한 노인들이 살았다.

㉚ 두껍게 쌓인 먼지도 세월의 때도 없었다.

㉛ 서민 마을 골목에서 흔히 맡을 수 있는 불쾌한 냄새도 안 났다.

㉜ 그들의 간계와 학정은 조직적으로 진행되었으니 그들의 정책 면면을 일별해 보자.

지금까지 1)과 2)에서 예를 들면서 1)의 예에서 밑줄 친 부분의 '았/었'은 완료를 나타내고 2)의 예에서 밑줄 친 부분의 '았/었'은 과거를 나타내는 것으로 보았으나, 보기에 따라서는 반드시 그렇지 않은 것으로 이해되는 예도 있을 수 있다. 왜 그러냐 하면 뜻으로 판단하기란 참으로 어렵기 때문이다. 다음의 예를 보기로 하자.

(1) ㄱ. 내가 두고 왔을 때 어린 고양이었던 레오는 이제 어른 고양이가 되어 있었다.

ㄴ. 오사카는 17세기 때 이미 인구 30만 명을 넘어섰으며 상업이 발달해 물건도 풍족했다.

ㄷ. 왜 내게는 골프장 이야기를 한 번도 하지 않았을까 하는 것이었다.

ㄹ. 눈을 돌리고 이들의 문제를 끊임없이 제기하여 이들을 대변하는 전통을 세워 갔으면 좋겠습니다.

ㅁ. 철수가 씨름에서 이겼으면 좋겠다.

(1ㄱ)에서 '왔을 때'와 '고양이었던'에서의 '았/었'은 과거를 나타내는 것으로 보아지며 '되어 있었다'의 '었'은 완료로 보아진다. 왜냐하면 '어른 고양이'로 자랐음을 나타내기 때문이다. (1ㄴ)의 '넘어섰으며'의 '었'은 완료로 보아지며 '풍족했다'의 '였'은 과거로 보아진다. (1ㄷ)의 '하지 않았을까'의 '았'은 완료로 보아지며 '것이었다'의 '었'은 과거로 보아진다. (1ㄹ)의 '전통을 세워 갔으면'의 '았'과 (1ㅁ)의 '이겼으면'의 '었'은 미래완료로 보아진다. 그 까닭은 (1ㄹ)에서의 '세워 갔으면 좋겠다'에서의 '았'은 아직 세워 가지 아니하였는데 장차 세워 가기를 바라는 뜻을 나타내기 때문이며 (1ㅁ)의 "철수가 아직 씨름을 하지 아니하였는데, 씨름을 할 경우 이겨 주었으면 좋겠다"는 소원을 말하고 있기 때문이다. 그런데 남기심 교수도 말하고 있듯이 '-었-'이 형용사나 '이다'에 연결될 때는 단순한 과거만을 나타낸다. 이들은 행위를 표현하는 것이 아니기 때문이라[1] 하였다. 다음의 예를 보자.

(2) ㄱ. 그것은 반노예 상태로 전락하고 만 것이었다.

ㄴ. 혹한의 이국땅에서 내일의 희망도 없이 눈물로 개척을 한 것이었다.

ㄷ. 이와 같이 계획적으로 수탈한 옥토는 일본 국민들의 꿀과 젖이 넘쳐흐르는 선망의 식민지요, 신천지였다.

---

1) 남기심(2004), 『현대 국어 통사론』, 태학사, 332쪽 참조.

ㄹ. 어머니는 시골 장터에서 곡물을 팔고 고추밭에서 남의 고추 꼭지를
　따며 6남매를 키우신 분이었다.

ㅁ. 어머니가 사 온 책은 시사영어사에서 나온 뉴 월드 영어 사전이었다.

ㅂ. 그 일은 어제 오늘의 일이 아니었다.

ㅅ. 이광수처럼 가야마고오로로 자기 취향에 맞게 바꾼 사람도 많았다.

ㅇ. 생각보다 반에 부모가 이혼한 아이들이 많은 것 같았다.

ㅈ. 하늘을 날아갈 듯 기뻤다.

ㅊ. 나는 그때 3학년이고 싶었다.

ㅋ. 그를 보고 있을 수밖에 없었다.

(2ㄱ~ㅂ)까지는 '이다'에 '었'이 온 보기요, (2ㅅ~ㅋ)까지는 형용
사에 '었'이 온 보기인데 모두 과거로 보아도 무난할 것 같다. 그런
데 최현배 교수는 '았/었'을 뜻에 따라 과거와 현재완료의 두 가지
때매김으로 나누어서 다루었는데 그 보기를 들면 아래와 같다.

(3) ㄱ. 그는 제 안해를 노려보았다.

　　ㄴ. 그 아버지는 그 애를 내어버려 두었다.

　　ㄷ. 유복이는 온갖 풍상을 다 겪었다.

　　ㄹ. 나는 그 걸음에 꿩을 아홉 마리를 잡았다.2)

(3ㄱ~ㄹ)은 과거의 보기인데 글쓴이가 보기에는 (3ㄷ, ㄹ)의 '겪었
다'와 '잡았다'에서의 '었/았'은 완료로 보아진다. 왜냐하면 동사의
뜻에 의하여 그렇게 느껴지기 때문이다.

---

2) 최현배(1983), 『우리말본』, 정음사, 449쪽에서 따옴.

(4) ㄱ. 봄이 오니, 푸성귀가 나았다.

　　ㄴ. 비행기가 두 채 떴다. (뜨었다)

　　ㄷ. 여보, 박(朴)님이 성공하였소.3)

(4ㄱ~ㄷ)은 최현배 교수의 문법책에서 따왔는데 이들은 모두 현재완료로 보아진다.

3) '-었-/-았-'에 대한 결론

지금까지 통계에 의한 용례를 보면 '었/았'은 동사에 쓰일 경우 완료, 과거, 미래완료 등의 뜻을 나타내는 데 반하여 형용사와 '이다'에 쓰일 경우에는 과거만을 나타냄을 확인하였다. 그러면 '-었-/-았-'을 완료와 과거의 둘로 나누어 체계를 세우는 것이 옳은지 과거만을 나타내는 것으로 보는 것이 옳은지 궁금하나 글쓴이는 과거만을 나타내는 형태소로 보고자 한다. 그 까닭은 첫째, 뜻에 의하여 결정하게 되면 동사의 경우, 앞에서 본 바와 같이 완료, 과거, 미래완료의 셋으로 설정하여야 하나 그것은 문장의 짜임새나 동사의 종류 여하의 뜻에 따라 그렇게 되므로 어법적으로 설명하기 어려운 경우가 많을 뿐만 아니라, 그 확실한 구별법이 있을 수 없기 때문이다. 두 번째로 형용사나 '이다'의 경우는 과거로만 쓰이는데 동사의 경우, 위의 세 가지 뜻에 따른 형태소로 구분·인정한다면 문법이 굉장히 복잡할 뿐 아니라, '었었/았었'의 설명에 있어서는 어떻게 설명할 것인지 방법이 어렵기 때문이다. 즉 '었었/았었'은 뜻에 따르면 과거도 나타내고 과거완료도 나타내기 때문이다. 따라

---

3) 위의 책, 450쪽에서 따옴.

서 형태소 중심으로 하되 그 나타내는 기능의 주된 범주에 따라 때매김을 결정하는 것이 옳기 때문이다. 더구나 '-았-/-었-'을 완결법으로 보면 형용사와 '이다'는 완결이 되지 않으니 문제이고 허웅 교수는 '었었/았었'의 때매김형태소를 인정하지 않으나 글쓴이의 통계에 의하면 그 예가 상당히 많이 나타나는데 이러한 언어 사실을 어떻게 처리할지 어려움에 부딪히게 되기 때문이다. 그러므로 다시 결론지어 말하건대 '었/았'은 과거를 나타내는 형태소로 처리하는 것이 무방하리라 생각된다.4) 그리고 완료, 미래완료는 '-었-'의 의미적 용법의 하나로 처리하면 될 것이다.

4) '-었-/-았-'의 대표형태 문제

'-었-/-았-'은 어간이 밝은 홀소리이면 '-았-'이 쓰이고 어두운 홀소리이면 '-었-'이 쓰인다. 그리고 동사 '하다'나 '-하다'로 끝나는 서술어 다음에는 '-였-'으로 되고 '르' 벗어난 서술어 다음에는 '-렀-/-랐-' 등으로 나타나며 어간의 끝소리가 홀소리 'ㅏ'일 때는 '가았다, 서었다'가 '-았-/-었-'의 '아/어'가 줄면서 '갔다, 섰다'로 되면서 '-았-/-었-'은 '-ㅆ-'으로 나타난다. 그러나 대표형태는 '-었-/-았-'만을 가지고 결정하여야 하는데, 글쓴이는 '-었-'을 대표형태로 보고자 한다. 그 까닭은 '-었었-', '-았었-', '-였었-'에서 보면 '-았-' 뒤에는 반드시 '-었-'이 온다는 점, 그 용법에서 보면 '-았었-/-였었/-었었-/-랐었/-렀었/-었겠/-았겠-'에서 '-었-'이 나타나는 빈도가 여섯인 데 비해 '-았-'은 셋밖에 되지 않기 때문이

---

4) 김차균(1990), 『우리말 시제와 상의 연구』, 태학사, 212쪽에서 "{았}과 {었}이 시제를 나타내며 상을 나타내는 것이 아니다"라 하였다.

다.5) 남기심 교수는 편의상 '-었-'을 대표형태로 정한다 하였다.6)

2.1.1.2. '-었었-'의 문제

-었었-: 이것으로 표시되는 때매김을 여기서 다루는 것은 과거 시제와 관계가 있기 때문이니 오해 없기를 바란다.

(1) ㄱ. 초등학교 입학과 동시에 국어 상용이라 해서 교내에서는 우리말 사용을 일제히 금지하고 일본말 전용을 강요했었다.

ㄴ. 심지어 자기 부모에게도 우리말을 사용하지 않고 통역자를 통해 일본말로 대화를 했다는 황당한 일화도 있을 정도로 우리말 말살 정책이 철저했었다.

ㄷ. 교내에서는 우리말 상용을 일제히 금지하고 일본말 전용을 강요했었다.

ㄹ. 월북한 박헌영은 이들과 달리 비운의 종말을 맞이했었다.

ㅁ. 40년 전의 기술에도 기능공이 필요했었는데 한 차원 더 나아간 지금의 한국 기술에 웬 짐꾼이 필요하단 말인가?

ㅂ. 우리는 혼자 남으신 아버지를 모시고 자주 나들이를 했었다. 어머니 산소에도 가고 어머니와 함께 생활했던 마을에도 갔었다.

ㅅ. 할머니네 부엌의 아궁이에서 피어오르던 솔가지 불꽃도 저와 비슷했었지.

ㅇ. 외국 여행은 부자들만이 누릴 수 있는 특권이라고 생각했었다.

---

5) 정인승(1956), 『표준고등말본』, 신구문화사, 103쪽 참조.
6) 남기심(2004), 『현대국어통사론』, 태학사, 332쪽 참조.

ㅈ. 출발지인 청량리역에서부터 태백 추전역을 돌아올 때까지 함박눈
이 퍼부었었다.

ㅊ. 자기네 나라이기 때문에 당연히 새치기가 잘못이 아니라는 말에
너무나 황당해 입을 다물지 못했었다.

ㅋ. 마지막 날엔 크다란 가방을 짊어지고 털석 주저앉아 있었다. 아쉬
운 걸음을 기차역으로 옮겼다는 말을 했었다. 그니를 만나 나도
그랬었노라고 말하고 싶은 충동은 지금도 식지 않은 설렘으로 남
아 있다.

ㅌ. 그때의 상금 전액을 하나님 사업을 위해 자신이 섬기던 영락교회에
헌금하였었다.

ㅍ. 사춘기 때의 딸은 걸핏하면 "엄마는 좋겠다. 눈이 예뻐서."라는
말까지 한 눈이었었는데.

ㅎ. 검은 수염을 곱게 내린 그분을 아버지 장례식 때 처음 뵈었었다.

ㄱ'. 두 달 전 휴가를 맞아 산소를 찾아 갔었다. 한여름의 무성한 잡초
들이 산소 주위를 볼썽사납게 만들어 놨다.

ㄴ'. 그들의 말발굽은 제주도까지도 미쳤었다니.

ㄷ'. 자신은 고흐의 병을 잘 알고 있고 뛰어난 영혼에게는 예외 없이
광기가 있는 거라며 오베르에 데려올 것을 데오에게 당부했었다.

ㄹ'. "이번 언론자유 말살을 기획하고 준비한 국정홍보처장, 홍보수석,
홍보기획 비서관은 언론자유 말살 삼적으로 기록될 것"이라고 했
었다.

ㅁ'. 경찰청장이 무능했나 조직이 부패했었나.

ㅂ'. 두 사람은 형제같이 동무같이 나뉘지 못할 정든 사이가 되었었다.

ㅅ'. 의외의 말씀을 듣고는 어른으로 시작하여 젊은이까지 하나씩 다
떠나가고, 예수님과 가운데 섰던 여자만 남았었지요.

ㅇ'. 떡시루에 담아 장작불을 때서 푹 찌면 구수한 냄새가 침을 삼키게 했었다.

ㅈ'. 함지박에 뜨거운 물로 담가온 빨래를 고무장갑도 안 낀 손으로 빨았었다. 할머니의 손은 벌겋게 얼은 것 같고 터져서 피가 나는 것도 같았었다.

ㅊ'. 겨울이면 따뜻한 스웨터를 입혀 주셨다. 해서 친구들이 많이 부러워했었다.

ㅋ'. 육십평생을 동고동락하며 순종해 왔다. 그럼에도 고마운 줄 모르며 무심했었다.

ㅌ'. 이 책을 뒤쳐 한국에서 펴낼 데에 대한 허락은 람스테트 따님인 엘마 애르네필르 여사가 살아 계실 때 이미 받았었다.

ㅍ'. 필자는 칼럼에서 미국의 한 다국적 컨설팅 회사의 평가를 인용해 서울의 물가는 세계 주요 도시 중 11위나 될 정도로 높은데, 삶의 질은 89 위에 불과하다고 개탄했었다.

이제 28개 예문에서 '-었었-'을 분석하여 보아야 할 것 같다. (1ㄱ)의 '강요했었다'의 '-였었-'은 '과거의 사실을 강조하여 표현한 것'으로 보인다. (1ㄴ)의 '철저했었다'의 '-였었-'은 ①이 과거를 나타내므로 과거완료, 즉 ①보다 먼저 있었던 일을 나타내고 있으므로 올바르게 사용되었다. (1ㄷ)의 '강요했었다'의 '-였었-'은 꼼짝 못하도록 강요한 것을 강조하여 표현한 것으로 '과거 강조'로 보아진다. 즉 강요하여 쓰지 않고는 견딜 수 없게 하였다는 뜻으로 표현한 것으로 이해된다. (1ㄹ)의 '맞이했었다'의 '-였었'은 ①의 '-ㄴ'보다 뒤에 일어난 일인데도 과거완료로 표현하였는데 이것도 '과거 강조'의 뜻으로 느껴진다. 즉 '맞이하고 말았다' 또는 '불행하게도 어쩔 수 없는 종말을 맞이하여 버렸다'는 뜻으로 보아진다. (1ㅁ)의 '필요했었는데'의 '-였었-'은 과거완료로서 그 뜻은 '이미 필요한 사실이 되어 버렸는데'로 이해된다. 만일 '필요했는데'로 표현되었다면 그냥 과거의 사실로 알겠는데 '필요했었는데'로 되니까 단정적인 사실, 즉 '그때 이미 필요한 일로 되어 버렸다'는 뜻을 내포하고 있다고 보아진다. (1ㅂ)의 '했었다'와 '갔었다'는 '했다', '갔다'로 표현하여도 될 것을 군이 그렇게 표현한 것은 반복의 뜻을 함의하게 하고자 한 것 같은 느낌을 받는다. 사실 '갔었다'는 '생활했던'보다 시간적으로 뒤이다. 그러므로 정확하게 표현하려면 '갔다'로 하여야 하나 '갔었다'로 한 것은 '-었-'을 조음소적 구실을 하는 것으로 여기면서 반복하여 여러 번 갔다는 뜻을 나타내고자 한 것임에 틀림없으리라 여겨진다. (1ㅅ)의 '비슷했었지'의 '-였었-'은 '비슷한 점이 많았다'는 뜻이 아닌가 여겨진다. '비슷했다'로 하였다면 그것으로 끝을 맺으나 '비슷했었다'로 하니까 뭔가 여운을 남기는데 단순히 '비슷한' 것이 아니라 '비슷한 점도 있었다'는 뜻으로 이해할 수 있을 것 같다. (1ㅇ)의 '생각했었다'도 '생각했다'보다는 '부자들만이 누릴 수 있는 특권이라고 생각해 왔는데 사실 알고(지나고) 보니 그렇지 않더라'는 뜻으로 해석할 수 있을 것 같다. (1ㅈ)의 '함박눈이 퍼부었었다'는 '함박눈이 계속하여 퍼붓고 있었다'로 표현하여야 할 것을 그렇게 과거완료로 표현한 것으로 보인다. (1ㅊ)의 '다물지 못했었다'는 '입을 다무는데 시간이 한참 걸렸다' 또는 '입을 다물지 못할 정도로 충격을 받았다'는 뜻으로 이해된다. (1ㅋ) '말을 했었다'는 그 앞의 '기차역으로 옮겼다'보다 시간상으로 뒤인데 과거완료로 한 것은 강조하기 위한 것은 아닌지 하고 여겨진다. 그리고 그 뒤의 '나도 그랬었노라고'는 '말을 했었다'보다 뒤의 일인데 과거완료로 나타낸 것 역시 강조의 뜻을 함의하고 있는 것으로 보아진다. (1ㅌ)의 '영락교회에 헌금하<u>였었</u>다'의 뜻은 '영락교회에 헌금하여 버렸다'로 이해되어 완료로 보아진다. (1ㅍ)의 '눈이<u>었었</u>는데'는 '눈이었는데 지금은 그런 눈이 아니어서 안타깝다(실망스럽다)'의 뜻으로 이해된다. (1ㅎ)의 '처음 뵈었었다'에서 뒤의 '-었-'은 조음적인 구실도 겸하면서 '-었었-'은 '그때 처음 뵈옵는 기회를 갖게 되었다'는 뜻은 아닐까? 아니면 '그때 처음 뵈어서 알게 되었다'로 풀어도 될 듯하다. (1ㄱ)의 '갔었다'에서 '-었-'은 조음소적 구실을 하면서 '갔다'를 강조하고 있는 듯하게 느껴진다. 또는 '산소를 찾아 갔는데, 사실 기대에 어긋나는 모습이었다'는 뜻을 함의하고 있지는 않을까 한다. (1ㄴ)의 '제주도까지 미<u>쳤었</u>다니'의 뜻은 '제주도까지 미쳤다고 하니 기가 막히다'로 이해된다. (1ㄷ)의 '당부<u>했었</u>다'의 '-었-'은 강조한 것으로 이해된다. 즉 '-였었-'은 강조의 과거완료로 보아진다. 이와 같이 (1ㄹ)의 '했었다'도 (1ㄷ)의 경우와 마찬가지로 강조의 과거완료로 느껴진다. (1ㅁ)의 '부패<u>했었</u>나'에서는 '과거에 이미 부패하고 있었나'의 뜻을 나타내는 과거완료이다. (1ㅂ)의 '되었었다'는 '되어 버려서 어떻게 할 수 없게 결속되었다'는 뜻을 나타내는 과거완료이다. (1ㅅ)의 '남았었지요'는 '남았을 뿐이라'는 강조의 과거완료이다. (1ㅇ)의 '<u>했었</u>다'는 '하는 것이 상례였다' 또는 '늘 그렇게 했다'는 뜻으로 쓰인 관습적 강조의 과거완료이다. (1ㅈ)의 ①의 '빨았었다'는 '늘 그렇게 빨았다'는 뜻으로 이해되며 ②의 '같았었다'는 강조를 나타내기 위한 과거완료로 보아진다. (1ㅊ)의 '부러워했었다'는 앞 (1ㅇ)과 (1ㅈ)과 같이 '친구들이 늘 부러워했다'는 뜻으로 쓰인 과거완료로 보아진다. (1ㅋ)의 '무심했었다'는 '장기간 무심한 상태였다' 또는 '오랫동안 무심한 상태로 지내왔다'는 뜻일 것이다. (1ㅌ')의 '받았었다'는 밑줄 부분이 나타내는 시간보다 훨씬 먼저이다. 따라서 과거완료로 바로 쓰이었다. (1ㅍ')의 '개탄했었다'는 강조의 과거완료로 보아야 하지 않을까?

지금까지의 분석에서 보면 '-었었-'은 때매김에서 과거완료를 나타내기 위하여 쓰이기도 하였지마는 거기에 부수적으로 '강조, 습관적 사실, 기정 사실, 개탄, 기대에 벗어남, 기회적 표현, 상상외, 계속적인 사실, 반복, 불가항력, 강요…' 등등 문맥에 따라 여러 가지 뜻을 함의하고 쓰였음을 알 수 있다. 그런데 주시경 선생은 다음과 같은 예를 들고 자세히 풀이하였다.[7)

(2) 그 마당을 씰었었다.

(2)에서 "{-었었다}가 '끗기'니 {-었었-}은 '간때'의 보임이라 이는 남이 {씰-}이 다 되어 그 {씰-}을 함의 다 됨이 깨끗함으로 잇다가 다시 더럽게 되어 {씰-}을 함의 들어남이 없어진 것이니, 몬저 {-엇-}은 {씰-}이 다 됨을 보임이요, 알에 {-었-}은 그것이 없어짐을 보이는 것이라" 했다(주시경, 1919: 99). 정인승 교수도 다음과 같이 설명하였다.

(3) 그가 왔었는데!

7) 최낙복(2003), 『주시경문법의 연구(2)』, 역락, 71쪽에서 인용함.

(3)에서 '왔-'은 "그가 왔음을 뜻하고, {-었-}은 왔던 그가 어디가고 없어졌음을 나타낸다"고 하였다. 남기심 교수도 『현대국어통사론』에서 "'-었었-'이 어떤 행위의 결과가 지속되어 있지 않고 단절된 상황을 표시하는 까닭에 '-었었-'이 쓰인 문장은 대개 그 뒤의 다른 상황이 개재되어 있음을 함의하는 수가 있다…"[8]고 하여 주시경 선생의 설을 그대로 따르고 있다.

그런데 {-었었-}의 의미기능을 글쓰는 이의 직관에 의하여 한두 개의 예문을 가지고 결론을 내리게 되면 완벽한 이론이 되지 못한다. 그러므로 2의 (1ㄱ~ㅍ')에서 다룬 바와 같이 많은 예문을 통계내어 거기에서 통일된 문법적 기능을 뽑아내고 의미기능도 분석해 내어야 올바른 결론이 나올 것이다. 위에서 2의 (1ㄱ~ㅍ')에서 분석한 결과를 보면 글쓴이들은 '-었었-'을 모두 과거완료를 나타내는 것으로 생각하고 사용하였는데 가장 바르게 사용된 것은 둘뿐이고 나머지는 다소 어긋나 의미면에서 보면, 강조완료, 단정적 완료, 반복완료, 계속완료, 단순완료, 심적 상태완료, 상태완료, 조음소적 역할완료 등으로 쓰이고 있음이 일반적이다. 그러니까 '-었었-'은 과거완료로 쓰이었으되 거기에는 위에서 말한 여러 가지 문맥적 뜻을 나타내는 의미 기능을 가지고 있으나 때매김으로서는 과거완료로 보기는 어렵고, 과거의 특수용법으로 보았으면 한다.

2.1.2. 현재 '-는-'

이에 대하여는 학자들 사이에 이론이 많다. 일찍이 주시경 선생

---

8) 남기심(2004), 『현대국어통사론』, 태학사, 332~337쪽 참조.

은 국어문법에서 '이때(현재)'를 다음과 같이 설명하고 보기를 들어 자세히 풀이하였다. 주시경 선생은 '이때'의 뜻매김을 "그 남이가 이때에 되는 것"이라 하고 (알이)에서는 "그 남이의 되고 못됨으로 말하면, 이때라 함은 그 남이가 이때에 되어 가는 것이니, 되는 때라 할 것이요"라고 하였다. 그리고 다음과 같은 예를 들고 설명하였다.

(1) ㄱ. 말이 뛰오.
　　ㄴ. 그 말이 검다.
　　ㄷ. 이것이 먹이다.

　(1ㄱ)에서 "{-오}는 '끗기'니 그 남이 {뛰-}가 '이때'에 되는 것이요, (1ㄴ)에서는 {-다}가 '끗기'니 그 남이 {검-}이 '이때'에 들어나아가는 것이라" 하였고 (1ㄷ)에서는 "{-이다}가 '끗기'니, 그 남이 〈먹〉이 '이때'에 잇어가는 것이라" 했다.[9] 그러니까 주시경 선생은 {-는-}이 있는지를 몰랐는지는 몰라도 이것을 현재시제 형태소로 다루지 아니하였다. 아마, (1ㄱ)에서 '뛰+∅+오'와 같이 '뛰-'와 어미 '-오' 사이에 무형의 현재시제 형태소가 있는 것으로 보았는지는 모르겠으나 글쓴이가 생각하기에는 주시경 선생이 문법책을 쓴 분인데, '뛰다'에서 '뛴다'의 'ㄴ'이 있는지를 몰랐을 리가 없을 것으로 여겨지는데, 그 수제자인 최현배 교수가 '-는-'을 인정하지 아니한 것으로 미루어 주시경 선생도 인정하지 아니한 것으로 보인다.

　다음으로 최현배 교수는 『우리 문법』에서 종결법의 서술형의 현재는 동사의 줄기에 어미 '다'가 붙는 것 곧 동사의 '으뜸꼴'로써

---

9) 최낙복(2003), 『주시경 문법의 연구(2)』, 박이정, 65~67쪽에 의함.

나타내느라 하였는데 그 보기를 들면 다음과 같다.

가다. 오다. 주다. 끄다. 치다. 막다. 접다. 놓다. 눕다.

"현재(現在)는 원래 시간의 한 점을 가리킴이요, 시간의 계속을 가리킴이 아니다. 그런데 우리의 일상 동작은 현재적으로는 다 진행 중에 있는 것이다. 그러므로 그 시간상 계속적으로 되어 가는 움직임을 표시하려면 다음에 장차 말할 '현재진행'의 때매김을 많이 쓰게 되고 '현재'의 때매김을 적게 쓰게 됨은 자연의 이치라 할 만하다. 그러나 다시 생각해 보건대, '현재'를 나타내는 다른 어미들은 잘 쓰이면서 이 으뜸꼴만 잘 쓰이지 아니함은 우리말의 한 버릇으로 볼 것이라 하노라"[10] 하여 '-는-'을 인정하지 아니하였다. 그것을 예스퍼슨이 현재는 0(제로)로 나타낸 데서 본받은 것은 아닌지 모르겠다. 그러면서도 『우리 문법』, 266쪽에서 '예사높임'에서는 '-(는, 았, 겠)구려'로 설명하고 있는데, 이런 일로 미루어보면 '-는-'을 선어말어미로 보는 듯하다. 다시 『우리 문법』, 269쪽의 예문을 보자.

(2) ㄱ. 비가 오는구려.

ㄴ. 당신도 가겠구려.

ㄷ. 당신도 보았구려.

(2ㄱ~ㄷ)에서 '-는-'은 '-겠-'과 '-았-'과 맞먹는 것으로 본다면,

---

10) 최현배(1983), 『우리말본』(열 번째 고침판), 정음문화사, 446~447쪽에서 옮김.

여기서는 '-는-'을 선어말어미로 본 듯하다. 또 『우리 문법』, 271쪽의 의문형의 보기에서 보면 다음과 같은 예가 보인다.

(3) -(는)가, -(을)가, -(던)가

등으로 설명되어 있는데 좀 무리인지는 몰라도 '-는-'은 '-던-'과 대비되는 것으로 보아질지도 모르겠다.

정인승 교수는 표준고등말본에서 '이제'는 '(느)ㄴ다, 는가, 느냐, 는구나, 네, 는지, 는지라, 는데, …' 등으로 예를 들고 있는데, '-는-'을 현재를 나타내는 선어말어미로 보지 않는 듯하다.

이희승 교수는 『동사의 시제』에서 "현재를 나타내는 동사에는 보조어간이 쓰이지 않고, 어간에 어미만 붙어서 현재를 표시하게 된다. 그리고 어미 '다'가 붙을 경우에는 그 '다' 대신에 '는다'(받침을 가진 어간 아래에) 또는 'ㄴ다'(모음으로 끝난 어간 아래에)가 붙어서 현재를 표시하게 된다"고 하였으니, 이희승 교수도 '-는-'을 현재관형법 형태소로 인정하지 않았다.

이승녕 교수도 『동사의 시제』에서 "동사의 현재는 '어간+-ㄴ-다', '어간+-는-다'의 형성(形成)이어서, 어미로서는 '-ㄴ-', '-는-'에 달린 것이다.

나는 밥을 먹는다 … 먹-는-다.
나는 물을 버린다 … 버리-ㄴ-다.

물론 이것은 어간말음이 자음이냐(먹-는-다) 모음이냐(버리-ㄴ다)에 따라 결정되는 것이다"라고 하여 역시 '-는-'은 현재시제 형태소로 인정하지 않았다.

허웅 교수는 『20세기 우리말의 형태론』, 1080쪽에서 "때의 흐름을 나타내는 방법에는 적극적인 방법과 소극적인 방법의 둘이 있다 하고 전자에는 선어말어미와 관형법의 종결어미 '-는', '-은', '-을'과 같은 것이 있다 하고 후자에는 '-는다/ㄴ다/다/라'와 같은 종결어미에 의한 것이 있다." 하였다. 이로써 보면 허웅 교수도 '-는'을 현재시제 형태소로 보지 않는 것과 같다.

남기심 교수는 『현대국어 통사론』, 343~352쪽에서 '-는-'은 현재시제 형태소로 볼 수 없음을 상세히 설명하고 있다.

지금까지 위에서 설명한 대로 많은 학자들이 '-는-'을 어미로 다루면서 현재시제 형태소가 아님을 논설하였는데 이에 대하여 '-는-'을 현재시제 형태소로 보는 학자들도 있으니 다음에 소개하기로 한다.

박지홍 교수는 『현재-선어말어미(현재-도움줄기)』에서 '-는/-ㄴ' 하나가 있다. '-는-'은 현재의 지속을 비롯하여, 과거 어느 때의 지속과 어느 때의 사실이나 미래의 의지적 사실을 나타낸다.

- 순이는 천천히 밥을 먹는다. (현재의 지속)
- 어제 읽는다고 하더니, 아직 안 읽었군. (어느 때의 사실)
- 그날 화랑은 모두 모였다. 한 화랑이 웃는다. (어느 때의 지속)
- 나는 내일 가ㄴ다. (의지적 사실)[11]

---

11) 박지홍(1986), 『고쳐 쓴 우리 현대어본』, 과학사, 155~161쪽 참조.

와 같이 설명하고 있다.

김광해 교수 외 네 분이 쓴 책에서는 기준시와 사건시가 동일한 '현재' 사건의 표현에는 일반적으로 '-는-, -(으)ㄴ'이 쓰인다 하였고, 동작이 아니라 상태나 성질을 나타내는 형용사의 경우에는 굳이 '-는-, (으)ㄴ과 같은 특별한 문법적 장치를 사용하지 않고 아무런 표지 없이 현재를 표현한다.

- 철수는 마음이 깊다/*깊는다.
- 나는 2년 전부터 기숙사에서 살고 있다/*있는다』12)

등의 예를 들고 있으면서 '-는-'을 현재시제 형태소로 인정하고 있다. 글쓴이도 『현대 표준말본』, 512~513쪽에서 여섯 가지 까닭을 제시하여 '-는-/-ㄴ-'을 현재시제 형태소로 보았다. 그것을 들면 다음과 같다.

첫째, 우리의 언어 직관으로는 '-는-/-ㄴ-'이 현재를 나타내는 것으로 보고 있다.

둘째, '-는-/-ㄴ-'은 '-았-', '-겠-', '-더-' 다음에서는 줄어드는데 '-는다' 전체를 서술법으로 본다면 의문법의 종결어미와의 대비상 모순이 된다. 이와 같은 일은 '-는-/-ㄴ-'이 서술법의 종결어미가 아님을 입증하는 것이라 판단되기 때문이다. 더구나 '-었-', '-겠-', '-더-' 다음에 '-는-'이 오지 않는 것은 이들과 때매김이 맞지 않기 때문이다.

---

12) 김광해 외 4인(1999), 『국어지식탐구』, 박이정, 194쪽 참조.

셋째, 관형법에서 '-는-'은 현재를 나타내는 형태소로 보면서, 서술법에서는 현재의 시제형태소로 보지 아니하고 종결어미로 본다면 앞뒤 모순이 아닐 수 없다.

넷째, '-는-/-ㄴ-'은 형용사와 지정사에는 ∅로 된다 하였으나, 역사적으로 보면 형용사와 지정사에도 쓰였는데 그것이 후대로 오면서 줄어들었으므로 형용사와 지정사가 서술어가 되면 현재의 뜻으로 느껴지는 것은 그와 같은 역사적 사실 때문이다. 즉 ∅ 형태소를 가지고 있기 때문이다.

다섯째, 역사적으로 '-ᄂᆞ-'가 '-는-/-ㄴ-'으로 바뀌었다.

여섯째, '-는-/-ㄴ-'이 올 때는 반드시 현재의 부사 '지금', '이제', '오늘', '올해'… 등이 쓰이며 직업, 관습을 나타낼 때는 '늘', '항상', '언제나', '요즈음', '자주'… 등이 쓰인다.

이상 여섯 가지로 미루어 글쓴이는 '-는-/-ㄴ-'은 현대 우리말 때매김에 있어서 현재를 나타내는 선어말어미로 보고자 한다 하였다. 그러나 여러 가지 면으로 따지고 보면 우리말에서 현재를 나타내는 선어말어미는 설정하기가 어려울 것 같으나 자세히 따지고 보면 '-는-'은 현재를 나타내는 형태소로 볼 수 있다.

(4) ㄱ. ① 너는 언제 가니?

　　　② 나는 모레 간다.

　ㄴ. 해는 동에서 뜨고 서에서 진다.

　ㄷ. 그는 착하고 부지런하다.

　ㄹ. 이것은 책이다.

　ㅁ. 기차가 달려간다.

ㅂ. 그는 매일 학교에 간다.

ㅅ. 철수는 장사를 한다.

ㅇ. 너는 이리 오너라.

ㅈ. 어서 일어나자.

ㅊ. 너에게 이것을 주마.

ㅋ. 중국 대륙을 가다.

ㅌ. 아, 날씨가 좋구나!

(4ㄱ)의 ②는 가까운 미래를 나타내는데 서술법이 쓰였고 (4ㄴ)은 진리를 나타내고 (4ㄷ)은 사실을, (4ㄹ)은 지정을, (4ㅁ)은 현재진행을 (4ㅂ)은 관습을, (4ㅅ)은 직업을, (4ㅇ)은 명령을, (4ㅈ)은 권유를, (4ㅊ)은 약속을, (4ㅋ)은 과거를, (4ㅌ)은 느낌을 각각 나타내고 있다. 이제 이에 대하여 자세히 살펴보기로 하겠다.

(5) ㄱ. 철수야 이것을 먹어라.

ㄴ. 너는 어디에 가느냐?

ㄷ. 우리 같이 놀자.

ㄹ. 꽃이 아름답도다.

ㅁ. 철수는 밥을 먹는다.

(5ㄱ)에서 '먹어라'는 '먹-'이 어근이요, '-어-'는 완료를 나타내는 형태소로 명령에는 반드시 쓰인다. 그리고 '-라'는 명령의 뜻을 나타내는 형태소이다. 본래 명령이란 말하는 이의 의도가 상대방에 의하여 실현(완료)되기를 바라고 말하는 것이므로 그 실형 즉 완료 (-어-)가 반드시 있어야 하는 것이다. 그러니까 명령에는 현재가 필

요 없다. (5ㄴ)의 '가느냐'도 '가-'는 어근이요, '-느-'는 현재를 나타 내는 형태소이며 '-냐'는 물음을 나타내는 형태소이다. 묻는 것은 지금 상대에 대하여 묻기 때문에 현재시제 형태소 '-느-'가 와야 하 는 것이다. 물론 경우에 따라서는 '-느-'가 생략되는 일도 있다. '너 는 어디 가니?' 또는 '너는 어디 가냐?' 식으로 입말에서 많이 말하 는데, '-니'는 '-냐'의 변이형태요, '가냐?'에서는 '-느-'가 줄어 있 다. 물음은 현재에 하는 것이므로 현재시제 형태소 '-느-'를 줄이는 일이 있다. (5ㄷ)의 '놀자'에서 권유는 '-자'가 나타낸다. 권유에는 현재시제 형태소 '-는-'이 들어갈 수도 없고 들어갈 필요도 없는 것이다. 왜냐하면 권유는 언제나 현재에 하는 것이고 권유의 뜻만 전달되면 되기 때문이다. (5ㄹ)의 '아름답도다'에서 '아름답-'은 어 근이요, '-도-'는 느낌을 나타내는 형태소요, '-다'는 서술을 나타내 는 형태소이다. 그러니까 느낌은 어근에 '느낌+서술'의 형식으로 표 현되는 것임을 알아야 한다. 동사에서 예를 들면 '왔도다. 왔도다. 봄이 왔도다.'에서 분석하여 보면 '왔도다'는 '오(어근)+았(완료)+도 (감탄)+다(서술)', 즉 '왔도다'는 '와서 펼쳐지고 있음을 느껴서 서술 하다'는 형식으로 됨이 감탄문의 본질인 것이다. '왔도다'와 같은 경우 이외에 동사가 감탄문에 쓰이는 경우는 '오도다'로 나타나는 경우도 있고 '오는도다'로 나타나는 경우도 있다. 끝으로 (5ㅁ)의 '먹는다'는 '먹(어근)+는(현재/또는 진행)+다(서술)'의 형식으로 되는 데, 본래 '-는-'은 동작성의 형태소이다. 그러므로 다음과 같이, '꽃 이 아름답다'에서 '아름답는다'와 같이 '-는-'이 나타날 수 없는 것 은 형용사는 상태나 모양 등등을 나타내는 품사이므로 '-는-'이 쓰 일 수 없기 때문이다. '이다'의 경우도 마찬가지이다. 그런데 현재의 서술이라는 것은 움직임이 이제 눈앞에서 이루어지고 있기 때문에 여기에는 현재를 나타내는 '-는-'이 반드시 들어가야 하는 것이다. 그러므로 동사가 서술어가 되어 현재를 나타내어야 할 경우에는 반드시 현재의 동작을 나타내는 '-는-'이 들어가야 하는 것이다. 이상의 분석에 의하여 글쓴이는 '-는-'을 현재시제의 형태소로 보고자 한다. 다음과 같은 예문이 있다.

(6) 중국 대륙을 <u>가다</u>.

(6)은 책 이름인데, 과거에 중국을 다녀와서 쓴 책에 붙여진 이름이다. '갔다' 하니까 이상하므로 때매김이 없는 원형 '가다'로써 책 이름으로 한 것이다. 이러고 보면 원형 '가다'는 때매김이 없는 것이다. 그런데 현재를 동사의 원형으로써 삼고자 함은 때매김 체계에는 맞지 않는 것으로 보아진다. 끝으로 하나 덧붙일 것은 '밥을 먹었는데' 할 때, '-었-' 다음에 '-는-'이 왔으니 '먹는다'와 같은 서술법에서 '-는-'은 현재를 나타내는 시제선어말어미로 볼 수 있느냐? 하는 일이 있는데 이것은 '밥을 먹었데' 하면 말이 안 되는데 어원으로 보면 '-는'은 관형형어미요 '-데'는 의존명사인데 이게 합하여 어미화한 것이다.

본래 의향법(mood)은 '어근+다(-냐, -라, -자)'에서 밑줄 부분이 이에 해당된다. '-다-'는 서술법 '-냐-'는 의문법, '-라-'는 명령법, '-자-'는 권유법을 나타내는데, 어근과 이들 어미 사이에 오는 형태소는 선어말어미로 보아야 한다. 그러므로 위의 '-는-'은 현재를 나타내는 형태소로 보아야 할 것이다.

2.1.3. 미래시제

'-겠-'·'-리-': 이에 대하여는 '-겠-'과 '-리'의 둘로 나누어 살피기로 하겠다.

2.1.3.1. -겠-

이에 대하여 먼저 예문을 보기로 하겠다.

(1) ㄱ. 인류 보편적 기본권을 우리 국민들이 갖지 못했다고 누가 상상이나 하겠는가?

ㄴ. 국가를 상실한 민족의 고통이 어떠하겠는가?

ㄷ. 그는 당선 연설에서 "우리의 친구 미국 그들이 필요로 할 때 언제든 곁에 있겠다"며 미국과의 우호협력을 강조했다.

ㄹ. 또 한 사람은 "당의 경선 참여를 포기하겠다는 말을 하고 있다"고 하면서…

ㅁ. 6자 회담보다 한 발짝 앞서 나가야 하지 않겠느냐?

ㅂ. 무엇 때문에 티격태격하는지 내용을 모르겠다는 것이다.

ㅅ. 직접 호소하는 게 낫겠다.

ㅇ. 이럴 때 병사가 출근부 도장 찍고 집에 앉아 있으면 남한산성이 또 한 번 우리의 현실이 될 수 있잖겠는가.

ㅈ. 너의 엄마 사인이 든 책을 가져 온다면 더할 나위 없이 기쁘겠지만…

ㅊ. 한 마리만 데려 오겠다고 말해 보리라.

ㅋ. "연덕춘 선생님과 상의해 보고 결정하겠습니다."라고 하자 이회장님은 "그래 니 마음 편하게 해라"고 했다.

ㅌ. 안양으로 옮기면 국내 최고 대우를 해 주겠다는 약속도 덧붙였다.

ㅍ. 어느 가정이나 그러하겠지만 신발장은 가지런하고 단출하기보다는 너저분하고 복잡하기 일쑤이다.

ㅎ. 도마가 닳지 않고 어찌 칼날을 받을 수 있으며 칼이라고 그대로 있겠는가?

ㄱ'. 아니 평생 그런 박수를 파도가 아니면 누가 쳐 주겠는가?

ㄴ'. 비둘기들도 나처럼 고민이 있어 넓은 바다를 찾아온 것은 아닌지 모르겠다.

ㄷ'. 자연이 주는 이보다 더 귀한 선물은 없겠기 때문입니다.

ㄹ'. 모두가 착하기만 하고 좋은 것만 있으니 무슨 재미가 있겠느냐는 얘기다. 여행 또한 좋은 경험만 갖고 온다면 무슨 의미가 있겠는가?

ㅁ'. 식물도감을 펼치면 들꽃 이름이야 찾아내겠지만 이들 하나하나의 이름보다 꽃잎 빛깔에 마음이 끌린다.

ㅂ'. 부당하게 교회 재산을 탐하는 것은 하나님을 떠난 우상 숭배가 아니고 무엇이겠는가?

ㅅ'. 그 결과는 무엇이겠는가 목회자여 목회자여.

ㅇ'. 어린이들에게 모범을 보여 주도록 힘써야 하겠다.

ㅈ'. 삶의 재충전을 위해 먹고 마시며 즐기는 여행도 필요하겠지만 그것이 자연을 거스르는 것이어서는 안 될 것이다.

ㅊ'. 엄마하고 수아가 이사해야겠구나.

ㅋ'. 또렷하면 또렷하기 때문에 수호해야겠고 희미하면 희미하기 때문에 다듬어 바로잡아야겠다.

ㅌ'. 주고 가는 것은 사라지는 것이 아니라 남겨 두고 떠난다는 말이 옳겠다.

ㅍ'. 역시 화면을 통해서 보니까 왜 대단한지 알겠더라고요.

ㅎ′. 그는 언제까지고 배우는 자세로 세상을 살아가겠다고 말한다.

ㄱ″. 소수자들의 이야기에 더 눈을 돌리고 이들의 분리를 끊임없이 제기하며 이들을 대변하는 전통을 세워 갔으면 좋겠습니다.

ㄴ″. 조선어학회에서 〈한글〉을 편집하면서 보고 느낀 것을 쓰겠다.

ㄷ″. 조선어학회가 하는 일도 마찬가지입니다. 앞으로 조심하겠습니다. 지금 어느 때라고 대일본 제국을 두고 딴 생각을 하겠습니까.

ㄹ″. "지사 말로가 이런 것이 아니겠습니까." 고 숙연히 말하는 것을 편찬원들이 보았다.

ㅁ″. 그리고는 "안양에 와 있으면 안 되겠냐"고 물었다.

ㅂ″. 갑작스런 질문에 나는 "지금 답을 못 드리겠습니다.···"

ㅅ″. 서울 컨트리클럽에서 뼈가 굵은 제가 "갑자기 간다는 말을 못 하겠습니다"라고 했다.

ㅇ″. 내일 비가 오겠다.

ㅈ″. 그는 반드시 성공하겠다.

ㅊ″. 여론에 의하면 그는 대통령에 당선되겠다.

위의 38개 예문에서 쓰인 '-겠-'의 문맥적 뜻을 분석해 보기로 하겠다.

(1ㄱ)의 '-겠-'은 '가능'으로 보아지며 (1ㄴ)의 '-겠-'은 '추측'으로 이해되고, (1ㄷ)의 '-겠-'은 '의지미래'이다. (1ㄹ)의 '-겠-'도 '의지미래'이며 (1ㅁ)의 '-겠-'은 그 앞의 '앞서 나가야'의 '-야' 때문에 '마땅한(또는 의무)'의 뜻을 나타내는 미래로 보아야 할 것 같고 (1ㅂ)의 '-겠-'은 '가능'을 나타내며 (1ㅅ)의 '-겠-'은 '의지' 또는 '판단'으로 이해된다. 그리고 (1ㅇ)의 '-겠-'은 '추측(또는 가능?)'을 나타내며 (1ㅈ~ㅌ) '-겠-'은 '의지'를 나타내고 (1ㅍ)의 '-겠-'과 (1ㅎ)의

'-겠-'은 모두 '추측'을 나타낸다. (1ㄱ)의 '-겠-'도 '추측'을 나타내고 '1ㄴ'의 '-겠-'은 '가능'을, (1ㄷ')의 '-겠-'은 '추측'을, (1ㄹ')의 '-겠-'도 '추측'을 각각 나타낸다. (1ㅁ')의 '-겠-'은 '가능'을, (1ㅂ'~ㅅ')의 '-겠-'은 '추측'을, (1ㅇ')의 '-겠-'은 '마땅함(의무)'을, (1ㅈ')의 '-겠-'은 '추측'을, (1ㅊ'~ㅋ')의 '-겠-'은 '마땅함'을, (1ㅌ')의 '-겠-'은 '단정'을, (1ㅍ')의 '-겠-'은 '가능'을, (1ㅎ')의 '-겠-'은 '의지'를 각각 나타낸다. 또 (1ㄱ"~ㄷ")의 '-겠-'은 모두 '의지'를, (1ㄹ")의 '-겠-'은 '추측'을, (1ㅁ")의 '-겠-'은 '의지'를, (1ㅂ")의 '-겠-'은 '가능'을, (1ㅅ")의 '-겠-'은 '의지'를, (1ㅇ")의 '-겠-'은 '추측'을, '1ㅈ"~ㅊ"의 '-겠-'은 '가능'을, 각각 나타낸다. 전체적으로 요약하여 보면, '-겠-'은 '추측, 가능, 의지, 마땅함(의무), 판단' 등의 뜻을 나타내는 미래시제 형태소임을 알 수 있다. 그런데 글쓴이가 왜 이 '-겠-'을 미래시제 형태소로 보느냐 하면, '추측, 가능, 의지, 마땅함, 판단' 등은 모두 현재에 그 결과가 나타나는 것이 아니고 미래에 나타나기 때문이다. 예를 들어 "비가 오겠다" 한다면 이때의 '-겠-'은 '추측'을 나타내는데 '비가 오는 사실'은 장차에 일어날 것을 예측하는 경우에 쓰인다. 그렇게 예측하면 몇 시간 이후이거나 며칠 이후에 비가 오게 되기 때문에 '추측' 그것만을 가지고 '-겠-'은 미래시제 형태소가 아니라 함은 옳지 못하다. 또 '가능', '의지', '의무' 등의 결과는 모두 미래에 일어나기 때문에 '-겠-'의 기능을 모두 묶어 '추정 형태소'로 규정하는 일은 옳지 않기 때문이기도 하다. '의지'는 '추정'으로 볼 수 없다. 확고한 자기 뜻을 추정으로 볼 수 있을까? '나는 내일 학교에 가겠다' 하면 '내일 반드시 학교에 간다' 그러므로 '의지'는 '의지미래'로 보아야 한다. (영어에서 의지미래와 단순미래가 있음을 상기해 볼 만하다.) 결국 '의지, 가능, 추정, 의무'는 장차의 발생 또는 실현을 전제로 하는 말들이다. 따라서 결과적으로 로 글쓴이는 '-겠-'을 미래시제 형태소로 규정하는 바이다.

2.1.3.2. -으리-

우리 국어의 때매김에 있어서 미래시제 형태소로서 제일 처음 나타난 것은 '-리-'인데 용비어천가에서부터 나타난다.

(1) 英主ㅅ 알픽 내내 붓그리리 (용 16장)

위에서 보는 바와 같다. 그런데 18세기에 와서 '-으리-'가 미정의 뜻을 지탱해낼 수 없는 경지에 이르게 되매, '-겠-'이 싹트기 시작하였는데 이것은 본래 명령을 나타내는 '-게 ㅎ-'의 완료형인 '-게 ㅎ엿-'에서 나온 것으로 차차 명령의 뜻이 없어지면서 추정의 뜻만이 두드러져서 오늘에 이른다. 그 변천 과정을 보면 다음과 같다.

(2) '-게 ㅎ얏-' 〉 '-게 ㅇ얏-' 〉 '-게 얏-'

끝 어형의 두 모음이 한 음절로 줄여지면 '-겠-'이 된다. 따라서 미정법의 재건은 18세기 말에서 19세기의 일인데, '-겟-'은 '-으리-'와 공존한다.[13]

이제 '-리-'의 용례를 들어 보면 다음과 같다.

---

13) 허웅(1987), 『국어때매김법의 변천사』, 샘문화사, 232쪽에 의함.

(3) ㄱ. 관광객은 즉 돈이라는 말이 우스갯소리만은 아니리라.

ㄴ. 그는 잘 있었으리라.

ㄷ. 부모님 모시고 흙에 살리라.

ㄹ. 하지만 그걸로 뿌리가 뽑히리라 여겨지지 않는다.

ㅁ. 더구나 분양 받은 고양이가 아니라 가엾은 고양이라면 엄마로서도 거절하지 못하리라.

ㅂ. 운신도 못 하는 노인네의 노욕쯤으로 보였을 수도 있으리라.

ㅅ. 남은 인생 이렇게 살아간들 어떠리?

ㅇ. 황망 중에 우리가 떠나보낸 회우 그녀의 빈자리를 깜빡하신 것이리라.

ㅈ. 젊은 나이로 고인이 된 회우를 향한 그리움을 삭히려 함이리라.

ㅊ. 꽃망울이 부풀어 터질 때쯤 잠자리채를 손보아도 늦지 않으리라.

ㅋ. 자연의 힘에 순응하는 외경심에서 비롯된 말이리라.

ㅌ. 배를 채우기 위해 사는 시대는 지났다는 얘기리라.

ㅍ. 글 쓰는 사람 같지 않게 비우지 못한 딱딱한 가슴 탓이리라.

이 '-리-'는 그 용례가 비교적 드물 뿐만 아니라, (3ㅅ)과 같이 어미화하는 운명에까지 놓이게 될 처지가 되어 가는 듯하다. 이제 (3ㄱ~ㅍ)까지의 용례에서 그 문맥적 뜻을 분석해 보기로 하겠다. (3ㄱ~ㄴ)의 '-리-'는 '추측'을 나타내고 (3ㄷ)의 '-리-'는 '의지'를, (3ㄹ)의 '-리-'는 '가능'을, (3ㅁ~ㅂ)의 '-리-'는 '추측'을, (3ㅅ)의 '-리-'는 '의지'를, (3ㅇ~ㅍ)까지의 '-리-'는 '추측'을 각각 나타낸다. 종합적으로 '-리-'가 나타내는 문맥적 의미를 간추려 보면 '추측', '의지', '가능'의 셋으로 요약된다.

여기서도 '-리-'를 '추정'의 형태소로 보느냐 아니면 미래시제 형태소로 보느냐 문제가 되나 '추측(추정), 의지, 가능' 등을 통틀어

'추정'으로 묶을 수는 없다. '-겠-'을 다룰 때, 이미 말하였지마는 이 '-리-'도 미래시제 형태소로 보고 '추정, 가능, 의지' 등은 문맥에서 그런 뜻 기능도 가지고 있다고 하면 될 것으로 생각된다. 앞에서 본 바와 같이 영어의 경우도 '의도·생각, 가능, 운동, 의무, 의지' 등 다양한 문맥적 뜻을 나타내는 것과 견주어 보아도 앞의 '-겠-'과 '-리-'를 미래시제 형태소로 보아도 큰 무리는 없을 것으로 생각된다.

2.2. 시상

2.2.1. 회상시상

2.2.1.1. 회상시상 '-더-'

이에 대하여는 주시경 선생 이래 오늘날까지 모든 문법 학자들이 회상시상을 나타내는 형태소로 인정하고 있다. 그런데 정인승 선생만이 「끝바꿈으로의 때매김」이라는 제목 아래 동사의 매김꼴을 설명하고 그 다음에 마침꼴의 때매김을 설명하면서 "도로생각은 '더라, 더니라, 데, 더니, (으)ㅂ디다, (으)ㅂ딘다, 더면, 던들…'이 있다"고 하였다.[14] 그런데 우리가 가끔 다음과 같은 글들을 볼 수가 있다.

(1) ㄱ. 선생님, 철수가 집으로 갑디다.
ㄴ. 그가 서울로 가옵더이다.

---

14) 정인승(1956), 『표준고등말본』, 신구문화사, 116~117쪽 참조.

ㄷ. 그는 우리 말을 믿사옵더이다.

대개 '-시-', '-었-', '-겠-' 등은 '-사옵-', '-옵-', '-ㅂ-' 앞에 쓰
이는데 (1ㄱ~ㄷ)에서 보는 바와 같이 '-더-'는 '-ㅂ-', '-옵-', '-사옵
-' 다음에 쓰이고 있어서 어미에 가까운 성질을 가지고 있을 뿐 아니
라, 때매김에서 회상시상을 인정하는 것이 합당하냐 하는 것도 재고
하여 볼 필요는 있지 않을까 생각된다. 글쓴이는 일찍부터 회상시상
은 엄밀히 말하면 말할이가 과거에 경험한 것을 이제 와서 회상하여
말하는 것인데 때매김 범주에는 들어갈 성질의 것이 아니지 않은가
하고 생각한 적이 있었다. 만일 때매김하는 것으로 보려면 '-었-',
'-겠-'과 같이 인칭에 구애됨이 없이 사용되어야 하나 이는 일인칭
에는 잘 쓰이지 않는 특징이 있다. 만일 쓰이려면 일인칭이 객관화된
경우나 의문문인 경우에 주로 쓰이나 서술문에서 어떤 사실을 느낀
대로 말할 때도 쓰일 수 있다.

(2) ㄱ. 나는 꿈에서 영희를 사랑하더라.
ㄴ. 내가 그 일을 잘 했더라.
ㄷ. 너는 내가 공부를 잘 하더라고 했다.
ㄹ. 거울에 비추어 보니 나도 미남이더라.
ㅁ. 내가 무엇을 잘못하더냐?

(2ㄱ)의 '나'는 현실의 '나'가 아니고 꿈속에서의 '나'이다. 그러니
까 '나'는 '나'이되 서로 다른 '나'이다. 그러므로 문장은 성립된다.
(2ㄴ)은 과거에 내가 무슨 일을 했는데, 지금 와서 생각해 보니까,
그때 한 일이 잘 되었다는 뜻으로 과거에 무슨 일을 한 '나'와 지금에

반성해 보는 나는 동일 인물이 아니다. 객관화된 '나'인 것이다. (2ㄷ) 의 '나'는 인용문의 주어로 되어 있다. 이때 인용문을 말한 사람은 '나'가 아니고 '너'인 것이다. 그러니까 '-더-'가 와도 상관이 없다. 만일 말할이인 '나'가 '나는 공부를 잘 하더라'고 한다면 이상한 문장 이 되어 버린다. (2ㄹ)은 남기심 교수도『통어론』, 341쪽에서 예문을 들고 설명하고 있는데 거울 속에 비치어 있는 '나'와 밖에서 보고 있는 '나'와는 서로 다르다. (2ㄹ)은 객관적인 입장에서 말하고 있기 때문에 자연스러운 문장이 된 것이다. (2ㅁ)은 의문문이다. 의문문에 서는 '나'와 '-더-'가 공기할 수 있다. 그러나 다음과 같은 문장에서 는 '-더-'는 쓰일 수 없다.

(3) ㄱ*. 너는 공부하더냐?
    ㄴ*. 너는 어제 잘 자더냐?

(3ㄱ, ㄴ)에서의 '너'는 바로 당사자이기 때문에 '너'가 행위자의 처지임으로 비문이 된 것이다. 그런데 (2ㅁ)이 문법적인 것은 내가 잘못한 것을 본 사람은 나의 말을 듣는 상대방이기 때문이다. 판단 은 듣는 사람이 하게 되어 있는 것이다. 다음의 예를 보기로 하자.

(4) ㄱ. 나는 네가 사랑스럽더라. (정의적 형용사)
    ㄴ. 나는 그가 징그럽더라. (정의적 형용사)
    ㄷ. 나는 철수가 부럽더라. (정의적 형용사)
    ㄹ. 나는 땅콩이 고소하더라. (미각 형용사)
    ㅁ. 나는 여기가 미끄럽더라. (촉각 형용사)
    ㅂ. 나는 이 방이 윗방보다 따뜻하더라. (촉각 형용사)

ㅅ. 나는 차를 타니까 어지럽더라. (평형감각 형용사)

ㅇ. 나는 그가 아니꼽더라. (유기감각 형용사)

ㅈ. 나는 그 말을 듣고 너무 분하더라. (정의적 형용사)

ㅊ. 나는 그이의 말을 들으니 내가 착하더라. (평가 형용사)

ㅋ. 나는 생각하니 나도 슬기롭더라. (이지 형용사)

ㅌ. 나는 나이가 그와 비슷하더라. (견줌 형용사)

ㅍ. 나는 나이가 그에 비해서 적더라. (셈술 형용사)

　

　남기심 교수는 『통어론』, 341쪽에서 "느낌 형용사가 서술어일 때
는 주어는 항상 말할이 자신인 '나'여야 한다"고 하였는데 글쓴이가
조사한 바에 따르면 평가형용사, 셈술형용사, 견줌형용사가 서술어
일 때도 '나'와 '-더-'는 공기할 수 있음을 (4ㅊ, ㅌ, ㅍ)을 보면 알
것이다. 이는 문장의 짜임새에 따라서 더 많은 예가 있을 수 있을
것으로 보인다.

　그리고 '-더-'는 요즈음 차차 어미화하여 가는 경향에 있다.

　

(5) ㄱ. 그가 공부를 잘 합디다.

　　ㄴ. 철수는 열심히 공부하였더라.

　　ㄷ. 내가 죽은 후 혹 사리가 나오더라도 절대 세상에 내 놓지 말라
　　　　하셨다.

　　ㄹ. 일하던 손을 놓고 쉬었다.

　　ㅁ. 지난날 잘 지냈던 때가 있었다.

　　ㅂ. 그가 이기겠던 경기를 보지 못했다.

　

　(5ㄱ)의 '-디-'는 낮춤을 나타내는 '-ㅂ-' 다음에 쓰이고 있는데

이는 '갑니다' 할 때의 '-니'가 '-ㅂ-' 다음에 쓰이는 것과 같으니 어미에 가깝다 할 수 있고 (5ㄴ)의 '-였더-', (5ㄷ)의 '-더라도'에서 보면 (5ㄴ)의 '-더'는 선어말어미 중에서 제일 끝에 쓰였고 (5ㄷ)의 '-더'는 어미화한 것으로 보아진다. 즉 '-시었겠더-', '-시옵겠더-'에서 보는 바와 같이 '-더'는 선어말어미 중 제일 끝에 쓰여 있다. (5ㄹ~ㅁ)에서 관형형어미 '-ㄴ-'이 '-더-'에 쓰이고 있는데 이 사실도 '-더-'가 어미에 가까운 성질을 가지고 있는 것으로 보면 어떨까? 왜냐하면 '-ㄴ-'은 어미이기 때문이다.15)

(6) ㄱ. 아이가 <u>오더라</u>.

　　ㄴ. 산이 <u>높더라</u>.

　　ㄷ. 그는 착한 학생<u>이더라</u>.

(6ㄱ~ㄷ)의 각 서술어는 '오더다', '높더다', '이러다.'로 되어야 하나 말이 되지 아니할 뿐 아니라 발음상 무리가 있어 모두 '-다'를 '-라'로 고쳐서 말하게 되는데, 이 사실 또한 '-더-'를 '-라'와 합하여 어미로 보면 무리일까? 특히 '-더-'는 종결법에서는 서술형과 의문형과만 어우르고 자격법에서는 관형사형과만 어우르고, 연결법에서는 구속형, 서술형과만 어우른다. 그뿐 아니라 어우르는 꼴의 모든 어미와 어우르지도 못하고 그 중에 몇 개와만 어우른다. 그러므로 '-더-'의 쓰임이 매우 제한되어 있다. 위에서 설명한 바를 예문으로 보이면 다음과 같다.

---

15) 최현배 교수는 『우리말본』(1983), 472쪽에서 '-ㄴ'을 '매김꼴씨끝'이라 했다.

(7) ㄱ. 그가 가더구나. (가더니라) 〈아주낮춤〉

　　ㄴ. 그가 가데. (더이) 〈예사낮춤〉

　　ㄷ. 그가 갑디다. (예사높임)

　　ㄹ. 그가 가더이다. (아주높임)

(8) ㄱ. 그가 가더냐? (아주낮춤)

　　ㄴ. 그가 가던가? (예사낮춤)

　　ㄷ. 그가 갑디까? (예사높임)

　　ㄹ. 그가 가더이까? (아주높임)

　　(7ㄱ~ㄹ)은 서술문의 보기요, (8ㄱ~ㄹ)은 의문문의 보기이다.

　　다음은 연결법의 구속형과 서술형의 '-더-'의 때매김을 보이기로

한다.

(9) ㄱ. 오더면, 오던들 (매는꼴)

　　ㄴ. 오더니, 오던바 (풀이꼴)16)

　　(9ㄱ)은 실제로 현대어에서 잘 쓰이지 아니하는 듯하고17) (9ㄴ)의

'오더니'는 현대어에서 쓰이나 '오던바'는 잘 쓰이지 않는 듯하다.

이와 같이 그 쓰임이 극히 제한된 '-더-'를 굳이 하나의 때매김 형

태소로 보아야 할까 의심스럽다. 그리고 분명히 말하면 경험을 나

타내는 '-더-'를 때매김 범주에 넣을 수 있는가도 문제이다. 앞으로

---

16) 최현배(1983), 『우리말본』, 정음문화사, 456~459쪽에서 그대로 옮김.

17) 허웅 교수의 『20세기 우리말의 형태론』(1995), 1192쪽에서는 예를 들고 있다. (다만 '더면'
　　에 한함.)

더 연구해 볼만한 일이다.

2.2.1.2. 과거회상시상: -었더-

먼저 예문부터 보기로 하겠다.

(1) ㄱ. 이스라엘 민족의 철저한 다이아스포라와 같은 운명에 놓이게 되었
　　 으니 얼마나 비운의 민족이었던가?

　　ㄴ. 참으로 처벌을 받아 마땅한 천인공노할 만행이 아니었던가?

　　ㄷ. 1983년 12월 28일에 장본인에게 직접 전화를 걸어서 문의했더니
　　　1.3설은 터무니없는 이야기라고 하고…

　　ㄹ. 몇몇 친구들이 불려가 문초를 받았더라고 하면서… 기록은 언제나
　　　그렇지 않더라고 했다.

　　ㅁ. 엄마에게 갔더니 며칠 전에 산 거라며 옷 자랑을 하신다.

　　ㅂ. 며칠 뒤 다시 친정에 갔더니 엄마는 아픈 다리를 질질 끌며 베란다
　　　로 나가더니 나를 부르셨다.

　　ㅅ. 올 겨울 감기 걸리지 않는 것이 행복 운운…했던가?

　　ㅇ. 그 비문엔 동생 이름 하나 덩그마니 올려져 있었던가?

　　ㅈ. 가사 벗은 겨를이 없었더라는 화담경화도 나중에 조용이 좌선한
　　　곳이 여기였다.

　　ㅊ. 그는 학창시절에 지금보다 더 착했더라.

　　ㅋ. 철이는 참한 학생이었더라.

　(1ㄱ~ㅈ)까지는 완결회상이 아니라 과거 일을 회상하여 말한 것
으로 보아진다. 특히 (1ㅊ)을 보면 '착했더라'는 절대로 완결회상으

로 볼 수 없는 것이 "그는 지금도 착한데, 학창시절에는 더 착했다"는 뜻이기 때문이다. 착한 것이 끝난 것이 아니고 지금까지 이어지고 있는 것이기 때문이다. 형용사가 나타내는 상태나 성질 등은 완결이 있을 수 없는 것이다. 이와 같이 (1ㅋ)도 "철이는 지금도 참한데, 학생 시절에도 참한 학생이었다"는 것을 말하고 있기 때문에 완결회상으로 보기는 어렵지 않나 생각된다.

2.2.1.3. 과거회상시상: -었었더-

(1) ㄱ. 그녀를 향한 의사의 최후 통보성 발언을 전해 듣는 순간 내 가슴은 얼마나 서늘했었던가?

'-었었던-'의 예는 위의 것뿐인데, 잘 나타나지 않는다. 위의 예 '얼마나 서늘했었던가?'는 '얼마나 서늘했던가?'로 하여도 될 것을 강조하기 위하여 '-였었던-'으로 표현한 것 같다. 사실 우리말에서 이런 표현법은 잘 쓰이지 않는다.

2.2.1.4. 과거회상시상: -았다더-

이것의 예문은 하나가 나타났는데 '-았다고 하더'가 줄어진 형태인데 입말에서는 가끔 쓰이는 것 같다. 차례가 좀 바뀌었으나 드물게 나타났기 때문이다.

(1) ㄱ. 아들을 잃은 어머니는 어느날 기어코 무덤을 파 보고 말았다던가?

이것 역시 과거 회상을 나타내는 것으로 보아야 할 것이다.

2.2.1.5. 추정회상시상: -겠더-

먼저 예문부터 보기로 하자.

(1) ㄱ. 역시 화면을 통해서 보니까 왜 대단한지 알<u>겠더</u>라고요.
   ㄴ. 너희들 퍼 줄 생각에 아픈 줄도 모르<u>겠더</u>라.
   ㄷ. 의사가 얼마나 설명을 안 해주는지 내가 환자 돼 보니 알<u>겠더</u>라.
   ㄹ. 나는 네가 좋아 죽<u>겠더</u>라.

(1ㄱ~ㄹ)까지의 '-겠더-'는 경험한 데 대한 의지의 뜻을 나타내고 있다. 따라서 '-겠-'을 일방적으로 추량형태소로 보는 것은 무리라 아니 할 수 없다.

2.2.1.6. 과거추정시상: -었겠-

1) -었겠-
예문부터 보기로 하겠다.

(1) ㄱ. 국가를 상실한 민족의 고통이 어떠<u>했겠</u>는가?
   ㄴ. 쪼우가 말한 고양이 이야기 때문이<u>었겠</u>지만 뉴질랜드에 두고 온 레오 생각이 나서였다.
   ㄷ. 인쇄소에도 세대 교체되어 기억에서 사라<u>졌겠</u>지만 고맙게 생각한다.
   ㄹ. 내 나이 벌써 이순을 넘겼으니 어찌 감회인들 없을 수 있<u>었겠</u>는가?

ㅁ. 신참 내기의 반짝 열의였겠지만 지금 생각하면 제법 열정을 쏟을 것 같기도 하다.

ㅂ. 그날 바다가 울었던 것은 분명 우연에 불과했겠지만, 나는 그 걸인들의 울음과 바다 울음을 별개의 것으로 생각할 수가 없었다.

ㅅ. 해외 영화제를 처음 와 보는데 그런 지식이 있었겠느냐?

ㅇ. 숙제도 다 했겠다 일찍 자거라.

ㅈ. 너는 졸업도 하였겠다, 취직도 되었겠다 무슨 걱정이겠느냐?

'-겠-'은 과거의 '-었-' 뒤에 쓰이면 주로 '추측'을 나타내는데 (1 ㄱ~ㅅ)까지는 과거의 추측을 나타내나, (1ㅇ~ㅈ)은 '-겠-'이 다짐을 나타낸다. 이것은 '-것-'이 오늘날 잘못 쓰이면서 '-겠-'으로 된 것이다. 일반이 모르고 쓰는 데서 온 오류인 것이다.

2) -었으리-
이것은 현대에 있어서 제법 많이 쓰이고 있다. 예문을 보기로 하자.

(1) ㄱ. 큰아기들과 동백기름을 발라 곱게 쪽을 진 새댁들이 치맛자락을 펄럭이며 뛰어올랐으리라.

ㄴ. 그는 이 일을 들었으리라.

ㄷ. 날개 잃은 새끼 비둘기 같은 어린 손녀딸이 못내 아린 상처 같아서 그렇게 하셨으리라.

ㄹ. 연세 많으신 할아버지의 심정이 지금의 내 마음과 흡사했으리란 생각을 하면서 기약할 수 없는 대답을 요구하는 것이다.

'-리-'도 '-었-' 뒤에서는 추측을 나타낸다. 따라서 (1ㄱ~ㄹ)의 '-

었으리-'는 과거의 추측을 나타낸다. 여기서의 '-었-'은 '-겠-' 앞에 오는 '-었-'과 같이 확실히 과거를 나타낸다.

2.2.1.7. 과거추정회상시상: -었겠더-

이 복합형태소는 현대문에서 잘 나타나지 않으나 글쓴이의 직관에 따르면 가능할 것 같아 여기에서 다루기로 한다.[18)]

(1) ㄱ. 그이는 옛날에는 잘 살았겠더라.
　　ㄴ. 말을 들으니 그는 머리가 좋았겠더라.
　　ㄷ. 그는 미국에서는 잘 지냈겠더라.

이것은 과거의 일을 추측하여 회상할 때에 쓰인다. 그러면서 연결법에서는 상당히 제약되어 쓰인다.

(2) ㄱ. 그는 돈도 있었겠더니만 깨끗하게 일을 처리하지 못하더라.
　　ㄴ. 그는 실력도 있었겠던데 그만 그 시험에 실패했었다.

(2ㄱ~ㄴ) 정도인데 그 이외는 쓰이지 아니한다.

---

18) 허웅 교수의 『20세기 우리말의 형태론』에는 그 예가 없다.

2.2.2. 진행시상

2.2.2.1. 현재진행시상: '-고+있-'

예문을 들기로 한다.

(1) ㄱ. 어떤 사람은 무덤 앞에서 기도를 <u>하고 있고</u> 어떤 사람은 절을 <u>하고</u>
  <u>있다</u>.
 ㄴ. 온 가족이 흰 옷을 <u>입고 있다</u>.
 ㄷ. 나비야 나비야 하며 <u>불러대고 있다</u>.
 ㄹ. 손에 뭔가를 <u>들고 있다</u>.
 ㅁ. 동생의 손을 잡고 앞으로 나아가실 때도 색안경을 <u>끼고 계셨다</u>.
 ㅂ. 사람들 앞에서 어머니에 대한 그리움을 색안경으로 <u>감추고 계셨음</u>
  을…
 ㅅ. 나비도 이곳에서 날개를 <u>흔들고 있을거예요</u>.
 ㅇ. 갈매기들은 날개를 보란 듯이 활짝 펴고 하늘을 거침없이 <u>날고</u>
  <u>있다</u>.
 ㅈ. 셀 수 없이 많은 갈매기 때들이 경포대 앞바다 위를 <u>수놓고 있다</u>.
 ㅊ. 어느새 날이 <u>저물고 있다</u>.
 ㅋ. 도시와 농촌의 교류를 위해 지역별로 마을을 지정하여 농촌 체험의
  기회를 만들어 <u>주고 있다</u>.
 ㅌ. 느티나무가 서늘한 그늘을 <u>펼치고 있다</u>.

(1ㄱ)은 행동의 진행을 나타내고, (1ㄴ)은 옷을 입고 있는 상태를,
(1ㄷ)은 행위의 진행을, (1ㄹ~ㅂ)도 상태를, (1ㅅ~ㅊ)은 행위나 상태

의 진행을 나타내고 있다. (1ㅋ)은 어떤 단체 간의 일을 제도화하고 있음을 나타낸다. (1ㅌ)은 그늘을 만들고 있는 상태를 나타내고 있다. 이로써 요약하면 현재진행시상은 하고 있는 어떤 모습과, 행위의 진행을 나타낼 때 쓰임을 알 수 있다.

2.2.2.2. 과거진행시상: '-고+있었-'

이 때매김은 통계상 그리 많이 나타나지는 않으나 실제 말살이에서 쓰이므로 여기에서 다루기로 한 것이다.

(1) ㄱ. 오베르에는 가셰라는 신경질환 전문의가 살고 <u>있었다.</u>
ㄴ. 체크 무늬 셔츠에 청바지가 잘 어울리는 농부가 집 앞을 쓸고 <u>있었다.</u>

(1ㄱ)의 '살고 있었다'는 과거에서부터 거주하는 상태가 말할이가 본 그때까지 지속되고 있었음을 나타내고 있다. 즉 과거부터의 지속상태를 말한 것이다. (1ㄴ)의 '쓸고 있었다'는 말할이가 과거에 보니까 그 면전에서 '집 앞을 쓸고 있었음'을 나타내고 있다. 그러므로 이것은 과거진행시상으로 볼 수 있다. 이와 같이 과거진행시상은 과거까지의 동작 상태가 지속되고 있음을 나타냄과 아울러 과거에 동작의 진행을 나타내는 때매김임을 알 수 있다.

2.2.2.3. 현재진행회상시상: '-고+있더-'

이 때매김도 통계상에 잘 나타나지 않으나 글쓴이의 직관에 따라 보기를 들기로 하겠다.

(1) ㄱ. 그는 잘 <u>살고 있더라</u>.

　ㄴ. 내가 가서 보니까, 그는 <u>공부하고 있더라</u>.

　ㄷ. 철수는 고시 준비를 <u>하고 있더라</u>.

　ㄹ. 철이는 막 밥을 <u>먹고 있더라</u>.

　(1ㄱ)의 '잘 살고 있더라'는 잘 생활하는 상태가 과거부터 지속되고 있음을 보고 돌이켜 말하고 있음을 알겠고 (1ㄴ)은 말할이가 가서 보니까, '공부하는 행위를 과거부터 하고 있음을 면전에서 바로 보고' 돌이켜 말한 것으로 보인다. (1ㄷ)은 '철수가 전부터 내가 가 본 그때까지 고시 준비를 지속적으로 하고 있음을' 나타내고 있으며 (1ㄹ)은 (1ㄴ)과 같이 보면 될 것이다. 즉 말할이가 가서 보니까, '철이가 그때 바로 밥을 먹는 행위를 진행하고 있음을 보고' 그때 상황을 돌이켜 말하고 있는 것이다. 위에서 본 바와 같이 현재진행회상시상은 과거부터 어떤 행위(동작)를 지속하고 있음과 과거에 어떤 행위를 진행하고 있음을 보고 돌이켜 말하는 때매김임을 알 수 있겠다.

2.2.2.4. 과거진행회상시상: '-고+있었더-'

　이 때매김도 통계상에 잘 나타나지 않으나 글쓴이의 직관에 따라 예를 들고 설명하기로 하겠다. 잘 쓰일 것 같지 아니하다.

(1) ㄱ. 그는 그때까지 <u>놀고 있었더라</u>.

　ㄴ. 영희는 내가 가 보니까, 매일 테니스만 <u>치고 있었더라</u>.

(1ㄱ)은 과거에 겪어 보니까 놀고 있는 상태가 그 과거부터 말할 이가 볼 때까지 계속되고 있음을 돌이켜 말한 것이며 (1ㄴ)은 과거에 보니까, 영희는 테니스를 치는 행위를 그 전부터 계속 하고 있었음을 돌이켜 말하고 있음을 알 수 있다.

2.2.2.5. 과거진행추정시상: '-고+있었겠-'

이 때매김도 통계에는 잘 나타나지 않으나 글쓴이의 직관에 의하여 가능할 것 같기에 여기서 다루기로 한다.

(1) ㄱ. 그는 여러 가지 면으로 보아 잘 <u>살고 있었겠</u>다.
    ㄴ. 그는 할머니하고 <u>살고 있었겠</u>다.
    ㄷ. 그는 산속에서 혼자 <u>살고 있었겠</u>다.

(1ㄱ~ㄷ)에서 보면 '-겠-'이 주로 추측을 나타내고 있음은 하나의 규칙처럼 보아진다. 그래서 이 '-겠-'을 미래시제 형태소로 보기 어려운 일면이 있다. 이와 같은 사실은 '-겠-'의 이중적인 구실로 보아야 할 것이다.

2.2.2.6. 과거진행추정회상시상: '-고+있었겠더-'

이 때매김도 통계에는 나타나지 않았다. 그러나 직관에 따라 쓰일 수 있기 때문에 여기에 다루기로 한 것이다.

(1) ㄱ. 그는 미국에서 잘 <u>살고 있었겠더</u>라.

ㄴ. 이야기를 들으니 미국에서 잘 <u>지내고 있었겠더라</u>.

(1ㄱ~ㄴ)에서도 '-겠-'은 추측을 나타낸다. 사실 (1)의 문장은 일반적으로 '잘 지냈겠더라'로 말함이 일반적이어서 통계에는 잘 나타나지 않았나 생각된다. '-겠-'이 추측을 나타내는 경우는 '-었-' 뒤에 올 때에 한정된다.

3. 매김법의 때매김 형태소

3.1. 시제

3.1.1. 과거관형시제: -은/ㄴ-

예문부터 보기로 한다.

(1) ㄱ. 정 전총장이 불출마 결심을 굳힌 것은 지난 주라고 한다.

　　ㄴ. 할머니의 손은 벌겋게 얼은 것 같고 터져서 피가 나는 것도 같았다.

　　ㄷ. 영미식의 시장 주도형 경제 개혁과 "작은 정부"를 주장해 온 사르코지의 당선으로 프랑스는 큰 변화와 개혁이 예상된다. 사르코지는 또 현재의 자크시라크 대통령과 같은 정당 출신이지만 이번 승리를 통해 우파 내에서 과도한 부채, 높은 실업률 등으로 점철된 시라크 유산과 단절하는 정치권의 세대교체도 이뤘다. ⋯ 그는 승리가 확정된 6일 밤 8시 30분 당선 연설에서 "우리의 친구 미국 그들이 필요로 할 때 언제든 곁에 있겠다"며 미국과의 우호 협력을

강조했다.

ㄹ. 열무 삼십단을 이고 시장에 간 우리 엄마 안 오시네. 독자들이 보낸
애틋한 사연들.

ㅁ. 어쨌든, 전학 온 첫날 내게 다가와 어려운 이야기를 해 준 쪼우라는
친구가 생긴 것은 좋은 일인 것 같다.

ㅂ. 부인이 국민총력 조선연맹 총재 ○○○을 찾아 간 것이었다. …
그를 태산 같이 믿고 조선어학회 사업을 계속한 것이다.

ㅅ. 보리 수확을 앞둔 수확물을 소위 공출로 수탈당한 농민들의 생활상
은 거의 기아 상태였다.

ㅇ. 봄이 되면 산야에 돋아난 파릇파릇한 쑥, 싱그로이 솟아난 새소나
무 가지 쌀겨도 아닌 상태 보리등겨로 만든 개떡과 막걸리 양조장
의 술찌거기 등… 일반 서민들의 소중한 식량의 일부였으니 오늘
날 빈곤의 대상인 아프리카인의 기아상을 방불케 했다.

ㅈ. 그로 인해 생활의 기반을 잃은 많은 농민들은 남부여대하여 조상전
래의 정든 고향을 등지고 황량한 동토미지의 만주 벌판으로 살길
을 찾아 떠나야만 했다.

ㅊ. 학병과 지원병 제도는 다량으로 소모된 병력의 충원인 동시에 한민
족의 민족정신의 말살이었다.

이 '-은/-ㄴ'은 동사에 쓰여 과거관형시제를 나타내나 다음 3.1.2
에서 보면 현재를 나타내는 일이 있으니 참고하기 바란다.

3.1.2. 현재관형시제: -는-

'-는-'은 동작성의 형태소이므로 동사와 '있다/없다'에 쓰이어 현

재, 지속 또는 현재진행 등등을 나타낸다.

(1) ㄱ. 가장 명당이란 곳을 선정하여 그 주신을 모신 신사를 건립하여…

ㄴ. 학생들로 하여금 아침 기상 후 청정한 몸과 마음으로 일황이 거주하는 황궁을 향해 경배토록 하는 황거 요배를 강요하였다.

ㄷ. 그들의 한 많은 삶의 탄성이 오늘날에도 이국만리 사하린 섬에서 망향의 눈물 속에서 메아리 치고 있는 듯하다.

ㄹ. 이와 같이 계획적으로 수탈한 옥토는 일본 국민들의 꿈과 젖이 흐르는(넘쳐흐르는) 선망의 식민지요, 신천지였다.

ㅁ. 우리 민족은 미구에 2000년 동안 국가 없는 실향민으로 세계 곳곳을 유랑하여 온갖 수모 집단살육을 당한 이스라엘 민족의 처절한 다이아스포라와 같은 운명에 놓이게 되었으니 …

ㅂ. 한민족의 민족정신의 말살과 지적자원을 사전에 삼제하려는 원대한 계획이기도 했다.

ㅅ. 누구든 물꼬를 트는 말을 해야 한다면서 대기업을 두둔하는 것 아니냐는 말이 나올 수 있겠지만 어쩔 수 없다고 하였다.

ㅇ. 8.15 해방, 1945년 8월 15일 정오에 일왕 히로히토는 떨리는 목소리로 라디오 방송을 하였다.

ㅈ. 산업의 미발달로 공직에 종사하는 소수를 제외한 대다수 일반 시민들은 취업이란 거의 불가능한 봉건주의 영세 소작민이었다.

ㅊ. 오늘날 개나 돼지도 먹지 않는 그런 것들이 일반 서민들의 소중한 식량의 일부였으니…

ㅋ. 일본말로 대화를 했다는 황당한 일화도 있을 정도로 우리말 말살정책이 철저했었다.

ㅌ. 한민족을 일본 민족화하려는 황민화 정책과 일본 천황이 한민족을

일본 민족과 평등하게 보아 사랑한다는 소위 일시동인 정책을 강
행했으니 살펴보자.

ㅁ. 일본 왕실의 뿌리가 백제와의 깊은 혈연관계에 있었다는 것을 현
아끼히도 일왕도 공식으로 시인한 바 있었다.

ㅎ. 어쨌든 쪼우라는 친구가 생긴 것은 좋은 일인 것 같았다.

ㄱ'. 그는 나에게 간다라는 말을 하고 떠나갔다.

ㄴ'. 5개월 동안 탈진이 계속되는 기간 중 그는 생의 반려를 만났다.

ㄷ'. "서울 컨트리클럽에서 뼈가 굵은 제가 갑자기 간다는 말을 못 하
겠습니다"라고 했다.

ㄹ'. 안양으로 옮기면 국내 최고 대우를 해 주겠다는 약속도 덧붙였다.

ㅁ'. 사람을 해치며 도적질 하는 손, 불의한 뇌물을 받는 손, 도박에서
손을 떼지 못해 하루아침에 패가망신 하게 하는 손도 있다.

ㅂ'. 주위가 지저분하면 마음마저 혼란스럽다는 말은 정말로 옳은 말인
듯했다.

ㅅ'. 또 해외대회 참가 땐 출장비를 별도로 지급하는 파격적인 혜택을
줬다.

ㅇ'. 정치를 할 듯, 말 듯하는 것이 국민의 눈엔 전략적으로 계산하는
사람처럼 보인다. … 아니면 빨리 그만 두는 게 낫다고 충고했다고
한다.

ㅈ'. 이 길은 내가 매일 오고 가는 길이다.

ㅊ'. 나는 둘 다 없는 것 같다.

ㅋ'. "내가 늘 사회 참여를 통해 세상을 바꾸는 것이 학자의 소임이라
고 가르쳤는데, 왜 망설이느냐"고 야단을 치시더라.

(1ㄱ)의 '명당이란'은 '명당이라고 하는'이 줄어서 된 것인데, 이

와 같이 말을 하는 것이 오늘의 언어습관인 것 같다. (1ㅂ)의 '삼제하려는'도 '삼제하려고 하는'이 줄어든 것이며 (1ㅅ)의 '두둔하는 것 아니냐는'도 '두둔하는 것이 아니냐고 하는'이 줄어서 된 것인데 이렇게 말을 다 고쳐 보니까 조금 이상한 느낌마저 든다. (1ㅋ)의 '대화를 했다는'도 '대화를 했다고 하는'이 준 것이며 (1ㅌ)의 '만족하려는'은 '만족하려고 하는'이 준 것이요, 또 같은 항의 '사랑한다는'도 '사랑한다고 하는'이 줄어서 된 것이며, (1ㅍ)의 '있었다는' 역시 '있었다고 하는'이 준 것이다. 그리고 (1ㅎ)의 '쪼우라는'은 '쪼우라고 하는'이 준 것이며 (1ㄱ′)의 '간다라는'은 '간다라고 하는'이 준 것이다. 또 (1ㄷ′)의 '간다는'은 '간다고 하는'이 준 것이며 (1ㄹ′)의 '주겠다는'은 '주겠다고 하는'이 줄어든 것이요, (1ㅂ′)의 '혼란스럽다는'은 '혼란스럽다고 하는'이 준 것이다.

지금까지 보아 왔지마는 말을 줄여서 '이다'나 '형용사'에 '-는'을 붙여 쓰는 것이 하나의 습관이 되어 굳어지면 어미는 '-다는'으로 아주 굳어 버리게 될 가능성도 없지 않다.

(1ㄴ)의 '거주하는'의 '-는'은 '지속'을, '하는'의 '-는'은 '명령' 또는 '지속'으로 보아진다. (1ㄷ)의 '있는'의 '-는'은 '지속'을, (1ㄹ)의 '흐르는'의 '-는'은 '상태' 또는 '동작의 연속'을, (1ㅁ)의 '없는'의 '-는'은 '상태'를, (1ㅅ)의 '-는'은 '수식' 또는 '시작'을, 각각 나타내며 '두둔하는'의 '-는'은 다음 말 '것'을 꾸미고 있다. (1ㅇ)의 '떨리는'의 '-는'은 때매김보다는 다음 말을 꾸미는 구실을 하고 (1ㅈ)의 '종사하는'의 '-는'은 '지속'을, (1ㅊ)의 '않는'의 '-는'은 다음 말을 꾸미는 구실을 한다. (1ㄴ′)의 '계속되는'의 '-는'은 '지속'을, (1ㅁ′)의 '도둑질 하는'의 '-는'과 '뇌물을 받는'의 '-는' 및 '패가망신하게 하는'의 '-는'은 모두 '버릇(악습)'을 나타내면서 다음 말들을 꾸미고 있

다. (1ㅅ′)의 '지급하는'의 '-는'은 다음 말을 꾸미고 있으며 (1ㅇ′)의 '듯하는'의 '-는'과 '계산하는'의 '-는' 및 '그만 두는'의 '-는'은 모두 다음 말을 꾸미고 있고 (1ㅈ′)의 '오고 가는'의 '-는'은 '관습' 또는 '반복'을 나타내면서 다음 말을 꾸미고 있다. (1ㅊ′)과 (1ㅋ′)의 '없는'의 '-는'과 '바꾸는'의 '-는'은 다음 말을 꾸미는 구실을 한다. 그런데, 형용사와 '이다'에는 '-는'이 쓰이지 아니하고 '은/ㄴ'이 쓰이는데 앞에서 예를 본 바와 같다.

결론적으로 말하면 '-는'은 다음 말을 꾸미되, 그 문맥에 의한 의미적 기능을 보면 현재의 진행, 지속, 관습, 단순한 수식기능, 상태, 동작의 연속(지속과 같기는 하나 '물이 흐르는'과 같은 경우는 좀 다르다), 악습, 반복 등 다양하게 나타난다.

3.1.3. 미래관형시제: 을/ㄹ

'-을/-ㄹ'은 미래시제를 나타내기도 하고 단순히 다음 말을 꾸미는 구실을 하는데 더 자세한 구실을 알기 위하여 예문부터 보기로 하자.

(1) ㄱ. 이럴수록 우리는 우리 갈 길을 정시해야 한다.

　　ㄴ. 내가 세운 이 세 가지의 '프란니다아나'는 어제도 오늘도 그리고 또 내일도 그대로 계속할 것이다.

　　ㄷ. 가장 소중한 위치에 속하는 지대라 아니할 수 없다.

　　ㄹ. 골목 어느 모퉁이로 가든지 제 문화의 본간을 어루만져 볼 길이 없고…

　　ㅁ. 그날이 오면 삼각산이 일어나 더덩실 춤이라도 추고 한강물이 뒤집

혀 용솟음칠 그날이 … 라고 읊었던 바로 그날이 온 것이다.

ㅂ. 일본말로 대화를 했다는 황당한 일화도 있을 정도로 우리말 말살정책이 철저했었다.

ㅅ. "성을 갈면 개자식이다"라는 속담이 있을 정도로 가문의 상징인 성씨를 중시하는 우리 전통으로서는 …

ㅇ. 정든 고향을 등지고 황량한 동토미지의 만주 벌판으로 살 길을 찾아 떠나야만 했다.

ㅈ. 그는 당선 연설에서 "우리의 친구 미국, 그들이 필요로 할 때 언제든지 곁에 있겠다" 하였다.

ㅊ. 참으로 천벌을 받아 마땅한 천인공노할 만행이 아니었던가?

ㅋ. "가망이 없을 것 같아서 고려할 가치도 없다 싶으면 그냥 당을 나가면 될 일"이라고 하였다.

ㅌ. 대기업을 두둔하는 것 아니냐는 말이 나올 수 있지만 어쩔 수 없다고 말했다. … 산업자본은 은행지분을 10%까지 소유할 수 있고 의결권은 4%까지만 행사할 수 있다.

ㅍ. 오랜만에 우리의 부끄러움을 씻어버리고 목마름을 풀어 줄 국어학 이론서가 나왔다.

ㅎ. 남한산성이 또 한번 우리의 현실이 될 수 있잖겠는가?

ㄱ'. 하늘을 날아갈 듯 기뻤다.

ㄴ'. 이제 머지않아 엄마의 창은 주체할 수 없는 꽃무리가 빼곡히 들어찰 거다.

ㄷ'. 돌아올 때 아주머니들이 흙 냄새가 밴 감자 한 봉지씩을 선물로 내 놓는다.

ㄹ'. 겉장에 실릴 회우 명단을 꼼꼼히 살피시던 주간께서 자꾸 고개를 갸우뚱거리신다.

ㅁ'. 이름이 누락된 회우들이 있을 리 없는데 작년과 다르게 빈 공간이 생긴다는 것이다.

ㅂ'. 불화한 세상과 부딪치는 통증에 시달릴 때면 생이란 장소는 너무도 지긋지긋해…

ㅅ'. 이제는 육신 하나 제대로 가꾸며 살아 볼 그런 때가 되었다. … "내가 다 알아서 할 터이니 손댈 일이 없을 것"이라고 한 마디로 맞설 수 있지만…

ㅇ'. 고향을 떠나기 전에는 명절과 제사에 찾아갈 때마다 이 기차를 타곤 했다.

ㅈ'. 힘든 생활을 하고 있을 동생을 생각하면 억누를 수 없는 공포감이 돌기도 했다.

ㅊ'. 이때 윤 전 의원은 시간을 끌면서 정치를 할 듯 말 듯 하는 것이 국민의 눈엔 전략적으로 계산하는 사람처럼 보인다.

ㅋ'. 정 전 총장은 지난 달 27일 기자와 만나서도 "정치 참여를 할 경우 선언은 천천히 할 생각이지만 정치를 안 할 거면 가급적 빨리 의사를 밝히려 한다고 말해 불출마 가능성을 내비쳤다.

ㅌ'. 준비가 안 돼 있어서 안 될 것 같습니다라고 말했다.

이제 위의 예들에서 '-을/-ㄹ'의 통어적 의미기능을 분석하기로 하겠다.

(1ㄱ)의 '갈'의 '-ㄹ'은 어근이 받침이 없을 때 쓰이는데, '가다'의 '가-'에 쓰여서 '미래'를 나타내면서 '길'을 꾸미고 있고 (1ㄴ)의 '계속할'의 '-ㄹ'도 위와 같으며 (1ㄷ)의 '아니할'의 '-ㄹ'은 단지 수식의 구실을 하고 있다. (1ㄹ)의 '볼'의 '-ㄹ'도 (1ㄷ)의 구실과 같으며 (1ㅁ)의 '용솟음칠'의 '-ㄹ'은 미래를 나타내면서 다음 말을 꾸미고 있

고 (1ㅂ, ㅅ)의 '있을'의 '-을'은 어근에 받침이 있으므로 쓰였는데 구실은 다음 말 '정도'를 꾸미고 있다. (1ㅇ)의 '살'의 '-ㄹ'은 미래를 나타내고 (1ㅈ)의 '할'의 '-ㄹ'은 미래를 나타내며 (1ㅊ)의 '천인공노할'의 '-ㄹ'은 꾸밈의 구실을 하고 있다. (1ㅋ)의 '없을'의 '-을'과 '노력할'의 '-ㄹ' 및 '될'의 '-ㄹ'은 모두 미래를 나타내는 것으로 보아진다. (1ㅌ)의 '나올'의 '-ㄹ'은 미래를 나타내고 '어쩔'의 '-ㄹ'은 꾸밈을 나타내며 '행사할'의 '-ㄹ'은 미래를 나타낸다. (1ㅍ)의 '풀어줄'의 '-ㄹ'은 미래를 나타내고 (1ㅎ)의 '될'의 '-ㄹ' 또한 미래를 나타내며 (1ㄱ′)의 '날아갈'의 '-ㄹ'도 미래를 나타낸다. (1ㄴ′)의 '주체할'의 '-ㄹ'과 '찰'의 '-ㄹ'은 모두 미래를 나타낸다. 그리고 (1ㄷ′)의 '돌아올'의 '-ㄹ'은 꾸밈의 구실을 하고 (1ㄹ′)의 '실릴'의 '-ㄹ'은 미래를 나타내며, (1ㅁ′)의 '있을'의 '-ㄹ'은 꾸밈의 구실을 나타낸다. (1ㅂ′)의 '시달릴'의 '-ㄹ'은 꾸밈을, (1ㅅ′)의 '볼'의 '-ㄹ'과 '할'의 '-ㄹ', '손댈'의 '-ㄹ' 및 '없을'의 '-을'은 모두 미래를 나타낸다. (1ㅇ′)의 '찾아갈'의 '-ㄹ'과 (1ㅈ′)의 '있을'의 '-을' 및 '억누를'의 '-ㄹ'은 모두 꾸밈의 구실을 한다. (1ㅊ′)의 '할 듯'의 '-ㄹ'은 추정의 꾸밈을, (1ㅋ′)의 '할'의 '-ㄹ'과 '할'의 '-ㄹ' 및 '할'의 '-ㄹ'은 모두 미래로 보아야 할 것 같으나 특히 '천천히 할'의 '-ㄹ'은 추정의 뜻이 더 두드러진다. (1ㅌ′)의 '될'의 '-ㄹ' 역시 미래로 보아진다.

　이상의 검토에 의하면 '-을/-ㄹ'은 미래, 추정, 꾸밈 등의 구실을 함을 알 수 있다.

3.2. 시상

3.2.1. 과거관형시상: -었을-

이에 대한 명칭은 통어상에서 하는 뜻 구실에 따라 '과거추정시상'이라 부르기로 한다. 왜냐하면 '-었-' 뒤에 '-을'이 오면 추정과 아울러 다음 말을 매기는 구실을 하기 때문이다.

(1) ㄱ. 홍수와 가뭄으로 식량난이 더 악화되었을 수는 있으나 근본적 원인은 사유재산권과 선택의 자유가 허용되지 않은 사회주의 계획 경제체제 때문이다.

　ㄴ. 유일한 대학인 경성제국대학 예과가 있었을 뿐이었다.

　ㄷ. 자식들이 사회인이 되었을 때 어머니는 소중하게 간직한 보자기를 꺼냈다.

　ㄹ. 신은 포악한 고양이과 동물들을 만들어 놓고 좀 험악하다 느꼈을 것이다. 그래서 그 포악한 동물들의 마스코트 같은 것을 만들어 고양이라고 이름 지었을 것이다.

　ㅁ. 내가 두고 왔을 때 어린 고양이었던 레오는 이제 어른 고양이가 되어 있다.

　ㅂ. 조선의 지도자인 그를 괄시할 수 없기 때문이었을 것이다.

　ㅅ. 운신도 못하는 노인네의 노욕쯤으로 보였을 수도 있으리라.

　ㅇ. 그런 옥수수가 하나 둘이 아니었을 게다.

　ㅈ. 다음날 일찍 갚아 버려야 마음이 편하지 만날 수 없어 못 들려주었을지라도 밥맛을 잃는다.

　ㅊ. 그대는 분명 들고 간 것이 있었을 것이오.

ㅋ. 젊었을 땐 보얀 피부에 손끝은 가느다랗게 뻗어 쭉 펴면 솔다가는
손을 보고 재주 있겠다고 칭찬 듣던 내 손이 아니던가?

(1ㄱ)의 '되었을'은 지나간 일에 대한 추측을 나타내면서 다음 '수'
를 꾸미고 있고 (1ㄴ, ㄷ, ㅁ, ㅈ, ㅋ)의 '-었을'은 모두 그 다음에
오는 말을 꾸미고 있으며 (1ㄹ, ㅂ, ㅅ, ㅇ, ㅊ)의 '-었을'은 지난 일에
대한 추측을 나타내는 것으로 보아진다. 따라서 '-었을'은 과거추측
과 과거관형의 구실을 함을 알 수 있다.

3.2.2. 미래관형시상: -겠는-

이 예문은 그리 많이 나타나지 않는다. 박지홍 교수는 '-겠-'은
미래를 '-는'은 그 본래의 뜻인 지속은 나타내지 않고 '매김'의 구실
을 하면서 '어느 때의 사실.'을 나타내게 된다[19]고 설명하고 있다.

(1) ㄱ. 서울에 가겠는 사람은 같이 가자.
    ㄴ. 그는 이것을 해 내겠는 걸.
    ㄷ. 내일이면 피겠는 꽃봉오리가 몇 개 있소? (박지홍 교수의 예문을
       그대로 인용함)

(1ㄱ)의 '가겠는'의 '-겠-'은 가능의 뜻을 나타내면서 '-는'은 다
음 말을 꾸미고 있으며 (1ㄴ)의 '내겠는'의 '-겠는'도 (1ㄱ)의 경우와
같이 이해된다. (1ㄷ)의 '피겠는'의 '-겠는'의 '-겠-'은 미래 또는 추

---

19) 박지홍(1986), 『고쳐 쓴 우리 현대어본』, 과학사, 160쪽 참조.

측을, '-는'은 '걸'을 꾸미고 있다. 이 매김때도 앞으로는 차차 없어
질 것 같다.

3.2.3. 회상관형시상: -던-

이 때매김은 많이 쓰이고 있는데, 과거에 경험한 것을 이제에 와
서 회상하면서 다음 말을 꾸미고 있다. 즉 '-던'은 과거의 경험을
나타내는 '-더'에 매김 구실을 하는 '-ㄴ'이 왔으므로 이 '-ㄴ'은 순
전히 매기는 구실을 한다.

(1) ㄱ. 조선어학회 회원이 검거되던 날에 국민총력 조선연맹 총재 ○○○
　　　씨를 자택으로 찾아 가서…

　　ㄴ. 이병철 회장과의 라운드가 거듭되던 어느 날…

　　ㄷ. 여느 때와 마찬가지로 회장댁에서 저녁 식사를 마친 뒤, 차를 마시
　　　던 이회장이 갑자기 "니 얘기 들어서 알고 있제?"라고 물었다.

　　ㄹ. 말로만 듣던 장충동 집을 두리번거리며 들어갔더니…

　　ㅁ. 아이이던 내가 어느덧 중년 아닌가?

　　ㅂ. 가난한 집 사정 때문에 부잣집 친구네에 가서 책을 보던 최기선
　　　씨는 친구 엄마로부터 "여기가 너희 안방이니"하는 타박을 들었다.

　　ㅅ. 엄마가 학교를 다니던 어린 시절에 비밀 이야기가 아니면 부모가
　　　이혼했다는 말을 친구 끼리 하지 않았다는데…

　　ㅇ. 그해 9월 5일에 사전편찬원으로 일하던 정태진이 함남 경찰서에
　　　붙들려 가게 되었다.

　　ㅈ. 홍원경찰서 형사가 전진역에서 박병엽과 말씨름이 생겨서 그의 집
　　　을 수색하던 중 박영희의 일기장에서 불온 문구를 발견…

ㅊ. 대학시절 도서관 정기간행물실에서 빠짐없이 〈한겨레 21〉을 챙겨
　　보던 열정이 군대까지 이어진 것이라고.

ㅋ. 적은 군인 월급에서 얼마씩 모아 주변 성당에 마련돼 있던 농성장
　　에 몰래가서 모금함에 넣고 돌아왔던 기억이 납니다.

ㅌ. 조선어학회 회원들의 일부가 경기도 경찰부에 수감되던 그날에 이
　　극로 박사와 나 이석린이…

ㅍ. 일면식도 없던 두 사람이 2시간 가량 만난 것은 정 전 총장의 요청
　　때문이었다.

(1ㄱ, ㄷ, ㄹ, ㅈ, ㅌ, ㅍ)의 '-던'은 과거에 겪었던 일을 돌이키되
'-ㄴ'은 '-더'에 붙어 다음 말을 꾸미고 있는 데 반하여 (1ㄴ, ㅁ, ㅂ,
ㅅ, ㅇ, ㅊ, ㅋ)의 '-던'은 과거 어느 때에 지속적인 상태에 있거나,
어떤 일이 어느 때에서 어느 때까지 지속적인 상태에 있었음을 나
타내고 있다.20) 즉 (1ㄴ)은 지속(계속)을, (1ㅁ)은 어린 아이었던 긴
동안을, (1ㅂ)은 책을 읽던 동안을, (1ㅅ)은 학교를 다니던 동안을,
(1ㅇ)은 이전부터 9월 5일까지의 긴 동안을, (1ㅊ)은 대학시절 일하
던 동안의 상태, 형편에 있었음을 각각 나타내고 있다.

3.2.4. 과거회상관형시상: -었던-

'-었던'의 짜임새는 '었(과거)+더(과거경험)+ㄴ(매김)'으로 되어 있
어서 전체적으로는 과거에 경험한 것을 돌이켜서 다음 말을 꾸미는
구실을 하는 때매김이다. 이상하게도 이는 통계상에 많이 나타난다.

---

20) 위의 책, 161쪽에서 인용함.

(1) ㄱ. 눈이 예전의 오빠의 눈이 아니었던 것이다.

ㄴ. 결코 작지 않았던 내 눈이 아니었던가?

ㄷ. 고등어나 게, 작살에 걸려 있는 물고기가 풍부했던 것이다.

ㄹ. 승리자였던 그의 눈물은 어떠한 것이었나 생각해 보게끔 한다.

ㅁ. 일방적으로 추진했던 정부 인사들로 보면 틀리지 않을 것이라고 했다.

ㅂ. 희암정혜도 처음 충허장로를 따라 이곳으로 찾아온 것이 인연이었던 것이다.

ㅅ. 그는 평생을 학대 받고 지났던지도 모를 것이오.

ㅇ. 국어국문학에 관한 배움과 연구와 교육에 전적으로 무관심했던 시대는 아니었다.

ㅈ. 우리말 문화의 풍토가 척박해졌던 만큼 회복의 의욕은 더욱 뜨겁게 그들의 가슴을 불태웠다.

ㅊ. 엄마의 봄바람을 부채질해 드리고 싶었던 거다.

ㅋ. 평평했던 바닥은 움푹 파이고 칼밥이 떨어져 나간 흔적들로 까칠하다.

ㅌ. 좋기만 했던 할머니였지만 가족의 식량에 톡톡한 몫을 하는 옥수수였는데…

ㅍ. 하찮고 하찮은 풀이었지만 내 집을 찾는 이들에게 큰 자랑거리가 되었던 그 한해살이풀을 보는 요즈음…

ㅎ. 불굴의 의지를 지녔던 사나이 링컨.

ㄱ'. 개구쟁이 시절 눈감고 달릴 수도 있었던 골목길마저 잡초가 다 막아 버리다니…

ㄴ'. 시간 약속을 했던 나무배가 오지 않아 핸드폰으로 약속한 후…

ㄷ'. 그는 극중의 사건 전개에 몰입해 있었던지 내 말에 한 대 얻어맞은 듯 한참 동안 기억을 더듬고는 대꾸했다.

ㄹ′. 내가 두고 왔을 때, 어린 고양이었던 레오는 이제 어른 고양이가 되어 있었다.

ㅁ′. 반일 감정이 컸던 박씨는 퉁명스럽게 대답했다가…

ㅂ′. 독립형서의 주동적 인물이었던 그가 변절하여 친일 거두가 된 사람이니 그를 좋아하지 않는다.

ㅅ′. 이것마저 주지 않는 사람도 많았던 시절이었다.

ㅇ′. 한가지 특이했던 점은 자녀들이 함께 식사를 하지 않고 아버지의 식사 시중을 드는 것이었다.

ㅈ′. 어머니 산소에도 가고 어머니와 함께 생활했던 마을에도 갔었다.

ㅊ′. 가난 속에서도 자식을 위해 조건 없이 희생했던 그분들의 사랑이 가슴을 적신다.

ㅋ′. 혹은 무리를 지어 깊은 산속으로 잠적하거나 독립군에 합류하여 와신상담의 심정으로 조국 해방의 그날을 초조하게 기다리고 있었던 것이다.

ㅌ′. 내던졌던 맞춤책을 꺼내어 연구하였으며… 일본 이름으로 소위 창씨개명 되었던 굴욕적 성과 이름을 뒤바꾸어…

(1ㄱ, ㄷ, ㅂ, ㅊ, ㅋ′)은 '-었던 것이다'로 되어 있으나 이것은 '-었다/-였다'로 하면 될 것을 오늘날 이런 식으로 많이 쓰이고 있는데 어법적으로 풀이하기가 다소 어려워 보인다. 그 이외의 '-었던'은 과거의 상태, 상황, 형편 등을 겪고 그것을 회상하여 '-ㄴ'을 더함으로써 다음 말을 꾸미고 있다.

3.2.5. 과거회상관형시상: -었었던-

이 관형시상의 짜임새는 '었었(과거완료)+더(과거의 회상)+ㄴ(과거)'으로 되어 있기 때문에 그 구실은 과거보다 더 과거에 겪었던 일을 돌이켜 말하여 매기고 있다. 그런데 작가들의 글에서 통계를 내어 보니 이 때매김은 잘 나타나지 않았다.

(1) ㄱ. 그가 <u>갔었던</u> 곳은 경남 남해였다.

이 예는 이것밖에 나타나지 않았는데 허웅 교수의 『20세기 우리 말의 형태론』의 1224쪽에서 보면 "'-었었던'의 쓰임은 그리 흔하지 않다"고 하고 다음 세 가지 예를 들었다.

(2) ㄱ. 그 시인에 대하여 나에게 문의<u>했었던</u> 바로 그 사람이군.
　　ㄴ. 그 때 그 곳으로 <u>갔었던</u> 일이 기억에 새롭다.
　　ㄷ. 거기는 옛날에는 내가 한번 찾아 <u>갔었던</u> 곳일세.

(1ㄱ)의 '갔었던'의 때는 글쓴이가 지나간 일을 글을 쓸 때 나타낸 것인데, '남해였다'보다 '간 일이' 먼저 일어난 일이므로 '갔었던'으로 표현한 것이다.

3.2.6. 추정회상관형시상: -겠던-

3.2.6.1. -겠던-

이 관형시상은 평소 입말에서는 가끔 쓰일 수 있으나 글로는 잘 나타나지 않는다.

(1) ㄱ. 그는 말을 들으니 잘 살고 있<u>겠던</u> 걸.

위의 '-겠던'은 그 앞에 온 '말을 들으니'에 대한 자기의 판단을 추측하여 말한 것이다.

3.2.6.2. -겠다던-

이것은 '-겠다고 하던'이 줄어서 쓰인 것인데, 작가의 글에서 하나 나타났기 때문에 여기에 예시하겠다. 이것이 준 형태이기는 하나 자주 쓰이다 보면 하나의 때매김 형태로 굳어질 수도 있을 것이다.

(1) ㄱ. 마지막 걸어 보<u>겠다던</u> 죽음 앞에서의 모습이 너무도 평온했었다.

3.3. 진행시상

3.3.1. 현재진행관형시상: '-고+있는-'

예부터 보기로 하자.

(1) ㄱ. 하루가 다르게 <u>변해가고 있는</u> 세상이 두려울 뿐이다.

ㄴ. 바다 위를 힘차게 <u>날고 있는</u> 갈매기들의 모습이 어느 때보다 활기

차 보인다.

ㄷ. 넓은 바다 위를 <u>날고 있는</u> 갈매기들만 보려고 해도 자꾸 비둘기들

이 내 눈앞에서 알짱거린다.

ㄹ. 가정에 매여 <u>살고 있는</u> 내가 답답하게 느껴졌다.

이 관형시상의 예도 그리 많이 나타나지는 않았으나 입말에서는
많이 쓰인다.

3.3.2. 현재진행추정관형시상: '-고+있을-'

(1) ㄱ. 나비들도 이곳에서 날개를 흔들<u>고 있을</u> 거예요.

ㄴ. 나는 미국에서 <u>살고 있을</u> 그를 찾아 가려고 한다.

이 예도 많이 나타나지 않고 이것만이 나타났는데 입말에서는 더
러 쓰일 것으로 생각된다.

3.3.3. 현재진행회상관형시상: '-고+있던-'

(1) ㄱ. 그는 <u>살고 있던</u> 고향을 떠나 미국으로 갔다.

ㄴ. 그는 <u>놀고 있던</u> 아들을 저 회사에 취직시켰다.

진행시상은 위의 3.3.1에서와 같이 과거부터 현재까지 어떤 행위
가 계속되고 있거나 현재 눈앞에서 일어나고 있는 행동을 나타내는

데 쓰기도 하고 위의 3.3.2에서와 같이 과거부터 현재까지 어떤 행위를 계속하고 있을 것을 짐작하여 나타낼 때 쓰기도 하는데, 여기 3.3.3에서는 과거 어느 때부터 어느 때까지 지속되고 있던 행위를 나타내기도 한다. 3.3.3의 (1ㄱ)의 '살고 있던'은 '오랜 과거부터 고향을 떠나기 전까지의 기간 동안에 계속 되고 있었던 행위'를 나타내면서 다음 말을 꾸미고 있고 3.3.3의 (1ㄴ)의 '놀고 있던'은 '취직하기 직전까지 학교를 졸업하고 취업을 하지 못하여 놀고 지내던' 행위를 말하고 있다.

3.3.4. 과거진행회상관형시상: '-고+있었던-'

이 관형시상도 아주 잘 나타나지 않으나 글쓴이의 직관에 의하여 다음 몇 예를 보이기로 들겠다.

(1) ㄱ. 그는 <u>놀고 있었던</u> 당시 그 일을 저질렀다.
 ㄴ. 그것은 까맣게 <u>잊고 있었던</u> 일이다.
 ㄷ. 내가 <u>믿고 있었던</u> 그가 나를 배반했다.

이 관형시상은 과거 어느 때까지 지속되어 왔던 행위를 말할 그 때에 돌이켜 매기면서 나타내고 있다.

제**5**장

맺음말

지금까지 다루어 왔던 우리말의 때매김은 그 문맥적 의미를 바탕으로 보면 시제적인 면도 있고 시상적인 면도 있는데 대체적으로 시상적인 면이 많다. 그러나 시상으로 다룰 수 없는 부분에 대해서는 글쓴이는 시제로 보고 다루기도 하였다. 어떤 이는 우리말에는 때매김이 없다고 하고 있으나 우리 언중에게 물어 보면 시간적 표현이 있다고 말하고 있다. 글쓴이는 통계에 의하여 일반이 쓰고 있는 때매김을 중심으로 다루어 왔다. 그러므로『우리말본』을 중심으로 여러 문법책에서 다루어 왔던 체계는 물론 때매김의 종류에도 상당한 차이가 있음에 유념하기 바란다. 특히 '–더–'는 오늘날 점점 어미화하여 가는 경향에 있음을 알 수 있다.

(1) ㄱ. 그는 거기 있습디다.
　　ㄴ. 그는 거기서 일하던데.
　　ㄷ. 거기에는 아버지가 가시데.

ㄹ. 그는 잘 있데.

ㅁ. 철수는 키가 크디?

ㅂ. 자네가 거기 갔더면 큰일 날 뻔 했어.

ㅅ. 네가 거기에 갔더라면 좋았을 것을!

ㅇ. 네가 거기 갔던들 아무 해결도 보지 못하였을 것이다.

ㅈ. 어떻게나 우습던지 막 웃어 버렸다.

(1ㄱ~ㅈ)에서 보는 바대로 '-더-'는 어미로 변해가는 과정에 있는 것은 아닌가 싶은 생각이 든다.

끝으로 지금까지 다루어 온 내용은 보기에 따라서는 인정하기 어려운 점도 있을 것이다. 모두가 부족한 글쓴이의 탓이니 이해하여 주기 바란다. 앞으로 이에 대한 더 면밀한 연구가 있기를 기대하는 바 이다.

참고서적

김광해 외 4명, 2007, 『국어지식탐구』, 박이정.

김승곤, 2003, 『현대표준말본』, 한국문화사.

김차균, 1990, 『우리말 시제와 상의 연구』, 탑출판사.

나진석, 1971, 『우리말의 때매김연구』, 과학사.

남기심, 1998, 『국어문법의 시제문제에 관한 연구』, 탑출판사.

남기심, 2004, 『현대국어통사론』, 태학사.

박지홍, 1986, 『고쳐 쓴 우리 현대어본』, 과학사.

이희승, 1957, 『새 고등말본』, 일조각

이숭녕, 1962, 『고등국어문법』, 을유문화사.

정인승, 1956, 『표준고등말본』, 신구문화사.

주시경, 1905, 『국어문법』(역대한국문법대계, 제1부 제39집), 탑출판사.

주시경, 1910, 『국어문법』(주시경전집), 아세아문화사.

주시경, 1911, 『조선어문법』, 정음사.

최낙복, 2003, 『주시경문법의 연구(2)』, 역락.

최현배, 1983, 『우리말본』, 정음문화사.

허웅, 1995, 『20세기 우리말의 형태론』, 샘문화사.

Bernard Comrie, 1976, *Aspect*, Cambridge, Univ, Press.

Bernard Comrie, 1985, *Tense*, Cambridge, Univ, press.

Otto Jespersen, *Philosophy of Grammar*; 이한묵·이석무 공역, 1987, 『문법철학』, 한신문화사.